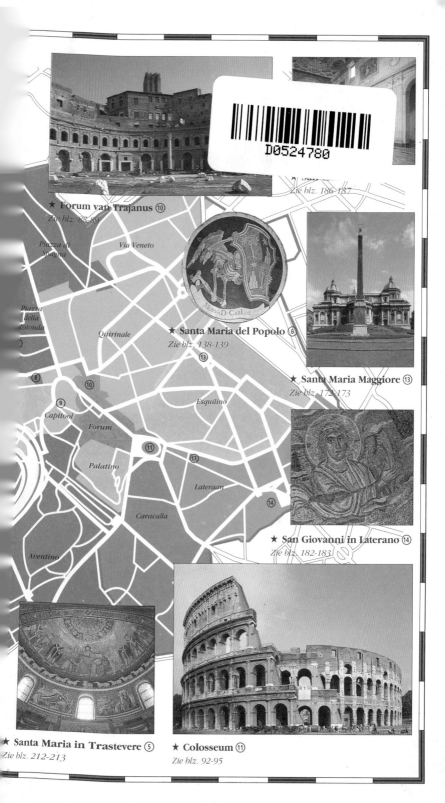

★ **Forum van Trajanus** ⑩
Zie blz. 88-89

Piazza di
Spagna

Via Veneto

ALMA D. CAELOS

Piazza
della
Rotonda

Quirinale

★ **Santa Maria del Popolo** ⑥
Zie blz. 138-139

⑧

⑩

⑨

Capitool

Forum

Esquilino

Palatino

⑪

⑫

Lateraan

Caracalla

⑭

Aventino

★ **Santa Maria Maggiore** ⑬
Zie blz. 172-173

★ **San Giovanni in Laterano** ⑭
Zie blz. 182-183

★ **Santa Maria in Trastevere** ⑤
Zie blz. 212-213

★ **Colosseum** ⑪
Zie blz. 92-95

Zie blz. 186-187

CAPITOOL 🏛 REISGIDSEN

ROME

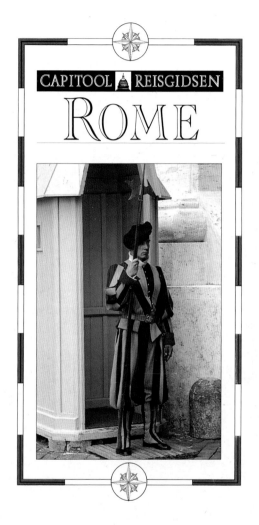

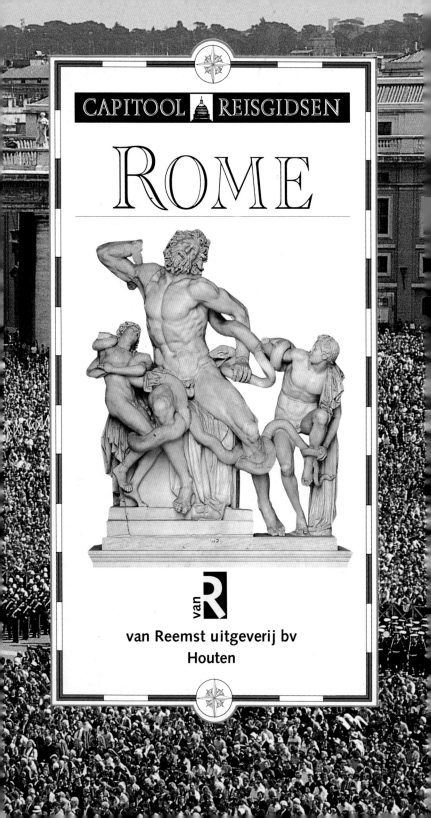

CAPITOOL ◆ REISGIDSEN

ROME

van **R**

van Reemst uitgeverij bv
Houten

[DK]

Oorspronkelijke titel: Eyewitness Travel Guides – Rome
© MCMXCIII Oorspronkelijke uitgave:
Dorling Kindersley Limited, Londen
© MCMXCIV Nederlandstalige uitgave:
Van Reemst Uitgeverij bv
Postbus 170
3990 DD Houten

2e herziene druk 1995

Auteurs: Olivia Ercoli, Ros Belford en Roberta Mitchell
Tekstverzorging: *de Redactie,* Amsterdam
Vertaling: Jaap van Klinken, Jacqueline Toscani
Eindredactie: Jaap Deinema

Cartografie: Dorling Kindersley Cartography
Zetwerk en opmaak: de Vonder PrePress Service, Eindhoven

Alles is in het werk gesteld om ervoor te zorgen dat de informatie in dit boek bij het ter perse gaan zo veel mogelijk is
bijgewerkt. Gegevens zoals telefoonnummers, openingstijden, prijzen, exposities en reisinformatie zijn echter aan
veranderingen onderhevig. De uitgever is niet aansprakelijk
voor consequenties die voortvloeien uit het gebruik van dit
boek.

ISBN 90 410 1803 4
CIP
NUGI 471
WD 1995/0034/303

INHOUD

Colosseum

INLEIDING OP ROME

Mozes door Michelangelo in
San Pietro in Vincoli

Fresco in Villa Farnesina

Tempietto

Boog van Titus

Mozaïek in Santa Prassede

Romeinse antipasto

Sint Pieter in het Vaticaan

HOE GEBRUIKT U DEZE GIDS

Deze reisgids zal u helpen uw verblijf in Rome met zo min mogelijk praktische problemen zo aangenaam mogelijk te maken. Het eerste deel, *Inleiding op Rome*, beschrijft de geografische ligging en plaatst het moderne Rome in zijn historische context. Ook leest u hoe het leven in Rome door het jaar heen verandert. *Rome in het kort* is een overzicht van de belangrijkste bezienswaardigheden van de stad. Gedetailleerde informatie vindt u in *Rome van buurt tot buurt*. Daar worden alle bezienswaardigheden via kaarten, foto's en gedetailleerde tekeningen beschreven. Zes wandelingen nemen u bovendien mee naar delen van Rome die u anders misschien zou missen. Zorgvuldig nagetrokken tips voor hotels, winkels en markten, restaurants en cafés, sport en vertier vindt u in *Tips voor de reiziger* en *Wegwijs in Rome* adviseert u over alles, van het posten van een brief tot het gebruik van de metro.

VAN BUURT TOT BUURT

De stad is verdeeld in 16 toeristische wijken. Elk deel opent met een korte beschrijving van het karakter en de geschiedenis van de wijk. Tevens treft u een lijst aan met alle bezienswaardigheden. Deze worden duidelijk gelokaliseerd via nummers op een *wijkkaart*. Hierna volgt een gedetailleerde *stratenkaart* die de belangrijkste delen van de wijk bespreekt. De bezienswaardigheden zijn genummerd, zodat u eenvoudig uw weg door de wijk vindt. In de daaropvolgende bladzijden worden de bezienswaardigheden in deze volgorde besproken.

Bezienswaardigheden in het kort is een lijst van bezienswaardigheden van de buurt per categorie: kerken en tempels, musea en galeries, historische straten en piazza's, historische gebouwen, bogen en poorten, zuilen, obelisken en standbeelden, fonteinen, plaatsen uit het oude Rome en parken en tuinen.

De buurt die de *stratenkaart* gedetailleerder laat zien, is rood gekleurd.

Omcirkelde nummertjes lokaliseren alle bezienswaardigheden van de lijst op de kaart van de buurt. Zo is Palazzo Doria Pamphili ❻.

1 Wijkkaart

Op de wijkkaart vindt u de genummerde en gelokaliseerde bezienswaardigheden. De kaart vermeldt ook de metrostations en parkeergelegenheid.

Foto's van gevels en details helpen u bezienswaardigheden te lokaliseren.

De kleurcode op elke bladzijde maakt dat u de buurt gemakkelijk vindt.

2 Stratenkaart

Deze kaart biedt een gedetailleerde blik op het hart van iedere bezienswaardige buurt. Om de lokalisatie van de belangrijkste gebouwen tijdens uw wandeling te vereenvoudigen, zijn deze gekleurd.

Een oriëntatiekaart toont uw positie ten opzichte van omliggende buurten. Het gebied van de *stratenkaart* is rood.

Palazzo Doria Pamphili ❻ wordt ook op deze kaart getoond.

De aanbevolen route voor een wandeling gaat door de interessantste straten van de buurt.

Rode sterren bij de bezienswaardigheden die u niet mag missen.

Reistips helpen u de buurt snel te bereiken.

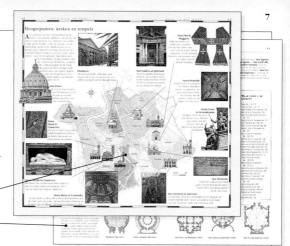

ROME IN HET KORT deelt de bezienswaardigheden in naar onderwerp: *kerken en tempels, musea en galeries, fonteinen en obelisken, beroemde bezoekers en bewoners*. De kaart toont de belangrijkste bezienswaardigheden; andere bezienswaardigheden volgen op de daaropvolgende twee bladzijden.

Elk stadsdeel heeft zijn eigen kleur.

Het thema wordt uitgediept op de volgende bladzijden.

3 Informatie over bezienswaardigheden

Alle belangrijke bezienswaardigheden van de wijk worden in dit deel gedetailleerd beschreven, volgens de nummering op de wijkkaart.

4 De belangrijkste attracties

Deze bezienswaardigheden worden over twee of meer hele bladzijden beschreven. Historische gebouwen zijn opengewerkt, waardoor het interieur zichtbaar wordt. Musea en galeries hebben een met kleur gecodeerde plattegrond.

PRAKTISCHE INFORMATIE

Onder elk kopje vindt u de informatie die u nodig hebt voor een bezoek aan een bezienswaardigheid.

Verwijzing naar kaarten achter in het boek — Nummer bezienswaardigheid

Adres — Telefoon

Palazzo Doria Pamphili ❻

Palazzo del Collegio Romano 1A.
Kaart 5 A4 & 12 E3. **☎** 679 43 65.
🚌 56, 60, 62, 85, 90, 95, 160, 492.
Open 10.00-13.00 uur di, vr, za en zo.
Gesloten feestdagen. **Niet gratis.** **♿**
🎥 *verplicht voor privé-vertrekken; licht bewaker hierover in.*

Openingstijden

Nuttige buslijnen — Diensten en faciliteiten

In Tips voor de toerist krijgt u praktische informatie om uw bezoek voor te bereiden.

Het vooraanzicht van elke belangrijke bezienswaardigheid maakt dat u het gebouw snel kunt ontdekken.

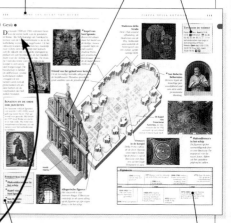

Rode sterren maken u attent op de interessantste architectonische details van het gebouw en de belangrijkste kunstwerken of tentoonstellingen die u binnen kunt vinden.

Een tijdbalk geeft een overzicht van de geschiedenis van de plek.

INLEIDING OP ROME

Rome in kaart gebracht

Sinds de stichting, 2700 jaar geleden op zeven heuvels aan de oever van de Tiber, is Rome uitgegroeid tot een stad van 3 miljoen inwoners, die 1500 km² beslaat. Binnen dit gebied ligt de onafhankelijke staat Vaticaanstad. In 1870 werd Rome de hoofdstad van het pas verenigde Italië. De stad ligt 28 km van zee en beschikt over goede verbindingen met veel andere historische steden en plaatsen in Italië.

SYMBOLEN

☐	Rome en omgeving
—	Spoorlijn
✈	Luchthaven
═══	Snelweg
═══	Weg

0 ─────── 50
Kilometer

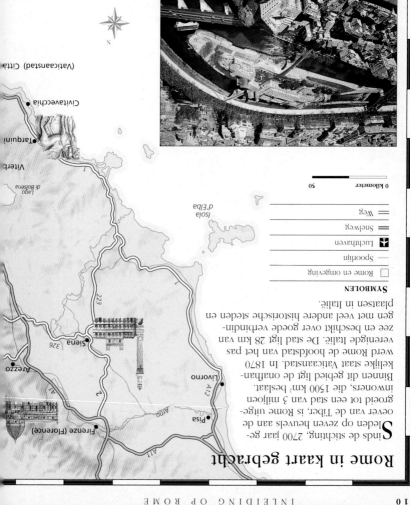

Luchtfoto in noordelijke richting over Isola Tiberina

Europa

Rome ligt in Zuid-Europa, op dezelfde breedtegraad als New York. Er zijn twee vliegvelden, die u na een vlucht van ongeveer 3 uur vanaf Schiphol of Zaventem bereikt. Rome is ook goed over de weg of per trein te bereiken. De treinreis vanuit Parijs duurt ongeveer 15 uur. Rome is het knooppunt van het wegennet van Italië, dat gedeeltelijk de klassieke Romeinse wegen volgt.

EUROPA

FINLAND
NOORWEGEN
ZWEDEN
ESTLAND
LETLAND
RUSLAND
LITOUWEN
DENEMARKEN
WITRUSLAND
GROOT-BRITTANNIË
IERLAND
NEDERLAND
POLEN
BELGIË
DUITSLAND
LUXEMBURG
TSJECHIË
OEKRAÏNE
SLOWAKIJE
FRANKRIJK
ZWITSERLAND
OOSTENRIJK
HONGARIJE
ROEMENIË
SLOVENIË
KROATIË
BOSNIË
HERZEGOWINA JOEGOSLAVIË
ITALIË
Rome
BULGARIJE
ALBANIË
PORTUGAL
SPANJE
GRIEKENLAND
ALGERIJE
TUNESIË

MAR TIRRENO
(TYRRHEENSE ZEE)

Città (Vaticaanstad)

Civitavecchia

Tarquini

Viterl

Lago di Bolsena

Isola d'Elba

223

Siena

326

Arezzo

Firenze (Florence)

Pisa

Livorno

Arno

A11

A12

2

A1

N

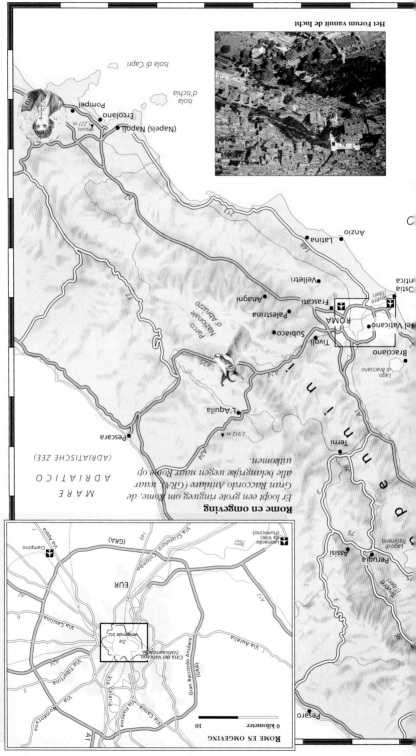

Het Forum vanuit de lucht

Isola di Capri

Pompei
Ercolano
VESUVIO ▲ 1.277 m
Napoli (Napels)
Isola d'Ischia

Anzio
Latina 148
Velletri
Anagni
Frascati
Palestrina
Subiaco
Tivoli
ROMA
Ostia antica
Bracciano
Città del Vaticano
Tevere (Tiber)
Lago di Bracciano

Pescara
L'Aquila
▲ 2.912 m
A25
A24
Parco Nazionale d'Abruzzo

MARE ADRIATICO
(ADRIATISCHE ZEE)

Rome en omgeving

Er loopt een grote ringweg om Rome, de Gran Raccordo Anulare (GRA), waar alle belangrijke wegen naar Rome op uitkomen.

Terni
36
3
75
Lago di Trasimeno
Assisi
Perugia
Tevere (Tiber)
Pesaro

ROME EN OMGEVING

0 kilometer   10

Via Appia
Ciampino 7
Via Cristoforo Colombo
148 (GRA)
Leonardo da Vinci (Fiumicino)
Tevere (Tiber)
EUR
Città del Vaticano (Vaticaanstad)
zie volgende blz.
Gran Raccordo Anulare (GRA)
Via Aurelia 1
Via Casilina
A24
Via Tiburtina 5
Via Salaria
Via Flaminia
A1
Via Cassia
Via Nomentana
6
A2

Het centrum van Rome

De meeste in deze gids beschreven bezienswaardigheden liggen binnen de oude stadsmuur in de 16 stadsdelen op de kaart hieronder. Aan elk stadsdeel is een hoofdstuk gewijd. Als u weinig tijd hebt, beperk u dan tot enkele plaatsen in het centrum: het Forum voor het klassieke Rome; het Capitool, Piazza della Rotonda en Piazza Navona voor het historische stadscentrum; Campo de' Fiori voor de grootse palazzi uit de Renaissance; Piazza di Spagna voor de 18de-eeuwse herinneringen en de chique moderne winkels; en het Vaticaan voor de Sint Pieter en het brandpunt van het katholicisme.

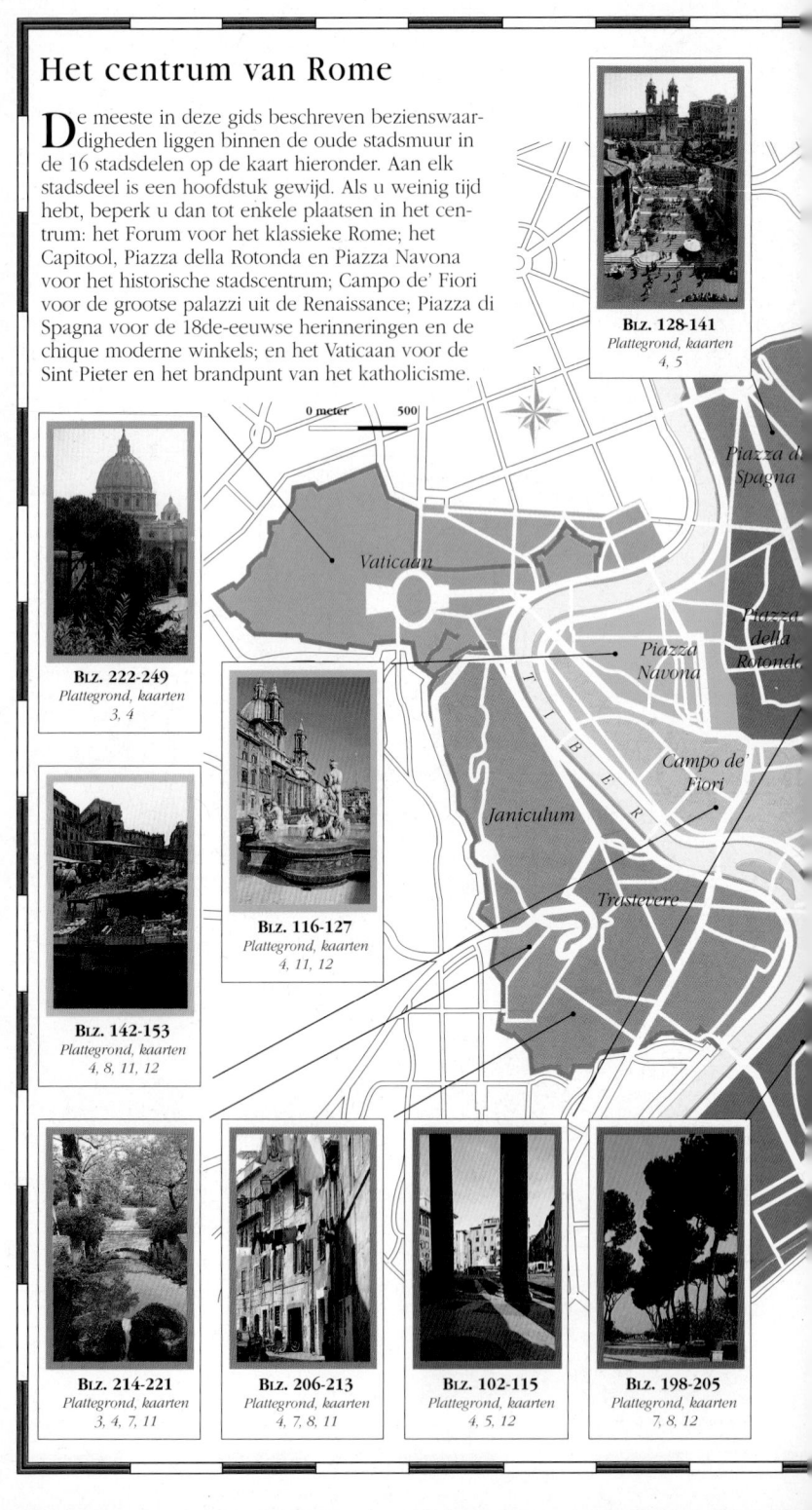

Blz. 128-141
*Plattegrond, kaarten
4, 5*

Blz. 222-249
*Plattegrond, kaarten
3, 4*

Blz. 116-127
*Plattegrond, kaarten
4, 11, 12*

Blz. 142-153
*Plattegrond, kaarten
4, 8, 11, 12*

Vaticaan

Piazza di Spagna

Piazza della Rotonda

Piazza Navona

Campo de' Fiori

Janiculum

Trastevere

0 meter   500

Blz. 214-221
*Plattegrond, kaarten
3, 4, 7, 11*

Blz. 206-213
*Plattegrond, kaarten
4, 7, 8, 11*

Blz. 102-115
*Plattegrond, kaarten
4, 5, 12*

Blz. 198-205
*Plattegrond, kaarten
7, 8, 12*

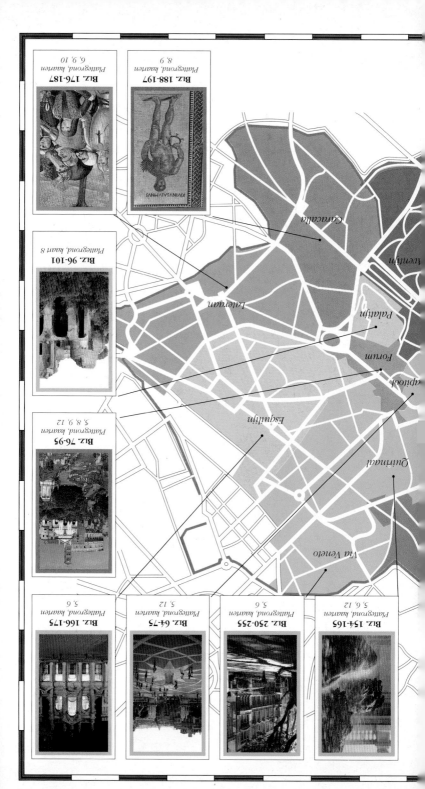

Blz. 176-187
Plattegrond, kaarten 6, 9, 10

Blz. 188-197
Plattegrond, kaarten 8, 9

Blz. 96-101
Plattegrond, kaart 8

Blz. 76-95
Plattegrond, kaarten 5, 8, 9, 12

Blz. 166-175
Plattegrond, kaarten 5, 6

Blz. 64-75
Plattegrond, kaarten 5, 12

Blz. 250-255
Plattegrond, kaarten 5, 6

Blz. 154-165
Plattegrond, kaarten 5, 6, 12

Caracalla

Aventijn

Lateranum

Palatijn

Forum

Capitool

Quirinaal

Esquilijn

Via Veneto

GESCHIEDENIS VAN ROME

Rome is meer dan 2700 jaar geleden gesticht en daarmee een van de oudste steden in Europa. Sinds-dien is de stad steeds bewoond geweest en heeft hij een enorme invloed op de wereld uitgeoefend, eerst als centrum van het Romein-se Rijk en daarna van de Katho-lieke Kerk. Veel Europese talen zijn gebaseerd op het Latijn; veel politieke en juridische stelsels zijn ontleend. Sijlen en technieken die in het klassieke Romeinse model ontleend. Sijlen en technieken die in het oude Rome zijn ontwikkeld, zijn toegepast in gebouwen over de hele wereld. Rome zelf bestaat uit vele lagen bouwwerken, die meer dan twee millennia omvatten.

Rome begon als een nederzetting in de IJzertijd, gesticht omstreeks 750 v.C. In 616 grepen de ontwikkelde Etruskische buren van de Romeinen de macht, maar zij werden in 509 ver-dreven toen Rome een republiek werd. Rome veroverde het grootste deel van Italië, richtte zijn blik over-zee en beheerste tegen de 1ste eeuw v.C. Spanje, Noord-Afrika en Griekenland. De uitbreiding van het rijk ver-schafte mogelijkheden aan op macht beluste figuren; vermeerde trois leidde tot de val der demo-cratie. Julius Caesar regeerde een tijdje als dictator, waarna zijn neef Octavianus de titel Augustus aannam en de eerste keizer van Rome werd. Onder diens bewind is Christus geboren en hoewel christe-nen tot de 4de eeuw werden ver-volgd, schoot de nieuwe godsdienst wortel, met Rome als hoofdkwartier. Ofschoon de pausen er resideerden, raakte Rome in de Middeleeuwen in verval. Omstreeks 1450 beleefde de stad een spectaculaire bloei; meer dan 200 jaar hebben de grootste kun-stenaars uit de Renaissance en Barok de stad verfraaid. In 1870 ten slotte werd Rome de hoofdstad van het pas verenigde Italië.

Romeinse adelaar (2de eeuw)

Vroegste ontwikkeling

Volgens de historicus Livius stichtte Romulus Rome in 753 v.C. Kort daarna besefte hij dat zijn stam een tekort aan vrouwen had; hij nodigde de naburige Sabijnen uit voor een feest en liet hun vrouwen ontvoeren. Hoewel dit slechts een legende is, zijn er bewijzen dat Rome omstreeks 750 v.C. is gesticht en dat de Romeinen en Sabijnen weldra in elkaar opgingen. Historisch bewijs lijkt er ook voor Livius' bewering dat Rome na de dood van Romulus werd bestuurd door een reeks koningen. In de 7de eeuw v.C. veroverden de Etrusken Rome en regeerde de dynastie der Tarquinii. Hun laatste telg was Tarquinius Superbus (Tarquinius de Trotse). Zijn despotisch bewind leidde tot de val van de Etrusken en de oprichting van de Republiek, met aan het hoofd twee jaarlijks gekozen consuls. Lucius Junius Brutus, een strenge republikein, leidde de opstand.

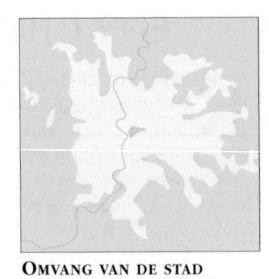

OMVANG VAN DE STAD

☐ *750 v.C.*   ☐ *Heden*

Ceremoniële trompetten

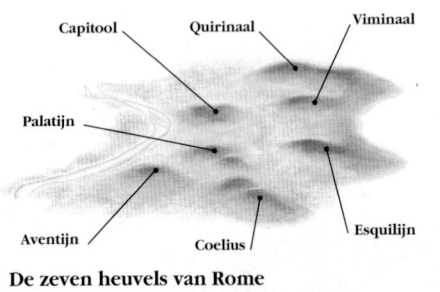

Capitool   Quirinaal   Viminaal

Palatijn

Aventijn   Coelius   Esquilijn

De zeven heuvels van Rome
Rond 800 v.C. woonden er herders en boeren op vier van Romes zeven heuvels. Naarmate de bevolking groeide, bouwde men hutten in de moerassige vallei waar later het Forum kwam.

Hut uit IJzertijd
Vroege bewoners woonden in hutten van met leem opgevuld vlechtwerk. Sporen hiervan zijn gevonden op de Palatijn.

De augur graaft het fundament

TEMPEL VAN JUPITER
Dit schilderij uit de Renaissance van Perin del Vaga toont Tarquinius Superbus bij de bouw van de Tempel van Jupiter op het Capitool.

TIJDBALK

750 v.C. Tarpeia verraadt de stad aan de Sabijnen

700 v.C. Begin van de Etruskische periode

Etruskische kan (7de eeuw v.C.)

800 BC	750	700	65

Romulus en Remus

753 v.C. Volgens de legende stichting van Rome door Romulus, de eerste van zeven koningen

715-713 v.C. Koning Numa Pompilius voert 12-maands kalender in

659 v.C. Romeinen vernietigen de vijandelijke stad Alba Longa

☐   **Vroegste ontwikkeling van Rome**

De legende van de wolvin

De koning van Alba liet zijn neefjes Romulus en Remus in de Tiber gooien. Ze spoelden echter aan en werden gezoogd door een wolvin.

De raaf, beschermer van de stad

Apollo van Veio

De Grieken beïnvloedden de cultuur en religie van de Etrusken. Dit 5de- of 6de-eeuwse beeld van de Griekse god Apollo komt uit Veio, een machtige Etruskische stad.

Koning Tarquinius met de als bliksemflits vereerde steen

De legende van Aeneas

Volgens sommige legenden is Aeneas, een held uit Troje, de grootvader van Romulus en Remus.

WAAR VINDT U HET ETRUSKISCHE ROME?

Het riool Cloaca Maxima werkt nog steeds. Verder herinnert er weinig aan het Etruskische Rome. De meeste vondsten komen uit Etruskische plaatsen buiten Rome, zoals Tarquinia, met grafschilderingen van luxueuze banketten (*blz. 271*), maar er zijn goede collecties in de Villa Giulia (*blz. 262-263*) en de Vaticaanse Musea (*blz. 238*). Het beroemdste voorwerp is echter een bronzen beeld van de legendarische wolvin in de Capitolijnse Musea (*blz. 73*). Het Antiquarium Forense toont voorwerpen van de necropolis die lag op de plaats van het latere Forum Romanum.

Asurnen in de vorm van een hut waren vanaf 750 v.C. in gebruik bij crematies.

Etruskische sieraden, zoals deze gouden filigreinbroche uit de 7de eeuw v.C., waren overdadig. Hierom meent men dat de Etrusken een luxe leven leidden.

---

600 v.C. Vermoedelijke aanlegdatum van het riool Cloaca Maxima

578 v.C. Servius Tullius Etruskisch koning

565 v.C. Volgens traditie bouw van Muur van Servius om de zeven heuvels van Rome

Beeld van Jupiter

510 v.C. Tempel van Jupiter gewijd op het Capitool

600	550	500

616 v.C. Tarquinius Priscus, de eerste Etruskische koning. Bouw van Forum en Circus Maximus

534 v.C. Koning Servius vermoord

509 v.C. L.J. Brutus verdrijft Etrusken uit Rome en sticht de republiek

507 v.C. Oorlog met Etrusken. Horatius verdedigt houten brug over de Tiber

L.J. Brutus

Koningen, consuls en keizers

R ome zag meer dan 250 heersers in de 1200 jaar tussen de stichting door Romulus en 476, toen de laatste keizer door de Germaanse krijgsheer Odoaker werd afgezet. Romulus was de eerste van de zeven koningen; de laatste moest in 509 v.C. wijken voor de Republiek. Twee jaarlijks gekozen consuls bekleedden het gezag, maar in tijden van crisis kon er een dictator worden benoemd. In 494 v.C. werd het ambt van tribuun ingesteld om de plebejers tegen onrecht te beschermen van de kant van hun patricische heersers. Maar de democratie in Rome was altijd schone schijn. Ze werd compleet afgedankt in 27 v.C., toen de keizer de absolute macht in handen kreeg.

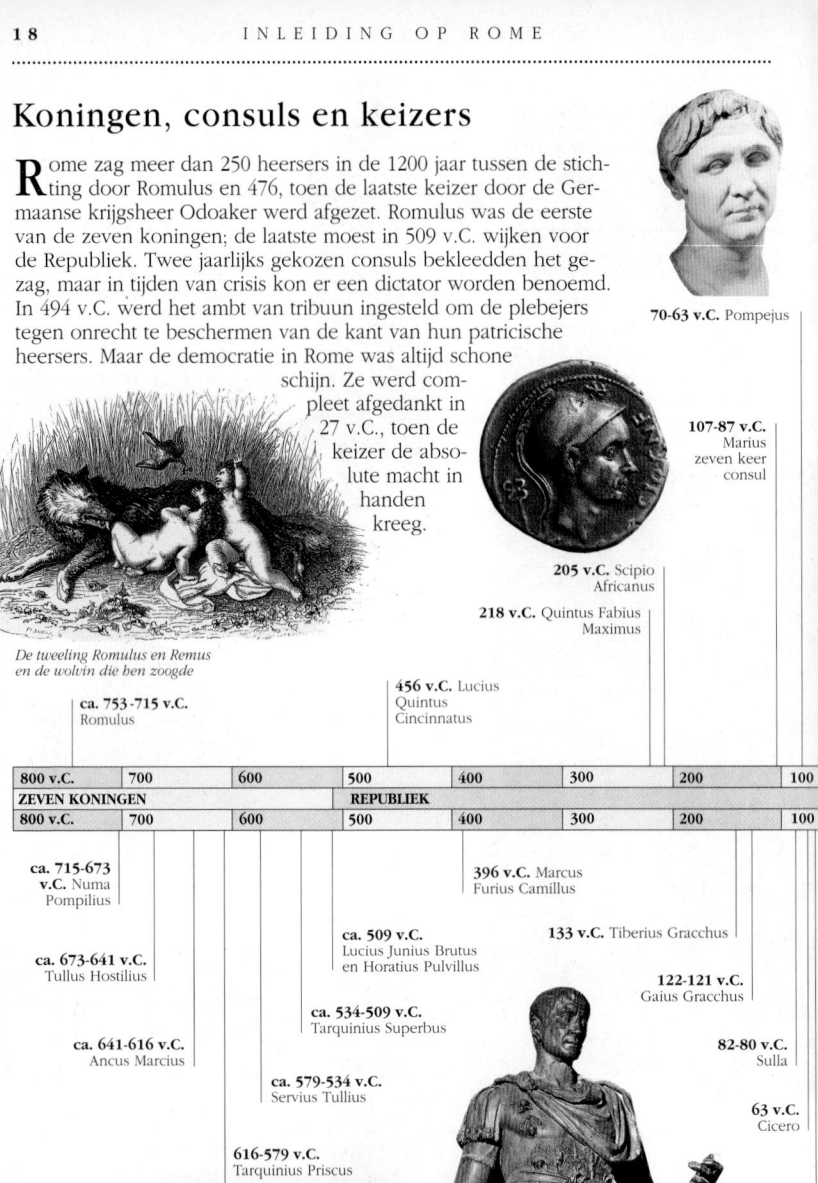

70-63 v.C. Pompejus

107-87 v.C. Marius zeven keer consul

205 v.C. Scipio Africanus

218 v.C. Quintus Fabius Maximus

De tweeling Romulus en Remus en de wolvin die hen zoogde

456 v.C. Lucius Quintus Cincinnatus

ca. 753-715 v.C. Romulus

800 v.C.	700	600	500	400	300	200	100
ZEVEN KONINGEN			**REPUBLIEK**				
800 v.C.	700	600	500	400	300	200	100

ca. 715-673 v.C. Numa Pompilius

396 v.C. Marcus Furius Camillus

ca. 673-641 v.C. Tullus Hostilius

133 v.C. Tiberius Gracchus

ca. 509 v.C. Lucius Junius Brutus en Horatius Pulvillus

122-121 v.C. Gaius Gracchus

ca. 641-616 v.C. Ancus Marcius

ca. 534-509 v.C. Tarquinius Superbus

82-80 v.C. Sulla

ca. 579-534 v.C. Servius Tullius

63 v.C. Cicero

616-579 v.C. Tarquinius Priscus

60-50 v.C. Eerste Driemanschap van Julius Caesar, Pompejus en Crassus

45-44 v.C. Julius Caesar alleenheerser

Tarquinius Priscus raadpleegt een augur

Julius Caesar: zijn machtsovername betekende het einde van de Romeinse Republiek

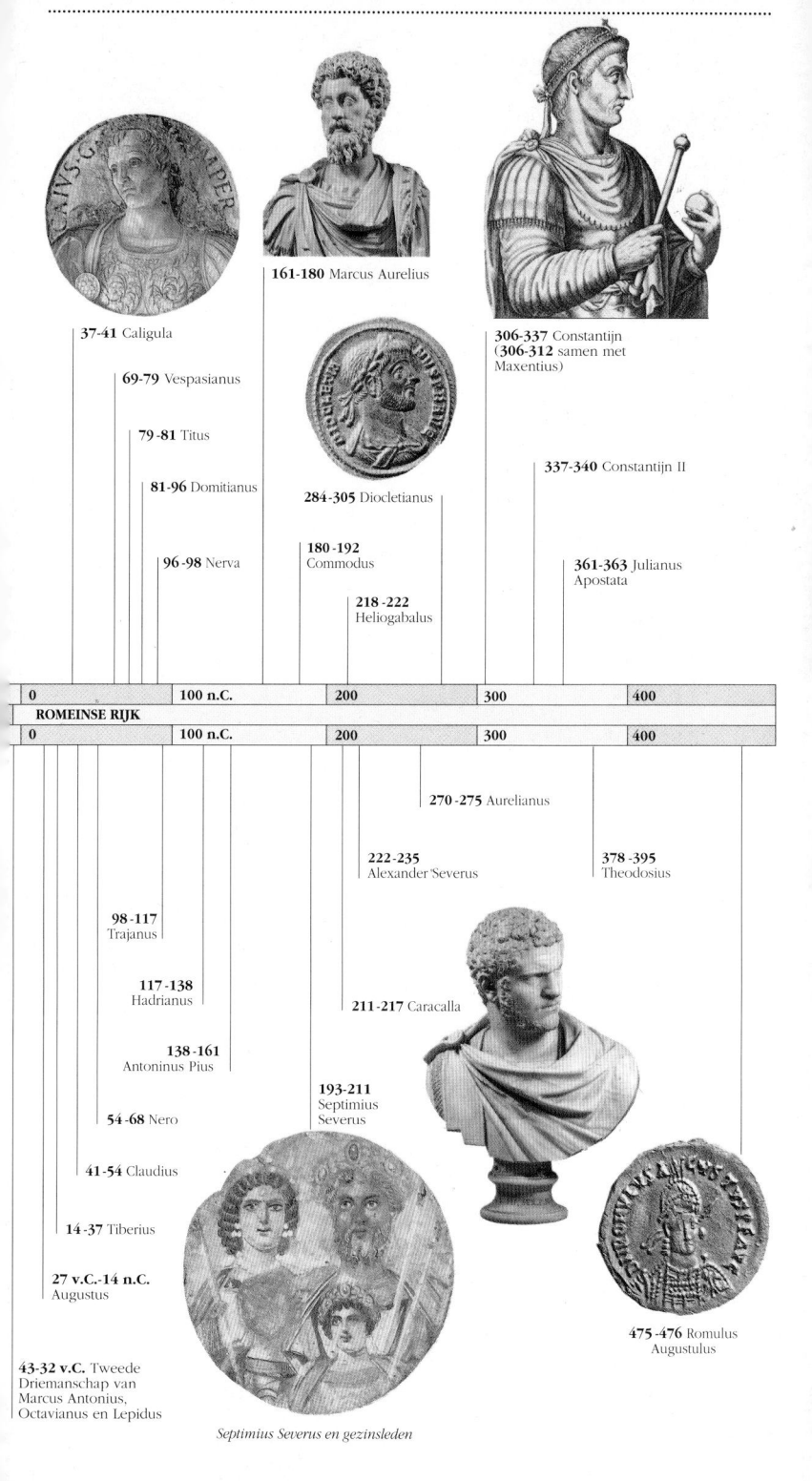

161-180 Marcus Aurelius

37-41 Caligula

69-79 Vespasianus

79-81 Titus

81-96 Domitianus

96-98 Nerva

306-337 Constantijn
(**306-312** samen met
Maxentius)

337-340 Constantijn II

284-305 Diocletianus

180-192
Commodus

218-222
Heliogabalus

361-363 Julianus
Apostata

0	100 n.C.	200	300	400

ROMEINSE RIJK

0	100 n.C.	200	300	400

270-275 Aurelianus

222-235
Alexander Severus

378-395
Theodosius

98-117
Trajanus

117-138
Hadrianus

211-217 Caracalla

138-161
Antoninus Pius

193-211
Septimius
Severus

54-68 Nero

41-54 Claudius

14-37 Tiberius

27 v.C.-14 n.C.
Augustus

475-476 Romulus
Augustulus

43-32 v.C. Tweede
Driemanschap van
Marcus Antonius,
Octavianus en Lepidus

Septimius Severus en gezinsleden

De Romeinse Republiek

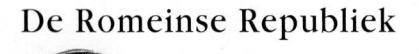

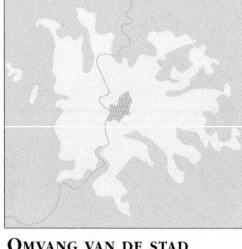

Bronzen munt met Tempel van Vesta (ca. 57 v.C.)

Omstreeks 150 v.C. beheerste Rome het westen van het Middellandse-Zeegebied, dat het met enorme legers bewaakte en verdedigde. De troepen waren trouwer aan hun generaals dan aan verre politici, zodat mannen als Marius, Sulla, Pompejus en Caesar de macht konden grijpen. Intussen waren de boeren wier land was vernield tijdens Hannibals invasie in 219 v.C., massaal naar Rome getrokken. Slaven en vrijgelatenen uit veroverde gebieden volgden hen. Voor immigranten was er genoeg werk: de aanleg van wegen, aquaducten, markten en tempels. De bouw werd gefinancierd uit de belastingopbreng-sten van de groeiende handel.

OMVANG VAN DE STAD

▨ *400 v.C.*   ☐ *Heden*

Gehouwen steenblokken

Overdekte water-leidingen

Boog over de weg

De helling van een aquaduct bedroeg circa 1 promille.

Hoe een aquaduct werkte

Water uit een bron in de heuvels werd opgevangen in een reservoir om druk op te bouwen voor de gestage aanvoer naar de stad.

Hoge heuvel

Ventilatiekanaal

Reservoir

Ondergronds kanaal

Bogen voeren het water over laaggliggend land

Cicero klaagt Catilina aan

In 62 v.C. bereidde Catilina een staats-greep voor. Cicero ontdekte het com-plot en overtuigde de Senaat de sa-menzweerders ter dood te veroordelen.

TIJDBALK

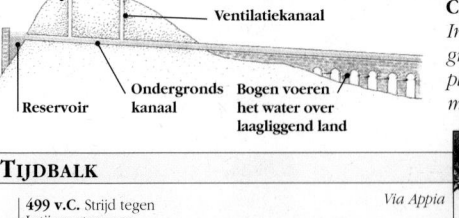

499 v.C. Strijd tegen Latijnse stammen; Tempel van Castor en Pollux opgericht ter ere van de overwinning

Via Appia

380 v.C. Muur van Servius herbouwd

396 v.C. Definitieve zege op Etruskische stad Veio

312 v.C. Aanleg van Via Appia en eerste aquaduct in Rome, het Aqua Appia

500 v.C.	450 v.C.	400 v.C.	350 v.C.	300 v.C.

390 v.C. Keltische Galliërs vallen Rome binnen; gakkende ganzen op het Capitool waarschuwen voor naderende aanval

264-241 v.C. Eerste Punische Oorlog (tegen Carthago)

Reliëf van ganzen op het Capitool

☐ **Romeinse Republiek**

Scipio Africanus

De Romeinse generaal Scipio versloeg in 202 v.C. Hannibal. Rome volgde Carthago op als machthebber in het Middellandse-Zeegebied.

Tempel van Juno

De resten van deze tempel uit 197 v.C. maken deel uit van de kerk San Nicola in Carcere (blz. 152). Romeinen raadpleegden de goden voor alle be-langrijke on-dernemin-gen.

De Tempel van Saturnus,

voor het eerst gebouwd in 497 v.C., bestaat nu uit acht enorme zuilen aan het Forum, aan het eind van de Via Sacra (blz. 83).

De fraaiste gebouwen uit de tijd van de Republiek zijn de twee tempels op het Forum Boarium (blz. 203). Nog vier tempels vindt u aan de Area Sacra van Largo Argentina (blz. 150). De meeste monumenten uit deze periode liggen echter onder de grond. Slechts enkele, zoals de tombe van de beide Scipio's (blz. 195), zijn opgegraven. Een van de bruggen naar het Tibereiland (blz. 152), de Ponte Fabricio, dateert uit de Iste eeuw v.C. en is nog toegankelijk voor voetgangers.

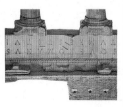

WAAR VINDT U HET REPUBLIKEINSE ROME?

Dit fresco van een groep sla-ven die een muur bouwt, kunt u zien in het Museo Nazionale Romano (blz. 163).

AQUADUCT (2DE EEUW v.C.)

Zijn welvaart had Rome grotendeels te danken aan de deskundige civiel ingenieurs. Toen de bronnen in de stad niet langer toereikend waren, brachten aquaducten het water uit de omgeving naar de stad.

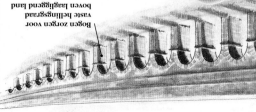

Bogen zorgen voor vaste hellingsgraad boven laaggelegen land

Romeinse straat
In de Iste eeuw v.C. waren de meeste gebou-wen in Rome van steen en beton. Slechts en-kele openbare gebouwen waren van marmer.

Het Rome van de keizers

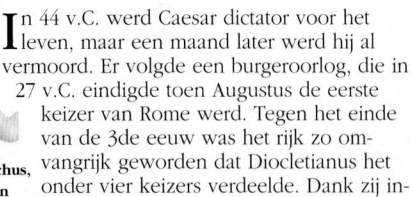

In 44 v.C. werd Caesar dictator voor het leven, maar een maand later werd hij al vermoord. Er volgde een burgeroorlog, die in 27 v.C. eindigde toen Augustus de eerste keizer van Rome werd. Tegen het einde van de 3de eeuw was het rijk zo omvangrijk geworden dat Diocletianus het onder vier keizers verdeelde. Dank zij inkomsten uit handel en belastingen werd Rome opgeluisterd met prachtige gebouwen van keizers die wilden pronken met hun militaire triomfen en weldaden jegens de bevolking.

Beeld van Bacchus, god van de wijn

OMVANG VAN DE STAD

☐ 250   ☐ Heden

Met mozaïek gedecoreerd plafond in kruisgewelf

Natatio (zwembad)

Apotheose van Augustus
Augustus, de eerste en wellicht grootste Romeinse keizer, regeerde 27 jaar; na zijn dood verklaarde de Senaat hem tot god.

ROMA CAPVT MVNDI

De thermen boden plaats aan 3000 mensen. In het *frigidarium* (koude zaal) ontmoette men elkaar.

Zaal voor oefeningen en gymnastiek

Het Romeinse Rijk onder Trajanus
Rond het jaar 200 reikte het Romeinse Rijk van Engeland tot Syrië. Rome stond bekend als Caput Mundi, *het hoofd der wereld.*

TIJDBALK

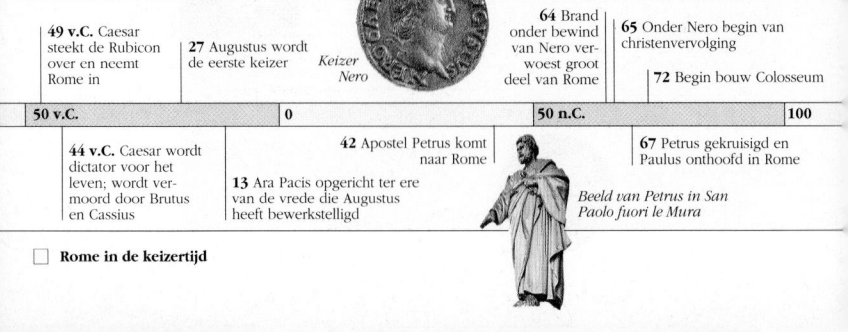

49 v.C. Caesar steekt de Rubicon over en neemt Rome in

27 Augustus wordt de eerste keizer

Keizer Nero

64 Brand onder bewind van Nero verwoest groot deel van Rome

65 Onder Nero begin van christenvervolging

72 Begin bouw Colosseum

| 50 v.C. | 0 | 50 n.C. | 100 |

44 v.C. Caesar wordt dictator voor het leven; wordt vermoord door Brutus en Cassius

13 Ara Pacis opgericht ter ere van de vrede die Augustus heeft bewerkstelligd

42 Apostel Petrus komt naar Rome

67 Petrus gekruisigd en Paulus onthoofd in Rome

Beeld van Petrus in San Paolo fuori le Mura

☐ **Rome in de keizertijd**

125 Hadrianus maakt een nieuw ontwerp voor het Pantheon

164-180 De pest woedt in het Romeinse Rijk

212 Bijna alle inwoners in het rijk wordt burger-schap verleend

216 Thermen van Caracalla voltooid

247 Viering van het duizendjarig bestaan van Rome

270 Begin bouw Aureliaanse Muur

284 Splitsing in Oost- en Westromeins Rijk

Mozaïek uit de Thermen van Caracalla

Deel van Aureliaanse Muur

WAAR VINDT U HET ROME VAN DE KEIZERS?

Resten van het keizerlijke Rome vindt u overal in het centrum. Sommige zijn verborgen onder kerken en palazzi, andere zijn geheel blootgelegd, zoals het Forum (blz. 76-87), de Palatijn (blz. 97-101) en de fora van de keizers (blz. 88-91). In het Pantheon (blz. 110-111) en het Colosseum (blz. 92-95) komt echter de luister van dit tijdperk het beste tot uitdrukking.

De Boog van Titus (blz. 87) op het Forum gedenkt de plundering van Jeruzalem door keizer Titus in 70 n.C.

Een reliëf van Mithras, een populaire Perzische god (3de eeuw), vindt u onder de kerk San Clemente (blz. 186-187).

Vergilius (70-19 v.C.)
Vergilius was de grootste epische dichter van Rome. Zijn roemste werk is de Aeneïs, het verhaal van de Trojaanse held Aeneas en zijn reis naar het toekomstige Rome.

Tepidarium (lauwe zaal)

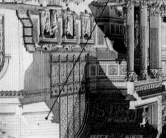

THERMEN VAN DIOCLETIANUS (298 n.C.)

De thermen waren niet zomaar badhuizen. Er waren ook bars, bibliotheken, bordelen en sportzalen.

Romeins genot
Banketten konden tien uur duren. Om te kunnen blijven eten, trokken gasten zich terug in een kamertje om tussen de gangen door over te geven.

Vroeg-christelijk Rome

Kruisiging in Santa Maria Antiqua

In de 1ste eeuw n.C. werd onder het bewind van keizer Tiberius een opstandige pacifist gekruisigd in een uithoek van het rijk. Dit was heel gebruikelijk, maar binnen enkele jaren waren Jezus Christus (de pacifist) en Zijn leer in Rome berucht. Zijn volgelingen vond men een bedreiging voor de openbare orde en velen werden terechtgesteld. Dit hielp niet; de nieuwe godsdienst verspreidde zich over de gehele Romeinse samenleving. Toen de apostelen Petrus en Paulus in Rome aankwamen, was er al een kleine christelijke gemeenschap. In 313 vaardigde keizer Constantijn een edict uit dat christenen vrijheid van godsdienst garandeerde. Weldra stichtte hij een kapel op de plaats van Petrus' graf. Hiermee was de positie van Rome als centrum van het christendom een feit, maar in de 5de eeuw taande de politieke macht van Rome. De stad viel in handen van Goten en andere indringers.

OMVANG VAN DE STAD

☐ *395*   ☐ *Heden*

Jeugdige baardloze Christus

Paulus

Klassieke rand met fruit gedecoreerd

4DE-EEUWS MOZAÏEK, SANTA COSTANZA

Prachtige mozaïeken, vaak met palmen en andere oosterse symbolen voor Jeruzalem, hielpen bij de verspreiding van het evangelie.

Santo Stefano Rotondo

Deze 17de-eeuwse gravure toont hoe een Romeinse tempel (boven) mogelijk is verbouwd (eronder) tot de 5de-eeuwse ronde kerk Santo Stefano.

De Goede Herder

Het heidense beeld van een herder die een lam offert, werd een christelijk symbool.

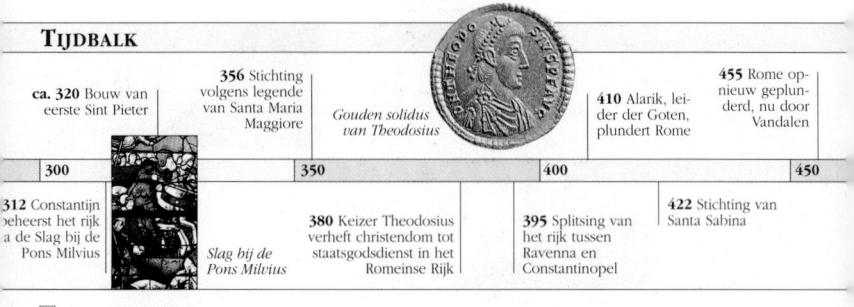

TIJDBALK

		356 Stichting volgens legende van Santa Maria Maggiore				**455** Rome opnieuw geplunderd, nu door Vandalen	
ca. 320 Bouw van eerste Sint Pieter			*Gouden solidus van Theodosius*		**410** Alarik, leider der Goten, plundert Rome		
300		**350**		**400**			**450**
312 Constantijn beheerst het rijk na de Slag bij de Pons Milvius		**380** Keizer Theodosius verheft christendom tot staatsgodsdienst in het Romeinse Rijk		**395** Splitsing van het rijk tussen Ravenna en Constantinopel	**422** Stichting van Santa Sabina		
	Slag bij de Pons Milvius						

☐ **Vroeg-christelijk Rome**

WAAR VINDT U VROEG-CHRISTELIJK ROME?

Sporen van het vroege christendom komt u overal in Rome tegen. Veel vroege kerken zijn gebouwd op plaatsen waar christenen elkaar ontmoetten of gemarteld zijn: bijvoorbeeld Santa Cecilia (blz. 211). Buiten de muren van het oude centrum liggen kilometerslange gangen van catacomben (blz. 265-266), veelal gedecoreerd met christelijke fresco's. Het Museo Pio Cristiano (blz. 240) bevat de beste collectie vroeg-christelijke kunst.

Dit beeldje, uit been gehouwen, is verwerkt in de steen van de catacomben van San Panfilo, vlak bij de Via Salaria (Kaart 2 F4).

Kruis van Justinus, in de schatkamer van de Sint Pieter (blz. 232), door keizer Justinus in 578 aan Rome geschonken.

Inscriptie van Petrus en Paulus

Een van de honderden vroeg-christelijke graffiti uit de Lapidario Vaticano (blz. 236-237).

Kruisiging, Santa Sabina

Dit 5de-eeuwse paneel op de deur van Santa Sabina (blz. 204) is een van de oudst bekende afbeeldingen van de Kruisiging. Christus' kruis is merkwaardigerwijs niet te zien.

Kruis van Constantijn

Na het visioen van het Ware Kruis tijdens de Slag bij de Pons Milvius bekeerde Constantijn zich tot het christendom.

Lammeren symboliseren de christelijke kudde

De Heiland schenkt Petrus vrede

Het pausdom

De paus, die wordt gezien als Christus' vertegenwoordiger op aarde, baseert zijn gezag op Petrus,
de eerste bisschop van Rome. Sommige pausen waren
grote denkers en hervormers, maar ze speelden zelden
een puur geestelijke rol. In de Middeleeuwen waren
veel pausen betrokken bij de
machtsstrijd met het Heilige
Roomse Rijk. Renaissance-
pausen als Julius II en Leo
X, de beschermers van
Rafaël en Michelangelo,
leefden in dezelfde weelde
als wereldlijke heersers. Alle
hier genoemde pausen oefenden een belangrijke politieke of
religieuze invloed uit, tot en
met het eind van de
Contrareformatie.

*Ludovicus knielt
voor Bonifatius
VIII van Simone
Martini*

314-335 Sylvester I	590-604 Gregorius de Grote	*Gregorius de Grote leidt een processie om de pest te beëindigen.*	955-964 Johannes XII
222-230 Urbanus I			1227-1241 Gregorius IX
	496-498 Anastasius II	931-935 Johannes XI	1216-1227 Honorius III Savelli
217-222 Callixtus I		891-896 Formosus	

| 0 | 200 | 400 | 600 | 800 | 1000 | 1200 |

PAUSEN IN ROME

| 0 | 200 | 400 | 600 | 800 | 1000 | 1200 |

336-337 Marcus	579-590 Pelagius II	1047-1048 Benedictus IX
352-366 Liberius	608-615 Bonifatius IV	1073-1085 Gregorius VII
90-99 Clemens I	731-741 Gregorius III	1099-1118 Paschalis II
42-67 Petrus	772-795 Adrianus I	1130-1043 Innocentius II
		1154-1159 Adrianus IV
		847-855 Leo IV
		817-824 Paschalis I
		1198-1216 Innocentius III

*Petrus; mozaïek
in Santa
Prassede
(blz. 171)*

795-816 Leo III

*Visioen van de Kerk
van Innocentius III,
fresco van Giotto*

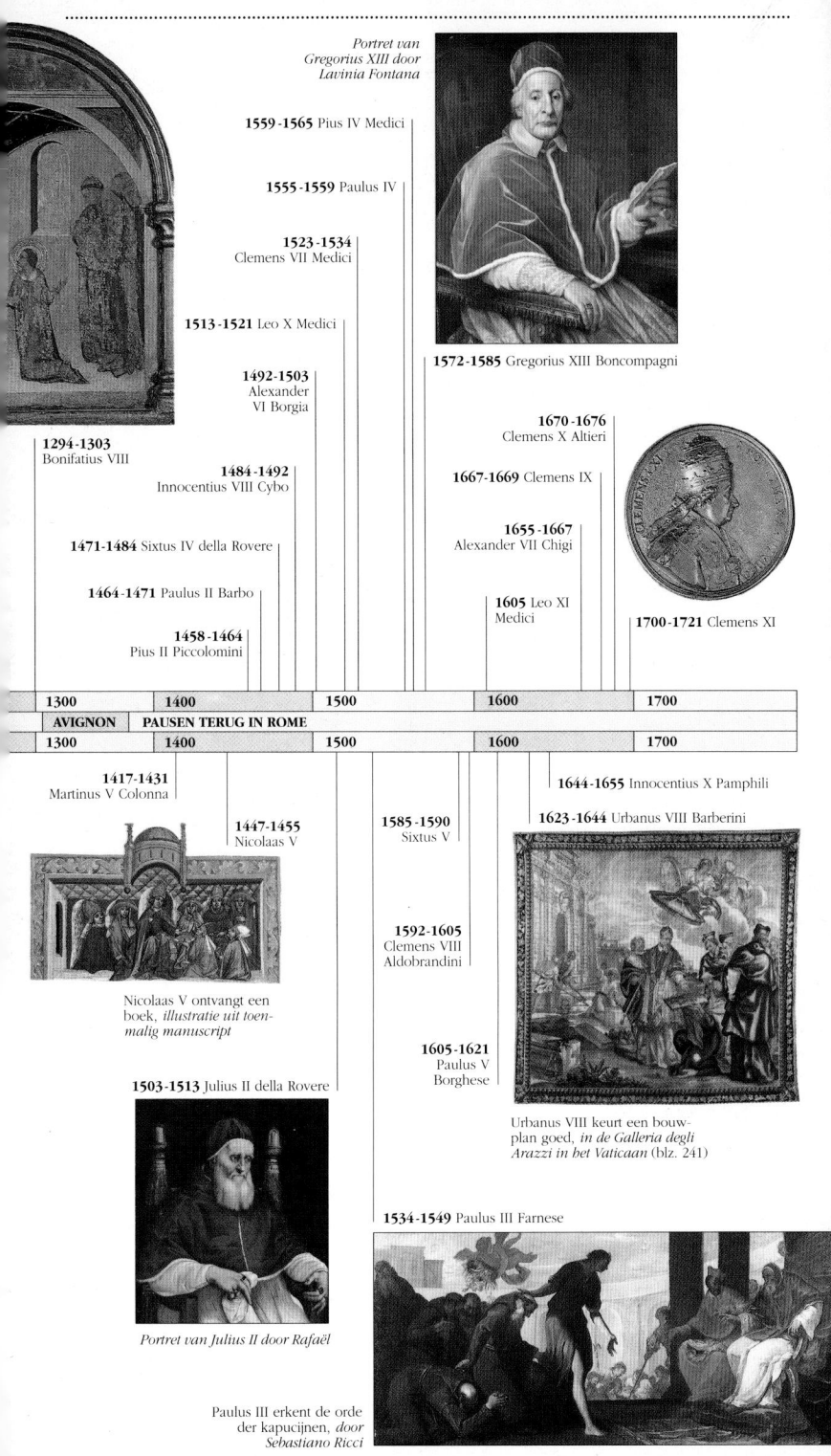

Portret van Gregorius XIII door Lavinia Fontana

1559-1565 Pius IV Medici

1555-1559 Paulus IV

1523-1534 Clemens VII Medici

1513-1521 Leo X Medici

1492-1503 Alexander VI Borgia

1572-1585 Gregorius XIII Boncompagni

1294-1303 Bonifatius VIII

1670-1676 Clemens X Altieri

1667-1669 Clemens IX

1484-1492 Innocentius VIII Cybo

1655-1667 Alexander VII Chigi

1471-1484 Sixtus IV della Rovere

1464-1471 Paulus II Barbo

1605 Leo XI Medici

1700-1721 Clemens XI

1458-1464 Pius II Piccolomini

1300	1400	1500	1600	1700
AVIGNON	PAUSEN TERUG IN ROME			
1300	1400	1500	1600	1700

1417-1431 Martinus V Colonna

1644-1655 Innocentius X Pamphili

1447-1455 Nicolaas V

1585-1590 Sixtus V

1623-1644 Urbanus VIII Barberini

Nicolaas V ontvangt een boek, *illustratie uit toenmalig manuscript*

1592-1605 Clemens VIII Aldobrandini

1503-1513 Julius II della Rovere

1605-1621 Paulus V Borghese

Urbanus VIII keurt een bouwplan goed, *in de Galleria degli Arazzi in het Vaticaan* (blz. 241)

Portret van Julius II door Rafaël

1534-1549 Paulus III Farnese

Paulus III erkent de orde der kapucijnen, *door Sebastiano Ricci*

Het middeleeuwse Rome

Mozaïek, San Clemente

Nu het was opgevolgd door Constantinopel in de 4de eeuw als hoofdstad van het Rijk, zag Rome het aantal inwoners in de vroege Middeleeuwen slinken tot een paar duizend. Romes macht was niet meer dan een herinnering. In de 8ste en 9de eeuw blies de groeiende invloed van de pausen de stad nieuw leven in en maakte Rome opnieuw een machtscentrum. Maar de voortdurende conflicten tussen de paus en het Heilige Roomse Rijk verzwakten het pausdom al snel. De 10de, 11de en 12de eeuw behoren tot de somberste uit de Romeinse geschiedenis: na gewelddadige conflicten bleef Rome arm achter en de elkaar onophoudelijk bestrijdende lokale heersers verscheurden de rest van de stad. In 1309 waren de pausen gedwongen in ballingschap te gaan naar Avignon.

OMVANG VAN DE STAD

	1300		Heden

San Giovanni in Laterano

Aureliaanse Muur

Karel de Grote gekroond in Sint Pieter
Op Eerste Kerstdag in 800 werd Karel de Grote keizer van het Heilige Roomse Rijk, een nieuw, christelijk rijk dat het klassieke Rome opvolgde.

Zuil van Trajanus

Zuil van Marcus Aurelius

Madonna en Kind
De kapel van Zeno (817-824) in de kerk Santa Prassede (blz. 171) bevat enkele schitterende Byzantijnse mozaïeken.

MIDDELEEUWSE PLATTEGROND
Dergelijke kaarten, met de belangrijkste gebouwen van de stad, waren bestemd voor pelgrims, de toeristen van de Middeleeuwen.

TIJDBALK

Keizer Otto I

700		800		900		1000

725 Koning Ine van Wessex sticht het eerste hospitium voor pelgrims

852 Het Vaticaan wordt met muren versterkt; na invallen van Saracenen

961 Koning Otto de Grote wordt de eerste Duitse keizer van het Heilige Roomse Rijk

778 Karel de Grote, koning der Franken, verovert Italië

800 Karel de Grote tot keizer gekroond in Sint Pieter

880-932 Rome wordt geregeerd door twee vrouwen: Theodora en daarna haar dochter Marozia

	Middeleeuws Rome

Stefaneschi-drieluik *(1315)*

Giotto en zijn leerlingen schilderden dit drieluik voor kardinaal Stefaneschi voor de Sint Pieter. Het hangt nu in de Vaticaanse Musea (blz. 240).

WAAR VINDT U HET MIDDELEEUWSE ROME?

Tot de interessantste kerken uit deze periode behoren San Clemente, met een fraai mozaïek in de apsis en een Cosmaten-vloer *(blz. 186-187)*, Santa Maria in Trastevere *(blz. 212-213)*, Santa Maria sopra Minerva, Romes enige gotische kerk *(blz. 108)*, Santa Cecilia in Trastevere *(blz. 211)* met een fresco van Cavallini en Santa Maria in Cosmedin *(blz. 211)*.

Het staatsiekleed van Karel de Grote in de schatkamer van de Sint Pieter *(blz. 232)* droeg de keizer van het Roomse Rijk naar verluidt bij zijn kroning. In feite dateert het rijk geborduurde kledingstuk uit de 14de eeuw.

Colosseum   Capitool   Piramide van Cestius

Oude Sint Pieter

Castel Sant'Angelo

Pantheon

Cosmaten-tabernakel

Marmerwerk van de familie Cosmati, zoals dit tabernakel in de Santa Sabina (blz. 204), *siert veel middeleeuwse kerken in Rome.*

San Giorgio in Velabro *(blz. 202)* heeft nog een 12de-eeuwse klokketoren.

Rome in de Renaissance

Paus Nicolaas besteeg de troon in 1447, vastbesloten om van Rome een stad te maken die pausen waardig was. Opvolgers als Julius II en Leo X volgden zijn voorbeeld geestdriftig en verleenden Rome een ander uiterlijk. De klassieke idealen van de Renaissance inspireerden kunstenaars, architecten en vaklui zoals Michelangelo, Bramante, Rafaël en Cellini tot het ontwerp en de bouw van kerken en paleizen.

Detail van Botti-celli's *Jeugd van Mozes* **(ca. 1480)**

OMVANG VAN DE STAD

☐ 1500   ☐ Heden

Halfronde koepel

Balustrade van kleine zuilen

Klassieke galerij van 16 Dorische zuilen

School van Athene door Rafaël
Op dit fresco (blz. 243) *eert Rafaël veel van zijn collega's door hen af te beelden als klassieke Griekse filosofen. Bramante ontwierp het gebouw.*

HET TEMPIETTO
Het Tempietto (1502) bij San Pietro in Montorio (blz. 219) *was een van de eerste werken van Bramante in Rome. De klassieke miniatuurtempel, eenvoudig maar volgens perfecte verhoudingen, is een model van de architectuur uit de bloeiperiode van de Renaissance.*

Mozaïekvloer in Cosmaten-stijl

Palazzo Caprini
Dit ontwerp van Bramante had grote invloed op latere palazzi. Delen ervan zijn te zien in het Palazzo dei Convertendi (blz. 227).

TIJDBALK

1377 Pausen keren naar Rome terug uit Avignon onder Paus Gregorius XI

1409-1415 Pausen zetelen in Pisa

1452 Sloop begint van oude basilica Sint Pieter

1444 Geboorte van Bramante

1350 — 1400 — 1450

1378-1417 Het Grote Schisma, verdeeldheid onder de pausen in Avignon

1417 Paus Martinus V beëindigt Groot Schisma

Martinus V, paus 1417-1431

☐ **Rome tijdens de Renaissance**

Plundering van Rome
In 1527 plunderden onhandelbare troepen van Karel V van Spanje de stad en vernielden talloze kunstwerken. Paus Clemens VII vluchtte naar Castel Sant' Angelo.

Waar vindt u het Rome van de Renaissance?

Het Campo de' Fiori *(blz. 142-153)* staat vol trotse palazzi uit de Renaissance, vooral langs de Via Giulia *(blz. 276-277)*. Aan de overkant staat de prachtige Villa Farnesina *(blz. 220-221)*. De karakteristiekste kerk is de Santa Maria del Popolo *(blz. 138-139)*; de mooiste collectie renaissance-kunst bezitten de Vaticaanse Musea *(blz. 234-247)*.

Paus Nicolaas V
Nicolaas gelastte de sloop van de oude Sint Pieter.

De Madonna van Foligno van Rafaël (1511-1512) hangt in de Pinacoteca in het Vaticaan *(blz. 241)*.

Beeld van Petrus, die hier volgens de legende is gekruisigd

Ondergrondse kapel

De Pietà, in 1501 gemaakt voor de Sint Pieter, was een van Michelangelo's eerste werken in Rome *(blz. 233)*.

1483 Geboorte van Rafaël

1486 Bouw van Palazzo della Cancelleria

1519 Fresco's voltooid in Villa Farnesina

1527 Troepen van keizer Karel V plunderen Rome

Keize Kare

1500

1550

1475 Geboorte van Michelangelo

1506 Paus Julius II gelast bouw nieuwe Sint Pieter

1508 Michelangelo begint decoratie plafond in Sixtijnse Kapel

Sibille van Cumae, Sixtijnse Kapel

1547 Paus Paulus III benoemt Michelangelo tot architect van de Sint Pieter

TIJDBALK

1550	1575	1600	1625

571 Geboorte van Caravaggio

1585 Sixtus V ont-werpt nieuwe wegen

1600 De filosoof Giordano Bruno be-landt op de brandstapel wegens ketterij

1633 Galilei in Rome ter dood veroordeeld wegens ketterij

Galilei

1568 De jezuïeten bouwen de Gesù, het model van de vroeg-barokke kerk

Altaardecoratie, Gesù

1595 Annibale Caracci decoreert Palazzo Farnese met fresco's

1624 Beeld van Bernini van *Apollo en Daphne*

1626 Werk aan de Sint Pieter is voltooid

Het barokke Rome

Omstreeks de 16de eeuw was de ka-tholieke Kerk zeer rijk geworden – een van de belangrijkste grieven van protestantse hervormers. Het vertoon van grandeur en weelde door het pauselijk hof stond in schril contrast met de armoede van het volk. Overdadige luxe en onophoudelijk vermaak kenmerkten de welgestelde Romeinse bovenlaag. Om het katholieke geloof aan-trekkelijker te maken dan het protestantisme verrezen er talloze kerken, monumenten en fonteinen ter meer-dere glorie van de Heilige Stoel. De beste architecten van de sierlijke stijl van de Barok waren Bernini en Borromini.

Barokke putto

OMVANG VAN DE STAD

☐ 1645   ☐ Heden

Monument van paus Alexander VII
Deze tombe van Bernini in de Sint Pieter (blz. 230-233) toont ook een skelet met een zandloper.

Plafond met hemelse scènes

Gian Lorenzo Bernini (1598-1680)
Als favoriete kunste-naar van de pausen verrijkte Bernini Rome met kerken, paleizen, beelden en fonteinen.

Fresco van de Heilige Familie

Wandtapijt van paus Urbanus VIII
Afgezanten bewijzen eer aan Bernini's meest toegewijde beschermer, paus Urbanus VIII Barberini (1623-1644).

Een marmeren roos geeft de plaats aan waar u de ruim-telijke illusie van de kunste-naar het beste gewaarwordt.

- Bedrieglijke balken op het plafond
- Geschilderde kapel op vlakke, wijkende muur
- Geschilderde figuren het best zichtbaar vanuit een hoek

Ignatius, stichter van de orde der jezuïeten

Koningin Christina van Zweden

Gewonnen voor het katholicisme deed Christina afstand van het protestantse geloof en de troon. In 1655 werd ze in Rome de spil van een literaire en wetenschappelijke kring.

San Carlo alle Quattro Fontane

Een van Borromini's invloedrijkste werken was dit ovale kerkje (blz. 161) *op de Quirinaal.*

Francesco Borromini
(1599-1667)
In de vele kerken die hij bouwde, maakte Borromini gebruik van revolutionaire geometrische vormen.

POZZO-CORRIDOR

Het gebruik van perspectief om een illusie van diepte en ruimte te creëren, was een favoriet barok trekje. Andrea Pozzo beschilderde deze gang rond 1680 in de vertrekken van de H. Ignatius (blz. 114-115).

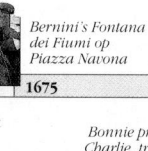

De architectuur van Rome

De architectuur van het keizerlijke Rome handhaafde de klassieke stijlen uit het oude Griekenland en ontwikkelde tevens nieuwe, specifiek Romeinse vormen, die waren gebaseerd op de boog, het gewelf en de koepel. Het volgende belangrijke tijdperk was de 12de eeuw, toen veel romaanse kerken verrezen. De Renaissance betekende de terugkeer naar klassieke idealen. In de 17de eeuw vond Rome echter weer een eigen stijl in de Barok.

HET KLASSIEKE ROME

De meeste Romeinse gebouwen waren van beton en bekleed met steen. Vanaf de 1ste eeuw v.C. begonnen de Romeinen in navolging van de Grieken marmer te gebruiken ter verfraaiing.

Kariatiden waren gebeeldhouwde zuilen, meestal in de vorm van een vrouw. Romeinse kariatiden, zoals deze op het Forum van Augustus, waren vaak kopieën van oudere Griekse voorbeelden.

De bouwstijlen van de klassieke architectuur waren gebaseerd op een verschillend ontwerp van de zuil. De drie belangrijkste namen de Romeinen over van de Grieken.

Dorische orde   Ionische orde   Corinthische orde

Aediculae waren kleine heiligdommen met twee pilaren, vaak met een beeld van een god.

Cassetten zijn verzonken panelen die de koepel- of gewelfvormige plafonds lichter maken.

Romeinse tempels werden meestal gebouwd op een soort verhoging. Vele hadden een portiek aan de voorkant, met een dak en een zuilenrij.

Zuilen met portiek

Cella (intern heiligdom)

Podium

Gecanne- leerde zuil- schacht

Architraaf (horizontaal gedeelte, rustend op zuilen)

Kroonlijst (uitstekend gedeelte langs façade)

Driehoekig timpaan

Corinthisch kapiteel

Eenvoudig fries

Het entablement op deze zuilen heeft zowel rechte als gebogen delen (Villa van Hadrianus).

Boog van Titus

VROEG-CHRISTELIJK EN MIDDELEEUWS ROME

De eerste christelijke kerken in Rome waren gebaseerd op de basilica: rechthoekig, met drie schepen, die meestal in een apsis uitliepen. Van de 10de tot de 13de eeuw verrezen de meeste kerken in de romaanse stijl, die de ronde bogen van het oude Rome gebruikte.

De triomboog scheidt het schip van een kerk van de apsis. Hier, in San Paolo fuori le Mura, sieren mozaïeken de boog.

ROME IN RENAISSANCE EN BAROK

De architectuur van de Renaissance (15de-16de eeuw) was rechtstreeks geïnspireerd op de klassieke voorbeelden met strikt geometrische verhoudingen. De Barok (eind 16de-17de eeuw) brak met veel traditionele regels en prefereerde overdadige decoratie boven zuiver klassieke vormen.

Basilica's in Rome hebben meestal hun rechthoekige vorm behouden. De vloer in het schip van San Giovanni in Laterano dateren nog uit de 4de eeuw.

Putti waren een populair versiersel in de Barok. Een putto is een schilderij of een beeldje van een kind als Cupido of engeltje.

Een loggia is een open galerij of zuilengang. Hij kan staan of deel van een gebouw zijn, zoals hier bij San Saba.

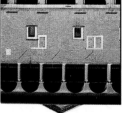

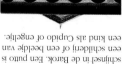

Rustiek metselwerk decoreert de buitenkant van veel palazzi uit de Renaissance, vedal massieve blokken met diepe voegen.

Een baldacchino is een baldakijn op zuilen dat boven het hoofdaltaar uitsteekt. Dit voorbeeld komt uit de Sint Pieter.

Een tabernakel bevat meestal het sacrament voor de mis. Dit 13de-eeuwse gotische muurtabernakel vindt u in San Clemente.

COSMATEN-BEELDHOUWWERK EN -MOZAÏEK

De naam van de familie Cosmati, in de 12de en 13de eeuw werkzaam in Rome, staat voor een bijzondere, Romeinse stijl van decoreren. Ze werkten met marmer en maakten allerlei onderdelen voor kerken, zoals kruisgangen, tomben, preekstoelen en doopvonten. Deze waren vaak versierd met stroken kleurrijk mozaïek. Ze lieten ook veel fraaie vloermozaïeken na, meestal van wit marmer met ingelegd rood en groen porfier. Oude Romeinse zuilen verschaften daarbij het materiaal. Ook andere steenhouwerfamilies werkten in deze stijl; voor hun werk gebruikt men evenens de term Cosmaten-stijl.

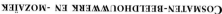

Cosmaten-vloer, Santa Maria in Cosmedin

Rome tijdens de Eenwording

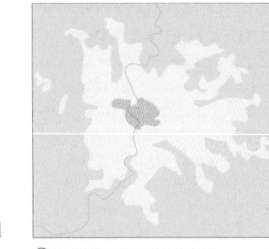

OMVANG VAN DE STAD

▨ 1870	☐ Heden

Onder Napoleon kon Italië even proeven wat eenheid was, maar in 1815 was het weer verdeeld in veel staatjes en de paus regeerde opnieuw vanuit Rome. De volgende 50 jaar streden patriotten onder leiding van Mazzini, Garibaldi en anderen voor een onafhankelijk en verenigd Italië. In 1848 werd Rome kort tot republiek verklaard, maar het Franse leger verjaagde Garibaldi's troepen. De rest van Italië werd een verenigd koninkrijk onder Vittorio Emanuele van Savoie. In 1870 bestormde het leger Rome, dat hoofdstad van Italië werd.

Garibaldi in zijn opvallende rode hemd

Porta Pia

Driekleur van het nieuwe koninkrijk Italië

Hoeden met pluimen van de Bersaglieri, keurkorps uit Savoie

Allegorie van de bevrijding
Deze nationalistische poster uit 1890 toont de koning, premier Cavour, Garibaldi en Mazzini. De vrouw in het rood symboliseert Italië.

Vittorio Emanuele II
Vittorio Emanuele II werd in 1861 de eerste koning van Italië.

ROYALISTEN BESTORMEN PORTA PIA
Op 20 september 1870 maakten troepen van het koninkrijk Italië een eind aan de heerschappij van de paus in Rome. De paus vluchtte en Rome werd hoofdstad van Italië.

TIJDBALK

1751 De *Gezichten op Rome* van Piranesi doen belangstelling voor klassieke ruïnes herleven

1762 Trevifontein is voltooid

Napoleon Bonaparte

1797 Napoleon verovert Rome

1799 Oostenrijk en Rusland verdrijven Napoleon uit Italië

1750	1775	1800

Forum van Trajanus, gravure van Piranesi

1792 Canova maakt de tombe van paus Clemens XIII in de Sint Pieter

1800-1801 Napoleon herovert Italië

1807 Geboorte van Garibaldi

☐ **Rome tijdens de Eenwording**

Garibaldi en Rome

Giuseppe Garibaldi onttrok een groot deel van Italië aan vreemde heerschappij. Rome bleef echter een groot probleem. Hier verklaart hij: 'O Roma o morte' (Rome of de dood).

Villa Paolina

Giuseppe Verdi (1813-1901)

Verdi, de operacomponist, was voor de eenwording en werd in 1861 lid van Italiës eerste nationale parlement.

Bres in Aureliaanse Muur

Een bevrijde stad

Deze marmeren gedenkplaat bij de Porta Pia herdenkt de bevrijding van Rome.

Monument voor Victor Emanuel

Aan het Piazza Venezia staat het monument voor Italiës eerste koning (blz. 74).

· S · P · Q · R ·
VRBE · ITALIAE · VINDICATA
INCOLIS · FELICITER · AVCTIS
GEMINOS · FORNICES · CONDIDIT

1816 Aanleg Piazza del Popolo

Fontein op Piazza del Popolo

1848 Nationalistische opstand in Rome. De paus vlucht; vorming van een republiek

1860 Garibaldi en zijn 1000 getrouwen veroveren Sicilië en Napels

1870 Koningsgezinde troepen veroveren Rome; eenwording van Italië een feit

1825

1850

1820 Revoluties in heel Italië

1821 Dichter Keats sterft in huis aan Piazza di Spagna

1849 Paus in zijn macht hersteld, beschermd door Frans garnizoen

Paus Pius IX

1861 Koninkrijk Italië uitgeroepen; Turijn wordt hoofdstad

Het 20ste-eeuwse Rome

De fascistische dictator Mussolini droomde ervan de luister, orde en macht van het oude Romeinse Rijk opnieuw tot leven te brengen. 'De hele wereld', zei hij, 'moet Rome schitterend vinden.' Hij was van plan een enorm Paleis van het Fascisme bij het Forum te bouwen. Hier kwam niets van terecht, hoewel hij een begin maakte met een geweldig nieuw complex, EUR, en 15 kerken en veel middeleeuwse huizen met de grond gelijk liet maken voor de aanleg van brede, nieuwe wegen. Gelukkig is het grootste gedeelte van het centrum bewaard gebleven.

Voetbalgekte

OMVANG VAN DE STAD

☐ *Jaren zestig*   ☐ *Heden*

Mussolini's plannen met Rome
Deze propagandaposter is een weergave van Mussolini's enorme projecten, zoals de Via dei Fori Imperiali bij het Forum (blz. 76), en EUR (blz. 267).

Placido Domingo   José Carreras   Luciano Pavarotti

Paus Johannes Paulus II
Johannes Paulus II is de eerste niet-Italiaanse paus sinds 1520. De traditionele paus oefent een grote invloed uit op het leven van de katholieken.

CONCERT VAN DRIE TENOREN, 1990
Dit operarecital in de Thermen van Caracalla werd rechtstreeks uitgezonden tijdens het wereldkampioenschap voetbal.

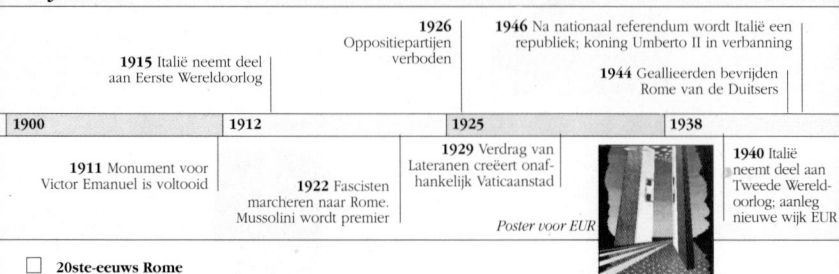

TIJDBALK

| | 1915 Italië neemt deel aan Eerste Wereldoorlog | **1926** Oppositiepartijen verboden | **1946** Na nationaal referendum wordt Italië een republiek; koning Umberto II in verbanning |
| | | | **1944** Geallieerden bevrijden Rome van de Duitsers |

1900	1912	1925	1938
1911 Monument voor Victor Emanuel is voltooid	**1922** Fascisten marcheren naar Rome. Mussolini wordt premier	**1929** Verdrag van Lateranen creëert onafhankelijk Vaticaanstad	**1940** Italië neemt deel aan Tweede Wereldoorlog; aanleg nieuwe wijk EUR

Poster voor EUR

☐ **20ste-eeuws Rome**

Religie in de 20ste eeuw

Rome trekt al eeuwenlang pelgrims, en ze komen nog steeds, vooral met Pasen en voor de steeds toenemende zaligverklaringen. De stad biedt onderdak aan een grote, kosmopolitische religieuze gemeenschap.

Dirigent Zubin Mehta

Poster voor La dolce vita

In de jaren vijftig en zestig was Rome het Hollywood van Europa. Ben Hur, Quo vadis? en Cleopatra *kwamen uit de studio's van Cinecittà, evenals Italiaanse films als Fellini's* La dolce vita.

Valentino-mannequin

Hoewel voor de mode niet zo belangrijk als Milaan, huisvest Rome nog steeds een aantal topontwerpers.

Verkeer in het centrum

De straten zijn overvol en de vervuiling beschadigt veel gebouwen. Er bestaan plannen om het historische centrum voor verkeer af te sluiten.

1960 Olympische Spelen in Rome gehouden

1978 Premier Aldo Moro ontvoerd en vermoord door Rode Brigade; Karol Wojtyla wordt paus Johannes Paulus II

1981 Aanslag op paus Johannes Paulus II op Sint-Pietersplein

1950	1962	1975	1988

1957 Verdrag van Rome; begin van EEG

1962 Tweede Vaticaans Concilie zorgt voor kerkhervormingen

1990 Wereldkampioenschap voetbal in Italië

ROME IN HET KORT

Vanaf de begintijd als nederzetting van herders op de Palatijn groeide Rome langzaam maar zeker uit tot centrum van een enorm rijk, dat zich uitstrekte van Noord-Engeland tot Noord-Afrika. Later, na de val van het rijk, werd Rome het hart van de christelijke wereld, dat kunstenaars en architecten aantrok om voor de pausen te werken. Hun werken vindt u overal in de stad. De volgende bladzijden bieden een overzicht van de topattracties. Er zijn paragrafen over kerken, musea, fonteinen en obelisken en beroemde personen in Rome. Hieronder ziet u de bezienswaardigheden die geen toerist mag missen.

DE BEKENDSTE TOERISTENATTRACTIES

Capitolijnse Musea
Blz. 70-73.

Colosseum
Blz. 92-95.

Sixtijnse Kapel
Blz. 244-247.

Stanze van Rafaël
Blz. 242-243.

Trevifontein
Blz. 159.

Spaanse Trappen
Blz. 134.

Castel Sant'Angelo
Blz. 248-249.

Pantheon
Blz. 110-111.

Sint Pieter
Blz. 230-233.

Forum Romanum
Blz. 78-87.

Piazza Navona
Blz. 120.

Interieur van het Pantheon, door Giovanni Paolo Pannini (1691-1765)

Hoogtepunten: kerken en tempels

Als centrum van het christendom bezit Rome een enorme rijkdom aan mooie en interessante kerken. Ze variëren van schitterende grote basilica's die de macht van de katholieke Kerk in de Middeleeuwen en Renaissance moesten weergeven tot de bescheiden bouwwerken waar de eerste christenen, vaak in het geheim, bijeenkwamen. De boeiendste vroege kerken zijn de verbouwde Romeinse tempels. De verbouwingen in de loop der jaren hebben intrigerende kerken met vele lagen opgeleverd. Een historisch overzicht vindt u op bladzijden 44-45.

Pantheon
Dit monumentale, 2000 jaar oude bouwwerk is een van de grootste overgebleven tempels uit het klassieke Rome.

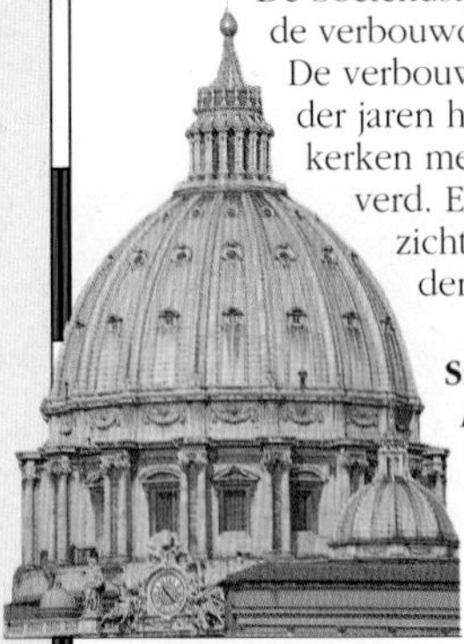

Sint Pieter
De 136 m hoge koepel van Michelangelo is de hoogste ter wereld. Helaas stierf hij voor zijn werk af was.

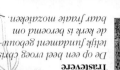

Santa Maria in Trastevere
De op een heel vroeg christelijk fundament gebouwde kerk is beroemd om haar fraaie mozaïeken.

Santa Cecilia in Trastevere
Dit beeld van Cecilia toont haar zoals ze lag toen haar graf werd geopend. Het is van de hand van Stefano Maderno.

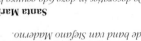

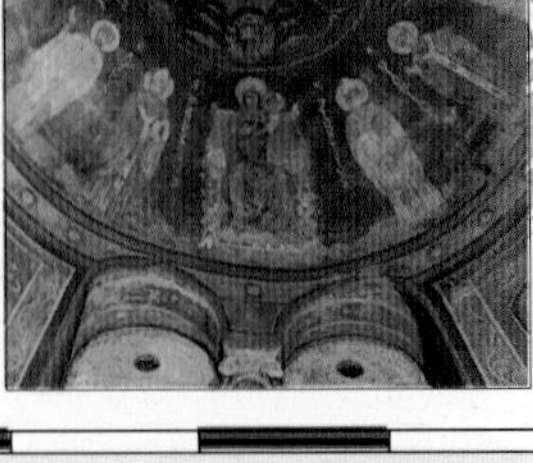

Santa Maria in Cosmedin
De decoraties in deze 6de-eeuwse kerk stammen uit de 12de eeuw of vroeder. Op een hersteld schilderij in de apsis zijn de Maagd, het Kind en heiligen te zien.

Kaart-labels: Trastevere · Campo de' Fiori · Janiculum · Piazza Navona · Piazza della Rotonda · Piazza di Spagna · Vaticaan · Capitool · N

Santa Maria Maggiore
Rijke mozaïeken en relikwieën contrasteren met het sobere interieur van de Santa Maria Maggiore. Tot de schatten behoren ook gewaden met het wapen van de familie Borghese.

Sant'Andrea al Quirinale
Bernini maakte maximaal gebruik van gebogen lijnen in het ovale interieur (1658-1670) en schiep een juweeltje van Romeinse Barok.

Santa Prassede
Schitterende Byzantijnse mozaïeken bedekken muren en plafonds van deze 9de-eeuwse kerk. De Christus met de engelen vindt u in de kapel van San Zeno.

Santa Croce in Gerusalemme
Heiligen sieren de gevel van Santa Croce. Binnen zijn resten van het Kruis te zien die Helena uit Jeruzalem meebracht.

Via Venelo

Quirinaal

Esquilijn

Forum

Palatijn

Lateraan

Aventijn   Caracalla

0 meter   500

San Clemente
Onder de 12de-eeuwse kerk gaan veel archeologische lagen schuil. Deze sarcofaag dateert uit de 4de eeuw.

San Giovanni in Laterano
Constantijn, de eerste christelijke keizer, bouwde de oorspronkelijke kerk. Op de mozaïeken in de kapel van San Venanzio staat ook Venantius zelf.

Kerken en tempels verkennen

Er zijn meer kerken in Rome dan dagen in het jaar. Dus u moet selectief zijn. De zeven grote basilica's trekken al eeuwenlang katholieke pelgrims: de **Sint Pieter**, het hart van de rooms-katholieke Kerk, **San Giovanni in Laterano, San Paolo fuori le Mura, Santa Maria Maggiore, Santa Croce in Gerusalemme, San Lorenzo fuori le Mura** en **San Sebastiano**. Ze bezitten een overvloed aan relikwieën, tomben en schitterende kunstwerken uit verschillende perioden. Kleinere kerken kunnen net zo interessant zijn, vooral als ze hun originele sfeer hebben weten te bewaren.

13de-eeuws fresco van Pietro Cavallini in Santa Cecilia

VROEG-CHRISTELIJKE EN MIDDELEEUWSE KERKEN

In enkele vroege basilica's, de 5de-eeuwse **Santa Maria Maggiore** en **Santa Sabina** bijvoorbeeld, is nog veel over van de originele structuur. Andere, zelfs oudere kerken als de 4de-eeuwse **San Paolo fuori le Mura** en **San Giovanni in Laterano**, hebben nog de oorspronkelijke vorm van een basilica. San Paolo is herbouwd nadat een brand in 1823 het originele gebouw had verwoest; de huidige San Giovanni is een reconstructie uit 1646 van Borromini. Beide

Kruisgang van San Giovanni in Laterano

kerken hebben nog middeleeuwse kloostergangen. **Santa Maria in Trastevere** en **Santa Cecilia in Trastevere** zijn gebouwd op huizen waar de eerste christenen in het geheim hun erediensten vierden. Een kerk waar u de verschillende lagen van oudere structuren duidelijk kunt zien, is **San Clemente**: Het laagste niveau is een Mithrastempel uit de 3de eeuw. Andere vroege kerken zijn **Santa Maria in Cosmedin** en het versterkte klooster **Santissimi Quattro Coronati**. Veel Romeinse kerken en, vooral **Santa Prassede**, bevatten fraaie, vroeg-christelijke en middeleeuwse mozaïeken.

OUDE TEMPELS

Een tempel is vrijwel onveranderd bewaard gebleven sinds de bouw in de 2de eeuw: het **Pantheon**, de 'tempel voor alle goden'. Het heeft haar oorspronkelijke koepelvormig interieur. Andere Romeinse tempels zijn opgenomen in christelijke kerken. Er staan er twee op het Forum. **Santi Cosma e Damiano** is in 526 gevestigd in de Tempel van Romulus, terwijl San Lorenzo in Miranda

Het gewelfde interieur van het Pantheon, dat in 609 een kerk werd

uit de 11de eeuw werd gebouwd op de resten van de **Tempel van Antoninus en Faustina**. De barokke façade uit 1602 duikt op achter de zuilen van de tempel. Een andere kerk die duidelijk haar oude Romeinse oorsprong toont, is **Santa Costanza**, bedoeld als mausoleum voor de dochter van Constantijn.

ONGEWONE PLATTEGRONDEN

Het ontwerp van de eerste kerken in Rome was gebaseerd op de oude basilica, een rechthoekig gebouw dat in drie schepen was verdeeld. Later week men hiervan af met heel andere, gewaagde vormen, onder andere ronde kerken, vierkante kerken, gebaseerd op het Griekse kruis (zoals in het ontwerp van Bramante voor de Sint Pieter), en in de Barok zelfs ovale en zeshoekige kerken.

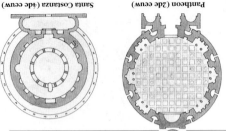

Pantheon (2de eeuw)

Santa Costanza (4de eeuw)

RENAISSANCE

De grootste onderneming van de pausen uit de Renaissance was de bouw van de Sint Pieter. Ruzie over de vorm van de kerk leidde ertoe dat, hoewel het werk in 1506 begon, de kerk pas ver in de 17de eeuw was voltooid. Gelukkig verhinderde dit niet dat Michelangelo zijn geweldige koepel kon bouwen. Michelangelo werkte niet alleen aan de Sint Pieter, hij schonk ook de **Sixtijnse Kapel** schitterende fresco's. Van een geheel andere afmeting is een volgend meesterwerk van de renaissance-architectuur: Bramantes kleine **Tempietto** (1499) op de Janiculum. **Santa Maria della Pace** heeft een kloostergang van Bramante, fresco's van Rafaël en een fraaie gang van Pietro da Cortona. Belangwekkend is ook Michelangelo's gebruik van de gewelven van de Thermen van Diocletianus in de **Santa Maria degli Angeli**. Andere kerken zijn bezoek waard vanwege de

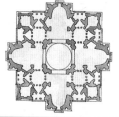

Michelangelo's spectaculaire koepel boven in de Sint Pieter

schitterende schilderijen en het beeldhouwwerk. **Santa Maria del Popolo** bijvoorbeeld, bevat twee grote schilderijen van Caravaggio, de door Rafaël ontworpen Chigi-kapel en een reeks 15de-eeuwse fresco's van Pinturicchio. **San Pietro in Vincoli** bezit niet alleen de ketens waaraan Petrus in de kerker gebonden zat, maar ook Michelangelo's imposante beeld van Mozes. **San Luigi dei Francesi** heeft drie Caravaggio's en fresco's van Domenichino.

BAROK

De Contrareformatie gaf aanleiding tot de exuberante, overdadige stijl van kerken als de **Gesù** en **Sant'Ignazio di Loyola**. De populairste voorbeelden van Romeinse Barok zijn van Bernini, zoals de grote zuilengang en baldakijn die hij voor de **Sint Pieter** bouwde. Van de kleine kerken die hij ontwierp, is **Sant'Andrea al Quirinale** misschien de fraaiste, terwijl u in de **Santa Maria della Vittoria** zijn verbluffende Cornaro-kapel vindt, met het beeld *Extase van de H. Teresa*. Bezoek ook kerken als de **San Carlo al Catinari** met de mooie koepel van Rosati en de vele kerken van Bernini's ri-

Interieur van Rosati's koepel in San Carlo ai Catinari (1620)

vaal Borromini. **Sant'Agnese in Agone** en **San Carlo alle Quattro Fontane** staan bekend om de spectaculaire holle gevelvlakken; **Sant'Ivo alla Sapienza** is vanwege de complexe vorm van een de meesterwerkjes van de Barok.

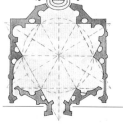

Sint Pieter van Bramante (1503)

Sant'Andrea al Quirinale (1658)

Sant'Ivo alla Sapienza (1642)

Hoogtepunten: musea

D e musea van Rome behoren tot de rijkste ter wereld; het Vaticaan alleen al bezit unieke collecties Egyptische, Etruskische, Griekse, Romeinse en vroeg-christelijke voorwerpen, evenals fresco's van Michelangelo en Rafaël, onbetaalbare manuscripten en sieraden. Opgravingen brachten schatten uit het oude Rome aan het licht die nu te zien zijn in musea in de hele stad. De fraaiste Etruskische collecties ter wereld kunt u bewonderen in de Villa Giulia. Nadere bijzonderheden over de musea vindt u op de bladzijden 48-49.

Villa Giulia
De prachtige renaissancevilla herbergt Etruskische schatten uit het prille begin van Rome.

Vaticaanse Musea
De galerijen en lange gangen bezitten kostbare voorwerpen zoals dit 9de-eeuwse mozaïek met scènes uit het leven van Christus.

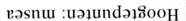

Galleria Spada
Hoogtepunt van de collectie zijn 17de- en 18de-eeuwse schilderijen onder meer een Visitatie van Andrea del Sarto (1486-1530).

Palazzo Corsini
Hier hangen werken van Caravaggio, Rubens en Van Dyck, evenals een schilderij van Bernini, de beeldhouwer uit de Barok – een zeldzaam portret door Il Baciccia (1639-1709).

Galleria Doria Pamphilj
De meeste grote namen uit de Renaissance komt u tegen op de volle muren in dit museum. Titiaan (1485-1576) schilderde Salome in het begin van zijn carrière.

Map labels:

Trastevere

Janiculum

Campo de' Fiori

Vaticanen

Piazza Navona

Piazza della Rotonda

Piazza di Spagna

TIBER

N

0 meter 500

Museo Borghese

De galerijen op de begane grond bezitten beeldhouwwerk uit het antieke Griekenland en Rome, maar ook vroege meesterwerken van Bernini, zoals deze David (1619).

Museo Nazionale Romano

Dit fresco uit de villa van Livia (1ste eeuw) buiten Rome behoort tot een enorme collectie vondsten van opgravingen in de hele stad.

Palazzo Barberini

De kunstschatten hier dateren overwegend uit de 13de tot 16de eeuw. Dit beeld van de Voorzienigheid komt uit Pietro da Cortona's Triomf van de Goddelijke Voorzienigheid *(1633-1639).*

Palazzo Venezia

De hoogtepunten van het belangrijkste museum voor decoratieve kunst in Rome zijn de Byzantijnse en middeleeuwse collecties, waartoe ook deze 13de-eeuwse Christus behoort.

Via Veneto

Quirinaal

Esquilijn

Capitool

Forum

Palatijn

Caracalla

Lateraan

Aventijn

Capitolijnse Musea: Palazzo dei Conservatori

De Sabijnse Maagdenroof (1629) van Pietro da Cortona is een van de vele barokschilderijen in het museum.

Capitolijnse Musea: Palazzo Nuovo

Een van de sculpturen is het hoofd van Giulia Domna (vrouw van Septimius Severus) uit de 2de eeuw.

Musea verkennen

Het accent valt in de musea van Rome op twee onderwerpen: Griekse en Romeinse archeologische schatten en schilderijen en beeldhouwwerk uit de Renaissance en Barok. De Vaticaanse Musea hebben van beide schitterende verzamelingen, evenals de Capitolijnse Musea. Fraaie schilderijen komt u trouwens in heel Rome tegen, verspreid over musea en kerken (blz. 44-45).

ETRUSKISCHE VOORWERPEN

De Etrusken bewoonden in de 8ste eeuw v.C. een gebied dat zich uitstrekte tussen Rome en Florence en heersten over Rome vanaf eind 7de eeuw v.C. (blz. 16-17). De Etrusken begroeven de doden gewoonlijk met hun bezittingen. Zo komt het dat er veel Etruskische voorwerpen zijn opgegraven in tomben in Midden-Italië. In Rome zijn er drie belangrijke collecties te zien. In de **Villa Giulia** is sinds 1889 het Museo Nazionale Etrusco gevestigd. De villa, ontworpen door Vignola voor paus Julius III als zomerverblijf, is een van Romes mooiste bouwwerken uit de Renaissance. In de

Etruskische gouden plaat uit de 5de eeuw v.C., Villa Giulia

Etruskisch kleinood, Villa Giulia

een nagebouwde Etruskische tempel te zien. Niet alle vondsten zijn van Etruskische herkomst: een deel van het aardewerk, beeldjes en andere voorwerpen zijn van de Falisci, Latijnen en andere stammen. Het Museo Gregoriano Etrusco in de **Vaticaanse Musea** opende in 1837 zijn deuren voor Etruskische vondsten uit tomben in gebieden die eigendom van de Kerk waren. Het Museo Barracco in de **Piccola Farnesina** bezit beelden van de veel oudere beschavingen der Egyptenaren en Assyriërs.

OUDE ROMEINSE KUNST

Het archeologisch gebied in Rome is een groot openluchtmuseum dat het oude Rome tot leven brengt, terwijl de klooster- en zuilengangen van de kerken en de stad vol staan met oude sarcofagen en resten van beeldhouwwerk. De grootste belangrijke verzameling vindt u in het **Museo Nazionale Romano** in de Thermen van Diocletianus tegenover het station. Tot de vele klassieke voorwerpen in het museum behoort de bekende sarcofaag uit de Villa van Livia. Veel van de uitgebreide collectie is opgeslagen vanwege reorganisatie. De belangrijkste beelden staan in de **Vaticaanse Musea**, die ook de beste en bekendste Griekse werken hebben, zoals de *Laocoön* en de 1ste eeuw n.C. naar Rome gebracht. Ze hadden een enorme invloed op de ontwikkeling van Ro-

Triomfstandaard, Museo della Civiltà Romana

meinse kunst. Prachtige kopieën van Griekse originelen zijn in de **Capitolijnse Musea** te bewonderen. Op het Forum staat het interessante **Antiquarium Forense**, dat twee verdiepingen van de kerk Santa Francesca Romana beslaat. Voor wie van geschiedenis houdt, geeft de grote houten maquette in het **Museo della Civiltà Romana** in EUR een uitstekende indruk van het Rome uit de 4de eeuw.

Borstschild van centurion, Museo della Civiltà Romana 4de eeuw.

KUNST-VERZAMELINGEN

In het verleden bezaten veel Romeinse aristocratische families schitterende privé-collecties schilderijen en beeldhouwwerk. Sommige zijn nog steeds in de adellijke paleizen te zien. Een ervan is de **Galleria Doria Pamphilj**, het palazzo met de grootste verzameling schilderijen, waaronder werken van Rafaël, Filippo Lippi, Caravaggio, Titiaan en Claude Lorrain, evenals het portret van paus Innocentius X van Velázquez. De verzameling van de **Galleria Spada**, aan-

Muzen in Rafaëls Parnassus (1508-1511), Vaticaanse Musea

gelegd door Bernardino Spada in 1632, bevindt zich nog steeds in het originele museum, dat er speciaal voor is gemaakt. De schilderijen getuigen van de 17de-eeuwse Romeinse smaak: Rubens, Caravaggio, Guido Reni, Guercino, Domenichino en Jan Brueghel de Oudere. De **Galleria Colonna** herbergt een collectie kunst uit dezelfde periode. Andere oude familieverblijven tonen nu staatscollecties. De Galleria Nazionale d'Arte Antica is verdeeld over **Palazzo Barberini** en **Palazzo Corsini**. Palazzo Barberini, gebouwd tussen 1625 en 1633 door Bernini en anderen bezit schilderijen uit de 13de tot 16de eeuw. Er zijn ook *objets d'art* te zien die de staat uit diverse privé-collecties verwierf. Ooit zullen de 17de- en 18de-eeuwse schilderijen uit het Palazzo Corsini worden overgebracht ter aanvulling op de collectie van het Palazzo Barberini. Ook een schitterende privé-verzameling is die van de familie Borghese, nu eveneens in beheer van de staat. Het **Museo Borghese** wordt ge-

restaureerd en slechts het beeldhouwwerk op de begane grond is te zien. De technisch verbluffende *Apollo en Daphne* van het jeugdige genie Bernini en het beroemde beeld van Pauline Borghese van de hand van Canova zijn toch zeker een bezoek waard.

De **Capitolijnse Musea** bezitten collecties die de pausen aan Rome hebben geschonken. De Pinacoteca (schilderijenverzameling) van het **Palazzo dei Conservatori** toont werken van Titiaan, Guercino en Van Dyck. Er is ook een schilderijencollectie in de **Vaticaanse Musea**, maar liefhebbers van renaissancekunst lopen direct naar de Sixtijnse Kapel en de Stanze van Rafaël. De belangrijkste verzameling moderne kunst ziet u in de **Galleria Nazionale d'Arte Moderna**.

KLEINERE MUSEA

De belangrijkste kleinere verzamelingen vindt u in het middeleeuwse, prachtig uitgevoerde museum **Palazzo Venezia**, met voorwerpen van keramiek tot beeldhouwwerk. Rome heeft tal van kleine, gespecialiseerde musea, zoals het **Museum degli Strumenti Musicali**, een **Museo del Folklore**, met tableaus die het leven in Rome in de 19de eeuw tonen, en het **Burcardo Theatermuseum**. Voor wie geïnteresseerd is in de Engelse dichters uit de Romantiek die in de 19de eeuw in Rome woonden, is er het **Keats-Shelley Memorial House**, een museum in het huis waar John Keats overleed. Wie dol is op het Franse keizerrijk, gaat naar het **Museo Napoleonico**, met schilderijen van Napoleon en fami-

Laocoön (1ste eeuw) in het Museo Pio-Clementino, Vaticaan

lieleden. Tot slot is er een wassenbeeldenmuseum, het **Museo delle Cere**.

Portret van Pauline Borghese door Kinson (ca. 1805), thans in Museo Napoleonico

De graflegging (1604) van Caravaggio, Vaticaan

Hoogtepunten: fonteinen en obelisken

In Rome staan een paar van de mooiste fonteinen ter wereld. Vele zijn het werk van de beroemdste beeldhouwers uit de Renaissance en Barok. Sommige fonteinen zijn zeer uitbundig, andere rustige stroompjes water. Vele zijn zeer eenvoudige drinkfonteintjes, weer andere ware watervallen. Obelisken duiken al veel eerder in de Romeinse geschiedenis op. Soms waren Romeinse keizers de opdrachtgevers, maar veel obelisken zijn ouder en naar Rome gebracht door zegevierende legers. Meer details over de fonteinen en obelisken van Rome vindt u op bladzijden 52-53.

Fontana delle Tartarughe
Dit juweeltje van renaissance-beeldbouwwerk is een van de verscholen fonteinen in Rome; de jongetjes helpen schildpadden in een bassin.

Obelisk van Santa Maria sopra Minerva
De marmeren olifant van Bernini draagt de Egyptische obelisk uit de 6de eeuw v.C.

Fontana dei Fiumi
De figuren van Bernini in de fontein symboliseren de vier rivieren de Rio de la Plata, de Donau, de Ganges en de Nijl.

Piazza San Pietro
Twee fonteinen vrolijken het schitterende, monumentale piazza op voor de Sint Pieter. Maderno ontwierp de fontein voor het Vaticaan in 1614; de identieke tweede is van later datum.

Piazza del Popolo
19de-eeuwse marmeren leeuwen en fonteinen omringen een antieke obelisk midden op het piazza.

Trastevere

Janiculum

Campo de' Fiori

Piazza Navona

Vaticaan

Piazza della Rotonda

Fontana della Barcaccia
Deze fontein uit 1627 is vermoedelijk het werk van Pietro Bernini, vader van de beroemdere Gian Lorenzo.

N

0 meter 500

Trevifontein
Nicola Salvi ontwierp in 1762 de Trevi, geïnspireerd door Romeinse triomfbogen. Men zegt dat wie een muntje in het water gooit, naar Rome terugkeert.

Piazza i Spagna *Via Veneto*

Quirinaal

Esquilijn

Capitool

Forum

Palatijn

Lateraan

Caracalla

Aventijn

Fontana delle Naiadi
Na de onthulling van deze fontein in 1901 wekten de realistische, sensuele bronzen nimfen een storm van protest.

Obelisk op Piazza San Giovanni in Laterano
De oudste obelisk van Rome dateert uit de 15de eeuw v.C. Op bevel van Constantijn II is de zuil in 357 naar Rome vervoerd.

Fontein op Piazza della Bocca della Verità
Carlo Bizzaccheri bouwde de fontein in de 18de eeuw voor paus Clemens XI; water stroomt over een woeste rotspartij waarop twee tritons een grote schelp omhoog houden.

Fonteinen en obelisken verkennen

De pausen die de oude Romeinse aqua-ducten lieten restaureren, bouwden vaak fonteinen ter herinnering aan hun welda-den. Zodoende is Rome bezaaid met fontei-nen van allerlei afmetingen en vormen. Oude obelisken vormen een sterke herinne-ring aan wat de Romeinse beschaving aan de Egyptenaren te danken heeft. Architecten hebben ze tot een onderdeel van Romeinse piazza's weten te maken.

Fontein van de Amphorae (ca. 1920)

FONTEINEN

De Trevifontein is een van de allerbekendste. Het is een *mostra*, een monumentale fontein, gebouwd om het eind van een aquaduct te markeren – in dit geval de Acqua Vergine, aangelegd door Marcus Agrippa in 19 v.C., hoewel de fontein zelf pas in 1762 was voltooid. Andere *mostre* zijn de **Fontana Paola**, gebouwd voor paus Paulus V in 1612 op de Janiculum, en de minder imponerende **Mozesfontein**, ter herinnering aan de opening van de Acqua Felice door paus Sixtus V in 1587. Op bijna elk beroemd piazza in Rome staat een fontein. Op het **Piazza San Pietro** staat een identiek paar imposante fonteinen. De grootste attrac-tie van het Piazza Navona is Bernini's prachtige, barokke **Fontana dei Fiumi** (fontein der rivieren). Ten zuiden hier-van staat de kleinere **Fontana del Moro** (de Moor), ook van Bernini, waarop een Ethiopiër met een dolfijn worstelt. Aan de noordkant vecht Neptunus met een octopus op een

19de-eeuwse fontein. Op het Piazza Barberini staat een schepping van Bernini uit 1642-1643: de **Fontana del Tritone**, waarop de zeegod door een schelp blaast. Valadiers magistrale ontwerp voor het **Piazza del Popolo** (1816-1820) is getooid met marmeren leeuwen en fontei-nen om de centrale obelisk en nog twee fonteinen aan de west- en oostkant van het

Fontein van de Vier Tiara's achter de Sint Pieter

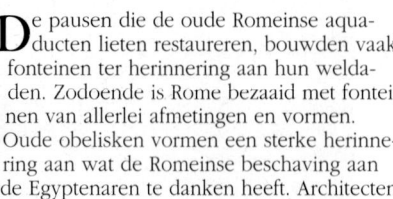

Pantheonfontein

plein. Omstreeks 1900 werd de **Fontana delle Naiadi** (nimfen) onthuld, op het Piazza della Repubblica. De wereldse figuren wekten des-tijds veel schandaal. De zeer originele **Fontein van de Amphorae (kaart** 8 D2) ver-rees in de jaren twintig op het Piazza dell'Emporio. De schepper, Pietro Lombardi, ontwierp ook de **Fontein van de Vier Tiara's (kaart** 3 C3) achter de zuilengang van de Sint Pieter. Verder telt Rome een aantal kleine, maar vaak zeer fraaie fonteinen. Onder aan de Spaanse Trappen ligt de **Fontana della Barcaccia** (de lekkende boot) uit 1627; de **Fontana delle Tartarughe** (van de schildpadden) siert het kleine Piazza Mattei sinds

DE TREVIFONTEIN

De theatrale Trevifontein is al in veel films als ster op-getreden. Niet alleen was de fontein te bewonderen in romantische films als *Three coins in a fountain* en *Roman holiday*, maar ook in *La dolce vita*, Fellini's satirische portret van Rome in de jaren vijf-tig. Wat Anita Ekberg zich ook veroorloofde, pootje-baden is tegenwoordig niet meer toegestaan in de fonteinen in Rome, hoe verleidelijk dat in de zo-merse hitte ook kan zijn.

Anita Ekberg in *La Dolce Vita* (1960)

Fontana dei Cavalli Marini

1581 en bij Santa Maria in
Domnica vindt u de **Fontana
della Navicella** (bootje), in
de 16de eeuw gemaakt van
een oud Romeins beeld.
Op het plein van **Santa
Sabina (kaart** 8 D2) stroomt
het water door een enorm
masker in een klassiek reservoir. De **Pantheonfontein
(kaart** 4 F4) uit 1575 is een
werk van Jacopo della Porta.
Le Quattro Fontane (vier
fonteinen) staan al sinds 1593
op de kruising op de
Quirinaal.
Fonteinen in parken en tuinen zijn bijvoorbeeld de
Galjoenfontein (1620-1621)
in het Vaticaan en de
Fontana dei Cavalli Marini
(zeepaarden) uit 1791 bij de
Villa Borghese. De wat vergane 16de-eeuwse terrastuinen
van de **Villa d'Este**, met maar
liefst meer dan 500 fonteinen,
zijn een bezoek nog steeds
waard.

Piazza Navona met Fontana dei Fiumi, van Pannini (1691-1765)

De Ovatofontein in de Villa d'Este

OBELISKEN

De oudste en hoogste obe-
lisk in Rome is de **obe-
lisk op het Piazza di San
Giovanni in Laterano**. De
roodgranieten, 31 m hoge
zuil was in de 15de eeuw v.C.
in de tempel van Ammon in
Thebe geplaatst. Hij kwam in
357 n.C. op bevel van
Constantijn II naar Rome en
werd in het Circus Maximus
gezet. De in 1587 herontdekte
zuil werd in drieën gebroken
en stond een jaar later weer
overeind. De op een na oudste obelisk staat op het
Piazza del Popolo en dateert
uit de 12de of 13de eeuw v.C.
Ten tijde van Augustus is hij

naar Rome gebracht en ook
opgericht in het Circus
Maximus. De iets kleinere
**obelisk van het Piazza
Montecitorio** was ook een
trofee van Augustus.
Andere obelisken, zoals die
boven aan de Spaanse
Trappen, zijn Romeinse imita-
ties van Egyptische originelen. Bij een twee-
de plaatsing ston-
den de meeste
obelisken op de-
coratieve sokkels,
vaak met beelden
en fonteinen aan
hun voeten.
Andere verdwe-
nen geheel in
beeldhouwwer-
ken. Bernini was
verantwoordelijk
voor de marme-
ren olifant op
welks rug de
Egyptische **obe-
lisk van Santa Maria sopra
Minerva** balanceert, evenals
voor de **Fontana dei Fiumi**,
met een obelisk uit het Circus
van Maxentius. De verbouw-

de Pantheonfontein kreeg er
in 1711 een obelisk bij. De
obelisk op het **Piazza San
Pietro** is weliswaar Egyptisch,
maar mist de gebruikelijke
hiëroglyfen.
De **obelisk van Axum** is
door Mussolini's leger in 1937
meegebracht uit Ethiopië als
oorlogstrofee.
Hij staat nu
opgesteld voor
het gebouw van
de Verenigde
Naties bij het
Circus Maximus.

**Muurfontein in
de Villa d'Este**

Obelisk op het Piazza del Popolo

Beroemde bezoekers en bewoners

Rome oefent een sterke aantrekkingskracht uit en door de eeuwen heen zijn buitenlanders bezweken voor de charme van de stad, verbleven er lang of kozen Rome als vaste verblijfplaats. De lijst van beroemde bezoekers is schier eindeloos: schilders, beeldhouwers en architecten vanaf het vroegste begin, schrijvers, dichters, musici, pelgrims, religieuze leiders, filosofen, archeologen – iedereen is er geweest. Hun composities, opera's, schilderijen, tekeningen, toneelstukken en geschriften getuigen van Rome als inspiratiebron.

Martin Luther (1483-1546)
De kerkhervormer uit Duitsland kwam in 1511 naar het klooster Santa Maria del Popolo. Zijn afschuw van de corruptie in Rome leidde tot de Reformatie.

J.W. von Goethe (1749-1832)
. De Duitse dichter, filosoof, kunstenaar, dramaturg en botanist woonde op nr. 20 in de Via del Corso, nu een museum.

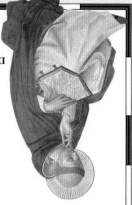

Sant'Ignazio di Loyola (1491-1556)
Hij kwam in 1537 naar Rome en stichtte de orde der jezuïeten vlak bij de Gesù, de eerste jezuïtische kerk.

Koningin Christina (1626-1689)
De Zweedse koningin deed in 1654 troonsafstand en betrok het Palazzo Corsini aan de Via Lungara.

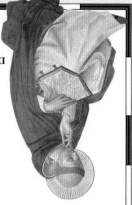

Dominicus (1170-1221)
De stichter van de orde der dominicanen werd in Spanje geboren. De zetel van de orde was de Santa Sabina op de Aventijn.

Piazza de Popolo

Piazza della Rotonda

Piazza Navona

Campo de' Fiori

Vaticaan

Trastevere

Janiculum

R   E   R

Jean Auguste Ingres *(1780-1867)*
De 19de-eeuwse Franse schilder en leider van de neoklassieke beweging woonde van 1806 tot 1820 in Rome. Hij keerde in 1834 terug als directeur van de Franse academie in de Villa Medici.

Pauline Borghese
(1780-1825)
De zus van Napoleon zorgde in 1805 voor een schandaal door halfnaakt te pose- ren voor een beeld van Canova, dat nu in de Villa Borghese is te zien.

Via Veneto

De verbannen Stuarts
Jacobus Stuart (1688-1766), afgewezen Brits troonpreten- dent, kwam als banneling naar Rome. Paus Clemens XI schonk hem het Palazzo Balestra, waar hij stierf.

Quirinaal

Capitool

Esquilijn

Forum

Palatijn

Lateraan

Caracalla

Aventijn

Lord Byron *(1788-1824)*
Hoewel Byron maar kort in Rome verbleef, was de invloed op zijn werk blijvend. Het Colosseum bij maanlicht inspireerde hem tot enkele coupletten in Childe Harold's pilgrimage *en* Manfred.

0 meter   500

Percy Bysshe Shelley
(1792-1822)
In de vervallen Thermen van Caracalla schreef de grote Engelse romanticus in 1819 zijn toneelstuk Prometheus unbound.

Door Rome geïnspireerde kunstenaars en schrijvers

Sinds de Klassieke Oudheid trekt Rome kunstenaars en schrijvers aan. Velen kwamen in dienst van de keizers; de dichters Catullus, Horatius, Vergilius en Ovidius bijvoorbeeld genoten allen de bescherming van keizer Augustus. Later, vooral tijdens de Renaissance en Barok, kwamen de bekendste kunstenaars en architecten naar Rome om opdrachten van de pausen in de wacht te slepen. Maar niet alleen daarom. Sinds de Renaissance trekt het klassieke verleden kunstenaars, architecten en schrijvers aan uit Italië en ver daarbuiten.

De produktieve liefdesdichter Ovidius (43 v.C.-17 n.C.)

SCHILDERS, BEELDHOUWERS EN ARCHITECTEN

Diego Velázquez, een van de vele bekende 17de-eeuwse kunstenaars die Rome bezochten

In de 16de eeuw werden vanuit heel Italië kunstenaars en architecten ontboden voor de uitvoering van de geweldige projecten van de pausen. Uit Urbino kwamen Bramante (1444-1514) en Rafaël (1483-1520); uit Perugia Perugino (1450-1523); uit Florence Michelangelo (1475-1564) en vele anderen. De Florentijnse beeldhouwer en goudsmid Benvenuto Cellini (1500-1571) hielp bij de verdediging van Castel Sant'Angelo (blz. 248-249) tijdens de plundering van Rome (1527), zat daar later gevangen en ontsnapte op spectaculaire wijze, wat in zijn memoires na te lezen. Aan het eind de 16de eeuw was de kerk gunstig gezind jegens de in Milaan gebo-ren Caravaggio (1571-1610), ondanks diens wilde karakter en ongeregelde leven. Ook de familie Caracci uit Bologna beïnvloedde hooglijk – vooral de broers Annibale (1560-1609) en Agostino (1557-1602). Het werk van Gian Lorenzo Bernini (1598-1680) vindt u overal in Rome. Hij was de opvolger van Carlo Maderno (1556-1629) als architect van de Sint Pieter en schiep het grote bronzen baldakijn, de schitterende zuilengang (blz. 230-231) en talrijke fonteinen, kerken en beeldhouwwerk. Zijn grootste concurrent was Francesco Borromini (1599-1667), wiens zeer originele talent u in veel kerken en palazzi in Rome kunt bewonderen. In de 17de eeuw werd het gebruikelijker voor kunstenaars uit het buitenland om in Rome te gaan werken. Diego Velázquez (1599-1660), hofschilder van koning Filips IV van Spanje, kwam in 1628 de kunstschatten van het Vaticaan bestuderen. Rubens (1577-

Zelfportret van de kunstenares Angelika Kauffmann, ca. 1770

1640) kwam uit Antwerpen voor studiedoeleinden en voerde diverse opdrachten uit. De Franse kunstenaars Nicolas Poussin (1594-1665) en Claude Lorrain (1600-1682) woonden hier geruime tijd. De opleving van de klassieken in de 18de eeuw dreef meer kunstenaars dan ooit naar Rome, zoals de Schotse architect Robert Adam (1728-1792) en de Zwitserse kunstenares Angelika Kauffmann (1741-1807), die zich hier vestigde en begraven ligt in Sant'Andrea delle Fratte. Na de uitbundigheid van de Barok keerde ook de beeldhouwkunst terug tot de eenvoud van het Neoclassicisme. Een van de prominenten van deze stroming was Antonio Canova (1757-1821). Beeldhouwers uit heel Europa ondergingen zijn invloed, onder wie de Deen Bertel Thorvaldsen (1770-1844), die geruime tijd in Rome woonde.

Gezicht op het Forum door Claude Lorrain, geschilderd in Rome in 1632

SCHRIJVERS

Dante (1265-1321) bezocht Rome nadat hij uit Florence was verbannen en beschrijft in *Inferno* de grote stroom pelgrims in het eerste jubeljaar (1300). De dichter Petrarca (1304-1374), geboren in Arezzo, kwam in betere tijden naar Rome. Hij ontving in 1341 op het Capitool de lauwerkrans. De dichter Torquato Tasso (1544-1595), uit Sorrento, was uitgenodigd om dezelfde eer te genieten, maar stierf kort na zijn aankomst. De eerste twee schrijvers uit het buitenland die Rome bezochten, waren de Franse essayist Montaigne (1533-1592) en de Engelse dichter John Milton (1608-1674). Daarna, begin 18de eeuw, kwamen er vers de schrijvers men de schrijvers in drommen naar Rome. Edward Gibbon (1737-1794) deed hier inspiratie op voor zijn *Decline and fall of the Roman Empire*. Tot de Duitse bezoekers horen J.J. Winckelmann (1717-1768), die belangrijke studies over klassieke kunst schreef, en de dichter J.W. von Goethe (1749-1832).

Veel Engelse schrijvers bezochten Rome tijdens de Romantiek: de dichters Keats, Shelley en Byron, gevolgd door de Brownings en de romancier Charles Dickens. Een groot stuk van *The portrait of a lady* van de Amerikaan Henry James (1834-1916) speelt zich af in Rome. De Nederlandse schrijver Louis Couperus (1853-1923) en de dichter Bertus Aafjes (1914-1993) kwamen er graag en hebben over de stad geschreven. De geboren Romein Alberto Moravia (1907-1990) wist het moderne leven in Rome schitterend vast te leggen.

Portret uit 1819 van de dichter John Keats, door zijn vriend Joseph Severn

MUSICI

Giovanni Luigi da Palestrina (1525-1594), uit het gelijknamige dorp, werd koorleider en organist in het Vaticaan. Hij schreef enkele hoogtepunten voor koormuziek zonder begeleiding. In 1770 hoorde de 14-jarige Mozart Gregorio Allegri's ongepubliceerde *Miserere* en schreef het uit zijn hoofd op. Corelli (1653-1713), de beroemde violist en componist uit het tijdperk van de Barok, had in Rome als beschermheer kardinaal Ottoboni. Een van zijn eerste opdrachten was een muziekfestival te organiseren voor koningin Christina van Zweden.

In de 19de eeuw bracht de Prix de Rome veel Franse musici, die in de Villa Medici kwamen studeren (blz. 155). Hector Berlioz (1803-1869) dankte aan zijn tweejarig verblijf in Rome de inspiratie voor zijn populaire *Carnaval romain*, de ouverture van zijn opera *Benvenuto Cellini*. Georges Bizet (1838-1875) en Claude Debussy (1862-1918) waren ook winnaars van de Prix de Rome. Franz Liszt (1811-1886) vestigde zich na zijn 50ste in Rome, ontving de lagere wijdingen en raakte bekend als Abbé Liszt. Hij schreef *Fonteinen van de Villa d'Este* tijdens zijn verblijf in Tivoli. Recentere muzikale associaties met Rome uit de 20ste eeuw omvatten de populaire werken van Ottorino Respighi (1870-1936): *Fontane di Roma* en *Pini di Roma*, terwijl Giacomo Puccini (1858-1924) Rome gebruikte als decor voor zijn tragische opera *Tosca*.

DE FILM IN ROME

De studio's van Cinecittà, in 1937 net buiten Rome gebouwd, staan bekend om de hier in de jaren veertig gemaakte films: klassiekers van het Italiaanse Neo-realisme zoals *Roma città aperta* van Roberto Rossellini en *Sciuscià* en *Ladri di biciclette* van Vittorio de Sica. In de jaren vijftig werd Cinecittà een centrum voor internationale produkties, zoals de avonturenfilms *Ben Hur* en *Spartacus*. De regisseur die het meest met de Italiaanse film is verbonden, is Federico Fellini (1920-1993), wiens films *La dolce vita* (1960) en *Roma* (1972) getuigen van een zeer individuele kijk op de stad. Van alle in Rome geboren regisseurs is de beroemdste waarschijnlijk Pier Paolo Pasolini (1922-1975). Hij werd internationaal bekend met *Teorema* (1968) en *Il Decamerone* (1971).

Pier Paolo Pasolini

Giacomo Puccini

Torquato Tasso

AGENDA VAN ROME

De beste perioden voor een bezoek aan Rome zijn de lente en de herfst. Het is er dan meestal warm, soms nog warm genoeg om te zonnebaden aan het strand of te zwemmen in de meren buiten de stad. November moet u vermijden: het is somber weer en erg regenachtig; hartje zomer vinden de meesten de hitte ondraaglijk (ook de Romeinen zelf). Pasen en Kerst zijn natuurlijk heel bij-zonder in Rome, maar ook andere religieuze feesten op andere tijdstippen van het jaar zijn de moeite waard, evenals gezellige niet-religieuze manifestaties als het Festa de Noantri in Trastevere en het Bloemenfestival in Genzano. In dorpen rondom Rome worden plaatselijke feesten gehouden voor de nieuwe oogst van aardbeien of bonen in het voorjaar, of druiven en truffels in de herfst.

VOORJAAR

Pasen is het officiële begin van het toeristenseizoen in Rome. Katholieken uit de hele wereld komen in dromen naar de stad voor bedevaartstochten naar de grote basilica's. Op Eerste Paasdag richt de paus zich tot de menigte op het Sint-Pietersplein; de minder vromen komen alleen om van het zachte weer te genieten. Intussen rijden de Romeinen massaal richting kust en platteland, dus u moet rekening houden met drukke wegen en volle stranden en restaurants in de Castelli Romani en Lago Bracciano.

De temperatuur is ongeveer 18°C, maar kan stijgen tot 28°C, dus half mei kunt u meestal buiten eten. Anderzijds zijn er onverwachte stortbuien en temperatuurschommelingen, bereid u dus op alles voor en neem ook een trui en een paraplu mee.

Mensenmassa op het Sint-Pietersplein met Pasen

In april staan bakken kleurige azalea's opgesteld langs de Spaanse Trappen en de Via Veneto. Zodra de rozen in bloei staan in de Rozentuin, die op het Circus Maximus uitziet, is hij toegankelijk voor publiek.

Vanaf half mei is de Via dei Coronari twee weken lang verlicht met kaarsen, en versierd met planten en vaandels voor de antiekmarkt; in de Via Margutta ziet u een tentoonstelling in de openlucht.

In de eerste week van juni is er de Internationale Paardenshow in de Villa Borghese. Eind mei komt de wereldtop van de tennissers naar Rome om deel te nemen aan het Internationale Tenniskampioenschap in het Foro Italico.

EVENEMENTEN

Festa di Santa Francesca Romana *(9 maart)*, Santa Francesca Romana. De auto's, bussen en trams van Rome ontvangen de zegen *(blz. 87)*.

Festa di San Giuseppe *(19 maart)*, rondom Trionfale. Jozefsdag gevierd met krampjes, roomgebak en muziek.

Goede Vrijdag *(maart/april)*, Colosseum. Kruisprocessie om 21.00 uur met de paus.

Eerste Paasdag *(maart/april)*, Sint-Pietersplein. Toespraak van de paus *(blz. 231)*.

Romes verjaardag *(zondag voor 21 april)*, Piazza del Campidoglio.

Festa della Primavera *(maart/april)*, Spaanse Trappen en Trinità dei Monti. Azalea's op straat en concerten.

Kunsttentoonstelling *(april/mei)*, Via Margutta *(blz. 339)*.

Internationale Paardenshow *(begin mei)*, Villa Borghese *(blz. 350)*.

Antiekmarkt *(half-eind mei)*, Via dei Coronari *(blz. 324)*.

Internationaal Tennis-kampioenschap *(eind mei)*, Foro Italico *(blz. 350)*.

Bloemen te koop op Piazza del Popolo

GEMIDDELD AANTAL UREN ZON PER DAG

Uren

10 — 8 — 6 — 4 — 2 — 0

jan. feb. mrt. apr. mei juni juli aug. sept. okt. nov. dec.

Zon in Rome

Rome staat bekend om zijn licht. Juni is de zonnigste maand, maar is ook erg droog. Met een bui af en toe is de felle hitte beter te verdragen. De zuidelijke positie van Rome betekent dat de zon in de herfst 's middags nog lekker warm kan zijn.

ZOMER

In juni begint het seizoen voor zomerconcerten, met uitvoeringen in enkele van de mooiste paleizen, kerken en binnenplaatsen van Rome. In juli en augustus staat er meestal opera op het programma in de Thermen van Caracalla en klassiek drama in Ostia Antica. De gehele zomer zijn er ook moderne culturele evenementen – film, muziek, dans en theater – als onderdeel van de filmfestivals van Cineporto en Massenzio *(blz. 346)* en RomaEuropa. Op lange zomeravonden vindt u kraampjes en vertier langs de oever van de Tiber bij Castel Sant'Angelo. De tweede helft van juli verandert Trastevere in een open-

Straten met bloementapijt in Genzano

wanneer temperaturen van boven de 40°C geen uitzondering zijn, vluchten bijna alle Romeinen naar de kust. Veel cafés, winkels en restaurants zijn een maand lang dicht.

EVENEMENTEN

Bloemenfestival *(juni, zondag na Sacramentsdag)*, Genzano, Castelli Romani, ten zuiden van Rome. Met bloemen bestrooide straten.
Festa di San Giovanni *(23-24 juni)*, Piazza di Porta San Giovanni. Gevierd met gerecht van slakken in tomatensaus, speenvarken, een kermis en vuurwerk.
RomaEuropa *(eind juni-eind juli)*, vooral in de Villa Medici. Films, dans, theater en concerten *(blz. 341)*.
Festa di San Pietro *(29 juni)*, in veel kerken. Feest ter ere van Petrus.

Zomergroenten

luchtfestijn als het Festa de Noantri wordt gevierd, met stalletjes met prullaria, maaltijden buiten en vuurwerk. Half juli is het uitverkoop *(saldi):* moment voor koopjesjagers. Veel Romeinen verlaten eind juni de stad wanneer de scholen sluiten, maar omdat in juni en juli de meeste toeristen komen, zijn hotels, cafés, restaurants en bezienswaardigheden overvol. In augustus,

Expo Tevere *(eind juni-half juli)*, langs de Tiber. Kunst en ambacht, kraampjes met wijn en eten, volksmuziek en vuurwerk *(blz. 339)*.
Festa de Noantri *(tweede helft van juli)*, Trastevere. Feest, processies en vermaak *(blz. 339 en blz. 341)*.
Kunst in de openlucht *(juli/augustus)*, Thermen van Caracalla, Villa Ada, Ostia Antica, langs de Tiber, in parken. Opera, concerten, toneel en film *(blz. 341)*.
Festa della Madonna della Neve *(5 augustus)*, Santa Maria Maggiore. Wonderbaarlijke sneeuwval uit de 4de-eeuw in scène gezet met stortvloed witte bloemblaadjes *(blz. 172)*.
Ferragosto *(15 augustus)*, Santa Maria in Trastevere. Maria Hemelvaart. Bijna elke zaak dicht.

Een hete augustusmiddag voor de Sint Pieter

GEMIDDELDE NEERSLAG PER MAAND

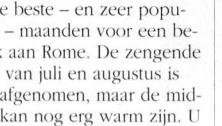

MM
100
80
60
40
20
0

jan. feb. mrt. apr. mei juni juli aug. sept. okt. nov. dec.

Regen in Rome
De herfst is het natste seizoen in Rome; zware buien die soms dagen-lang duren, vooral in november. 's Zomers hebt u kans op hevige – maar vaak heel verfris-sende – buien. Reken in de winter en het vroege voorjaar op een paar donkere dagen met motregen.

HERFST

September en oktober zijn de beste – en zeer populaire – maanden voor een bezoek aan Rome. De zengende hitte van juli en augustus is wat afgenomen, maar de middag kan nog erg warm zijn. U kunt nog buiten eten tot 's avonds laat zonder dat het koud wordt. Een bezoek in november is niet aan te bevelen: het is de natste maand van het jaar en regenbuien in Rome zijn vaak hevig en zwaar.

Begin oktober is er een beurs voor ambachten in de Via dell'Orso en aangrenzende straten; de antiekzaken in de buurt van de Via dei Coronari houden open huis. In oktober zijn er ook antiekbeurzen in Orvieto en Perugia, twee prachtige steden in de Umbrische heuvels, op ongeveer een uur rijden ten noorden van Rome. In november is er nog een beroemde antiekbeurs in het pauselijk paleis in Viterbo,

65 km ten noorden van Rome (*blz. 271*).

De herfst is natuurlijk de tijd van oogstfeesten; een aardig uitstapje naar de dorpen in de buurt levert u lokale

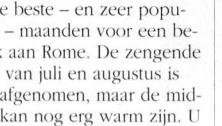

Kraampje met gepofte kastanjes in de herfst

kazen, worst, kastanjes en paddestoelen op. Hoogtepunt hiervan is misschien het wijnfeest in Marino (in de Castelli Romani, ten zuiden van Rome), waar de wijn uit de fontein op het centrale piazza stroomt. In Rome is er begin september een druivenfeest, de Sagra dell'Uva, gehouden in de basilica van Constantijn op het Forum. Er zijn druiven te koop en er is straatvertier. De hele herfst en winter zijn er vers gepofte kastanjes te koop op de hoek van de straat; meestal is er een kraampje op het Campo de' Fiori waar u de nieuwe wijn, *vino novello*, gratis kunt proeven.

Op Allerzielen en Allerheiligen, 1 en 2 november, trekken de Romeinen naar graven van familieleden die op de kerkhoven Prima Porta en Verano liggen. Volgens de traditie legt men chrysanten op de graven; geef ze daarom vooral niet aan vrienden en gastheren om ze te bedanken voor hun gastvrijheid.

Iets vrolijkers is dat in oktober en november het seizoen voor klassieke muziek en opera begint. Uitgebreidere informatie over de diverse uitvoeringen vindt u in *Trovaroma* (*blz. 340*) en op de posters verspreid in de stad.

EVENEMENTEN

Kunstbeurs (*september*), Via Margutta (*blz. 339*).
Sagra dell'Uva (*begin september*), basilica van Constantijn. Oogstfeest met goedkope druiven en veel gezellig straatvermaak.
Ambachtenbeurs (*laatste week september/eerste week oktober*), Via dell'Orso, bij Piazza Navona (*blz. 339*).
Marino wijnfeest (*eerste zondag in oktober*), Marino. Compleet met proeverijen, straatvermaak en wijn die uit de fontein op het grote piazza stroomt.
Antiekbeurs (*half oktober*), Via dei Coronari (*blz. 339*).
Festa di Santa Cecilia (*22 november*), Santa Cecilia in Trastevere en catacomben van San Callisto.
Vino novello keuren (*eind november*), Campo de' Fiori.

Herfst in het park van de Villa Doria Pamphili

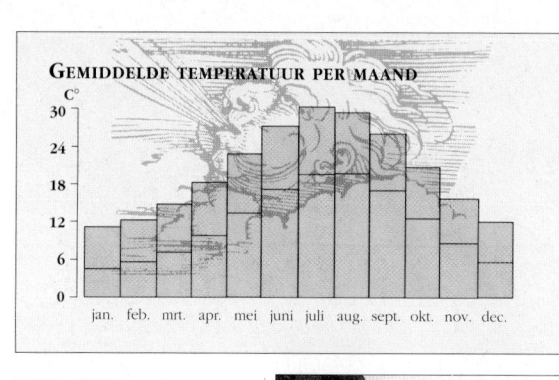

GEMIDDELDE TEMPERATUUR PER MAAND

C°
30
24
18
12
6
0

jan. feb. mrt. apr. mei juni juli aug. sept. okt. nov. dec.

Temperatuur

Op de kaart staan de minimum en maximum maandgemiddelden. Juli en augustus zijn soms ondraaglijk heet; voor toeristen een hele opgave. De koele dagen in het voor- en najaar zijn ideaal voor een bezoek aan Rome, maar er zijn donkere perioden met regen.

WINTER

In de winter is Rome verfrissend koud, hoewel het er zelden vriest. Niet alle gebouwen hebben centrale verwarming, dus als u een klein hotel kiest, vergeet dan geen warme kleren en vraag extra dekens bij uw aankomst: ze zijn schaars. Kom bij in cafés met warme chocolade en schuimende cappuccino.

De weken voor Kerst zijn heel gezellig in Rome, vooral voor kinderen. Kerststallen, *presepi*, zijn te zien in veel kerken, op piazza's en in openbare gebouwen. Van half december tot Driekoningenavond staat

Rome tijdens een zeldzame sneeuwbui

Befana op Piazza Navona

op het Piazza Navona de Befana, een kerstmarkt waar kerststallen, versieringen en speelgoed te koop zijn. Als u geen vrienden hebt in Rome, kan Kerst nogal eenzaam zijn, want het is een groot familiefeest. Maar op Oudejaarsavond is iedereen buiten om bubbelwijn te drinken en vuurwerk af te steken. Pas op voor rondvliegende kasten: van oudsher wordt op 31 december oud meubilair naar buiten gegooid.

Het carnavalseizoen loopt van eind januari tot eind februari. Vooral kinderen vieren

het, met verkleedpartijen en optochten langs de Via Nazionale, Via Cola di Rienzo en de Pincio. Vermijd tieners met bussen scheercrème en ballonnen met water.

EVENEMENTEN

Festa della Madonna Immacolata *(8 december)*, Piazza di Spagna. Brandweermannen op een ladder plaatsen een krans op het beeld van Maria.
Befana *(half december-half januari)*, Piazza Navona. Kerstmis en kindermarkt *(blz. 120)*.
Kerststallen *(half december-half januari)*, in veel kerken. Levensgroot op het Sint-Pietersplein; een verzameling kerststallen is te zien in Santi Cosma e Damiano.
Mis op Kerstavond *(24 december)*, in de meeste kerken.
Eerste Kerstdag *(25 december)*, Sint-Pietersplein. Zegen van de paus.
Oudejaarsdag *(31 december)*, heel Rome. Vuurwerk en rondvliegend meubilair.

OFFICIËLE FEESTDAGEN
Nieuwjaar (1 jan.)
Driekoningen (6 jan.)
Eerste Paasdag
Bevrijdingsdag (25 april)
Dag van de Arbeid (1 mei)
Ferragosto (15 aug.)
Allerheiligen (1 nov.)
Onbevlekte Ontvangenis
(8 december)
Eerste Kerstdag
(25 december)
Santo Stefano
(26 december)

Kerstmis op de Via Condotti

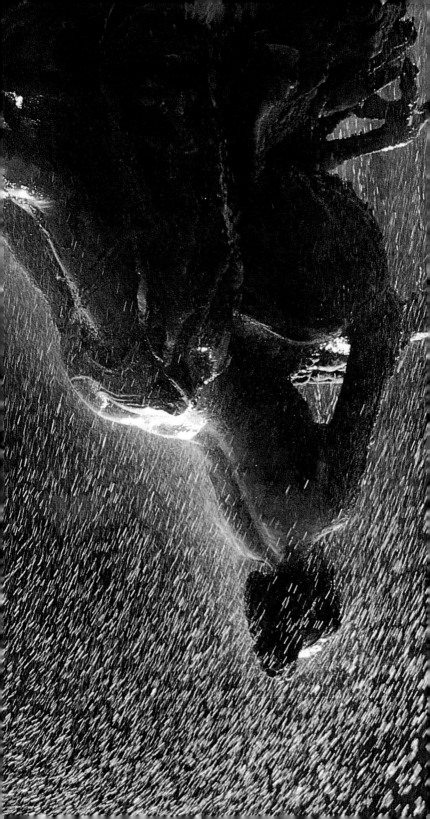

ROME VAN BUURT TOT BUURT

CAPITOOL

D e Tempel van Jupiter op het Capitool was het hart van het Romeinse Rijk. De tempel, bereikbaar via een zigzaggend pad vanaf het Forum, was het toneel van de heiligste religieuze en politieke ceremoniën. De heuvel en de tempel werden het symbool van het gezag van Rome als *caput mundi*, het hoofd der wereld. Van dit *caput* is de naam Capitool afgeleid. In de geschiedenis van Rome is het Capitool, of Campidoglio in het Italiaans, steeds de zetel van het plaatselijk bestuur geweest. De huidige gemeenteraad, de

Comune di Roma, vergadert in de renaissance-luister van het Palazzo Senatorio. De positie van Rome als moderne hoofdstad komt krachtig tot uiting in het enorme, witte monument voor Victor Emanuel, dat helaas vanaf het Piazza Venezia het zicht op het Capitool ontneemt. De huidige plaats van de gebouwen op de heuvel dateert uit de 16de eeuw, toen Michelangelo een prachtig piazza schiep, bereikbaar via een imposante trap, de Cordonata. In twee van de drie gebouwen aan het piazza zijn nu de Capitolijnse Musea gehuisvest.

Hand van kolossaal beeld in Palazzo dei Conservatori

BEZIENSWAARDIGHEDEN IN HET KORT

Musea
Capitolijnse Musea:
Palazzo Nuovo blz. 70-71 ❶
Capitolijnse Musea:
Palazzo dei Conservatori
blz. 72-73 ❷
Palazzo Venezia
en Museum ⓫

Historische gebouwen
Romeins Insula ❺

Kerken en tempels
Santa Maria in Aracoeli ❼
Tempel van Jupiter ❽
San Marco ⓬

**Historische straten en
piazza's**
Piazza del Campidoglio ❸
Cordonata ❹
Trap van Aracoeli ❻

Historische plaatsen
Tarpeïsche Rots ❾

Monumenten
Monument van
Victor Emanuel ❿

BEREIKBAARHEID
Alle bezienswaardigheden in deze wijk bevinden zich op loopafstand van het Piazza Venezia. Bussen uit de hele stad komen hier samen, evenals enorme massa's auto's. Vanaf station Termini kunt u de volgende lijnen nemen: 64, 65, 70, 75 of 170. Vanaf Piazza Barberini lijn 56, 60 of 492; vanaf de Sint Pieter en het Vaticaan alleen lijn 64. Andere handige lijnen zijn 44, 46, 57, 90 en 90b.

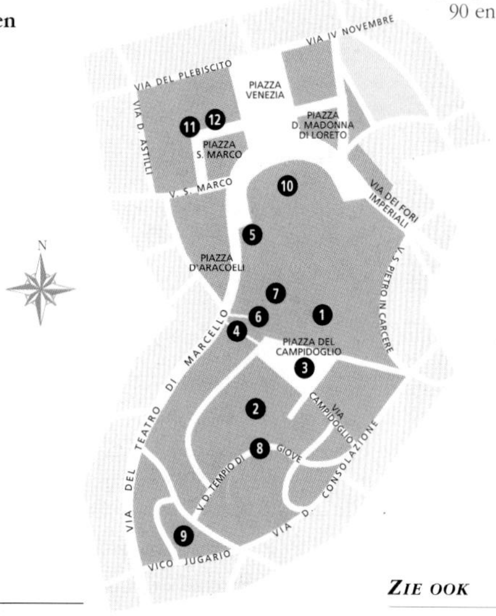

SYMBOOL
Stratenkaart

ZIE OOK
• *Plattegrond*, kaart 5, 12

0 meter   200

Onder de loep: Capitool en Piazza Venezia

Het Capitool, citadel van het oude Rome, mag u niet missen. Een majestueuze trap, (de Cordonata), leidt naar Michelangelo's spectaculaire Piazza del Campidoglio. Dit wordt omzoomd door het Palazzo Nuovo en het Palazzo dei Conservatori, waarin de Capitolijnse Musea met hun fraaie collecties beeldhouwwerk en schilderijen zijn ondergebracht. De autovrije heuvel is een welkome afwisseling. U moet echter het verkeer trotseren om het Palazzo Venezia en het museum te bereiken.

San Marco
De Venetiaanse kerk in Rome bergt een fraai 9de-eeuws mozaïek in de apsis ⑫

Palazzo Venezia
De topstukken in het museum, zoals deze 13de-eeuwse vergulde engel met email, dateren uit de Middeleeuwen ⑪

Romeins Insula
Dit is een vervallen flatgebouw uit de keizertijd ⑤

Trap naar Aracoeli
De in 1348 gebouwde trap werd een centrum voor politieke bijeenkomsten ⑥

Cordonata
Door Michelangelo's grootse trap is het Capitool nu naar het westen gericht ④

Monument voor Victor Emmanuel
Het enorme uitmarmeren monument voor de eerste koning van Italië was in 1911 voltooid ⑩

★ Palazzo dei Conservatori
In dit deel van de Capitolijnse Musea is op de binnenplaats een fraaie reeks reliëfs te zien uit de Tempel van Hadrianus (blz. 106) ②

SYMBOOL
— — Aanbevolen route

0 meter 75

CAPITOOL

STERATTRACTIES

★ Piazza del Campidoglio

★ Palazzo dei Conservatori

★ Palazzo Nuovo

Tarpeïsche Rots
In het oude Rome werden verraders van deze rots op het Capitool ge-gooid. ⑨

Tempel van Jupiter
Op deze teke-ning is het gou-den en ivoren beeld van Jupiter te zien dat in de tempel stond ⑧

Piazza del Campidoglio ★
Michelangelo ontwierp het geometrische patroon en de gevels van de gebouwen ③

Het **Palazzo Senatorio** was in ge-bruik door de Romeinse Senaat sinds de 12de eeuw. Nu zijn het de burgemeestersvertrekken.

Palazzo Nuovo ★
Dit borstbeeld van Augustus in de Hal van de Keizers is een van de vele mooie beelden in de Capitolijnse Musea ①

Santa Maria in Aracoeli
Een van de schatten achter de stenen berkgevel is dit 15de-eeuwse fresco van de Begrafenis van Bernardino door Pinturicchio ⑦

ORIËNTATIEKAART
Zie kaart centrum Rome 12-13

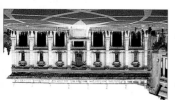

VIA DEL TEMPIO DI GIOVE

VIA DI SAN PIETRO IN CARCERE

Capitolijnse Musea: Palazzo Nuovo ❶

Blz. 70-71.

Capitolijnse Musea: Palazzo dei Conservatori ❷

Blz. 72-73.

Piazza del Campidoglio ❸

Kaart 5 A5 & 12 F5. Zie Bereik-baarheid blz. 65.

Toen keizer Karel V in 1536 Rome bezocht, schaamde paus Paulus III Farnese zich zo voor het moderige Capitool dat hij Michelangelo vroeg plannen te maken voor een nieuwe bestrating van het piazza en de renovatie van de façades van het Palazzo dei Conservatori en het Palazzo Senatorio.

Michelangelo bedacht een derde gebouw, het Palazzo Nuovo, om een piazza te maken in de vorm van een trapezium, verfraaid met klassieke beelden die verbonden waren met Rome. De bouw begon in 1546, maar vorderde zo traag dat bij Michelangelo's dood slechts de dubbele trap bij de ingang naar het Palazzo Senatorio gereed was.

Cordonata ❹

Kaart 5 A5 & 12 F5. Zie Bereik-baarheid blz. 65.

De Cordonata leidt van het Piazza Venezia naar het Capitool. Beneden ligt een paar granieten Egyptische leeuwen, links een 19de-eeuws monument voor Cola di Rienzo, vlak bij de plaats waar de driste 14de-eeuwse leeuwer is terechtgesteld. De gerestaureerde klassieke beelden van de Dioscuren, Castor en Pollux, bewaken de top van de helling.

Een van de Dioscuren boven aan de Cordonata

Romeins Insula ❺

Piazza d'Aracoeli. Kaart 5 A5 & 12 F4.
📞 67 10 30 65. 🚌 Zie Bereikbaar-heid blz. 65. Open alleen op afspr.: raadpleeg Ripartizione X (blz. 367).

Tweeduizend jaar geleden woonde de arme bevol-king in Rome in *insulae* – flatgebouwen. De eigenaren onderhielden ze vaak slecht en de huren waren hoog in een stad waar grond schaars was. Deze huurflat uit de 2de eeuw, met tongewelf, is de enige uit die tijd die in Rome is overgebleven. De derde, vierde en een deel van de vijfde verdieping steken nog uit boven het huidige straatni-veau.

In de Middeleeuwen is een deel van de bovenste etages tot kerk verbouwd; de klok-ketoren en de 14de-eeuwse Madonna in een nis zijn buiten te zien.

Tijdens het fascisme verscheen bij een schoonmaak drie lagere verdiepingen. Er heb-ben misschien zo'n 380 men-sen in het gebouw gewoond, in slechte omstandigheden die satirische schrijvers als Martialis en Juvenalis hebben beschre-ven. De laatste vermeldt dat hij 200 treden op moest voor hij op zijn zolderije was. Misschien was dit *insula* ooit nog hoger. Hoe hoger men woonde, hoe ellendiger, ge-tuige de miezerige hokjes op de bovenste verdiepingen.

In de 17de eeuw was het piazza pas voltooid, in grote lijnen is Michelangelo's ont-werp trouw uitgevoerd. Twee verdiepingen hoge zuilen en door beelden onderbroken balustraden vormen de the-matische verbinding tussen de gebouwen. Het piazza kijkt in het westen uit op de Sint Pieter, het religieuze equiva-lent van het Capitool.

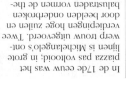

De Cordonata op een 18de-eeuws schilderij van Antonio Canaletto

Trap naar Aracoeli ❾

Piazza d'Aracoeli. **Kaart** 5 A5 & 12 F4.
🚌 *Zie Bereikbaarheid blz. 65.*

De Trap naar Aracoeli telt 124 marmeren treden (122 als u rechts begint) en was voltooid in 1348. Volgens sommigen werden ze inderdaad gebouwd uit dank voor de voorbije pest, maar waarschijnlijk met het oog op het jubeljaar 1350.

De 14de-eeuwse tiran Cola di Rienzo sprak de menigte vaak vanaf deze trap toe; in de 17de eeuw sliepen er gewoonlijk buitenlanders op de trappen, tot prins Caffarelli, die op de heuvel woonde, ze verjoeg door vaten met stenen naar beneden te rollen. Men zegt dat u de honderdduizend wint als u uw knieën de trap opgaat. Boven kunt u genieten een goed uitzicht over Rome, met de koepels van Sant'Andrea della Valle en de Sint Pieter iets naar rechts.

Trap naar Aracoeli

Santa Maria in Aracoeli ❼

Piazza d'Aracoeli (toegang via trap naar Aracoeli en deur achter Palazzo Nuovo). **Kaart** 5 A5 & 12 F4.
📞 679 81 55. 🚌 *Zie Bereikbaarheid blz. 65.* **Open** dag. 7.00-12.00, 16.00-18.00 uur (juni-sept.: 18.30 uur).

De kerk Santa Maria in Aracoeli, 'Maria van het altaar in de lucht', dateert minstens uit de 6de eeuw en staat aan de noordkant van het Capitool, waar de oude tempel van Juno stond. De 22 zuilen komen uit diverse antieke gebouwen; de inscriptie op de derde kolom links vermeldt dat hij 'a cubiculo Augustorum' komt, uit het slaapvertrek van de keizers. Santa Maria in Aracoeli, de kerk van Romeinse senatoren en gewone mensen, is gebruikt om het te boven komen van tegenslag te vieren. Het plafond met scheepsmotieven herdenkt de Slag bij Lepanto (1571) en kwam tot stand onder paus Gregorius XII Boncompagni, wiens familiewapen, de draak, achter in het altaar is te zien.

Veel andere Romeinse families en particulieren hebben gedenktekens in de kerk. Rechts van de ingang eist de staande zerk van aartsdiaken Giovanni Crivelli de aandacht. Doordat hij niet in de vloer ligt, is de handtekening 'Donatelli' (door Donatello) op ogenniveau leesbaar.

De fresco's in de eerste kapel rechts, geschilderd in 1480 door Pinturicchio in de prachtige heldere stijl van de Vroege Renaissance, geven leven en dood weer van Bernardino van Siena. Op de muur links loopt het perspectief van *De begrafenis van de heiligen* naar rechts, uitgaande van de positie van de toeschouwer net buiten de kapel. De attractie van de kerk is echter de *Santo Bambino*, een olijf-

Plafond in het schip van Santa Maria in Aracoeli met de Slag bij Lepanto

houten christusbeeld uit de 15de eeuw. Een franciscaner monnik sneed het uit een boom uit de hof van Gethsemane. Het beeldje met zijn vermeende wonderdadige werking wordt soms te hulp geroepen aan het ziekbed van zwaar zieken. Als het werkt, worden de lippen paars, zo niet dan worden ze bleek. Met Kerst is het Kind het middelpunt van een pittoreske kribbe (tweede kapel links), maar meestal bevindt het zich in de sacristie, evenals de *Heilige Familie* uit de school van Giulio Romano. De Britse historicus Edward Gibbon (1737-1794) liet zich hier inspireren bij het schrijven van zijn *Decline and Fall of the Roman Empire*

Het wonderdadige olijfhouten Christuskind in Santa Maria in Aracoeli

Capitolijnse Musea: Palazzo Nuovo ❶

Sinds de Renaissance koestert het Capitool een collectie klassieke beelden. De eerste verzameling bronzen sculpturen schonk paus Sixtus IV in 1471 aan Rome; paus Sixtus V deed verdere schenkingen in 1586. Michelangelo ontwierp het Palazzo Nuovo als deel van de renovatie van het Piazza de Campidoglio. Na de voltooiing in 1654 is een aantal beelden hiernaar overgebracht. Het besluit van paus Clemens XII in 1734 maakte het palazzo tot 's werelds eerste openbare museum.

Zaal van de Filosofen
In de zaal staat een bonte mengeling beelden van Griekse politici, wetenschappers en schrijvers. Het zijn Romeinse kopieën uit antieke tijden die bibliotheken, villa's en tuinen sierden.

MUSEUMWIJZER

De twee verdiepingen van het Palazzo Nuovo zijn voornamelijk aan beeldhouwkunst gewijd. Bijna alle mooie werken, zoals de Capitolijnse Venus, zijn Romeinse kopieën van Griekse meesterwerken. Wie alle klassieke filosofen en dichters uit Griekenland en de heersers van het oude Rome wil leren kennen, kan terecht bij de twee collecties borstbeelden. Uw toegangsbiljet is ook geldig voor het Palazzo dei Conservatori.

Capitolijnse Venus

3

Buste van een Flavische dame
De vrouw draagt het aparte, ingewikkelde kapsel dat populair was bij adellijke vrouwen uit de 1ste eeuw n.C.

4   **5**

Eerste verdieping   **Binnenhof**

★ **Marcus Aurelius**
Het bronzen ruiterstandbeeld van de keizer dateert uit de 2de eeuw. Het stond ooit op een sokkel midden op het Campidoglio, maar is nu gerestaureerd en in het Palazzo Nuovo ondergebracht.

Benedenverdieping

4   **5**   **6**

De façade van het Palazzo Nuovo werd ontworpen door Michelangelo, maar de gebroeders Carlo en Girolamo Rainaldi voltooiden het werk in 1654.

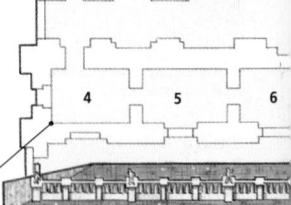

STERATTRACTIES

★ **Marcus Aurelius**

★ **Discobolus**

★ **Stervende Galliër**

SYMBOLEN

▨	Niet voor tentoonstellingen
☐	Tentoonstellingsruimte

Mozaïek van de duiven
*Dit fraaie mozaïek deco-
reerde ooit de vloer in
de Villa van Hadrianus
in Tivoli (blz. 269).
U ziet duiven die water
drinken uit een vaas.*

TIPS VOOR DE TOERIST

Musei Capitolini, Piazza del
Campidoglio. **Kaart** 5 A5 & 12 F5.
📞 671 20 71. 🚌 44, 46, 64, 70,
81, 110 en veel andere lijnen naar
Piazza Venezia. **Open** di 9.00-
13.30, 17.00-20.00 uur, wo-za
9.00-13.30 uur, zo 9.00-13.00
uur; ook april-sept.: za 8.00-
11.00 uur; okt.-maart: za 17.00-
20.00 uur (toegang tot 30 min.
voor sluitingstijd) **Gesloten** 1 jan.,
29 juni, 15 aug., 25 dec. **Niet
gratis** (laatste zo van de maand
wel gratis). Kaartje ook geldig
voor Palazzo dei Conservatori. 📷

★ Discobolus
*De gedraaide torso was
een deel van een Grieks
beeld van een discuswer-
per. Een 18de-eeuwse
Franse beeldhouwer,
Monnot, maakte er een
gewonde krijger van.*

Marmeren faun
*De in Tivoli gevonden be-
roemde roodmarmeren
faun is een kopie uit de
2de eeuw van een Grieks
origineel. Hadrianus
had een voorkeur voor
alles wat Grieks was.*

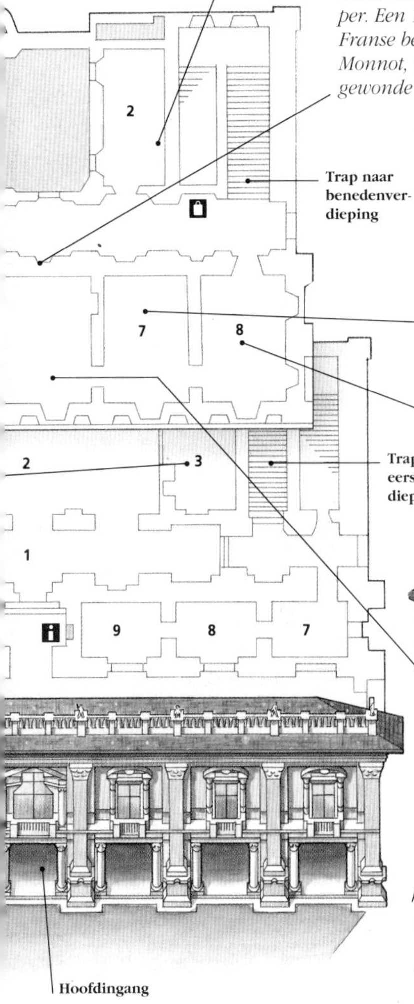

**Trap naar
benedenver-
dieping**

2

7   **8**

**Trap naar
eerste ver-
dieping**

2   **3**

1

9   **8**   **7**

★ Stervende Galliër
*Uit de Romeinse kopie van
een Grieks origineel uit
de 3de eeuw v.C.
spreekt een groot
mededo-
gen.*

Hoofdingang

**Alexander
Severus als jager**
*Het marmeren beeld
uit de 3de eeuw toont
de keizer in de bou-
ding van Perseus, die
het hoofd van Medusa,
een van de Gorgonen,
omboog houdt nadat
hij haar in haar slaap
heeft vermoord.*

Capitolijnse Musea: Palazzo dei Conservatori ➋

In de late Middeleeuwen was het Palazzo dei Conservatori de zetel van het stadsbestuur. De hallen met fresco's worden nog steeds af en toe gebruikt voor politieke bijeenkomsten; op de begane grond is de burgerlijke stand gehuisvest. Giacomo della Porta, die het palazzo bouwde, voerde omstreeks 1550 Michelangelo's ontwerp uit voor het Piazza del Campidoglio. Een groot deel van het palazzo is gewijd aan sculptuur; de collectie op de tweede etage bevat werken van Veronese, Guercino, Tintoretto, Rubens, Caravaggio, Van Dyck en Titiaan.

Gevel van Palazzo dei Conservatori
De uitvoering van het ontwerp van Michelangelo begon in 1563, een jaar voor zijn dood.

MUSEUMWIJZER

*De zalen op de eerste verdieping staan bekend om de originele 16de- en 17de-eeuwse decoratie en een aantal klassieke beelden. Op de tweede etage zijn schilderijen te zien en in zaal **6** een collectie porselein. Zowel het Museo Nuovo als de Braccio Nuovo zijn momenteel gesloten.*

Kunstgalerij tweede verdieping

Begrafenis en verheerlijking van Petronella
Guercino schilderde het enorme barokke altaarstuk in 1622-1623 voor de Sint Pieter.

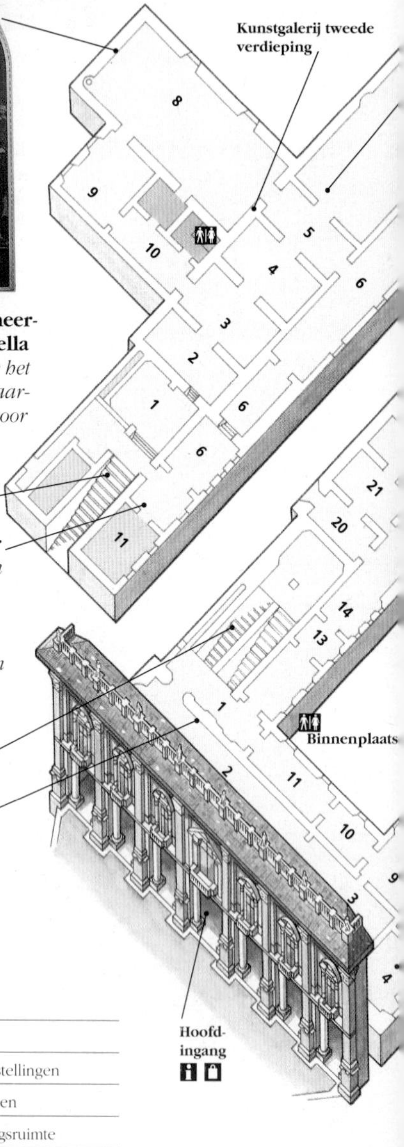

Trap naar tweede verdieping

★ **Johannes de Doper**
Het sensuele portret van de jonge heilige door Caravaggio uit 1595-1596 geeft een zeer onconventioneel beeld van de voorloper van Christus.

Trap naar eerste verdieping

Binnenplaats

De Horatii en de Curatii
D'Arpino's fresco uit 1613 toont een duel, ontleend aan een vroeg-Romeinse legende.

SYMBOLEN

☐ Tuin

☐ Geen tentoonstellingen

☐ Tijdelijk gesloten

☐ Tentoonstellingsruimte

Hoofdingang

Endymion
De godin Diana veroordeelde de jongeling tot eeuwige slaap. Pier Francesco Mola (1612-1666), een leerling van Cavaliere

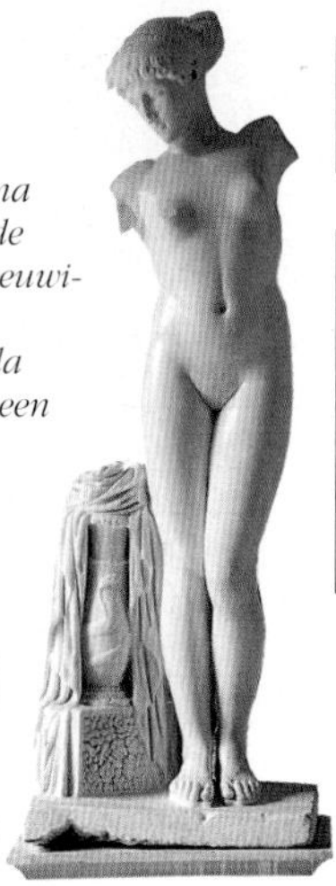

TIPS VOOR DE TOERIST

Blz. 71.

STERATTRACTIES

★ **De Wolvin**

★ **Johannes de Doper van Caravaggio**

★ **Spinario**

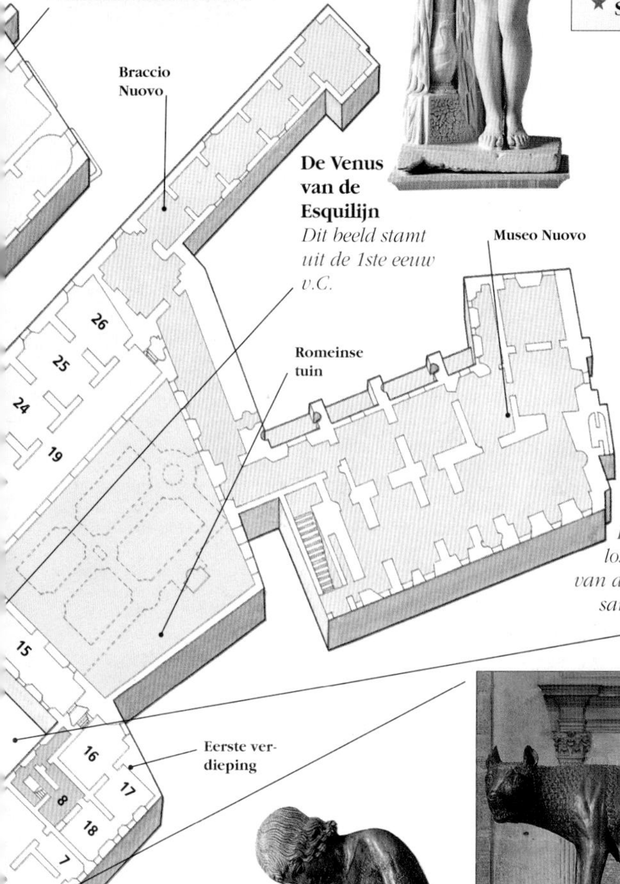

Braccio
Nuovo

De Venus van de Esquilijn
Dit beeld stamt uit de 1ste eeuw v.C.

Museo Nuovo

Romeinse
tuin

26
25
24
19

Constantijn II
Het hoofd van een kolossaal 4de-eeuws beeld van de keizer is nog intact, samen met een hand en andere losse delen.

15

16
17
8
18
7
6

Eerste verdieping

★ **Spinario**
Dit is een fraai bronzen beeld uit de 1ste eeuw n.C. van een jongen die een doorn uit zijn voet trekt.

★ **De Wolvin**
Het Etruskische brons van de wolvin dateert uit begin 5de eeuw v.C. De legendarische tweeling, Romulus en Remus (blz. 16-17), is vermoedelijk in de 15de eeuw toegevoegd.

Monument voor Victor Emanuel aan het Piazza Venezia

Tempel van Jupiter 8

Via del Tempio di Giove. Kaart 5 A5 & 12 F5. Zie Bereikbaarheid blz. 65.

De Tempel van Jupiter, de belangrijkste in het oude Rome, werd rond 590 v.C. opgericht ter ere van de oppergod op de zuidelijke top van het Capitool. Uit de schaarse resten hebben archeologen de rechthoekige, Griekse vorm afgeleid die de tempel ooit had. Hier en daar ziet u restanten van een typisch Romeins onderdeel, het podium. Het meeste ligt onder de Museo Nuovo-vleugel van de Capitolijnse Musea (blz. 72-73).

Als u eromheen loopt, van het podium in de zuidwesthoek in de Via del Tempio di Giove naar de zuidoosthoek op het Piazzale Caffarelli, ziet u dat de tempel bijna even groot was als het Pantheon.

Antieke munt met de Tempel van Jupiter

Tarpeïsche Rots 9

Via di Monte Caprino en Via del Tempio di Giove. Kaart 5 A5 & 12 F5. Zie Bereikbaarheid blz. 65.

De zuidelijke punt van het Capitool heet Tarpeïsche Rots (Rupe Tarpea), genoemd naar Tarpeia, de dochter van Spurius Tarpeius, die het Capitool in de 8ste eeuw v.C. tegen de Sabijnen verdedigde. De Sabijnen, uit op wraak na de vrouwenroof door Romulus en zijn mannen, kochten Tarpeia om, die hen tot het Capitool moest toelaten. Volgens Livius, historicus onder Augustus, droegen de Sabijnen meestal zware gouden armbanden en ringen met juwelen aan hun linkerhand. Tarpeia's verraderstoon zou zijn wat ze droegen aan hun linkerarm. De Sabijnen hielden zich letterlijk aan hun woord, maar niet figuurlijk. Ze betaalden Tarpeia niet met hun juwelen, maar drukten haar dood tussen de schilden. Misschien was Tarpeia het enige verraad: toen de binnenvallende krijgers oog in oog stonden met de Romeinen, sprongen de Sabijnse vrouwen tussen de strijdende legers en verzochten om vrede, nadere ter dood veroordeelde misdadigers werden in het vervolg als straf van de steile rotswand gegooid. De rotspunt is nog steeds gevaarlijk. Thans staat er een hek en zijn er werkzaamheden aan de gang.

Sabijnse soldaten vermorzelen de verraderlijke Tarpeia met hun schilden

Monument voor Victor Emanuel 10

Piazza Venezia. Kaart 5 A5 & 12 F4. Zie Bereikbaarheid blz. 65. Niet toegankelijk voor publiek.

Dit in 1885 begonnen monument, bekend als Il Vittoriano, werd in 1911 voltooid ter ere van Victor Emanuel II van Savoie, de eerste koning van het verenigde Italië. De koning is afgebeeld op een verguld bronzen paard, dat net als het monument bovenmaats is: het beeld is 12 m lang.

In het gebouw is het museum van de Risorgimento gevestigd, de gebeurtenissen die leidden tot de eenwording (blz. 36-37). Sinds jaren tachtig is het museum evenwel gesloten. Opgetrokken in streng, wit marmer uit Brescia, zal de 'bruidstaart' of 'schrijfmachine' (slechts twee van de vele bijnamen van deze onbeminde witte kolos) nooit toegeven aan het oker van de omliggende gebouwen.

Palazzo Venezia en Museum ⑪

Via del Plebiscito 118. **Kaart** 5 A4 & 12 E4. **☎** 679 88 65. **⊟** *Zie Bereikbaarheid* blz. 65. **Open** *di-za 9.00-14.00, zo 9.00-13.00 uur (toegang tot 30 min. voor sluitingstijd).* **Gesloten** *feestdagen.* **Niet gratis.** ⊙ **⚒** *Wisselende tentoonstellingen.*

H et palazzo is een van de eerste burgerlijke gebouwen uit de Renaissance in Rome. De bogen boven ramen en deuren zijn zo harmonieus dat de gevel ooit is toegeschreven aan de grote humanistische architect Leon Battista Alberti (1404-1472).

Paus Paulus II Maar waarschijnlijk is hij van de hand van Giuliano da Maiano, die in ieder geval de prachtige toegang aan het piazza schiep.

Het Palazzo Venezia is in 1455 gebouwd voor de Venetiaanse kardinaal Pietro Barbo, de latere paus Paulus III. Eerst was het de residentie van de paus en later de Venetiaanse ambassade in Rome, voordat het in 1797 in Oostenrijkse handen overging. Sinds 1916 is het staatsbezit; in de fascistische tijd had Mussolini er zijn hoofdkwartier. Hij sprak het volk toe vanaf het balkon in het midden. Het interieur ziet u pas goed bij een bezoek aan het Museo del Palazzo Venezia, een onderschat museum, dat uitstekende collecties schilderijen uit de Vroege Renaissance bezit; beschilderd houtsnijwerk en renaissance-torso's uit heel Italië; wandtapijten uit heel Europa; majolica, zilver, Napolitaanse keramiek, bronzen uit de Renaissance, harnassen, barokke terracotta sculpturen van Bernini, Algardi en anderen en 17de- en 18de-eeuwse Italiaanse schilderijen. Er is een marmerscherm uit het klooster Aracoeli, dat moest wijken voor het monument van Victor Emanuel, en een buste van Paulus II, die met Martinus V en Leo X tot de dikste pausen blijkt te behoren.

Palazzo Venezia met balkon van Mussolini in het midden

San Marco ⑫

Piazza San Marco 48. **Kaart** 5 A4 & 12 F4. **☎** 679 52 05. **⊟** *Zie Bereikbaarheid blz.* 65. **Open** *april-sept.: dag. 7.00-12.30, 17.00-19.30 uur; okt.-maart: 8.00-13.00, 16.00-19.00 uur.* **✝** **∅**

M arcus, de toenmalige paus, stichtte in 336 de kerk San Marco ter ere van de evangelist Marcus. De paus ligt onder het altaar begraven. Paus Gregorius IV herstelde de kerk in de 9de eeuw – de prachtige mozaïeken in de apsis dateren uit die periode. Belangrijke verbouwingen vonden verder plaats in 1455-1471, toen paus Paulus II Barbo San Marco tot kerk van de Venetiaanse ge-

Blazoen van paus Paulus II

meente in Rome verhief. Het blauwe en gouden cassettenplafond is gedecoreerd met paus Paulus' familiewapen, de klimmende leeuw, die herinnert aan de leeuw van San Marco (Marcus), Venetiës beschermheilige. De rest van het interieur, met zuilengangen van Siciliaans jaspis, is grotendeels het werk van Filippo Barigoni (rond 1740). Verder is er een interessante verzameling grafmonumenten in de zijbeuken, typisch voor de late Romeinse Barok. Leon Battista Alberti, wiens naam al in verband met het Palazzo Venezia werd genoemd, was misschien de architect van de sierlijke travertijnen zuilengang en loggia aan de gevel.

Apsismozaïek van San Marco met Christus; Gregorius IV uiterst links

FORUM

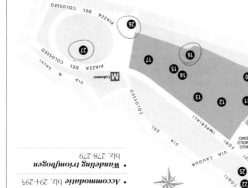

Beeld van barbaar op de Boog van Constantijn

Het Forum was het hart van het politieke, commerciële en juridische leven in het klassieke Rome. De grootste gebouwen waren de basilica's, waar recht werd gesproken. Volgens de toneelschrijver Plautus kroelde het gebied van 'advocaten en hun partijen, bankiers en makelaars, winkeliers, hoeren en gespuis dat om een fooi van de rijken vroeg.' Toen Rome snel groeide, werd het Forum te klein. In 46 v.C. bouwde Julius Caesar een nieuw forum, een voorbeeld dat Augustus, Trajanus en andere keizers zouden volgen. Behalve keizerlijke fora richtten keizers ook triomfbogen op voor zichzelf. Iets naar het oosten liet Vespasianus het Colosseum bouwen, centrum van vermaak na een dag hard werken.

BEZIENSWAARDIGHEDEN IN HET KORT

Kerken en tempels
Tempel van Saturnus ⑤
Tempel van Castor en Pollux ⑧
Tempel van Vesta ⑨
Tempel van Antoninus en Faustina ⑪
Tempel van Romulus en Santi Cosma e Damiano ⑫
Santa Francesca Romana ⑭
Tempel van Venus en Rome ⑰

Historische gebouwen
Basilica Aemilia ①
Curia ②
Basilica Julia ⑦
Huis van de Vestaalse Maagden ⑩

Basilica van Constantijn en Maxentius ⑬
Markten van Trajanus
blz. 88-89 ⑱
Torre delle Milizie ⑳
Casa dei Cavalieri di Rodi ㉑
Mamertijnse Gevangenis ㉔

Musea
Antiquarium Forense ⑮
Colosseum _blz. 92-95_ ㉗ ✗

Bogen en zuilen ✗
Boog van Septimius Severus ④
Zuil van Phocas ⑥
Boog van Titus ⑯ ✗
Zuil van Trajanus ⑲
Boog van Constantijn ㉖ ✗

Historische plaatsen
Rostra ③
Forum van Augustus ㉒ ✗
Forum van Caesar ㉓
Forum van Nerva ㉕

SYMBOLEN

Kaarten verkenning Forum

M Metrostation

BEREIKBAARHEID

U bereikt de wijk het snelst met metrolijn B naar het Colosseum. De hoofdingang van het Forum ligt aan de Via dei Fori Imperiali, waar de bussen 11, 27, 81, 85, 87 en 186 rijden. Veel andere lijnen gaan naar Piazza Venezia. Voor de Markten van Trajanus kunt u lijn 64, 65, 70 of 75 nemen naar de Via IV November.

ZIE OOK

• **Plattegrond**, kaarten 5, 8, 9, 12
• **Accommodatie** blz. 294-295
• **Wandeling triomfbogen** blz. 278-279

0 meter   200

Verkenning van het westen van het Forum

Voor een goed overzicht van het Forum voordat u zich in het verwarrende netwerk van tempeltjes en basilica's begeeft, kunt u het beste het gebied van bovenaf bekijken, van achter het Capitool. Daar kunt u de Via Sacra (Heilige Weg) herkennen, de route die processies en triomftochten volgden over het Forum naar het Capitool.

Tot de 18de eeuw, toen de opgravingen begonnen, lagen de Boog van Septimius Severus en de zuilen van de Tempel van Saturnus half onder de grond. De opgravingen op het Forum gaan nog steeds door; de blootgelegde ruïnes dateren uit veel verschillende tijdperken uit de Romeinse geschiedenis.

De Tempel van Vespasianus was het punt vanwaar Piranesi deze 18de-eeuwse gravure maakte van het Forum. De drie zuilen lagen bijna volledig onder de grond.

Tempel van Concordia

Portiek van de Dii Consentes

Tempel van Saturnus
De acht resterende zuilen van deze tempel staan vlak bij de drie zuilen van de Tempel van Vespasianus ⑤

Rostra
Hier liggen de resten van een podium voor openbare toe- spraken op het Forum ③

Basilica Julia
De basilica, genoemd naar Julius Caesar, huisvestte be- langrijke gerechtshoven ⑦

Zuil van Phocas
Deze alleenstaande zuil dateert uit 608 n.C. en is een van de allerlaatst opge- richte monumenten op het Forum ⑥

★ Boog van Septimius Severus

Op een 19de-eeuwse gravure is de boog na de eerste opgravingen op het Forum te zien ❹

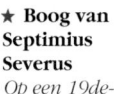

ORIËNTATIEKAART
Zie kaart centrum Rome 12-13

Santi Luca e Martina was een vroeg-middeleeuwse kerk, maar is in 1640 geheel verbouwd door Pietro da Cortona.

Curia

Op de vergaderplaats van de Romeinse Senaat is een moderne reconstructie gebouwd ❷

STERATTRACTIES

★ Boog van Septimius Severus

SYMBOOL

- - - Aanbevolen route

0 meter   75

Basilica Aemilia

Deze grote ontmoetingsplaats is in de 5de eeuw met de grond gelijk gemaakt ❶

Ingang naar het Forum

De tempel van Julius Caesar werd gebouwd op de plaats waar Caesar is gecremeerd nadat hij in 44 v.C. was vermoord.

Julius Caesar

Forum Romanum oostzijde:
Blz. 80-81

Tempel van Castor en Pollux

Vanaf de 5de eeuw v.C. heeft hier een tempel voor de tweelingzonen van Jupiter gestaan. Dit gedeelte van de kroonlijst en de zuilen eronder dateren van de verbouwing in 6 n.C. ❽

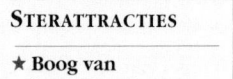

Verkenning van het oosten van het Forum

D e imponerende ruïnes met tongewelven van de Basilica van Constantijn beheersen de oostkant van het Forum Romanum. Om een idee te krijgen van het gebouw in de 4de eeuw moet u er marmeren zuilen, vloeren en beelden bij denken en tegels van verguld brons. De resten van de overige ge-bouwen zijn karig, maar de tuin en de vijver in het midden van het Huis van de Vestaalse Maagden maken veel goed. De twee kerken in dit deel van het Forum zijn niet toegankelijk via het archeologisch terrein, maar via de weg die erlangs loopt.

De Regia was de ambtswoning van de Pontifex Maximus, de opperpriester in het oude Rome.

Tempel van Antoninus en Faustina
De zuilengang van deze tempel uit 141 n.C. maakt nu deel uit van de kerk San Lorenzo in Miranda **11**

Naar de in-gang van het Forum

Een begraafplaats uit de Vroege IJzertijd is hier in 1902 ontdekt. Vondsten zoals deze asurn zijn in het Antiquarium te zien.

Tempel van Vesta
Dit deels gerestaureerde tempel-tje voor de godin van de haard was een van de meest vereerde heiligdommen **9**

Tempel van Romulus
Het 4de-eeuwse bouwwerk met de koepel leeft voort als deel van de kerk Santi Cosma e Damiano **12**

★ **Huis van de Vestaalse Maagden**
Hier woonden de priesteressen die de heilige vlam in de Tempel van Vesta brandend hielden **10**

★ **Basilica van Constantijn**
De strenge resten van de enorme bogen en plafonds van het bouwwerk geven u een indruk van de originele af- metingen van de openbaren ge- bouwen op het Forum **13**

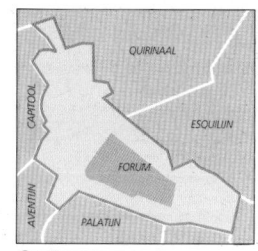

ORIËNTATIEKAART
Zie kaart centrum Rome blz. 12-13

Santa Francesca Romana
De naam van de kerk is ont- leend aan een heilige die zich in de 15de eeuw ontfermde over de armen in Rome **14**

Antiquarium Forense
Het kleine museum bezit ar- cheologische vondsten van het Forum, waaronder een fries met Aeneas *en de* stichting van Rome *uit de Basilica Aemilia* **15**

VIA DEI FORI IMPERIALI

Zuilengalerij rondom tempel van Venus en Rome

Tempel van Venus en Rome
Deze uitgestrekte ruïnes waren ooit een schitterende tempel. Keizer Hadrianus ont- wierp hem in 135 n.C. groten- deels zelf **17**

VIA SACRA

Ruïnes van thermen

Boog van Titus
Deze 19de-eeuwse reconstructie laat zien hoe de boog er misschien uit- zag toen hij de stapstenen van de Via Sacra over- spande **16**

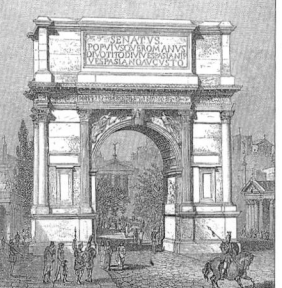

STERATTRACTIES

★ **Basilica van Constantijn**

★ **Huis van de Vestaalse Maagden**

SYMBOOL

– – – – Aanbevolen route

0 meter   75

ROSTRA
Deze tekening toont het podium voor openbare toespraken in het Forum in de keizertijd.

Scheepsboegen (rostra)

Reliëfpaneel op balustra-de met de goede werken van Trajanus

Erebeeld

TIPS VOOR DE TOERIST

Toegang tot het Forum Romanum in Largo Romolo e Remo en Via di San Gregorio. **Kaart** 5 B5 & 8 F1. **☎** 699 01 10. **🚍** 11, 27, 81, 85, 87, 186 naar Via dei Fori Imperiali. **Ⓜ** Colosseo. **Open** ma, wo-za 9.00-2 uur voor zonsondergang, di, zo 9.00-14.00 uur. **Gesloten** feestdagen. **Niet gratis** (ook toegang tot Palatijn). 🚻 ♿ alleen via Largo Romolo e Remo 🅿 🎦

Basilica Aemilia ❶

Zie Tips voor de toerist.

Oorspronkelijk was het gebouw een rechthoekige hal met zuilen, een veelkleurige marmervloer en een dak met bronzen pannen. De consuls Marcus Aemilius Lepidus en Marcus Fulvius Nobilior hadden het in 179 v.C. laten bouwen. De jaarlijks gekozen consuls bezaten in de Republiek de hoogste macht. Basilica's hadden in het oude Rome geen religieus doel; het waren ontmoetingsplaatsen voor politici, financiers en *publicani* (door de staat gecon-tracteerde zakenlui die de belas-ting inden). Een commissie bepaalde wat er voor de staat bestemd was, maar de leden mochten net zoveel innen als mogelijk was en het ver-

Gesmolten munten in de vloer van de Basilica Aemilia

Curia ❷

Zie Tips voor de toerist.

Er staat een moderne repli-ca op de ruïnes van de hal waar de Senaat van Rome vergader-de. De eerste Curia stond waar nu de kerk Santi Luca e Martina ziet, maar na een brand in 52 v.C. bouwde Julius Caesar een nieuwe Curia aan de rand van het Forum. In 94 herstelde Domitianus deze en na nog een brand in de 3de eeuw herbouwde Diocletianus de Curia. De huidige replica is gebaseerd op de Curia van Diocletianus.

Binnen zijn twee reliëfpa-nelen te zien. Een ervan toont Trajanus, die registers van onbetaalde belastingen ver-nielt om burgers van schuld te ontlasten; op het andere paneel zit hij op een troon en ontvangt een moeder met kind.

Replica van de Curia

Rostra ❸

Zie Tips voor de toerist.

Op dit podium hield men toespraken; de beroemd-ste is – dank zij Shakespeare – die van Marcus Antonius: 'Vrienden, Romeinen, landge-noten', na de moord op Julius Caesar in 44 v.C. Caesar had het Forum met vernieuwd en deze toespraak klonk vanaf de verplaatste Rostra, waar de ruïne nu staat. Een jaar later werden het hoofd en de han-den van Cicero hier tentoongesteld na de terdoodver-oordeling door het tweede Triumviraat (Augustus, Marcus Antonius en Mar-cus Lepidus). Fulvia, de vrouw van Marcus Anto-nius, stak een haarspeld door de tong van de grote redenaar. Hier zou Julia, de dochter van Augus-tus, zich ook te koop hebben aangeboden, een van de schaamteloze daden die tot haar verbanning leidden. Het podium is genoemd naar de voorstevens (*rostra*) die met ijzer beklede scheepsrammen van vijandelijke schepen te ram-men) waren veroverd tijdens de Slag bij Antium in de 4de eeuw v.C.

schil houden. Daarom zijn be-lastinginners in de Bijbel zo impopulair.

De basilica is vaak herbouwd; ten slotte is ze afgebrand toen de Goten in 410 Rome plunderden. Blijkbaar gingen de zaken door tot op het laatst, want de vloer is bezaaid met stukjes mun-ten die er bij de brand in zijn gesmolten.

Ruïnes van de Rostra uit de keizertijd

Boog van Septimius Severus 4

Zie Tips voor de toerist.

Deze triomfboog, een van de imponerendste en best bewaarde monumenten op het Forum, is in 203 n.C. opgericht ter herdenking van het tienjarig ambtsjubileum van Septimius Severus. De grotendeels vergane reliëfpanelen memoreren de triomfen van de keizer in Parthia (het huidige Irak en Iran) en Arabië. De inscriptie boven in de boog was aanvankelijk bestemd voor Septimius en zijn twee zoons, Caracalla en Geta, maar na Septimius' dood vermoordde Caracalla zijn broer en liet Geta's naam verwijderen. De gaten waarin de letters van zijn naam waren vastgepind, zijn nog zichtbaar. In de Middeleeuwen bood de middelste boog, half verscholen onder aarde en puin, onderdak aan een barbierszaak.

Barbaarse gevangenen, Boog van Severus

Triomfboog van keizer Septimius Severus

Tempel van Saturnus 5

Zie Tips voor de toerist.

De opvallendste ruïne in het afgezette gebied tussen het Forum en het Capitool is de Tempel van Saturnus. Hij bestaat uit een hoog podium, acht zuilen en een deel van de lijst. Reeds in de 5de eeuw v.C. was er hier een tempel aan Saturnus gebouwd, maar hij is vaak verwijd. De huidige resten dateren uit de 4de eeuw n.C. Saturnus was de mythische god-koning van Italië, van wie men zegt dat hij heerste in een welvarende en vreedzame Gouden Eeuw, waarin slavernij, privé-eigendom, misdaad en oorlog niet voorkwamen. Daarom oefende hij zo'n aantrekkingskracht uit op de lagere klasse en de slaven. Elk jaar, tussen 17 en 23 december, werd zijn heerschappij herdacht met een week van offers en feesten, die bekend staan als de Saturnalia. Tijdens de duur van het feest stond de normale sociale orde op haar kop. Slaven mochten eten en drinken met hun heer, die soms zelf als bediende optrad. Senatoren en andere hooggeplaatste Romeinen droegen niet de gebruikelijke aristocratische toga's, die hen onderscheidde van de lagere klassen, en trokken gemakkelijke kleding aan. Tijdens het feest waren alle rechtbanken en scholen in de stad gesloten. Gevangenen konden niet worden gestraft en men verklaarde geen oorlog.

Thuis vierden de mensen ook Saturnalia: ze gaven elkaar cadeautjes, vooral bijzondere wasfiguren en waskaarsen, en zaten te gokken; de inzet bestond uit noten, symbool voor vruchtbaarheid. Veel van de sfeer en de gebruiken van het feest is bewaard gebleven in de christelijke viering van Kerstmis.

Ionische kapitelen op de resterende zuilen van de Tempel van Saturnus

Zuilen van Phocas 6

Zie Tips voor de toerist.

Deze 13,5 m hoge zuil is een van de weinige die sinds de oprichting zijn blijven staan. Niemand wist precies wat hij voorstelde, tot in 1816 een onderzoekende Engelse, lady Elizabeth Foster, besloot het voetstuk uit te graven. Het bleek het jongste monument op het Forum te zijn: de zuil is in 608 n.C. opgericht ter ere van de Byzantijnse keizer Phocas, die juist een bezoek aan Rome had gebracht. De zuil is misschien geplaatst als uiting van erkentelijkheid, aangezien Phocas het Pantheon aan de paus had geschonken (blz. 110-111).

De ranke Zuil van Phocas

Overblijfselen van de Basilica Julia, een rechtbank voor civiele zaken

Basilica Julia ❼

Zie Tips voor de toerist, blz. 82.

De enorme basilica besloeg het gebied tussen de Tempel van Saturnus en de Tempel van Castor en Pollux. Julius Caesar begon eraan in 54 v.C.; zijn beroemde neef Augustus voltooide haar na Caesars dood. Bijna onmiddellijk erna, in 9 v.C., verwoestte een brand de basilica, die weer werd opgebouwd en gewijd aan de kleinzonen van de keizer, Gaius en Lucius.
Na talrijke plunderingen en diefstallen zijn alleen de trap, de vloer en stukken zuil overgebleven. Desondanks is de indeling nog tamelijk goed te herkennen. De basilica had

TEMPEL VAN VESTA
De tempel behield de oorspronkelijke vorm van een primitief bouwsel van houten palen en een strodak.

een centrale hal van 82 m bij 18 m, omgeven door een dubbele zuilenrij. De hal had drie verdiepingen, de zuilengang slechts twee.
De Basilica Julia was de zetel van de *centumviri*, een orgaan van 180 magistraten die in civiele zaken recht spraken. Ze waren verdeeld in vier kamers van 45 man die elk afzonderlijk fungeerden, tenzij een zaak zeer gecompliceerd was. De vier gerechtshoven waren echter alleen van elkaar gescheiden door schermen of gordijnen, zodat de stemmen van advocaten en de bijval of afkeuring van publiek in de bovenste galerijen door het gebouw galmden. Advocaten huurden vaak een menigte toeschouwers die applaudisseerde of de tegenpartij uitlachte. De claques en schreeuwers moeten veel tijd over hebben gehad: in de treden zijn borden uitgehouwen waarop ze dobbelden en andere spelletjes deden om de tijd tussen twee zaken te verdrijven.

Tempel van Castor en Pollux ❽

Zie Tips voor de toerist, blz. 82.

De drie slanke, gecannelleerde zuilen van deze tempel vormen een van de hoogtepunten van de ruïnes op het Forum. De eerste tempel is hier waarschijnlijk in 484 v.C. gewijd ter ere van de mythologische tweelingen en beschermers van de ruiterkunst, Castor en Pollux. Tijdens de slag aan het meer van Regillus (496 v.C.) tegen de verdreven koningen der Tarquinii beloofde de Romeinse dictator Postumius een tempel te bouwen voor de tweelingen als de Romeinen zouden winnen. Volgens sommigen verschenen beiden op het slagveld, hielpen de Romeinen aan de overwinning en verschenen toen op het Forum om het nieuws te verkondigen.
De tempel is vaak verbouwd, zoals de meeste gebouwen op het Forum. De drie resterende zuilen zijn geplaatst bij de laatste verbouwing van de tempel, na een brand in 12 v.C., door de latere keizer Tiberius.

Corinthische zuilen van de tempel van Castor en Pollux

Tempel van Vesta ❾

Zie Tips voor de toerist, blz. 82.

De sierlijkste tempel op het Forum dateert uit de 4de eeuw n.C., hoewel hier al veel eerder een tempel had gestaan. Het is een rond bouwwerk dat oorspronkelijk was omgeven van een kring van 20 fraai gecannelleerde zuilen. De tempel is in 1930 deels herbouwd.
De cultus van Vesta was een van de oudste in Rome en was gericht op zes Vestaalse

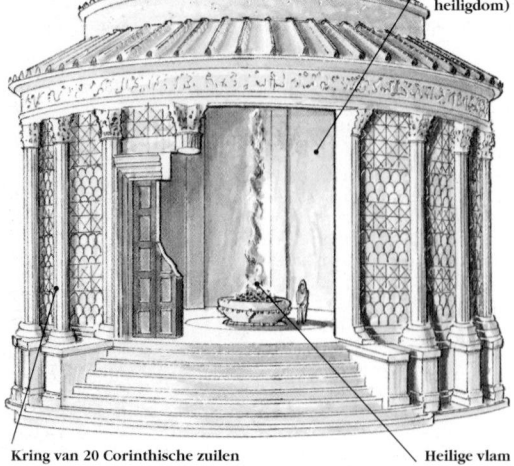

Cella (intern heiligdom)

Kring van 20 Corinthische zuilen

Heilige vlam

Maagden, die de heilige vlam van Vesta, de godin van de haard, brandende moesten houden. Deze taak was aanvankelijk toevertrouwd aan de dochters van koningen, maar ging later over aan de Vestaalse Maagden, de enige groep vrouwelijke priesters in Rome. De opdracht was niet eenvoudig: de wind kon de vlam gemakkelijk uitblazen. Degene die de vlam liet uitgaan, werd gegeseld door de hogepriester *(Pontifex Maximus)* en ontslagen. De meisjes, die van adel moesten zijn, deden 30 jaar dienst: de eerste 10 jaar leerden ze hun plichten, de volgende 10 voerden ze ze uit en de laatste 10 jaar onderwezen ze novicen. Ze genoten een hoog aanzien en financiële zekerheid, maar moesten maagd blijven. Wie die regel overtrad, werd levend begraven. Er zijn echter maar tien gevallen bekend van maagden wie dit lot trof. De mannen in kwestie werden doodgegeseld. Na hun dienstjaren mochten Vestaalse Maagden de rest van hun leven doorbrengen zoals iedereen. De Vestaalse Maagden hadden ook tot taak het Palladium te bewaren, een heilig beeld van de godin Pallas Athene. De goddeloze keizer Heliogabalus plunderde de tempel in de 3de eeuw. Hij dacht het Palladium te stelen, maar de maagden waren op de hoogte gebracht en hadden het beeld vervangen door een replica.

Binnenplaats van het Huis van de Vestaalse Maagden

Huis van de Vestaalse Maagden ❿

Zie Tips voor de toerist, blz. 82

Erebeeld van Vestaalse Maagd

Zodra een meisje in dienst kwam van Vesta, verhuisde ze naar het Huis van de Vestaalse Maagden.

Aanvankelijk was dit een enorm complex met ongeveer 50 kamers op drie verdiepingen. Tegenwoordig zijn de belangrijkste resten enkele vertrekken aan de centrale binnenplaats. Dit is misschien wel het meest suggestieve plekje op het Forum.

Achter de vijvers met lelies en dikke goudvissen ziet u een rij vergane en meestal onthoofde beelden van oudere Vestaalse Maagden uit de 3de en 4de eeuw. De beter bewaard gebleven exemplaren zijn overgebracht naar het Museo Nazionale Romano *(blz. 163).* Van een van de sokkels is de inscriptie verwijderd, omdat de betrokkene in ongenade was gevallen. Misschien was het een zekere Claudia, die de cultus had verraden door haar bekering tot het christendom.

Hoewel veel vertrekken aan de binnenplaats vrijwel intact zijn – hier en daar lopen trappen nog naar de volgende verdieping – mag u er niet in. Als u een blik werpt in de reeks kamers aan de zuidkant ziet u misschien de resten

van een molen die het graan maalde waarvan de maagden een speciale offercake bakten. De bakkerij was ernaast.

Tempel van Antoninus en Faustina ⓫

Zie Tips voor de toerist, blz. 82.

Een van de eigenaardigste aanblikken op het Forum biedt de barokke gevel van de kerk San Lorenzo in Miranda, die boven de portiek van een Romeinse tempel uitsteekt. De kerk werd in 141 n.C. gewijd door keizer Antoninus Pius aan zijn overleden vrouw Faustina; na de dood van de keizer is ze aan beiden gewijd. In de 11de eeuw is er een kerk van gemaakt omdat men dacht dat San Lorenzo hier ter dood was veroordeeld. De huidige kerk, uit de 17de eeuw, is voor publiek niet toegankelijk.

Deel van de Tempel van Vesta

Tempel van Antoninus en Faustina

Tempel van Romulus en Santi Cosma e Damiano ⑫

Zie Tips voor de toerist, blz. 82. Santi Cosma e Damiano **[** 699 15 40. **Open** dag. 7.00-13.00, 15.00-19.00 uur. Entreegeld verlangd voor kerststal. **[icons]**

Het staat niet vast aan wie de zogenaamde Tempel van Romulus was gewijd, in ieder geval niet aan de stichter van Rome of aan de zoon van keizer Maxentius. De ronde tempel is van steen, heeft een koepeldak, twee rechthoekige zijvertrekken en een halfronde zuilengang. De bronzen deuren zijn origineel. Sinds de 6de eeuw deed de tempel dienst als kerkportaal van de Santi Cosma e Damiano, die op haar beurt een klassiek gebouw inneemt – een hal in Vespasianus' Forum der Vrede. De ingang tot de kerk ligt aan de Via dei Fori Imperiali. De prachtig gesneden figuren van de 18de-eeuwse Napolitaanse *presepio* (kribbe of kerststal) zijn momenteel niet te zien, maar de kerk heeft in de apsis een levendig Byzantijns Christusmozaïek.

Dak van de Tempel van Romulus

Basilica van Constantijn en Maxentius ⑬

Zie Tips voor de toerist, blz. 82.

De drie enorme tongewelven met het cassetteplafonds zijn imposante resten van de basilica die ooit het grootste bouwwerk op het Forum was. De bouw begon in de vroege 4de eeuw onder keizer Maxentius. Toen Constantijn hem afzette na de Slag bij de Pons Milvius in 312, zette het nieuwe bewind de werkzaamheden aan het enorme project voort. Het gebouw, dat fungeerde als juri-

disch en commercieel centrum, wordt vaak simpelweg Basilica van Maxentius genoemd.

De oppervlakte van de basilica bedroeg ongeveer 100 m bij 65 m. Het oorspronkelijke ontwerp voorzag in een lang schip en zijbeuken die van oost naar west liepen, maar Constantijn draaide de as en schiep drie korte, brede zijbeuken met de hoofdingang halverwege de lange muur aan de zuidkant. Het gebouw was 35 m hoog. In de westelijke apsis stond een vanaf elke plaats in het gebouw zichtbaar, 12 m hoog beeld van de kei-

zer, dat deels van hout, deels van marmer was. Het enorme hoofd, de hand en de voet zijn te zien op de binnenplaats van het Palazzo dei Conservatori (blz. 72-73). Het dak van de basilica was tot de 7de eeuw voorzien van vergulde dakpannen, maar toen werden ze verwijderd en verhuisden naar het dak van de oude Sint Pieter.

De drie zijbeuken met tongewelven van de basilica deden dienst als rechtszalen.

De achthoekige cassetten in het gewelfde plafond waren oorspronkelijk met marmer bekleed.

De hoofdingang bouwde Constantijn in 313 erbij.

Het dak werd gedragen door acht enorme Corinthische zuilen. Een ervan staat nu op het Piazza Santa Maria Maggiore (blz. 173).

Santa Francesca Romana ⑭

Piazza di Santa Francesca Romana.
Kaart 5 B5. ☎ 679 55 28. 🚌 11, 27, 81, 85, 87, 186. Ⓜ Colosseo. **Open** dag. 9.30-13.00, 16.00-19.00 uur.

Elk jaar op 9 maart probe-ren vrome Romeinen hun auto zo dicht mogelijk te parkeren bij deze ba-rokke kerk met fraaie romaanse klokketoren. De bedoeling is dat hun voertuigen worden gezegend door Santa Francesca Romana, de patroonheilige der automo-bilisten. Francesca was een 15de-eeuwse vrouw die een gezel-schap van eeuwse vrouwen oprichtte om armen en zieken te hel-pen. Na haar heiligverklaring in 1608 werd de kerk, die Santa Maria Nova heette, ge-wijd aan Francesca.

Het opvallendste voorwerp in de kerk is een steen met daarin de afdrukken van naar men zegt de knieën van Petrus en Paulus. Volgens de legende wilde een tovenaar, Simon Magus, bewijzen dat zijn krachten die van de apostelen overtroffen door boven het Forum te gaan zweven. Toen Simon in de lucht hing, vielen Petrus en Paulus op hun knieën en baden vurig tot God om te tonen wie machtiger was. Simon viel te pletter.

Klokketoren van Santa Francesca

Zie Tips voor de toerist, blz. 82.

Antiquarium Forense ⑮

In het voormalige klooster van Santa Francesca Romana zijn thans de kanto-ren gevestigd ten behoeve van de opgravingen op het Forum, evenals een klein mu-seum. Het laatste wordt mo-menteel gereorganiseerd; slechts enkele zalen zijn toe-gankelijk. Er zijn urnen uit de IJzertijd te zien, graven en skeletten; verder wat klassie-ke curiosa die afkomstig zijn uit het riool van het Forum. Als de herindeling achter de rug is, kunt u delen van beel-den zien, kapitelen, friezen en andere decoraties van gebou-wen op het Forum.

Fries van Aeneas in het Antiquarium Forense

Boog van Titus ⑯

Zie Tips voor de toerist, blz. 82.

Keizer Domitianus richtte in 81 n.C. deze triomf-boog op ter ere van de over-winningen van zijn broer, Titus, en zijn vader, Vespasianus, in Judea. In 68 waren de joden de uitbuiting door nietsontziende Romeinse ambtenaren beu en kwamen in opstand. De felle oorlog die uitbrak, eindigde twee jaar later met de val van Jeruzalem en de joodse diaspora.

Hoewel de reliëfs in de boog in slechte staat verkeren, kunt u een triomftocht van Romein-se soldaten herkennen die de buit uit de tempel van Jeruzalem meedra-gen, waaronder het al-taar, zilveren trompet-ten en een zeven-armige kandelaar.

Wijding aan Vespasianus en Titus op de Boog van Titus

Tempel van Venus en Rome ⑰

Zie Tips voor de toerist, blz. 82.

Deze tempel, op de plaats van de vroegere vestibule van Nero's Gouden Huis (Domus Aurea), is ontworpen door kei-zer Hadrianus. Veel zuilen zijn weer over-eind gezet en u krijgt er een goede indruk van als u het Forum verlaat. Deze grootste tempel van Rome was gewijd aan Roma, de personificatie van de stad, en aan Venus, de moeder van Aeneas, die op zijn beurt de vader van Romulus en Remus zou zijn. Elke godin had haar eigen *cella* (heiligdom). Toen de architect Apollodorus erop wees dat de in de nissen ge-zeten figuren te groot waren ('rechtop' hadden ze hun hoofd gestoten), liet Hadrianus hem ter dood brengen.

Beeld van godin — Porfieren zuil

Doorsnede van de Tempel van Venus en Rome en

100 n.C.	500 n.C.	1000	1300	1800	1950

98 n.C. Trajanus volgt Nerva op als keizer

117 n.C. Dood van Trajanus

100-112 n.C. Aanleg Markten van Trajanus

472 Invasie van Richimer de Zwaab. Enkele Germaanse troepen van hem gelegerd boven op de markten

552 Byzantium neemt Rome over. Markten bezet en versterkt door het leger

14de eeuw Families Annibaldi en Caetani strijden om macht in het gebied

13de eeuw Torre delle Milizie verrijst boven de markten

1828 Eerste poging tot opgraving; historische belang niet onderkend

1572 Klooster Santa Caterina da Siena gedeeltelijk over de markten gebouwd

1911-1914 Klooster gesloopt

1924 Veel middeleeuwse huizen over de markten gesloopt

1930-1933 Markten ten slotte blootgelegd

De Markten van Trajanus [18]

De aanvankelijk tot de wonderen van de klassieke wereld gerekende Markten van Trajanus tonen nu slechts een flauwe afspiegeling van hun vroegere luister. Keizer Trajanus en zijn architect, Apollodorus van Damascus, bouwden dit futuristische complex van 150 winkels en kantoren aan het begin van de 2de eeuw. Het was het klassiek Romeinse equivalent van het moderne winkelcentrum waar alles te koop is: van zijde en specerijen uit het Midden-Oosten tot verse vis, fruit en bloemen.

De huidige markten
Boven de gevel verrijst de 13de-eeuwse Torre delle Milizie.

Kruis-gewelven

Trajanus
De keizer was een mild heerser en een succesvol generaal.

Grote hal
Op twee verdiepingen waren twaalf winkels gevestigd. De graanbedeling vond op de bovenste verdieping plaats: een gratis portie graan voor Romeinen om hongersnood te voorkomen.

Via Biberatica
In de boogstraat die over de markt liep, stonden misschien cafés en urinekels die de peper en specerijen verkochten.

Kleine halve cirkel van winkels

Trap

TIPS VOOR DE TOERIST

Mercati Traianei, Via IV Novembre.
Kaart 5 B4. 67 10 36 13.
57, 64, 65, 70, 75, 170 naar
Via IV Novembre; ook lijnen vanaf
Piazza Venezia. **Open** di-za 9.00-
13.00 uur, zo 9.00-12.30 uur;
april-sept.: do en za 9.00-18.00
uur (tot 30 min. voor sluitingstijd).
Gesloten ma, feestdagen. **Niet
gratis.** alleen in grote hal.

De markten in de 16de eeuw
*Op dit fraaie fresco is een gevecht tussen gladia-
toren te zien, voor de halfbedolven ruïnes van de
Markten van Trajanus.*

Een marktwinkel
*De ingang van de win-
kel was een boog; met
stijlen en lateien maak-
te men rechthoekige
portalen en ramen. Een
houten entresol diende
als opslagplaats.*

Bovenste galerij
*Misschien verkochten de
winkels op deze etage olie
en wijn, aangezien er een
aantal voorraadkruiken is
ontdekt.*

Grote hal met
half over-
koepeld
plafond

**Scheidsmuur
tussen markt en
Forum van Trajanus**

Het terras op
de galerij boven
de Via Biberatica
biedt een goed
uitzicht op het
forum van
Trajanus beneden.

Winkels op de begane grond
van de grote halve cirkel
waren kleiner en koeler dan
de winkels erboven. Ver-
moedelijk verkochten ze
groente, fruit en bloemen.

WINKELEN OP DE MARKT
De winkels waren vroeg open en slo-
ten tegen het middaguur. De mooiste
waren versierd met mozaïeken van de
waar die men verkocht. De mannen
deden bijna alle boodschappen, de
vrouwen gingen naar de kleerma-
ker of de schoenlapper. De verkopers waren bijna allen mannen.
In de statistieken voor de periode 117-193 komen als winkelier-
sters voor: drie wolverkoopsters,
twee juweliers, een
groenteverkoopster
en een visvrouw.

Vismozaïek

Markten van Trajanus ⓲

Blz. 88-89.

Zuil van Trajanus ⓳

Via dei Fori Imperiali. **Kaart** 5 A4 & 12 F4. *Zie Tips voor de toerist, blz. 89.*

Trajanus onthulde de sierlijke marmeren zuil in 113 n.C. ter herinnering aan zijn twee veldtochten in Dacië (Roemenië) in 101-102 en in 105-106. De zuil, basis en sokkel zijn 42 m hoog, precies de hoogte van de kam van de Quirinalis die werd afgegraven om plaats te maken voor het Forum van Trajanus. De zeer gedetailleerde scènes van campagnes lopen in een spiraal langs de zuil omhoog, van Romeinen die zich voorbereiden op de oorlog tot Daciërs die uit hun vaderland worden verdreven. Door de raamples in de zuil kunt u de wenteltrap aan de binnenkant zien (gesloten voor publiek).

Als u de reliëfs van dichtbij wilt zien, kunt u de complete replica gaan bekijken in het Museo della Civiltà Romana in EUR (blz. 267).

Toen Trajanus in 117 sterft, is zijn as met die van zijn vrouw Plotina in een gouden urn in de holle basis van de zuil geplaatst. De zuil blijft nog geruime tijd staan dank zij de bemoeienis van paus Gregorius de Grote (regeerperiode 590-604). Een reliëf waarop Trajanus een vrouw helpt wier zoon is gedood, ontroerde hem zo dat hij God smeekte de ziel van de keizer uit de hel te verlossen.

Detail van Zuil van Trajanus

Weldra verscheen God aan de paus, zei dat Trajanus was gered, maar verzocht de paus niet te bidden voor zielen van nog meer heidenen.

Volgens de legende waren bij de opgraving van Trajanus' zijn schedel en tong niet alleen intact, maar vertelde zijn tong over de redding uit de hel. Daarop werd de grond en de zuil heilig verklaard en de zuil zelf bleef gespaard. In 1587 verving een beeld uit de Sint Pieter dat van Trajanus, dat tot dat jaar op de zuil stond.

Torre delle Milizie ⓴

Mercati Traianei, Via IV Novembre. **Kaart** 5 B4. *Gesloten wegens restauratie.*

Eeuwenlang dacht men dat deze toren der plaats was vanwaar Nero uitkeek over het brandende Rome. Hij had de stad in brand gestoken om haar te bevrijden van de arme wijken. Het staat niet vast of de brandstichting tot Nero's misdaden behoorde; het is wel zeker dat hij de brand toren bekeek.

Casa dei Cavalieri di Rodi ㉑

Piazza del Grillo 1. **Kaart** 5 B5. ☎ 67 10 24 75. 🚌 11, 27, 81, 85, 87, 186. *Open uitsl. na afspraak.*

Loggia, Casa dei Cavalieri di Rodi

Sinds de 12de eeuw was de priorij van de orde der johannieters gevestigd in dit middeleeuwse huis boven het Forum van Augustus. Als u het treft en u naar binnen kunt, vraag dan of u de fraaie Cappella di San Giovanni (kapel van de Heilige Johannes) kunt bezichtigen.

Forum van Augustus ㉒

Piazza del Grillo 1. **Kaart** 5 B5 & 12 F5. ☎ 67 10 24 75. 🚌 11, 27, 81, 85, 87, 186. *Open uitsl. na afspraak.*

Forum van Augustus

Het Forum van Augustus verrees ter herdenking van Augustus' overwinning op de moordenaars van Julius Caesar, Brutus en Cassius, in de Slag bij Philippi in 41 v.C. De tempel in het midden was gewijd aan Mars Ultor (de wreker). Het forum strekte zich uit van een hoge muur aan de voet van de arme wijk Suburra tot de rand van het Forum van Caesar. Ten minste de helft ligt nu verborgen onder Mussolini's Via dei Fori Imperiali. De tempel is goed herkenbaar aan de gebroken treden en de vier Corinthische zuilen. Aanvankelijk stond er een beeld van Mars dat veel op Augustus leek. Voor de duidelijkheid was er nog een enorm beeld van Suburra tegen de muur van Suburra geplaatst.

Forum van Caesar ㉓

Via del Carcere Tulliano. **Kaart** 5 A5. ☎ 67 10 30 65. 🚌 11, 27, 81, 85, 87, 186. *Open uitsl. op afspraak.*

Julius Caesar bouwde het eerste keizerlijke forum in Rome. Het kostte hem een fortuin – bijna de hele buit die hij uit Gallië had meegebracht – om het terrein te kopen en de huizen er te slopen. Het hoogtepunt was de gewijde tempel, van wie Caesar beweerde af te stammen. De tempel bevatte zowel beelden van Caesar en Cleopatra als van Venus. Wat er nog rest van deze tempel, zijn een podium en drie

Corinthische zuilen. Het forum was omgeven door een dubbele zuilengang met een reeks winkels. Ze brandden af in 80 n.C., maar Domitianus en Trajanus herbouwden ze. Trajanus voegde ook een Basilica Argentaria toe (een financiële beurs) en een verwarmd openbaar toilet. Het forum is voor publiek niet toegankelijk, maar wel vanaf de Via dei Fori Imperiali te zien.

Mamertijnse Gevangenis ㉔

Clivo Argentario 1. **Kaart** 5 A5.
📞 679 29 02. 🚌 81, 85, 87, 186.
Open april-sept.: 9.00-12.30, 14.30-18.00 uur; okt.-maart 9.00-12.00, 14.00-17.00 uur. **Gift** verwacht. 📷 🐾

19de-eeuwse gravure van cipiers in de Mamertijnse Gevangenis

Onder de 16de-eeuwse kerk San Giuseppe dei Falegnami (Jozef van de timmerlieden) ligt een bedompte kerker waarin volgens de legende Petrus gevangen zat. Naar verluidt welde er op Petrus' bevel in de cel een bron op. Met dat water doopte Petrus de twee bewakers. De gevangenis bevond zich in een oud reservoir dat uitkwam op het grote riool van Rome, de Cloaca Maxima. In de laagste cel, het Tullianum, werden terechtstellingen uitgevoerd. Daarna verdwenen de lijken in het riool. Een van Romes vijanden die hier is geëxecuteerd, was de Gallische leider Vercingetorix, verslagen door Julius Caesar in 52 v.C.

17de-eeuwse impressie van vervallen Forum van Nerva

Forum van Nerva ㉕

Piazza del Grillo 1 (te bereiken via Forum van Augustus). **Kaart** 5 B5.
📞 67 10 30 65. 🚌 11, 27, 81, 85, 87, 186. **Gesloten** wegens opgravingen.

De voorganger van Nerva, Domitianus, begon het werk aan het forum. Het in 97 n.C. voltooide forum was niet veel meer dan een lange gang, met aan weerskanten zuilen en een tempel van Minerva aan het eind. Het heette ook wel Forum Transitorium gezien de ligging tussen het Forum van de Vrede, gebouwd door keizer Vespasianus in 70 n.C., en het Forum van Augustus. Het Forum van Nerva ligt bijna geheel onder de Via dei Fori Imperiali. Opgravingen hebben winkels en herbergen uit de Renaissance blootgelegd. Van het forum is slechts het fundament van de tempel te zien en twee zuilen. Hierop rust een reliëf van Minerva, boven een fries van meisjes die leren naaien en weven.

Boog van Constantijn ㉖

Tussen Via di San Gregorio en Piazza del Colosseo. **Kaart** 8 F1.
🚌 11, 15, 27, 81, 85, 87, 118, 186, 673. 🚋 13, 30b. Ⓜ Colosseo.

Deze aan Constantijn gewijde boog herinnert aan diens overwinning op zijn mede-keizer Maxentius in het jaar 312. Volgens Constantijn dankte hij zijn zege aan een visioen van Christus, maar daarvan is in de boog niets terug te vinden. Sterker nog, de meeste medaillons, reliëfs en beelden zijn van eerdere monumenten geplunderd. Er zijn beelden van Dacische gevangenen uit het Forum van Trajanus en reliëfs van Marcus Aurelius. Aan de binnenkant ziet u reliëfs van Trajanus' zege op de Daciërs. Ze zijn waarschijnlijk van de hand van de kunstenaar die aan de zuil van Trajanus werkte.

Medaillon op de Boog van Constantijn

Colosseum ㉗

Blz. 92-95.

Noordzijde van de Boog van Constantijn, richting Colosseum

Colosseum ㉗

Keizer Vespasianus gaf in 72 n.C. de opdracht tot de bouw van Romes grootste amfitheater op de plaats van een moerassig meer dat een deel was van het paleis van Nero, het Domus Aurea *(blz. 175)*. Keizers en rijke Romeinen organiseerden gratis voorstellingen voor het publiek met gevechten op leven en dood tussen gladiatoren of wilde dieren. Via de 80 ingangen met bogen konden 55.000 toeschouwers snel naar binnen. In 80 n.C. zag het Colosseum, dat ook een mooi bouwwerk was, eruit zoals op de tekening hiernaast. Het was een van een reeks amfitheaters die in het Romeinse Rijk zijn gebouwd. Er staan er nog in El Djem in Tunesië, Nîmes en Arles in Frankrijk en Verona in Noord-Italië. Het gebouw is aangetast door verwaarlozing en diefstal, maar blijft nog steeds imposant.

Buitenmuur van het Colosseum
Geplunderd marmer van de façade is in de Renaissance gebruikt voor de bouw van diverse paleizen, bruggen en delen van de Sint Pieter.

De oprichter van het Colosseum
Vespasianus was een beroepssoldaat die in 69 n.C. keizer werd en zo de Flavische dynastie stichtte.

De buitenmuren zijn van travertijn gemaakt.

FLORA VAN HET COLOSSEUM

Eind 19de eeuw was het Colosseum zwaar overwoekerd. Verschillende microklimaten op diverse plaatsen van de ruïnes hadden een imposante rijkdom aan soorten kruiden, grassen en wilde bloemen opgeleverd. Diverse botanisten onderzochten ze en twee boeken zijn erover verschenen; een ervan somt 420 soorten op.

Komkommerkruid

De paaltjes dienden om het velarium aan vast te maken

Het velarium was een enorm zeil dat toeschouwers tegen de zon beschermde. Het zeil rustte op de palen op de bovenste galerij; eenmaal in de juiste positie werd het met touwen verankerd aan de palen buiten het stadion.

TIJDBALK

70 n.C.	100
80 Titus, de zoon van Vespasianus, wijdt het amfitheater in met feesten die 100 dagen duren	
72 Keizer Vespasianus begint aan het Colosseum	**81-96** Amfitheater voltooid onder bewind van Domitianus

De gangen aan de binnenkant
Ze zijn zo ontworpen dat de grote en vaak roerige massa genoeg ruimte had en binnen tien minuten na aankomst op zijn plaats zat.

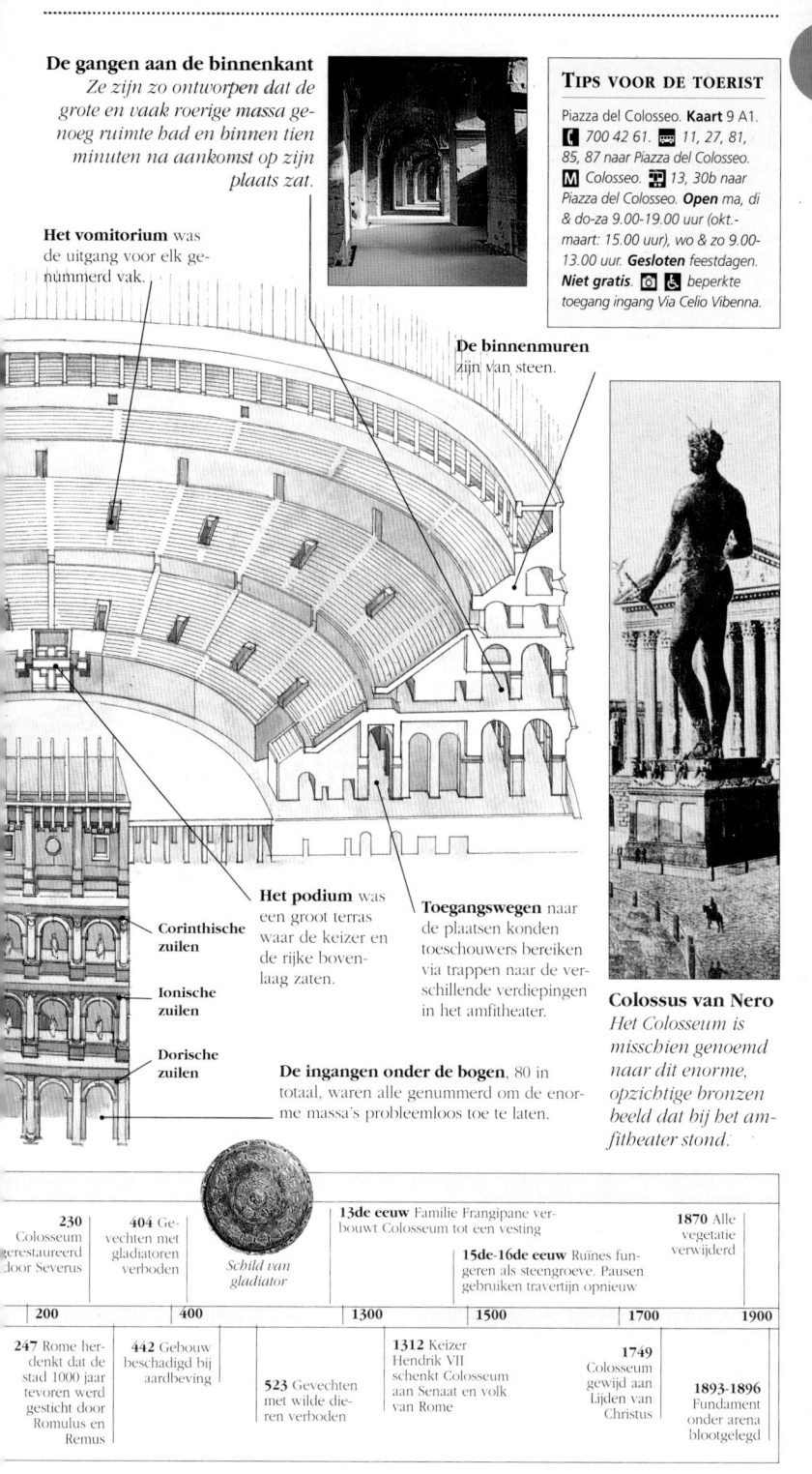

Het vomitorium was de uitgang voor elk genummerd vak.

De binnenmuren zijn van steen.

Het podium was een groot terras waar de keizer en de rijke bovenlaag zaten.

Corinthische zuilen

Ionische zuilen

Dorische zuilen

Toegangswegen naar de plaatsen konden toeschouwers bereiken via trappen naar de verschillende verdiepingen in het amfitheater.

De ingangen onder de bogen, 80 in totaal, waren alle genummerd om de enorme massa's probleemloos toe te laten.

Colossus van Nero
Het Colosseum is misschien genoemd naar dit enorme, opzichtige bronzen beeld dat bij het amfitheater stond.

	230 Colosseum gerestaureerd door Severus	404 Gevechten met gladiatoren verboden	*Schild van gladiator*	13de eeuw Familie Frangipane verbouwt Colosseum tot een vesting		1870 Alle vegetatie verwijderd
					15de-16de eeuw Ruïnes fungeren als steengroeve. Pausen gebruiken travertijn opnieuw	
200	**400**		**1300**	**1500**	**1700**	**1900**
247 Rome herdenkt dat de stad 1000 jaar tevoren werd gesticht door Romulus en Remus	442 Gebouw beschadigd bij aardbeving	523 Gevechten met wilde dieren verboden	1312 Keizer Hendrik VII schenkt Colosseum aan Senaat en volk van Rome		1749 Colosseum gewijd aan Lijden van Christus	1893-1896 Fundament onder arena blootgelegd

Hoe er in de arena strijd werd geleverd

De keizers lieten hier spektakels op-voeren die vaak met circusstructies van dieren begonnen. Daarna verschenen er gladiatoren, die elkaar op leven en dood bevochten. Als Charon, de mythologische veerman uit het dodenrijk, verklède assis-tenten droegen de doden weg op een draagbaar, over het bloed strooiden ze zand voor de volgende ronde. Een zwaargewonde gladiator liet zijn lot van het publiek afhangen. Stak de keizer zijn duim omhoog, dan mocht hij leven, maar ging de duim omlaag, dan stierf hij en was de overwinnaar direct een held. De dieren kwamen tot uit Noord-Afrika en het Midden-Oosten. De viering van het 1000-jarig bestaan in 247 koste het leven aan een massa leeuwen, olifanten, nijl-paarden, zebra's en elanden.

Onder de arena
Laat-19de-eeuwse opgravingen legden het ondergrondse netwerk van hokken en stal-len bloot.

Inwendige van het Colosseum
Het stadion had de vorm van een ellips, met rijen plaatsen om een enorme arena in het midden.

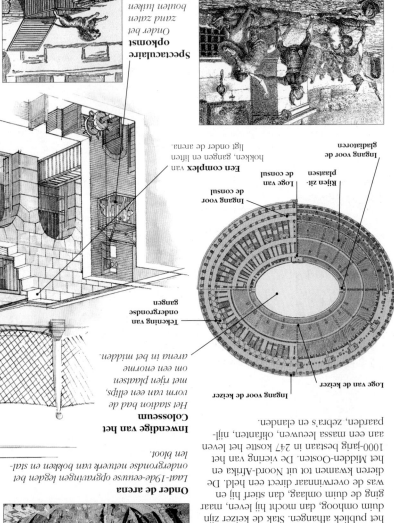

Tekening van onderaardse gangen

Een complex van hokken, gangen en liften ligt onder de arena.

Loge van de consul

Ingang voor de consul

Rijen zit-plaatsen

Ingang voor de gladiatoren

Loge voor de keizer

Ingang voor de keizer

Romeinse gladiatoren
Meestal waren het slaven, krijgsgevangenen of veroordeelde misdadigers. De meeste gla-diatoren waren mannen.

Spectaculaire opkomst
Onder het zand zaten houten luiken waardoor die-ren, mensen en decors in de arena ver-schenen.

ZEESLAGEN IN DE ARENA

De historicus Dio Cassius schreef in de 4de eeuw hoe 150 jaar eerder de arena van het Colosseum onder water werd gezet om zeeslagen na te spelen. Men denkt nu dat hij zich vergiste. De spektakels vonden vermoedelijk plaats in de Naumachia van Augustus, een met water gevulde arena aan de overkant, in Trastevere.

De kooien waren driezijdige liften, waar de dieren een verdieping hoger uit konden ontsnappen.

Via een ladder en een valluik konden de dieren vanuit de gangen de arena in.

Een takel werd gebruikt om de dieren de arena in te krijgen.

De zitplaatsen waren voor elke sociale klasse anders.

Metalen hek- ken hielden de dieren tegen; boog- schutters zorg- den voor de bewaking.

Het Colosseum van Antonio Canaletto
Op dit 18de-eeuwse gezicht op het Colosseum is de fontein Meta Sudans te zien (nu gesloopt). Het water 'zweette' uit een metalen bol op de stenen top.

PALATIJN

V olgens de legende bracht een wolvin Romulus en Remus hier groot in een grot. Op de heuvel Palatijn zijn sporen gevonden van hutten uit de IJzertijd, uit de 8ste eeuw v.C.; zij vormen het archeologisch bewijs voor het legendarische verband tussen dit gebied en de stichting van Rome. De Palatijn was een erg aangename buurt om te wonen en al snel vestigden zich hier de beroemdste Romeinen. De fameuze redenaar Cicero woonde er, evenals de dichter Catullus. Augustus is op de heuvel geboren en bleef er

in eenvoudige omstandigheden wonen, ook toen hij keizer werd. De gebouwen die bekend staan als het Huis van Augustus en het Huis van Livia, zijn vrouw, behoren tot de best bewaard gebleven resten. Zijn opvolgers, Tiberius, Caligula en Domitianus, lieten hier luxueuze paleizen bouwen. De ruïnes van het paleis van Tiberius liggen onder de 16de-eeuwse Farnese-tuinen. De uitgestrektste resten zijn die van het Domus Augustana en het Domus Flavia, de twee vleugels van Domitianus' paleis, en de latere uitbreiding door Septimius Severus.

Fresco van een masker in het Huis van Augustus

BEZIENSWAARDIGHEDEN IN HET KORT

Tempels

6 Tempel van Cybele

Parken en tuinen

8 Farnese-tuinen

Historische gebouwen

1 Domus Flavia
3 Domus Augustana
5 Huis van Livia

Historische plaatsen

2 Cryptoporticus
4 Stadium
7 Hutten van Romulus

ZIE OOK

• *Plattegrond*, kaart 8

BEREIKBAARHEID

Op twee manieren kunt u de Palatijn bereiken: via het Forum Romanum (langs de Via dei Fori Imperiali) of via de ingang aan de Via di San Gregorio. Uw kaartje is geldig voor het Forum en de Palatijn. Beste busverbindingen: lijn 11, 27, 81, 85, 87, 186. Ze stoppen alle in de Via dei Fori Imperiali bij de hoofdingang. Ook handig: metrostation Colosseo (blz. 77).

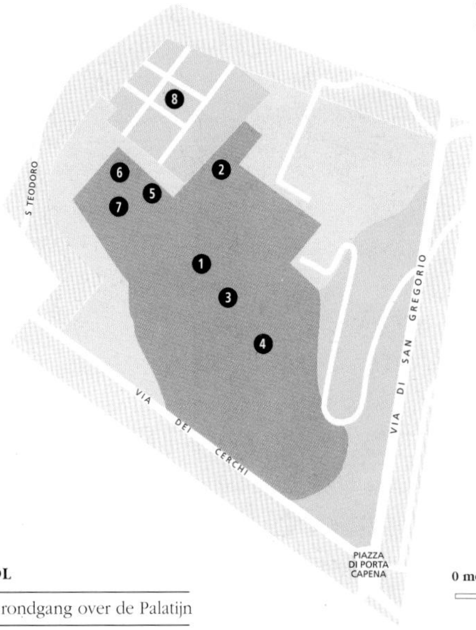

Hoog oprijzende ruïnes van het paleis van Septimius Severus op de Palatijn

SYMBOOL

Kaart rondgang over de Palatijn

0 meter   200

VIA DI SAN GREGORIO

VIA DEI CERCHI

S. TEODORO

PIAZZA DI PORTA CAPENA

Een rondgang over de Palatijn

Met de schaduw van de pijnbomen beneden en de bloemenzee in het voorjaar is de Palatijn de aangenaamste en rustgevendste van Romes antieke plaatsen. U kunt de heuvel bereiken door vanaf het Forum naar boven te lopen *(blz. 76-77)*. Het Domus Flavia en het Domus Augustana waren beide onderdeel van het enorme paleis dat Domitianus eind 1ste eeuw liet bouwen. Wat te bezichtigen is, hangt af van waar de opgravingen worden verricht.

Hutten van Romulus
Dit zijn sporen van een dorp uit de 8ste eeuw v.C. op de Palatijn **❼**

Naar de Farnese-tuinen
Blz. 101

Huis van Augustus

Tempel van Cybele
Het heiligdom was het centrum van een belangrijke vruchtbaarheidscultus **❻**

★ **Huis van Livia**
Het huis waar Augustus en zijn vrouw Livia woonden, bezit nog veel muurschilderingen **❺**

STERATTRACTIES

★ **Domus Flavia**

★ **Huis van Livia**

SYMBOOL

– – – Aanbevolen route

0 meter   75

★ **Domus Flavia**
Deze ovale fontein was te zien uit de eetzaal van het paleis **❶**

Domus Augustana
In dit deel van het paleis resideerden de Romeinse keizers; het Domus Flavia werd voor offi ciële doeleinden gebruikt **❸**

Cryptoporticus
Nero bouwde deze lange onder- grondse gang. Het stucwerk op muren en gewel- ven is door ko- pieën vervang- en ❷

ORIËNTATIEKAART
Zie kaart centrum Rome blz. 12-13

Achthoekige fon- tein van het Domus Flavia

Het Museum van de Palatijn is in een voormalig klooster gehuisvest, maar al jarenlang gesloten.

Stadion
Het terrein hoorde bij het keizerlijk paleis en was vroeger misschien een privé-tuin van de keizers ❹

Naar de ingang van het Forum

De exedra van het stadion was misschien een balkon waar de keizers naar de wedstrijden keken.

Thermen van Septimius Severus

Het paleis van Septimius Severus (keizer 193-211) was aan het Domus Augustana ge- bouwd. De ver- trekken liepen tot over de heuvel en vereisten bogen als ondersteuning.

Ondergrond van het paleis

TIPS VOOR DE TOERIST

De Palatijn bereikt u via forum Romanum (blz. 82). Ingangen aan Largo Romolo e Remo en Via di San Gregorio. **Kaart 8 E1-8 F1.** 📞 699 01 10. 🚌 11, 15, 27, 81, 85, 87, 186 naar Via dei Fori Imperiali. Ⓜ Colosseo. **Open** ma, wo-za 9.00-2 uur voor zonsondergang, di, zo 9.00-14.00 uur (toegang tot 1 uur voor sluiting). **Niet Gesloten feestdagen.** **gratis** (ook toegang tot forum Romanum) 📷 🚫 ♿ 🚻

❶ Domus Flavia

Zie Tips voor de toerist.

Marmervloer op de binnenplaats van het Domus Flavia

In 81 n.C. besloot Domitianus, de derde uit de Flavische dynastie van keizers, op de Palatijn een prachtig nieuw paleis te bouwen. Maar op de westelijke top, de Germalus, stonden al huizen en tempels, terwijl de Palatium, erg steil was. Dus egaliseerde Rabirius, de architect van de keizer, de Palatium en gebruikte de grond om de kloof op te vullen tussen de twee toppen. Zo verdween een aantal huizen uit de republiek.

Het paleis bestond uit twee vleugels – een officiële (Domus Flavia) en een privé-vleugel (Domus Augustiana). Het bleef 300 jaar lang het grootste keizerlijk paleis. Aan de voorkant van het Domus Flavia geven de resterende stompjes zuil en muurresten de vorm aan van drie naast elkaar liggende kamers. In de eerste, de Basilica, sprak Domitianus op zijn eigen manier recht. De centrale Aula Regia was een troonzaal, versierd met 12 zwarte, basalten beelden. Het derde vertrek (nu bedekt met plastic golfplaten), was het Lararium, een tempel voor de huisgoden, de Lares (meestal de voorouders van de eigenaar). Uit vrees voor een aanslag had Domitianus de muren laten bekleden met platen glanzend marmer, die als spiegel moesten werken. Zo kon hij iedereen achter hem zien. Ten slotte is hij in zijn slaapkamer vermoord, mogelijk op last van zijn vrouw, Domitia. Op de binnenplaats kunt u nu aangenaam verpozen. Het labyrintvormige patroon van de bloembedden in het midden is dat van een verdwenen fonteinbassin.

❷ Cryptoporticus

Zie Tips voor de toerist.

Nero bouwde een reeks ondergrondse gangen om zijn Gouden Huis (blz. 175) te verbinden met paleizen op de Palatijn. Later is er nog een stuk aangelegd naar het paleis van Domitianus. Stucreliëfs (kopieën) sieren de gewelven; de originelen bevinden zich in het gesloten museum van de Palatijn.

❸ Domus Augustiana

Zie Tips voor de toerist.

Dit deel van het paleis van Domitianus heette Domus Augustiana omdat dit het privé-deel was van de 'augusti' (verheven) keizers. De bovenverdieping bevat nog een hoog stuk muur en de vorm van de beide binnenplaatsen is herkenbaar. De in veel betere staat verkerende begane grond is dicht, hoewel u van bovenaf de lager gelegen binnenplaats kunt zien met het geometrische fundament van een fontein in het midden. Helaas zijn de trappen tussen de etages niet te zien (ooit verlicht door zonlicht dat op een met spiegels bekleed bassin viel).

Resten van het Domus Augustiana en het paleis van Septimius Severus

❹ Stadion

Zie Tips voor de toerist.

Stadion, gezien uit het zuiden

Het stadion op de Palatijn is tegelijk met het paleis van Domitianus aangelegd. Het is onduidelijk of het een publiek stadion was, een privé-piste om paarden te trainen, of gewoon een grote tuin. Het is mogelijk dat de nis aan de oostkant ooit een loge was waaruit de keizer de wedstrijd gadesloeg. Wel is bekend dat de koning der Ostrogoten, Theodorik, het stadion in de 6de eeuw gebruikte voor wedlopen. Van hem is de kleine, ovale omheining aan de zuidkant afkomstig.

Huis van Livia 5

Zie Tips voor de toerist. Indien gesloten: wend u tot de bewaker.

Fresco in het Huis van Livia

Het huis uit de 1ste eeuw v.C. is een van de best bewaard gebleven gebouwen op de Palatijn; het maakte waarschijnlijk deel uit van het complex waar keizer Augustus en zijn vrouw Livia woonden. Vergeleken bij latere paleizen van keizers is het een tamelijk bescheiden onderkomen. Volgens Suetonius, de biograaf van de vroege keizers van Rome, sliep Augustus 40 jaar lang in hetzelfde kamertje op een laag bed met een heel gewone sprei. Hij droeg zelfgemaakte kleren (geweven door Livia, zijn zus Octavia en dochter Julia). Anderzijds was hij zo ijdel dat hij schoenen met heel dikke zolen droeg om wat groter te lijken.

Het grondniveau van de Palatijn ligt nu boven het huis, dus u loopt via een trap naar beneden en door een met mozaïeken beklede gang naar een binnenplaats. De imitatie-marmeren fresco's zijn erg vaag, maar u kunt het gedreide marmer nog zien. Aan de binnenplaats liggen drie ontvangstzalen. In de middelste zaal zijn onder andere fresco's van Hermes te zien, die Zeus geliefde Io komt redden, bewaakt door de 100-ogige Argus. In de zaal links ziet u fresco's van griffioenen en andere beesten, terwijl het vertrek rechts land-

Detail van vloermozaïek

Tempel van Cybèle 6

Zie Tips voor de toerist.

Behalve een podium met een paar resten van zuilen en kapitelen is er weinig over van de Tempel van Cybèle, een populaire vruchtbaarheidsgodin die Rome uit Azië had geïmporteerd. De priesters van deze cultus castreerden zich; het offer van hun eigen vruchtbaarheid zou volgens hen de natuur ten goede komen. Het hoogtepunt van het jaarlijkse feest van Cybèle, van 22 tot 24 maart, was de zelfverminking van waanzinnige eunuchen-priesters die hun bloed aan de godin offerden en de ceremoniële castratie van nieuwe priesters.

Beeld van de godin Cybèle

Hutten van Romulus 7

Zie Tips voor de toerist

Volgens de legende stichtte Romulus na de moord op zijn broer Remus een dorp op de Palatijn. In de jaren veertig trof men een reeks gaten aan waarin de grond lichter van kleur was dan de omringende aarde. Archeologen leidden hieruit af dat in de gaten ooit de palen staken van drie hutten uit de IJzertijd – het begin van Rome (blz. 16-17).

De Farnese-tuinen 8

Zie Tips voor de toerist.

Omstreeks 1550 kocht kardinaal Alessandro Farnese, kleinzoon van paus Paulus III, de ruïnes van Tiberius' paleis op de Palatijn. Hij dempte de ruïnes en liet Vignola, de architect van het interieur van de kerk Il Gesù, een tuin voor hem ontwerpen. Het resultaat was een van de eerste botanische tuinen in Europa. De terrassen waren door trappen verbonden, die zich uitstrekten van het Huis van de Vestaalse Maagden op het Forum tot de top van de Palatijn, de tuin van Germalus. De hoveniers introduceerden een aantal planten in Italië en Europa, onder andere de *Acacia farnesiana*. Farnese was het middelpunt van de toenmalige jet-set, inclusief courtisanes. Bij de opgravingen op de Palatijn is het terrein blootgelegd en opnieuw ingericht. De lanen met bomen, rozentuinen en prachtige uitzichten zijn ideaal om tot rust te komen.

Paviljoenen van de Farnese-tuinen, uit de tijd dat de Palatijn een privé-tuin was

PIAZZA DELLA ROTONDA

Het Pantheon, een van de befaamde bouwwerken uit de Europese geschiedenis van de architectuur, is al bijna 2000 jaar het hart van Rome. Het historische gebied eromheen is al die jaren steeds het centrum van het economische en politieke leven geweest. In het Palazzo di Montecitorio, de in 1697 voor paus Innocentius X gebouwde pauselijke rechtbank, is nu het Italiaanse parlement gevestigd. Veel omliggende gebouwen zijn overheidskantoren. Dit is ook de financiële wijk, met banken en de beurs. Er wonen niet veel mensen, maar 's avonds slenteren Romeinen door de steegjes en vullen de drukke restaurants en cafés die het gebied tot een sociaal centrum maken.

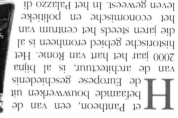

Een bitter aperitief, populair in Romeinse cafés

BEZIENSWAARDIGHEDEN IN HET KORT

Kerken en tempels
Tempel van Hadrianus 1 X
Sant'Ignazio di Loyola 3
Gesù blz. 114-115 9
Santa Maria sopra Minerva 11
Pantheon blz. 110-111 13 X
Sant'Eustachio 14
La Maddalena 15
Santa Maria in Campo Marzio 18
San Lorenzo in Lucina 20

Historische straten en piazza's
Piazza di Sant'Ignazio 2
Via della Gatta 7

Historische gebouwen
Palazzo del Collegio Romano 4
Palazzo Doria Pamphilj 6
Palazzo Altieri 8
Palazzo Baldassini 17
Palazzo Borghese 19 X
Palazzo di Montecitorio 21
Palazzo Capranica 24

Zuilen, obelisken en beelden
Pie' di Marmo 10
Obelisk van Santa Maria sopra Minerva 12
Obelisk van Montecitorio 22
Zuil van Marcus Aurelius 23 X

Fonteinen
Fontanella del Facchino 5

Cafés en restaurants
Caffè Giolitti 16

SYMBOLEN
Statenkaart
P Parkeerplaats

BEREIKBAARHEID
De dichtstbijzijnde metrostations liggen op 15 minuten lopen: Spagna en Barberini. Goede busverbindingen die in Via del Plebiscito stoppen: lijn 56, 64, 70, 90, 492 en veel andere. Lijn 56, 60, 85 en alle bussen richting Via del Corso stoppen bij Piazza Colonna. De enige bus die door de nauwe straten in deze wijk rijdt, is lijn 119, de elektrische minibus. Deze stopt precies voor het Pantheon.

ZIE OOK
• *Plattegrond*, kaart 4, 5, 12
• *Accommodatie* blz. 294-295
• *Restaurants* blz. 310-311

Onder de loep: Piazza della Rotonda

Als u door dit gebied loopt, komt u vroeg of laat op het Piazza della Rotonda, met al die drukke terrassen voor het Pantheon. Dank zij het verfrissende gespetter van de fontein is het plein heel geschikt voor een pauze. In de wirwar van steegjes is het wellicht moeilijk voor te stellen hoe dicht u bij enkele van de fraaiste monumenten van Rome bent. Van het Pantheon is het maar een paar minuten lopen naar de schitterende collectie kunst van het Palazzo Doria Pamphili en de barokke pracht van de Gesù. 's Avonds gonst het hier van het gewoel, met mensen die chic dineren of van koffie en ijs genieten, waar het piazza bekend om staat.

Tempel van Hadrianus
De zuilen van deze Romeinse tempel staan nu in de gevel van de Beurs **1**

Piazza di Sant'Ignazio
Het plein is een zeldzaam voorbeeld van sierlijke Italiaanse architectuur uit de vroege 18de eeuw **2**

La Tazza d'Oro staat bekend om de heerlijke koffie die u er drinkt, en om de versgemalen koffie om mee te nemen. *(Blz. 319)*

Santa Maria sopra Minerva
De rijke decoratie van de enige gotische kerk in Rome dateert uit de 19de eeuw **11**

★ Pantheon
De buitenkant verraadt nauwelijks het ontzagwekkende interieur van de best bewaard gebleven antieke tempel van Rome **13**

Obelisk van Santa Maria sopra Minerva
In 1667 plaatste de creatieve Bernini een recent ontdekte obelisk op de rug van een marmeren olifant **12**

Oriëntatiekaart
Zie kaart centrum Rome blz. 12-13

★ Sant'Ignazio di Loyola
Andrea Pozzo schilderde dit barokke plafond (1685) ter verheerlijking van Ignatius en de orde der jezuïeten ❸

Palazzo del Collegio Romano
Tot 1870 kregen veel leidende figuren in de katholieke Kerk hier hun opleiding ❹

Fontanella del Facchino
Het water in deze kleine 16de-eeuwse fontein komt uit een vat van een sjouwer ❺

★ Palazzo Doria Pamphili
Een van de meesterwerken in de collectie van het schitterende familiepaleis is dit portret van paus Innocentius X door Velázquez (1650) ❻

Via della Gatta
De straat is genoemd naar het beeld van een kat ❼

Palazzo Altieri
Dit enorme 17de-eeuwse palazzo heeft als decoratie het wapen van paus Clemens X ❽

PIAZZA DEL COLLEGIO ROMANO

VIA DELLA GATTA

★ Gesù
Het ontwerp van de eerste jezuïetenkerk had grote invloed op de religieuze bouwkunst ❾

VIA DEL PLEBISCITO

SYMBOOL

– – – Aanbevolen route

0 meter   75

Pie' di Marmo
De marmervoet is een verdwaald stuk van een enorm Romeins beeld ❿

STERATTRACTIES

★ **Pantheon**

★ **Palazzo Doria Pamphili**

★ **Gesù**

★ **Sant'Ignazio di Loyola**

Tempel van Hadrianus ❶

La Borsa, Piazza di Pietra. **Kaart** 4 F3 & 12 E2. 🚌 56, 60, 71, 81, 85, 90, 119, 492. **Gesloten voor publiek.**

Deze tempel, gebouwd ter ere van de vergoddelijkte keizer Hadrianus, werd gewijd door diens opvolger Antoninus Pius in 145. De resten van de tempel, nu te zien aan de zuidkant van het Piazza di Pietra, zijn deel van een 17de-eeuws gebouw. Het was oorspronkelijk een douanekantoor van de paus, voltooid door Carlo Fontana en zijn zoon tussen 1690 en 1700. Thans is de beurs van Rome (La Borsa) hier gevestigd. Elf marmeren Corinthische zuilen van 15 m hoog staan op een fundament van peperino, een vulkanisch gesteente afkomstig uit de Colli Albani ten zuiden van Rome. De zuilen sieren de noordkant van de tempel, de cella. De peperino-muur van de cella is nog zichtbaar achter de zuilen, evenals een deel van het cassettenplafond van de zuilengang.

Een aantal tempelreliëfs van veroverde Romeinse provincies is nu op de binnenplaats van het Palazzo dei Conservatori te zien (blz. 72-73). Ze weerspiegelen het grotendeels vreedzame buitenlandse beleid onder Hadrianus.

De Tempel van Hadrianus

Piazza di Sant'Ignazio ❷

Kaart 4 F4 & 12 E3. 🚌 56, 60, 71, 81, 85, 90, 119, 492.

Het plein is een hoogtepunt van Romeinse Rococo en Filippo Raguzzini's meesterwerk (1727-1728). Het brengt de imposante gevel van de kerk Sant'Ignazio in evenwicht met de knusse huiszijkapellen. De geplande koe-

Sant'Ignazio di Loyola ❸

Piazza di Sant'Ignazio. **Kaart** 4 F4 & 12 E3. ☎ 679 44 06. 🚌 56, 60, 71, 81, 85, 90, 119, 492. **Open** dag 7.30-12.30, 16.00-19.15 uur

Kardinaal Ludovisi bouwde de kerk in 1626 ter ere van de stichter van de Societas Jesu en de man die de geest van de Contrareformatie het meest belichaamde. Samen met de Gesù (blz. 114-115) is de Sant'Ignazio de kern van het jezuïtische Rome. Het ruime interieur, blinkend van edelstenen, marmer, stuc en verguldsel ademt de opwindende sfeer van een theater. De kerk heeft het grondplan van een Latijns kruis, met een apsis en veel zijkapellen. De geplande koepel is niet gebouwd; een quasi-perspectivische schildering neemt die ruimte nu in. Op de pijlers die de koepel moesten dragen, steunt nu het observatorium van het Collegio Romano.

Trompe l'oeil in de viering van Sant'Ignazio

Palazzo del Collegio Romano ❹

Piazza del Collegio Romano. **Kaart** 5 A4 & 12 E3. 🚌 56, 60, 62, 85, 90, 95, 160, 492. **Gesloten voor publiek.**

In het palazzo, onderdeel van dezelfde rij gebouwen als de kerk Sant'Ignazio, was een door jezuïeten geleid college gehuisvest. Veel latere bisschoppen, kardinalen en pausen studeerden hier. Het in 1870 onteigende college werd een gewone school. Het portaal draagt het familiewapen van de stichter, paus Gregorius XIII Boncompagni (paus 1572-1585). De gevel is versierd met een bel, zonnewijzers en een klok. De toren rechts is in 1787 gebouwd als observatorium. Tot 1925 waren alle klokken in Rome afgesteld op zijn tijdsignaal.

Portaal van het Collegio Romano

Fontanella del Facchino ❺

Via Lata. **Kaart** 5 A4 & 12 E3. 🚌 56, 60, 62, 85, 90, 95, 160, 492.

I Facchino (de kruier), ooit in de Corso en nu in de muur van de Banco di Roma geplaatst, was een van Romes 'sprekende beelden', zoals Pasquino (blz. 124). De omstreeks 1590 gemaakte fontein is mogelijk gebaseerd op een tekening van de schilder Jacopino del Conte. Het beeld stelt waarschijnlijk een lid van de Università degli Acquaroli voor (broederschap der waterdragers). Volgens anderen is het Maarten Luther of Abbondio Rizzio, een waterdrager die stierf terwijl hij een vat torste.

De Facchinofontein

Palazzo Doria Pamphilj ❻

Piazza del Collegio Romano 1A. **Kaart** 5 A4 & 12 E3. 🏛 679 43 65. 🚌 56, 60, 62, 85, 90, 95, 160, 492. **Open** di, vr, za & zo 10.00-13.00 uur. **Gesloten** feestdagen. **Niet gratis.** 🛈 verplicht voor privé-vertrekken, wend u tot personeel voor rondleiding.

H et Palazzo Doria Pamphilj is een groot eiland van steen in het hart van Rome, waarvan de oudste delen uit 1435 stammen. Via de ingang aan de Corso ziet u een glimp van de 16de-eeuwse binnenplaats met zuilengang met het Rovere. De volgende eigenaar was de familie Aldobrandini. Tussen 1601 en 1647 is het complex uitgebreid met een tweede binnenplaats en zijvleugels, ten koste van een openbaar badhuis dat in de buurt stond. Toen de Pamphilj het palazzo overnamen, voltooiden ze de gevel aan de Piazza del Collegio Romano en voegden de vleugel aan de Via della Gatta toe, een schitterende kapel en een theater dat koningin Christina van Zweden in 1684 plechtig opende. In de eerste helft van de 18de eeuw liet Valvassori de galerij boven de binnenplaats en een nieuwe façade langs de Corso. Hij koos voor de uiterst sierlijke stijl uit die tijd, *barocchetto*, die nu in het geel geverfde bouw overheerst. De trappen en de salons, de spiegelgalerij en de schilderijengalerij stralen alle een uitbundig gevoel van licht en ruimte uit.

De familiecollectie van de Doria Pamphilj-galerij omvat ruim 400 werken uit de 15de tot de 18de eeuw, met onder andere het beroemde portret van paus Innocentius X van Velázquez. Er hangen ook belangrijke werken van Titiaan, Caravaggio, Lorenzo Lotto, Guercino en Claude Lorrain.

Caravaggio's Rust tijdens de vlucht naar Egypte in Palazzo Doria Pamphilj

Via della Gatta ❼

Kaart 5 A4 & 12 E3. 🚌 56, 60, 62, 85, 90, 95, 160, 492.

H et steegje loopt tussen het grote Palazzo Doria Pamphilj en het kleinere Palazzo Grazioli. Het oude marmeren beeldje van een kat (*gatta*), waaraan de straat de naam ontleent, komt u tegen op de eerste daklijst op de hoek van het Palazzo Grazioli.

De Kat in de Via della Gatta

Palazzo Altieri ❽

Via del Gesù 93. **Kaart** 4 F4 & 12 E3. 🚌 56, 64, 70, 81, 90 en veel andere lijnen. Zie *Winkelen* blz. 333.

D e familie Altieri komt in de 9de eeuw voor het eerst in de Romeinse kronieken. De laatste mannelijke erfgenamen bouwden het palazzo, de broers kardinaal Giambattista di Lorenzo Altieri en kardinaal Emilio Altieri, de latere paus Clemens X (paus 1670-1676). Veel aangrenzende huizen moesten ervoor wijken, maar een oude vrouw, Berta, weigerde te vertrekken. Haar huisje is toen in het palazzo opgenomen. De ramen zijn aan de westkant van het bouwwerk nog te zien. De grote stoffen- en kledingzaak Bises neemt nu het grootste deel in.

Gesù ❾

blz. 114-115.

Pie' di Marmo ⑩

Via di Santo Stefano del Cacco.
Kaart 4 F4 & 12 E3. 56, 64, 70, 81, 90, 905, 119.

Marmeren voet van Romeins beeld

Resten van bronzen, gouden en marmeren beelden uit het klassieke Rome, meestal goden of keizers, liggen over heel Rome verspreid. Dit stuk, een marmeren voet (*piè di marmo*), is afkomstig van het terrein dat aan de Egyptische goden Isis en Serapis was gewijd. Waarschijnlijk is het een deel van een beeld uit een van de tempels. De beelden werden beschilderd en bedekt met juwelen en kleren die de gelovigen schonken – wat een groot brandgevaar opleverde.

Santa Maria sopra Minerva ⑪

Piazza della Minerva 42. **Kaart** 4 F4 & 12 E3. ☏ 67 92 80. 56, 64, 70, 81, 90, 119. **Open** dag. 7.00-12.00, 16.00-19.00 uur. **Kloostergang open** dag. 8.00-13.00, 15.30-19.30 uur. Concerten.

Weinig andere kerken kunnen bogen op zo'n omvangrijke en imposante schat aan Italiaanse kunst. De kerk dateert uit de 13de eeuw en is een van de weinige voorbeelden van gotische architectuur in Rome. Ze was het traditionele bolwerk van de dominicanen, wier antikke terse ijver hun de gevatte bijnaam *Domini Canes* opleverde (Honden des Heren).
De kerk rust op antieke ruïnes, de vermeende resten van de Tempel van Minerva. Het eenvoudige T-vormige, gewelfde gebouw is uitgebreid met rijke kapellen en kunst-

Schip van Santa Maria sopra Minerva

werken. Let op de 13de-eeuwse Cosmateske graven en de schitterende werken van 15de-eeuwse Toscaanse en Venetiaanse kunstenaars.
Toenmalig Romeins talent kunt u bewonderen in Antoniazzo Romano's *Annunciatie*, met kardinaal Juan de Torquemada, oom van de beruchte Spaanse inquisiteur.
De meer monumentale stijl van de Romeinse Renaissance komt goed naar voren in de graven van de 16de-eeuwse Medici-pausen Leo X en zijn neef Clemens VII, en in de rijk gedecoreerde Aldobrandini-kapel. Bij de trap van het koor staat het beroemde beeld van de *Verrezen Christus*, door Michelangelo begonnen maar voltooid door Raffaele da Montelupo in 1521.
Er zijn ook prachtige kunstwerken uit de Barok te zien, zoals een graf en een borstbeeld van Bernini. De kerk is ook de moeite waard vanwege de talrijke graven van beroemde Italianen: de Venetiaanse beeldhouwer Andrea Bregno (gestorven 1506); de humanistische kardinaal Pietro Bembo (gestorven 1547) en Fra Angelico, de dominicaanse monnik en schilder die in 1455 in Rome overleed.

Bernini's Egyptische obelisk en marmeren olifant

Obelisk van Santa Maria sopra Minerva ⑫

Piazza della Minerva. **Kaart** 4 F4 & 12 D3. 56, 64, 70, 81, 90, 119.

De exotische olifant en gebeeldhouwde obelisk, beide ontsproten aan Bernini's onuitputtelijke fantasie, waren aanvankelijk bedoeld als grappige decoratie voor het Palazzo Barberini. (Eigenlijk vervaardigde Ercole Ferrata de olifant, naar een ontwerp van Bernini.) De oude obelisk lag in de kloostertuin van Santa Maria sopra Minerva; de broeders wilden dat het monument op hun piazza kwam te staan. Het enorme zadeldek van de olifant is aangebracht omdat volgens een van de broeders de ruimte onder de buik van het dier de stabiliteit zou ondermijnen. Bernini wist daar wel raad op: kijkt u maar eens naar de Fontana dei Fiumi (blz. 120) op het Piazza Navona. De olifant, een oud symbool van intelligentie en vroomheid, is gekozen als belichaming van de deugden waarop christenen hun ware wijsheid dienen te vestigen.

Pantheon ⑬

Blz. 110-111.

Sant'Eustachio ⑭

Piazza Sant'Eustachio 8. **Kaart 4 F4 &
12 D3.** ☎ **686 53 34.** 70, 81,
87, 90, 90b, 119, 186, 492. **Open**
dag. 16.00-19.30 uur. 🔵 🔺

De oorsprong van deze
kerk gaat terug op vroeg-
christelijke tijden, toen het
een centrum voor hulpverle-
ning aan de armen was. In de
Middeleeuwen kozen veel
liefdadige genootschappen
Sant'Eustachio als patroon en
wijdden kapellen aan hem.
De korte, dikke romaanse
klokketoren is een van de
weinige resten van de middeleeuwse kerk, die in de 17de
en 18de eeuw geheel op-
nieuw is gedecoreerd.

Klokketoren van Sant'Eustachio

La Maddalena ⑮

Piazza della Maddalena. **Kaart 4 F3 &
12 D2.** ☎ **679 77 96.** 70, 81, 87,
90, 90b, 186, 492. **Open** dag. 7.30-
19.00 uur. 🔺 🔵

Uit de rococo-façade van
Maddalena blijkt de voorlief-
de van de Late Barok voor
licht en beweging. De gevol-
gen herinneren aan de
lijnen van Borromini's San
Carlo alle Quattro Fontane
(blz. 161). De gevel is liefde-
vol hersteld, ondanks protesten van strenge neoclassicisten.
De kleine afmetingen van de
Maddalena was de 17de- en
18de-eeuwse decorateurs
geen belemmering om in-
terieur van de vloer tot in de
sierlijke koepel van ornamenten te voorzien. De orgelgale-
rij en het koor zijn imposante
voorbeelden van de wens van
de Barok om de fantasie der
gelovigen te stimuleren.
Veel schilderijen en sculpturen spreken de nieuwe christelijke beeldentaal van de
Contrareformatie. In de nissen
van het schip bijvoorbeeld
zijn de beelden gepersoni-
fieerde deugden als Nederigheid en Eenvoud. Er zijn ook
taferelen uit het leven van
San Camillo, die in 1614 stierf
in het naastgelegen klooster.
De kerk was eigendom van
zijn volgelingen, de camillia-
nen, een predikerorde die in
de ziekenhuizen in Rome
werkzaam was. Evenals de jezuïeten gaven zij opdracht tot
imposante kunstwerken om
de religieuze boodschap uit te
dragen.

Stucwerk op gevel van La Maddalena

Caffè Giolitti ⑯

Via degli Uffici del Vicario 40.
Kaart 4 F3 & 12 D2. ☎ **679 42 06.**
56, 60, 90, 119, 492. **Open** di-zo
7.00-13.30 uur.

Het in 1900 geopende
Caffè Giolitti is de erge-
naam van de schitterende
belle époque-cafés die aan de
roemruchte Corso lagen tijdens
Romes eerste dagen als
hoofdstad van de jonge Italiaanse staat. De ruime salone
biedt 's zomers plaats aan toeristen, in het weekend aan
Romeinse families en door de
week aan een mengelmoes
van kantoorklerken, bouw-
vakkers en ambtenaren.

De ouderwetse salone in Caffè Giolitti

Palazzo Baldassini ⑰

Via delle Coppelle 35. **Kaart 4 F3 &
12 D2.** 70, 81, 90, 90b, 119.
Gesloten voor publiek.

Melchiorre Baldassini
liet dit huis in de
bouwstijl van de Florentijnse
Renaissance en passe het fraai
aan de soberder omgeving
van Rome aan. Met de daklijs-
ten, die de diverse etages
aangeven, en de smeedijzeren
tralies is het een van de beste
voorbeelden van een Romeins
palazzo uit de vroege 16de
eeuw. Het staat in het gedeelte van Rome dat nog steeds
als de renaissancewijk bekend
staat, die rondom de lange,
rechte straten groeide die
aangelegd zijn ten tijde van
paus Leo X (paus 1513-1521).

Vloerpatroon
De marmeren vloer, die in
1873 is hersteld, toont nog het
originele Romeinse ontwerp.

Klokketorens
Deze 18de-eeuwse impres-
sie van Bernardo Bellotto
toont de veel bespotte to-
rentjes van Bernini, die in
1883 zijn verwijderd.

STERATTRACTIES

★ **De koepel**

★ **Tombe van Rafaël**

De enorme portiek is
gebouwd op de funda-
menten van de tempel
van Agrippa.

De galerij met granieten zuilen

De muren van de trom-
mel waarop de koepel
rust zijn 6 m dik.

★ **Interieur van de koepel**
De koepel is gemaakt van een mengsel van
beton, tuf- en puimsteen dat over een bou-
ten raamwerk werd gegoten.

Pantheon ⓭

In de Middeleeuwen werd het
Pantheon, de Romeinse tempel voor
alle goden', een kerk; mettertijd ontwikkelde het magnifieke bouwwerk zich tot
een symbool van Rome zelf. De rechthoekige zuilengang verbergt de enorme,
bolvormige koepel. Binnen ontdekt u pas
de ware afmeting en schoonheid. De
hoogte van de koepel is gelijk aan de
diameter: 43,3 m. Het enige licht in de
koepel valt door de *oculus*, het gat
bovenin. Dit wonder van Romeins ver-
nuft hebben we aan keizer Hadrianus te
danken (118-125), die het ontwierp ter
vervanging van een eerdere tempel van
Marcus Agrippa, de schoon-
zoon van Augustus.
Het Pantheon
bevat graftomben
variërend van de
tombe van Rafaël
tot die van de ko-
ningen van het mo-
derne Italië.

Rafaël en La Fornarina

Rafaël is hier op zijn eigen verzoek begraven na zijn dood in 1520. Jarenlang had hij samengeleefd met zijn model, La Fornarina (blz. 210), hier op een schilderij van Giulio Romano. Van de ceremonie was zij echter uitgesloten. Rechts van de tombe staat een monument voor zijn verloofde, Maria Bibbiena, een nicht van Rafaëls beschermheer, kardinaal Dovizi di Bibbiena.

Tips voor de toerist

Piazza della Rotonda. **Kaart** 4 F4 & 12 D3. **[** 68 30 02 30. **==** 119 naar Piazza della Rotonda; 64, 70, 75 en andere naar Largo di Torre Argentina. **Open** ma-za 9.00-18.00 uur (okt.-mrt: 17.00); zo 9.00-13.00 uur. **Gesloten** 15 aug., 25 en 26 dec. ⬛ 📷 ♿ 🔊 **Concerten**. ⬛

Oculus

Cassetten
De holle, sierlijke cassetten verlichten het enorme gewicht van de koepel.

Ontlastingsbogen
Stenen bogen in de muur werken als interne steunberen en verdelen het gewicht van de koepel.

★ Tombe van Rafaël
Het lichaam van de kunstenaar rust onder een Madonna door Lorenzetto (1524).

Tijdbalk

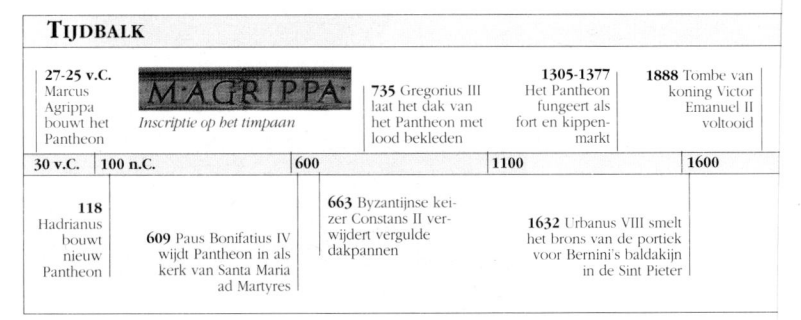

27-25 v.C. Marcus Agrippa bouwt het Pantheon	*Inscriptie op het timpaan*	735 Gregorius III laat het dak van het Pantheon met lood bekleden	1305-1377 Het Pantheon fungeert als fort en kippenmarkt	1888 Tombe van koning Victor Emanuel II voltooid
30 v.C.	**100 n.C.**	**600**	**1100**	**1600**
118 Hadrianus bouwt nieuw Pantheon	**609** Paus Bonifatius IV wijdt Pantheon in als kerk van Santa Maria ad Martyres	663 Byzantijnse keizer Constans II verwijdert vergulde dakpannen	1632 Urbanus VIII smelt het brons van de portiek voor Bernini's baldakijn in de Sint Pieter	

Santa Maria in Campo Marzio ⑱

Piazza in Campo Marzio 45. **Kaart 4 F3 & 12 D2.** 📞 56. 60. 90. 🚌 678 70 21. 492. 906, 119. **Open** dag. 16.30-18.30 uur. **Gesloten** aug. 🚶 📷

L angs de binnenplaats die naar de kerk leidt, ziet u resten van middeleeuwse huizen, ooit eigendom van het oorspronkelijke klooster. Antonio de Rossi herbouwde de kerk in 1685. Hij maakte gebruik van een vierkant Grieks kruis en een koepel als grondplan. Boven het altaar hangt het 12de-eeuwse schilderij waaraan de kerk haar naam ontleent.

Palazzo Borghese ⑲

Largo della Fontanella di Borghese. **Kaart 4 F3 & 12 D1.** 🚌 70. 81. 90. 906, 119. **Gesloten voor publiek.**

O mstreeks 1605 verwierf kardinaal Camillo Borghese het palazzo, net voor hij paus Paulus V werd. Flaminio Ponzio kreeg de opdracht het paleis uit te breiden en de passende grandeur te scheppen. Er kwam de vleugel bij die op het Piazza Borghese uitkeek en de heerlijke binnenplaats met zuilengang. Andere uitbreidingen omvatten de aanleg en decoratie van een groot *nymphaeum*, bekend als het Bad van Venus. Meer dan twee eeuwen was hier de vermaarde schilderijencollectie van de Borgheses ondergebracht. De Italiaanse staat kocht haar in 1902 en bracht de werken over naar de Villa Borghese (blz. 260-261).

Paus Paulus V, die Palazzo Borghese als familiepaleis liet bouwen

San Lorenzo in Lucina ⑳

Via in Lucina 16A. **Kaart 4 F3 & 12 E1.** 📞 687 14 94. 🚌 70. 81. 90. 906, 119. **Open** dag. 8.00-12.00, 17.00-20.00 uur. 🚶 📷

D e kerk is een van de oudste Romeinse plaatsen voor de christelijke eredienst en staat waarschijnlijk op een bron die aan Juno, de beschermster der vrouwen, gewijd was. In de 12de eeuw is de kerk herbouwd, het huidige uiterlijk is typisch voor die tijd: een zuilengang met opnieuw gebruikte Romeinse zuilen, middeleeuwse kapitelen, een vroulg, driehoekig fronton en een romaanse klokketoren met gekleurd marmer. Maar het interieur van de kerk is in de 17de eeuw geheel veranderd. De oude indeling van de basilica verdween en rijk gedecoreerde kapellen verving de twee zijbeuken. Werp een blik op de fraaie borstbeelden in de Fonseca-kapel, een ontwerp van Bernini, of de Kruisiging door Guido Reni boven het hoofdaltaar. Er is ook een 19de-eeuws monument voor de Franse schilder Nicolas Poussin.

De kerk San Lorenzo in Lucina

Palazzo di Montecitorio ㉑

Piazza di Montecitorio. **Kaart 4 F3 & 12 E2.** 🚌 56. 60. 85. 90. 906, 119. 492. **Gesloten voor publiek.**

B ernini, de eerste architect van het palazzo, kreeg de opdracht nadat hij een zilveren model had aangeboden aan de vrouw van zijn patroon, prins Ludovisi. In 1697 voltooide Carlo Fontana het palazzo, dat het gerechtsgebouw van de paus werd. In 1871 werd het de Kamer van Afgevaardigden. In 1918 kwam er een tweede gevel bij en was de oppervlakte verdubbeld. Italië kiest de 630 kamerleden via een systeem van evenredige vertegenwoordiging dat garandeert dat geen enkele partij een absolute meerderheid heeft.

Bernini's gebogen gevel aan de zuidkant van Palazzo di Montecitorio

Palazzo Capranica 24

Piazza Capranica. Kaart 4 F3 & 12 D2. [m] 56, 60, 85, 90, 90b, 119, 492.

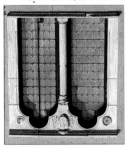

Ramen van Palazzo Capranica

H et palazzo is een van de weinige 15de-eeuwse bouwwerken in Rome; kardinaal Domenico Capranica gaf de opdracht voor dit familie-verblijf en instituut voor hoger onderwijs. Het vesting-achtige uiterlijk is een mengelmoes van allerlei verbouwingen, wat eind 15de eeuw niet ongebruikelijk was. Rome weifelde nog tussen Middel-eeuwen en Renaissance. De gotisch aandoende ramen rechts in het gebouw tonen het familiewapen van de kar-dinaal; het jaartal 1451 is op de ingang beneden aange-bracht. In het palazzo is thans een populaire bioscoop ge-huisvest.

Zuilen van Marcus Aurelius 23 [X]

Piazza Colonna. Kaart 5 A3 & 12 E2. [m] 56, 60, 85, 90, 90b, 119, 492.

H et monument, gebouwd naar analogie van de Zuil van Trajanus (blz. 90), is in 180 na de dood van Marcus Aurelius ter herden-king aan zijn zeges op de bar-baarse stammen aan de Donau. De 80 jaar die de beide werken scheidt had voor een grote artistieke ver-andering gezorgd: de oorlo-gen van Marcus Aurelius zijn vereenvoudigd weergegeven in duidelijker reliëf. De klas-sieke verhoudingen moesten wijken voor een heldere, di-recte werking. De sfeer van het werk is meer verwant aan de 4de-eeuwse Boog van Constantijn (blz. 90). De he-roïek van de Romeinse solda-ten is verdwenen (het waren meestal barbaarse huurlin-gen), evenals het gevoel van respect voor de overwonne-nen. De nieuwe nadruk op het bovennatuurlijke markeert het einde van de hellenisti-sche periode en het begin van de christelijke cultuur.

De zuil bestaat uit 28 schijven marmer en is in 1588 hersteld door Domenico Fontana op bevel van paus Sixtus V. Het beeld van de keizer op de top is vervangen door een bron-zen Paulus. De 20 spiralen van het lage reliëf brengen de Germaanse Oorlog van 171-173 in beeld, boven de Samatische Oorlog van 174-175. De zuil is bijna 30 m hoog en 3,7 m in diameter. Binnen leidt een wenteltrap naar de top. Maar u ziet het beeldhouwwerk het best als u zoekt, waar de afgietsels van de reliëfs zich bevinden in het Museo della Civiltà Romana in EUR (blz. 267) be-

Relief van de veldtocht van de keizer op de Zuil van Marcus Aurelius

Obelisk van Montecitorio 22

Piazza di Montecitorio. Kaart 4 F3 & 12 E2. [m] 56, 60, 85, 90, 119, 492.

D e tijdmeting was in het klassieke Rome altijd een tamelijk rommelige aangele-genheid; jarenlang vertrouw-den de Romeinen op een geïmporteerde (en onnauw-keurige) zonnewijzer, een oorlogsbuit uit Sicilië. In 10 v.C. liet keizer Augustus een enorme zonnewijzer aanleg-gen op het Campus Martius. Het middelpunt lag ongeveer op het huidige Piazza di San Lorenzo in Lucina. Een gewel-dige granieten obelisk die hij had meegebracht uit Heliopolis in Egypte wierp de schaduw. Helaas werd ook deze wijzer al na 50 jaar on-nauwkeurig.

De obelisk stond in de 9de eeuw nog op het plein, maar verdween toen. Ten tijde van paus Julius II (paus 1503-1513) dook de obelisk op onder mid-deleeuwse huizen. De interes-se van de paus was gewekt omdat men dacht dat Egyp-tische hiërogliefen de sleutel bevatten tot de wijsheid van Adam voor de Zondeval. Echter, pas onder paus Bene-dictus XIV (paus 1740-1758) werd de obelisk opgegraven. In 1787 gaf paus Pius VI hem de huidige standplaats.

Obelisk van keizer Augustus

Gesù ❾

D e tussen 1568 en 1584 verrezen Gesù was de eerste kerk van de jezuïeten in Rome. Als belichaming van barokarchitectuur van de Contrareformatie is ze in de katholieke wereld vaak nagebootst. Uit het ontwerp komen de twee functies duidelijk naar voren: een ruim schip met kansels aan de zijkant om voor grote menigten te preken en een hoofdaltaar als het middelpunt voor de viering van de mis. De trompe l'oeil-decoratie van het schip en de koepel is een eeuw later toegevoegd. De boodschap is helder en zelfbewust: vrome katholieken zullen vreugdevol ten hemel varen terwijl protestanten en andere ketters in de vuurpoelen der hel zullen branden.

★ Kapel van Sant'Ignazio
Boven het altaar staat het beeld van de heilige, tussen vergulde lapis lazuli-zuilen. Andrea Pozzo, een jezuïtische kunstenaar, bouwde de kapel tussen 1696 en 1700.

Triomf van het geloof over ketterij
Uit de levendige barokke allegorie van de beeldhouwer Théudon spreekt de grote ambitie van de jezuïtische leer.

IGNATIUS EN DE ORDE DER JEZUÏETEN

De Spaanse soldaat Ignatius van Loyola (1491-1556) werd gelovig nadat hij in 1521 gewond was geraakt. Hij kwam in 1537 naar Rome en stichtte er zijn orde. Hij zond missionarissen en leraren uit om zielen voor het katholicisme te winnen.

Hoofd-ingang

STERATTRACTIES

★ **Plafonddecoraties in het schip**

★ **Kapel van Sant'Ignazio**

★ **San Roberto Bellarmino**

Allegorische figuren
Het stucwerk is van Antonio Raggi; Il Baciccia ontwierp ze als aanvulling op de figuren op zijn eigen fresco's in het schip.

Madonna della Strada

Deze 15de-eeuwse afbeelding, de Madonna van de Weg, bekleedde aanvankelijk de buitengevel van een nabije, gelijknamige kerk.

TIPS VOOR DE TOERIST

Piazza del Gesù. **Kaart** 4 F4 & 12 E4. 678 63 41. 44, 46, 56, 60, 62, 64, 65, 70, 81, 90 en veel andere lijnen naar Largo di Torre Argentina of Piazza Venezia. **Open** dag. 6.00-12.30, 16.30-19.15 uur (okt.-maart: 16.00-19.15).

★ **San Roberto Bellarmino**

Bernini legde de krachtige persoonlijkheid vast van deze antiprotestantse theoloog.

De kapel van Franciscus Xaverius, de missionaris die in 1552 eenzaam op een eiland voor de Chinese kust stierf.

Fresco's in de koepel

Della Porta voltooide de door Vignola ontworpen koepel. Op de fresco's van Il Baciccia zijn figuren uit het Oude Testament te zien.

★ **Plafondfresco's in het schip**

De figuren op het overweldigende fresco van Baciccia, De zegepraal van de naam Jezus, lijken uit het cassettenplafond te vallen.

TIJDBALK

1540 Stichting van de orde der jezuïeten	**1571** Keuze voor het ontwerp van della Porta voor de gevel **1584** Kerk wordt gewijd	**1696-1700** Andrea Pozzo, een jezuïet-kunstenaar, ontwerpt de kapel van Sant'Ignazio	**1773** Paus Clemens XIV gelast de onderdrukking van de jezuïeten
1500	**1600**		**1700**
1545-1563 Concilie van Trente: nieuwe katholieke geloofsleer **1556** Dood van Ignatius	**1568-1571** Vignola bouwt de kerk tot de kruising; kardinaal Alessandro Farnese is beschermheer	**1622** Ignatius wordt heilig verklaard	**1670-1683** Giovanni Battista Gaulli (Il Baciccia) beschildert het gewelf van het schip, de koepel en de apsis

PIAZZA NAVONA

De fundamenten van de gebouwen aan de uitgerekte ovaal die het Piazza Navona is, waren de vervallen eretribunes van het enorme en imposante Stadion van Diocletianus. Het piazza biedt nog steeds een spectaculaire aanblik, met de obelisk van de Fontana dei Fiumi voor de kerk Sant'Agnese in Agone als

Leeuw op Fontana dei Fiumi

blikvanger. In dit gebied domineert de Barok; veel gebouwen verrezen in de tijd van paus Innocentius X Pamphili (1644-1655), beschermheer van Bernini en Borromini. Heel bijzonder is het complex van de Chiesa Nuova, hoofdkwartier van de oratorianen. San Filippo Neri, de 16de-eeuwse 'Apostel van Rome', was de ordestichter.

BEZIENSWAARDIGHEDEN IN HET KORT

BEREIKBAARHEID
Vanuit veel plaatsen in de stad is deze centrale wijk te voet bereikbaar. Een groot gedeelte is voor verkeer afgesloten, maar goed te bereiken met de bus. De belangrijkste lijnen langs Corso Vittorio Emanuele II zijn 46 en 64 vanaf station Termini naar de Sint Pieter. Diverse handige buslijnen, zoals 70, 81, 90 en 492, rijden door de Corso del Rinascimento, parallel aan Piazza Navona.

SYMBOLEN
▢ Stratenkaart
Ⓟ Parkeerplaats

Piazza Navona met de Fontana del Moro en kerk Sant'Agnese in Agone

Onder de loep: Piazza Navona

Geen enkel piazza in Rome kan wedijveren met het theatrale Piazza Navona. In het voetgangersgebied rondom de drie bruisende fonteinen gaat het leven dag en nacht door. Veel kerken in deze buurt getuigen van de Barok. Voor het oudere Rome loopt u langs de Via del Governo Vecchio. Hier kunt u de gevels van de renaissancegebouwen bewonderen en grasduinen in de antiekzaken.

Torre dell'Orologio
Deze klokketoren van Borromini (1648) hoort bij het klooster ⑰

Oratorio dei Filippini
De muziekterm oratorium is ontleend aan dit eenvoudige belligdom ⑯

Chiesa Nuova
Eind 16de eeuw is deze kerk herbouwd voor de orde die werd gesticht door San Filippo Neri ⑮

Naar Corso Vittorio Emanuele II

Via del Governo Vecchio
In deze straat staan nog veel huizen uit de Renaissance ⑭

Pasquino
De Romeinen hingen satirische verzen en dialogen aan dit verweerde beeld ⑬

Santa Maria della Pace
Op het medaillon is paus Alexander VII te zien, die de kerk in 1656 door Pietro da Cortona liet verbouwen ⑥

Palazzo Pamphilj
Dit grote palazzo is omstreeks 1650 gebouwd voor paus Innocentius X en zijn familie ③

Palazzo Braschi
In het laat-18de-eeuwse palazzo met prachtig balkon is nu het Museo di Roma ondergebracht ⑫

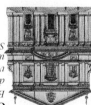

Palazzo Massimo alle Colonne
De schitterende gebogen zuilengang (1536) is van Baldassare Peruzzi ⑪

SYMBOOL

★ **STERATTRACTIES**

★ Sant'Andrea della Valle

★ San Luigi dei Francesi

★ Piazza Navona

--- Aanbevolen route

0 meter 75

Sant'Agnese in Agone
Borromini's holronde gevel (1657) beheerst een zijde van het Piazza Navona ❹

Santa Maria dell'Anima
Al vier eeuwen is dit de kerk van de Nederlanders, Duitsers en Oostenrijkers ❺

Palazzo Madama
Een uitgespreid stenen leeuwevel hangt boven de hoofdingang van het palazzo, de huidige Italiaanse Senaat ❽

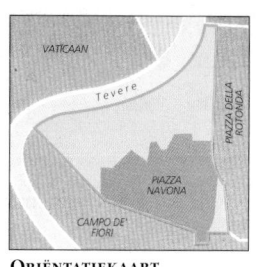

ORIËNTATIEKAART
Zie kaart centrum Rome blz. 12-13

Fontana dei Fiumi ✕
Bernini ontwierp de fontein, die een obelisk draagt ❶

SANTA MARIA DELL'ANIMA

PIAZZA NAVONA

CORSIA AGONALE

CORSO DEL RINASCIMENTO

VIA DEL SALVATORE

VIA DEGLI STADERARI

VIA DEI SEDIARI

PIAZZA DI SANT'ANDREA DELLA VALLE

Naar Campo de' Fiori

★ **San Luigi dei Francesi**
Een 18de-eeuws beeld van Lodewijk staat in een nis in de gevel ❼

★ **Piazza Navona**
Het unieke piazza dankt zijn vorm aan een Romeinse renbaan en het prachtige decor aan de Barok ❷ ✕

De Fontana del Moro nam Bernini in 1653 onder handen; hij ontwierp de zeegod in het midden.

Sant'Ivo alla Sapienza
Het koepelkerkje is een van de origineelste creaties van Borromini. Tussen 1642 en 1660 heeft hij eraan gewerkt ❾

★ **Sant'Andrea della Valle**
De kerk met de grandioze gevel van Carlo Rainaldi (1665) is buiten Rome bekend geworden door het eerste bedrijf van Puccini's Tosca ❿

Fontana dei Fiumi ❶ ✗

Piazza Navona. **Kaart** 4 E4 & 11 C3.
🚌 70, 81, 87, 90, 90b, 186, 492.

D e voor Innocentius X Pamphili gebouwde schitterende fontein in het midden van het Piazza Navona is in 1651 onthuld. Het blazoen van de paus, de duif en de olijftak, siert de gedurfde piramidevormige steenformatie met de Egyptische obelisk. Deze stond ooit in het Circus van Maxentius aan de Via Appia. Bernini ontwierp de fontein, die de paus betaalde via een uiterst impopulaire belastingheffing op brood en andere levensmiddelen. Vier reuzen symboliseren de toen bekende grote rivieren: de Ganges, de Donau, de Nijl en de Rio de la Plata.

Het gesluierde hoofd van de Nijl duidt op de onbekende oorsprong van de rivier. Er is echter ook een legende die zegt dat de sluier verwijst naar Bernini's afkeer van de nabije Sant'Agone, ontworpen door zijn rivaal Borromini. De alle-

Symbolische figuur van de Ganges in Bernini's Fontana dei Fiumi

Piazza Navona ❷ ✗

Kaart 4 E3 & 11 C2. 🚌 46, 62, 64, 70, 81, 87, 90, 90b, 186, 492.

H et mooiste barokke plein van Rome heeft de vorm van het Stadion van Domitianus, dat hier ooit stond. Sommige bogen ervan zijn nog te zien onder de kerk Sant'Agnese in Agone. De *agones* waren atletiekwedstrijden die in het 1ste-eeuwse stadion werden gehouden, met plaats voor 33.000 toeschouwers. Het waarschijnlijk 'Navona' is verbastering van *in agone*. De unieke aanblik en sfeer van het piazza dateren uit de 17de eeuw, toen de Fontana dei Fiumi is

toegevoegd. De andere fonteinen, de Fontana di Nettuno en de Fontana del Moro, dateren uit de 16de eeuw en zijn sindsdien diverse malen veranderd. De figuur van Il Moro is een laat werk van Bernini.

Tot de 19de eeuw werd het Piazza Navona in augustus onder water gezet door de afvoeren van de fonteinen te sluiten. Tegenwoordig is het piazza het hele jaar door populair, vooral 's winters, als het vol staat met kleurige kraampjes die speelgoed en snoep verkopen voor het feest van de Befana.

Blik op Palazzo Pamphili aan het Piazza Navona

Palazzo Pamphili ❸

Piazza Navona. **Kaart** 4 E4 & 11 C3.
🚌 46, 62, 64, 70, 81, 87, 90, 90b, 186, 492. *Gesloten voor publiek.*

Duif en olijftak aan de gevel van Palazzo Pamphili

I n 1644 werd Giovanni Battista Pamphili paus onder de naam Innocentius X. Tijdens zijn 10-jarig bewind overstelpte hij zijn familie met rijkdommen, vooral zijn dominante schoonzus, Olimpia Maidalchini. Het sprekende beeld 'Pasquino' (*blz. 124*) gaf haar de bijnaam 'Olim-pia', Latijn voor 'ooit vroom'. Ze woonde in het majestueuze Palazzo Pamphili, dat fresco's bezit van Pietro da Cortona en een galerij van Borromini. Thans huisvest het de Braziliaanse ambassade.

Sant'Agnese in Agone ④

Piazza Navona. **Kaart** 4 E4 8 & 11 C3. 679 44 35. 70, 81, 87, 90, 90b, 186, 492. **Open** ma-za 17.00-19.00 uur, zo en feestdagen 10.00-13.00 uur.

Volgens de legende is de kerk gevestigd op de plaats van het bordeel waar in 304 de jonge Agnes naakt werd getoond om haar te dwingen het geloof af te zwe-ren. Een marmerreliëf in de crypte toont de wonderbaar-lijke haargroei die haar li-chaam omhulde om haar kuisheid te bedekken. Ze werd hier gemarteld en is be-graven in de catacomben aan de Via Nomentana (blz. 264). De huidige kerk was op-dracht van paus Innocentius X uit 1652. De eerste architec-ten waren vader en zoon Girolamo en Carlo Rainaldi; Borromini verving hen en werkte van 1653 tot 1657 aan de kerk. Hij handhaafde min of meer het ont-werp van Rainaldi; af-gezien van de holronde façade, die de koepel beter uit laten ko-men. Een beeld van Agnes op de gevel moet naar men zegt het beeld van Rio de la Plata van de Fontana dei Fiumi gerustellen dat de kerk inderdaad stabiel is.

Beeld van Agnes op de gevel van Sant'Agnese in Agone

Santa Maria dell'Anima ⑤

Via della Pace 20. **Kaart** 4 E4 & 11 C2. 683 37 29. 70, 81, 87, 90, 90b, 186, 492. **Open** ma-za 7.30-19.00 uur (jul en aug. 13.00-15.00 uur), zo 8.00-13.00, 15.00-19.00 uur.

Paus Adrianus VI (paus 1522-1523), de zoon van een scheepsbouwer te Utrecht, was de laatste niet-Italiaanse paus voor Johannes Paulus II. Hij zou het niet eens zijn geweest met zijn luisterrijke tombe door Baldassare Peruzzi in Santa Maria dell'Anima, waar deze rechts van het beschadigde al-taarstuk van Giulio Romano staat. Het graf adelt de heiden-se renaissancegeest die de paus juist had verordeeld. Santa Maria dell'Anima is de kerk van de Nederlan-ders, Duitsers en Oos-tenrijkers; enkele schil-derijen, zoals *Het won-der van H. Benno* van Carlo Saraceni (1618), tonen taferelen uit de geschiedenis van Duitsland.

Wonder van de H. Benno en de sleutels van de kathedraal van Meissen

Santa Maria della Pace ⑥

Vicolo del Arco della Pace 5. **Kaart** 4 E3 & 11 C2. 686 11 56. 70, 81, 87, 90, 90b, 186, 492. *Gesloten wegens restauratie.*

Naar wordt beweerd door-boorde een dronken sol-daat hier de borst van een ge-schilderde Madonna, die be-gon te bloeden. Paus Sixtus IV della Rovere (paus 1471-1484) verzoende de Maagd door Baccio Pontelli te gelasten een kerk voor haar te bouwen als zij de oorlog met Turkije zou beëindigen. De vrede werd hersteld en de kerk ontving de naam Santa Maria della Pace (Maria van de vrede). Bramante voegde in 1504 het klooster toe. Net als bij zijn vermaarde Tempietto (blz. 219) volgde hij nauwgezet klassieke regels voor de ver-houdingen. Hij bewerkstellig-de een monumentaal effect in de relatief kleine ruimte. Misschien had Pietro da Cortona Bramantes Tempietto voor ogen toen hij de lieflijke halfronde zuilengang in 1656 toevoegde. Het interieur, een kort schip dat eindigt onder een achthoekige koepel, be-vat Rafaels beroemde fresco's van de vier Sibillen en de vier Profeten van zijn leerling Timoteo Viti, geschilderd voor de bankier Agostino Chigi in 1514. Baldassare Peruzzi was ook actief in de kerk (fresco in de eerste kapel links), evenals Antonio da Sangallo de Jongere (tweede kapel rechts).

twee treden.

San Luigi dei Francesi ⑦

Via Santa Giovanna d'Arco. Kaart 4 F4
& 12 D2. ✆ 683 38 18. ⬜ 70, 81,
87, 90, 906, 186, 492. Open dag.
8.00-12.30, 15.30-19.00 uur.
Gesloten do 's middags. ⬆ 🔲 🔲

De Franse nationale kerk
verrees in 1518, maar het
duurde tot 1589 voordat ze
was voltooid, met bijdragen
van Giacomo della Porta en
Domenico Fontana. De kerk
is een trekpleister vanwege
de vele hier begraven be-
roemde Fransen en de drie
werken van Caravaggio in de
vijfde kapel links.
Caravaggio's eerste belangrijke religieuze werken kwamen tussen 1597 en 1602
tot stand: De roeping van
Matthëus, De marteldood van
Matthëus en de
engel. De eerste versie van
het laatste schilderij werd
verworpen omdat het te realistisch was: nog nooit eerder was een heilige afgebeeld
als een vermoeide, oude man
met vieze voeten. Alle drie de
werken tonen een veron-
rustend re-
alisme en een
spectaculair
gebruik van
het licht.

Schild met symbolen
van Frankrijk en Rome aan de
gevel van de San Luigi

Portret van Caravaggio

Palazzo Madama ⑧

Corso del Rinascimento. Kaart 4 F4 &
12 D3. ⬜ 70, 81, 87, 90, 906, 186,
492. Toegang uitsluitend na schrift.
afspraak.

Het palazzo is in de 16de
eeuw gebouwd voor de
familie de' Medici, die in de
15de eeuw in Rome een bank
bezat. Het was het verblijf van
de neven Giovanni en
Giuliano. Beiden werden later
paus, Giovanni als Leo X en
Giuliano als Clemens VII.
Caterina de' Medici, de nicht
van Clemens VII, woonde hier
ook voor haar huwelijk in
1533 met Henri, de zoon van
koning Frans I van Frankrijk.
De naam ontleent het palazzo

Daklijst van Palazzo Madama

aan 'madama' Margaretha van
Parma, de onwettige dochter
van keizer Karel V, en vrouw
van Alessandro de' Medici en,
na diens dood, van Otavio
Farnese. Hierdoor viel de vermaarde kunstverzameling van
de Florentijnse familie de'
Medici uiteen. De Romeinse
familie Farnese erfde er een
deel van.

Paolo Marucelli bouwde in
de 17de eeuw de imposante
façade. Hij zorgde voor de
sierlijke daklijst en de grillige
decoratieve details op het dak.
Sinds 1871 is het palazzo de
zetel van de Italiaanse Senaat.

Sant'Ivo alla Sapienza ⑨

Corso del Rinascimento 40.
Kaart 4 F4 & 12 D3. ⬜ 70, 81, 87,
90, 906 186, 492. Open ma-za 9.00-
13.00 uur, zo 9.00-12.00 uur.
Gesloten juli, aug. ⬆ 🔲 🔲

En kruis boven op
een fraaie spiraal
kroont de lantaarn
van de kerk – een
heel opvallend
monument vanaf
de daktrassen
van Rome. Van
dichtbij is
Borromini's
kerk nog fas-
cinerender.
Er is geen an-
dere kerk uit
de Barok die erop lijkt. Ze is
gebaseerd op een verbazingwekkend complex grondvlak;
de muren zijn een adem-
benemende mengeling van
holle en bolle oppervlakken.
De kerk staat op de kleine
binnenplaats van het Palazzo
della Sapienza, de zetel van
de oude universiteit van Rome
van de 15de eeuw tot 1935.

Lantaarn en spits van Sant'Ivo

Sant'Andrea della Valle ⑩

Piazza Sant'Andrea della Valle. Kaart 4 E4 & 12 D4. (686 13 39. 🚍 46, 62, 64, 70, 81, 87, 90, 905, 186, 492. Open 7.30-12.00, 16.30-19.30 uur.

Koepel van Sant'Andrea della Valle

De kerk is het toneel van het eerste bedrijf van Puccini's opera *Tosca*, hoewel operafans de Attavanti-kapel niet aantreffen; die is een verzinsel van de componist. De echte kerk heeft veel te bieden – de pas gerestaureerde gevel toont de wervelende Barok op zijn best. Het gouden licht dat door de hoge ramen valt, doet het vergulde interieur goed uitkomen. Hier liggen de twee pausen uit de Sienese familie Piccolomini: links van het middenschip staat de tombe van Pius II, de eerste humanistische paus (paus 1458-1464); paus Pius III ligt aan de overkant – zijn bewind duurde nog geen maand in 1503.

De kerk is beroemd om de mooie koepel, de grootste in Rome na die van de Sint Pieter. Carlo Maderno bouwde de hem in 1622-1625; de schitterende fresco's zijn van Domenichino en Giovanni Lanfranco. Giovanni's extravagante stijl, zichtbaar in het koepelfresco *Glorie van het Paradijs*, leverde hem het meeste geld op. De jaloerse Domenichino zou geprobeerd hebben zijn collega te vermoorden, wat mislukte. Zijn jaloezie was onnodig, getuige de twee fraaie schilderijen rondom de apsis en het altaar met scènes uit het leven van Andreas. In de Strozzi-kapel, gebouwd in de stijl van Michelangelo, heeft het altaar kopieën van de Lea en Rachel van Michelangelo uit de San Pietro in Vincoli (blz. 170).

Palazzo Massimo alle Colonne ⑪

Corso Vittorio Emanuele II 141. Kaart 4 E4 & 11 C3. 🚍 46, 62, 64, 70, 81, 87, 90, 186, 492. Open 7.00-13.00 uur op 16 maart.

Romeinse zuil, Palazzo Massimo

De laatste twee jaar van zijn leven wijdde Baldassare Peruzzi aan de bouw van dit palazzo voor de familie Massimo, wier woning was verwoest bij de Sacco di Roma in 1527. Peruzzi ging heel ingenieus te werk op het vreemd gevormde terrein. Het vorige gebouw had op het vervallen Theater van Domitianus gestaan, wat een bocht veroorzaakte in de processieweg Via Papalis. Peruzzi's bolronde gevel met zuilen volgt de loop van de straat. Zijn inventiviteit blijkt ook uit de kleine vierkante bovenramen, de binnenplaats en de gestucte hal. De toegang tot het Piazza de' Massimi heeft een renaissancegevel met fresco's. Een enkele zuil uit het theater staat nog op het piazza.

De familie Massimo beweert af te stammen van Quintus Fabius Maximus, de overwinnaar van Hannibal uit

Engel van Ercole Ferrata, naast de façade van Sant'Andrea della Valle

de 3de eeuw v.C.: een kleine Hercules draagt hun trotse blazoen. In de loop der tijd bracht de familie veel grote humanisten voort. In de 19de eeuw onderhandelde een Massimo met Napoleon over vrede. Elk jaar op 16 maart is het palazzo voor publiek geopend ter herdenking van de jonge Paolo Massimo. San Filippo Neri zou hem in 1538 uit de dood hebben opgewekt.

Palazzo Braschi ⑫

Piazza San Pantaleo 10. Kaart 4 E4 & 11 C3. (686 56 96. 🚍 46, 62, 64, 70, 81, 87, 90, 186, 492. Museo di Roma gesloten wegens restauratie.

Aan een kant van het Piazza San Pantaleo staat het laatste Romeinse palazzo dat voor de familie van een paus verrees. De architect Cosimo Morelli bouwde Palazzo Braschi eind 18de eeuw voor de neven van paus Pius VI Braschi. In het palazzo is thans het gemeentelijke Museo di Roma gehuisvest, dat momenteel wordt gerestaureerd. Het bevat collecties schilderijen, tekeningen en alledaagse objecten die een beeld geven van het leven in Rome van de Middeleeuwen tot de vorige eeuw.

Pasquino ❸

Piazza di Pasquino. **Kaart 4 E4 & 8.**
11 C3. 🚌 46, 62, 64, 70, 81, 87, 90, 186, 492.

Pasquino, het beroemdste van de 'sprekende beelden' in Rome

D eze ruwe klomp marmer is het restant van een hellenistische groep die waarschijnlijk een voorval uit de *Ilias* van Homerus weergeeft: Menelaüs beschermt het dode lichaam van Patroclus. Jarenlang lag het als stapsteen in een moderne middeleeuwse straat, totdat het in 1501 op de hoek kwam te staan, bij de winkel van de kritische schoenlapper Pasquino. Vrijheid van meningsuiting stond niet hoog in het vaandel van het pauselijke Rome, dus schreef de schoenmaker zijn satirische commentaar op en hing het aan het beeld. Andere Romeinen volgden al snel en hingen 's nachts spreuken en gedichten aan het beeld. Ondanks de woede

van de autoriteiten bleven de spreuken van het 'sprekende beeld' deel van de volkscultuur tot in de 19de eeuw. Andere beelden begonnen op dezelfde satirische toon te 'spreken'; Pasquino voerde gesprekken met het beeld Marforio, dat in de Via del Campidoglio stond en nu op de binnenplaats van het Palazzo Nuovo (blz. 70-71). De enige Engelstalige bioscoop in Rome staat in Trastevere en heet Pasquino (blz. 347).

Via del Governo Vecchio ⓮

Kaart 4 E4 & 8 11 B3. 🚌 46, 62, 64.

D e naam van de straat is ontleend aan het Palazzo del Governo Vecchio, de zetel van het pauselijk bewind in de 17de en 18de eeuw. Er staan huizen uit de 15de en 16de eeuw langs de straat, die ooit deel van de Via Papalis was en het Lateraan met de Sint Pieter verbond. Zeer interessant zijn de 15de-eeuwse huizen op nr. 104 en nr. 106. Ooit dacht men dat het kleine palazzo op nr. 123 de woning van Bramante was. Het Palazzo del Governo Vecchio ligt er tegenover. Het heet ook wel Palazzo Nardini, naar de opdrachtgever. Die naam en het jaartal 1477 zijn aangebracht op de ramen op de eerste etage.

Via del Governo Vecchio

Chiesa Nuova ⓯

Piazza della Chiesa Nuova.
Kaart 4 E4 & 8 11 B3. 687 52 89.
🚌 46, 62, 64. **Open** dag. 8.00-
12.00, 16.30-19.00 uur. ♿

Façade van de Chiesa Nuova

S an Filippo Neri is de interessantste heilige uit de Contrareformatie. De zeer onconventionele hervormer verlangde van zijn adellijke Romeinse volgelingen dat ze zich in het openbaar vernederden. Hij liet aristocratische jongelui in lompen door de straten van Rome lopen of zelfs met een vossestaart aan hun achterste en gebruikte edelen als arbeiders bij de bouw van zijn kerk. Deze kerk kwam op de plaats te staan van een oude middeleeuwse kerk, Santa Maria in Vallicella; sindsdien heet de kerk Chiesa Nuova (nieuwe kerk).

Matteo da Città di Castello begon in 1575 aan de bouw van de kerk, Martino Longhi de Oudere zette het werk voort en in 1599 werd ze gewijd (hoewel Fausto Rughesi de façade pas in 1606 voltooide). Tegen de wens van San Filippo is het interieur na zijn dood versierd. Pietro da Cortona voorzag het schip, de koepel en de apsis van fresco's, wat hem bijna 20 jaar kostte. Er hangen ook drie schilderijen van Rubens rond het altaar *Madonna en engelen, De heiligen Domitilla, Nereus en Achilleus* en *De heiligen Gregorius, Maurus en Papius.* San Filippo ligt in zijn eigen kapel, links van het altaar.

Oratorio dei Filippini ⑯

Piazza della Chiesa Nuova. **Kaart** 4 E4 & 11 B3. **(** 686 93 74. **≡** 46, 62, 64. **Open** meestal 's ochtends, maar bel eerst. **Ø** Concerten.

Het oratorium vormde samen met het klooster en de kerk ernaast het centrum van Filippo Neri's religieuze orde, die hij in 1575 stichtte. De leden worden meestal oratorianen genoemd. De muziekterm 'oratorium' is afgeleid van de hier gevierde missen. Filippo Neri kwam op 18-jarige leeftijd naar Rome. De stad had te kampen met religieuze twisten, een economische terugang en de pest. Sacco di Roma in 1527. Voor nieuwelingen als Neri en Ignatius van Loyola was dat de gelegenheid om het geestelijke leven in Rome te vernieuwen.

Neri vormde een broederschap van leken die missen opdroegen en pelgrims en zieken bijstonden (zie Santissima Trinità dei Pellegrini, blz. 146). Hij stichtte het Oratorio als religieus discussiecentrum. Borromini bouwde in 1637-1643 de opvallend gewelfde stenen gevel.

Borromini's gevel van het Oratorio

Torre dell' Orologio ⑰

Piazza dell'Orologio. **Kaart** 4 E4 & 11 B3. **≡** 46, 62, 64.

In 1647-1648 bouwde Borromini deze klokketoren als sierlijk onderdeel voor een hoek van het klooster van de oratorianen van San Filippo Neri. Typerend voor Borromini is dat de voor- en achterkant hol zijn en de zijkanten hol. Het mozaïek van de Madonna is van Pietro da Cortona; op de hoek staat een tabernakel voor de Madonna, geflankeerd door engelen in de stijl van Bernini.

Pietro da Cortona (1596-1669)

Palazzo del Banco di Santo Spirito ⑱

Via del Banco di Santo Spirito. **Kaart** 4 D4 & 11 A2. **≡** 41, 46, 62, 64, 982. **Open** tijdens kantooruren.

Dit palazzo, de vroegere munt van Rome, wordt ook vaak Antica Zecca (oude munt) genoemd. Antonio da Sangallo de Jongere bouwde tussen 1520 en 1530 de bovenverdiepingen van de gevel, die qua vorm op een Romeinse triomfboog lijken. Erboven staan twee barokke beelden, symbolen voor Naastenliefde en Spaarzaamheid. In het midden van de boog boven de hoofdingang herinnert een inscriptie aan de stichting van de Banco di Santo Spirito door paus Paulus V Borghese in 1605. Paus Paulus was een zeer sluwe financier, die de Romeinen aanmoedigde hun geld bij deze bank te storten door als onderpand de uitgestrekte bezittingen van het hospitaal van Santo Spirito (zie blz. 226) te garanderen. De zaken floreerden omdat mensen hier geld veilig in bewaring gaven in de mening dat ze het gemakkelijk terugkregen door een schuldbrief te tonen. De schatkist van het ziekenhuis voer er wel bij. De Banco di Santo Spirito bestaat nog steeds, maar is nu onderdeel van de Banco di Roma.

Gevel van de Banco di Santo Spirito, die op een Romeinse boog lijkt

Palazzo Gaddi ⑲

Via dei Banco di Santo Spirito 42.
Kaart 4 D3 & 11 A2. 🚌 41, 46, 62, 64, 280. **Gesloten** voor publiek.

Portret van bejaarde Michelangelo door Jacopino del Conte

Het gewoonlijk aan de Florentijn Jacopo Sansovino toegeschreven Palazzo Gaddi was eeuwenlang het eigendom van Florentijnse families. Kardinaal Gaddi, zelf een telg uit een beroemd Florentijns geslacht, de Altoviti, liet het in de 16de eeuw bouwen ten tijde van paus Clemens VII de' Medici, toen de Toscaanse kolonie in Rome bloeide. Het staat vast dat Michelangelo hier heeft gewoond; vlakbij richtte de Sienese bankier Agostino Chigi zijn eerste bank op. Jarenlang bewaarde Chigi de pauselijke tiara als onderpand voor een lening aan paus Julius II.

Via dei Coronari ⑳

Kaart 4 D3 & 11 B2. 🚌 46, 62, 64, 70, 81, 87, 90, 906, 186, 492.

Talrijke pelgrims kwamen in de Middeleeuwen op weg naar de Sint Pieter langs deze straat en staken de Tiber bij de Ponte Sant'Angelo over. Van de winkels die opbloeiden om de pelgrims geld af te troggelen, hadden de zaken die ro-zenkransen verkochten het meeste succes. De straat ont-leent haar naam dan ook aan de verkopers hiervan (corona-ri). De straat volgde de loop van de klassieke Romeinse Via Recta (rechte straat), die oor-spronkelijk het huidige Piazza Colonna en de Tiber verbond. Zich een weg banen door de mensenmassa in de Via dei Coronari kon heel gevaarlijk zijn. In het jubeljaar 1450 stierven ongeveer 200 pel-grims, doodgedrukt door de menigte of verdronken in de Tiber. Na de catastrofe liet paus Nicolaas V de Romeinse trombombrug aan het begin van de Ponte Sant'Angelo afbre-ken. Eind 15de eeuw moedig-de paus Sixtus IV de bouw van privé-woningen en -palei-zen langs de straat aan. Hoewel de rozenkransverko-pers zijn vervangen door an-tiekhandelaren, staan er in de straat nog veel originele pan-den uit de 15de en 16de eeuw. Een van de eerste, op nr. 156-157, staat bekend als het Huis van Fiammetta, de maîtresse van Cesare Borgia.

Antiekzaak, Via dei Coronari

San Salvatore in Lauro ㉑

Piazza San Salvatore in Lauro 15.
Kaart 4 E3 & 11 B2. 📞 687 51 87. 🚌 46, 62, 64, 280. **Open** dag. 10.00-12.00 (beh. do), 16.30-19.00 uur. 🕐

De kerk heet 'in Lauro' vanwege het laurierbosje dat hier in vroeger tijd stond. Ottaviano Mascherino bouw-de eind 16de eeuw de huidi-ge kerk. De klokketoren en de sacristie zijn 18de-eeuwse uitbreidingen van Nicola Salvi, beroemd om de Trevifontein (blz. 159). De kerk bezit het eerste grote al-taarstuk van de 17de-eeuwse kunstenaar Pietro da Cortona, De geboorte van Jezus, in de eerste kapel rechts.

Het links ernaast gelegen klooster San Giorgio heeft een aardige renaissance-kloostergang, een refter met fresco's en een monument voor paus Eugenius IV (paus 1431-1447), dat hier terecht-kwam na de sloop van de oude Sint Pieter. De buiten-sporige Venetiaan gaf duizen-den dukaten uit aan zijn gou-den tiara, maar verzocht om een eenvoudige, nederige begraafplaats bij zijn voor-ganger, paus Eugenius III. Salviati's portret van hem hangt in de refter. In 1669 werd de kerk de zetel van een vroom genootschap, de Broederschap van de Picerni, inwoners uit de regio Le Marche. De Picerni, zeer paus-gezind, waren in zijn dienst als soldaten of belastinginners.

Kloostergang, San Salvatore in Lauro

Façade van San Salvatore in Lauro

Museo Napoleonico ㉒

Piazza di Ponte Umberto 1.
Kaart 4 E3 & 11 C1. ☎ *68 80 62 86.*
🚌 *70, 81, 87, 90, 90b, 186, 280, 492.*
Open *di-zo 9.00-13.30 uur.* **Niet gratis.** 🚫 ♿ ▣

Ingang van Museo Napoleonico

H et museum bevat souvenirs en portretten van Napoleon en zijn familie. Een persoonlijk voorwerp van Napoleon is bijvoorbeeld een Indische omslagdoek die hij tijdens zijn verbanning op St. Helena droeg.
Na zijn dood in 1821 gaf de paus veel leden van de familie Bonaparte toestemming om zich in Rome te vestigen, ook zijn gevreesde moeder Letizia, die in het Palazzo Misciattelli aan de Via del Corso woonde en daar in 1836 stierf. Van de kinderen is de intrigerendste de grillige Pauline, die de Romeinse prins Camillo Borghese huwde. Het museum heeft een afgietsel van haar rechterborst, in 1805 door Canova gemaakt als voorbereidende studie voor zijn beeld van haar als achterover leunende Venus, nu in het Museo Borghese

te zien *(blz. 260-261).* Er zijn portretten en voorwerpen van veel familieleden te zien, zoals hofjurken, uniformen en zelfs een vélocipède van prins Eugène, de zoon van keizer Napoleon III.
De laatste man uit de Romeinse tak van de familie was Napoleon Charles. Eind 19de eeuw is hij door Guglielmo de Sanctis geportretteerd. De graven Primoli, de zonen van Charles' zuster Carlotta Bonaparte, hebben in 1927 de collectie bijeengebracht.

Palazzo Altemps ㉓

Via Sant'Apollinare 8. **Kaart** 4 E3 & 11 C2. 🚌 *70, 81, 87, 90, 90b, 186, 280, 492.* **Gesloten** *voor publiek.*

H et palazzo is gebouwd voor Girolamo Riario, neef van paus Sixtus IV. Het blazoen van Riario is nog te zien in het huisje van de conciërge. Tijdens de volksopstand na de dood van de paus in 1484 is het pand geplunderd en Girolamo ontvluchtte de stad.
In 1568 kocht kardinaal Marco Sittico Altemps het palazzo. Zijn familie was van Duitse afkomst – de naam is een italianisering van Hohenems – en had zeer veel invloed in de kerk. In 1565, toen de broer van de kardinaal trouwde met Ortensia, zuster van San Carlo Borromeo, bestemde paus Pius IV de dag voor het laatste grote toernooi in de Cortile del Belvedere van het Vaticaan *(blz. 234-235).*
Omstreeks 1570 reno-

veerde Martino Longhi de Oudere het palazzo; hij voegde een groot belvédère toe, getooid met obelisken en een marmeren eenhoorn. De Altemps waren protserige verzamelaars; klassieke sculpturen vullen de hof en het trappenhuis ernaartoe. Het palazzo is thans een seminarie.

Hostaria dell' Orso ㉔

Via dei Soldati 25. **Kaart** 4 E3 & 11 C2.
☎ *686 42 50.* 🚌 *70, 81, 87, 90, 90b, 186, 280, 492.* **Open** *ma-za 12.30-15.00, 19.30-23.00 uur.*

D e antieke herberg, thans een restaurant, heeft een 15de-eeuwse zuilengang en loggia die bestaan uit zuilen van Romeinse ruïnes. Dante zou hier ooit hebben gelogeerd. Ook de 16de-eeuwse Franse schrijvers Rabelais en Montaigne, om er een paar te noemen, hebben hier vertoefd.

Dante Alighieri (1265-1321)

Sant'Apollinare ㉕

Piazza Sant'Apollinare 49. **Kaart** 4 E3 & 11 C2. ☎ *68 30 37.* 🚌 *70, 81, 87, 90, 90b, 186, 492.* **Open** *dag. 7.30-12.00, 16.00-19.30 uur.* 🔲 📷

F erdinando Fuga heeft de uit de Middeleeuwen daterende kerk in de 18de eeuw verbouwd. Ze is gewijd aan de heilige die Petrus op zijn reis van Antiochië naar Rome zou hebben vergezeld en later de eerste bisschop van Ravenna werd. Elke zondag zingen de priesters gregoriaanse gezangen.

PIAZZA DI SPAGNA

Tegen de 16de eeuw maakte het groeiende aantal pelgrims en geestelijken die Rome bezochten, het leven in het toch al volle centrum ondraaglijk. Er werd een driehoek van straten aangelegd die de stroom pelgrims zo snel mogelijk van de noordelijke toegang van de stad, de Porta del Popolo, naar het Vaticaan moest leiden. Tegenwoordig heeft de

Leeuwenfontein op Piazza del Popolo

buurt veel meer te bieden: de schitterende werken van renaissance- en barokkunst in Santa Maria del Popolo en Sant'Andrea delle Fratte, de magnifieke reliëfs van de herstelde Ara Pacis, kunstentoonstellingen in de Villa Medici, fraaie uitzichten over de stad vanaf de Spaanse Trappen en de Pincio-tuinen en de beroemdste winkelstraten van Rome rondom de Via Condotti.

BEZIENSWAARDIGHEDEN IN HET KORT

Kerken
Sant'Andrea delle Fratte ❶
Trinità dei Monti ❿
Alli Saints ⓬
Santa Maria dei Miracoli en Santa Maria in Montesanto ⓮
Santa Maria del Popolo blz. 138-139 ⓱
San Rocco ㉑
Santi Ambrogio e Carlo al Corso ㉒

Musea
Keats-Shelley Memorial House ❼
Casa di Goethe ⓭

Historische gebouwen
Collegio di Propaganda ❸
Fide ❷
Villa Medici ⓫

Bogen, poorten en zuilen
Porta del Popolo ⓲ ✗
Colonna dell'Immacolata ❸

Parken en tuinen
Pincio-tuinen ⓯

Monumenten en tomben
Ara Pacis ⓳
Mausoleum van Augustus ⓴

Historische straten en pleinen
Via Condotti ❹
Piazza di Spagna ❻ ✗

Cafés en restaurants
Caffè Greco ❺
Babington's Tea Rooms ❽

Spaanse Trappen ❾ ✗
Piazza del Popolo ⓰ ✗

SYMBOLEN
◼ Stratenkaart
Ⓜ Metrostation
Ⓟ Parkeerplaats
— Stadsmuur

ZIE OOK
• *Plattegrond*, kaart 4, 5
• *Accommodatie* blz. 294-295
• *Restaurants* blz. 310-311
• *Winkelen* blz. 322-337

BEREIKBAARHEID
Piazza di Spagna en de winkels rondom de Via Condotti zijn beter te bereiken met metrolijn A (station Spagna) dan met de bussen die door Via del Corso en Via del Tritone rijden. Blijf zitten tot station Flaminio voor een bezoek aan het Piazza del Popolo. Handig is de minibus 119, die door de Via del Babuino rijdt.

Onder de loep: Piazza di Spagna

De wirwar van steegjes tussen Piazza di Spagna en Via del Corso is een van de drukste stukjes van Rome en trekt massa's toeristen en Romeinen naar de sierlijke, chique winkels. In de 18de eeuw kende de wijk veel hotels voor frivole Engelse aristocraten die de Grand Tour maakten. Er waren echter ook kunstenaars, schrijvers en componisten die de geschiedenis en de cultuur van Rome serieuzer namen.

Caffè Greco
Beelden en porretten herinneren aan de beroemde gasten ❺

★ **Piazza di Spagna**
Al bijna drie eeuwen is het plein met de curieuze Barcacciafontein in het midden het belangrijkste trefpunt voor bezoekers van Rome ❻

De Via delle Carrozze ontleende haar naam aan de rijtuigen van rijke toeristen die hier in de rij stonden voor reparaties.

Via Condotti
De schaduwrijke, nauwe straat bezit de chicste winkels in een van de chicste winkelstraten ter wereld ❹

Bulgari verkoopt exclusieve juwelen achter de strenge winkelpui in de Via Condotti.

SYMBOOL

– – – Aanbevolen route

Ⓜ Metrostation

0 meter 75

Trinità dei Monti
*De schitterend gelegen
16de-eeuwse kerk
biedt een fantastisch
uitzicht* ❿ ✗

**Babington's
Tea Rooms**
*Vooral Engel-
se toeristen
voelen zich
hier thuis* ❽

Colonna dell'Immacolata
*Op een Romeinse zuil rust
een beeld van
Maria* ❸

ORIËNTATIEKAART
Zie kaart centrum Rome 12-13

**Collegio di
Propaganda Fide**
*Deze façade (1665) was een
van de laatste werken van
Francesco Borromini* ❷

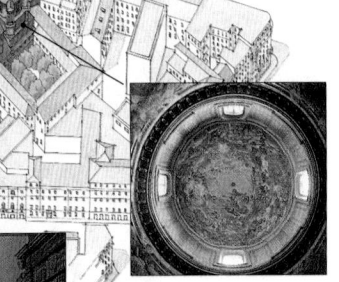

Sant'Andrea delle Fratte
*Pasquale Marini schilderde
in 1691 De Verlossing als
decor voor het interieur van
Borromini's hoge koepel* ❶

**★ Keats-Shelley
Memorial House**
*De bibliotheek is deel van
een klein museum in het
huis waar de Engelse dichter
Keats in 1821 stierf* ❼

★ Spaanse Trappen
*Bedolven onder toe-
risten, maar een
hoogtepunt van de
late Barok* ❺ ✗

STERATTRACTIES

★ Piazza di Spagna

★ Keats-Shelley
  Memorial House

★ Spaanse Trappen

Sant'Andrea delle Fratte ①

Via Sant'Andrea delle Fratte 1.
Kaart 5 A3. **(** 679 31 91. **🚌** 119.
M Spagna. **Open** dag. 6.30-12.45,
16.00-19.30 uur. **♿ 🅿 ⬆**

Toen Sant'Andrea delle
Fratte in de 12de eeuw
verrees, was dit de uiterste
noordrand van Rome. Hoewel
de kerk nu definitief in het
centrum is opgenomen, herinnert de naam (*fratte* betekent
struikgewas) aan de originele
omgeving.
De kerk is in de 17de eeuw
geheel verbouwd, deels door
Borromini. Zijn klokketoren
en koepel, die u het best ziet
vanaf de hoger gelegen Via
Capo le Case, vallen op vanwege de complexe indeling in
holle en bolle vlakken. De
klokketoren is bijzonder ge-
slaagd, met engelen als kariatiden, brandende fakkels die
op ijshoorntjes lijken en over-
dreven krulversieringen zoals
halfgevouwen haren waarop
een doornenkroon rust.
In 1842 verscheen de Maagd
Maria in de kerk aan een
joodse bankier, die zich
prompt tot het christendom
bekeerde. Binnen valt meteen
de kapel van de Wonderda-
dige Madonna op, maar de
kerk is bekender vanwege de
engelen die Borromini's rivaal
Bernini maakte voor de Ponte
Sant'Angelo. Paus Clemens IX
vond ze te mooi om aan het
weer bloot te stellen, dus bleven ze familiebezit van de
Bernini's. In 1729 echter zijn
ze in de kerk geplaatst.

Ingang van het jezuïetencollege

Collegio di Propaganda Fide ②

Via di Propaganda 1. **Kaart** 5 A2.
(679 69 41. **🚌** 119. **M** Spagna.
Gesloten voor publiek.

Het Collegio di Propaganda
Fide (College voor de
verspreiding van het geloof) was
Borromini's laat-
ste werk. Het is
in 1662 ge-
bouwd, toen de
jezuïeten op het
hoogtepunt van
hun macht
stonden. Hun
hoofdkwartier
moest een op-
vallend gebouw
worden, maar de
buitengewone
façade (nu dik
onder het roet)
heeft waar-
schijnlijk zelfs
hun ver-
wachtingen
overtroffen.
Brede pilasters lopen als
strepen over de gevel,
waartussen de ramen
op de eerste étage
naar binnen wijken,
terwijl het midden-
deel naar voren
komt. Een sobere
strook scheidt de bega-
ne grond van de eerste étage
en de lijst boven het bolle
middendeel wijkt terug. De
ongelukkige architect
pleegde zelfmoord kort na de
voltooiing van zijn werk.

Engel van Bernini,
Sant'Andrea delle Fratte

Colonna dell'Immacolata ③

Piazza Mignanelli. **Kaart** 5 A2.
🚌 119. **M** Spagna.

De zuil is in 1857 opgericht
ter herdenking van paus
Pius IX' verklaring van de
doctrine van de Onbevlekte
Ontvangenis. Hierin stelde de
paus dat de Maagd Maria de
enige mens is die is geboren
'zonder de smet van de erf-
zonde'.
De zuil zelf dateert uit het
klassieke Rome. Hij draagt nu
een beeld van de Maagd Maria en is
daarmee een van de talrijke
heidense monumenten in de
stad die christelijk zijn geworden.

Portret van paus Pius IX
(paus 1846-1878)

❹ Via Condotti

Kaart 5 A2. 🚌 81, 90, 905, 119. Ⓜ Spagna. Zie Winkelen blz. 322-333.

De Via Condotti is genoemd naar de waterleidingen die naar de Thermen van Agrippa bij het Pantheon voerden; thans zetelen er de luxe kledingzaken van Rome. De straat is ook geliefd om door te flaneren. Vroeg in de avond mengen chique, geparfumeerde dames en heren zich in onberispelijke kostuums en regenjassen onder toeristen met korte broeken en gymschoenen. De beroemdste winkels zijn Beltrami (lederwaren), Ferragamo (voor exquise handgemaakte en vaak fantastische schoenen), Hermès en Gucci. Jets jongere ontwerpers zoals Laura Biagiotti, Gianfranco Ferré, Gianni Versace en de gezusters Fendi hebben zaken aan de parallelle Via Borgognona. Valentino's winkels vindt u aan de Via Maria dei Fiori en Via Bocca di Leone, die de Via Condotti kruisen net achter het Piazza di Spagna. Giorgio Armani en Emporio Armani zijn aan de nabije Via del Babuino gelegen, tussen galeries, antiekzaken en meubelwinkels.

Blik op Spaanse Trappen vanaf de Via Condotti

❺ Caffè Greco ✕

Via Condotti 86. Kaart 5 A2. 📞 679 17 00. 🚌 81, 90, 905, 119. Ⓜ Spagna. Open ma-za 8.00-16.30 uur. Gesloten feestdagen, 1-23 aug. ♿

Een Griek (vandaar *greco*) opende dit café in 1760, dat sindsdien een geliefde ontmoetingsplaats was van buitenlandse kunstenaars. Schrijvers als Keats, Byron en Goethe, en componisten als Liszt, Wagner en Bizet hebben hier ontbeten en gedronken. Verder ook Casanova en de waanzinnige koning Ludwig van Beieren. Thans staan Italianen in de volle foyer aan hun espresso te nippen en zitten toeristen in een nauwe, gezellige achterkamer tegen portretten van beroemde gasten van het café.

Caffè Greco uit 1760

❻ Piazza di Spagna ✕

Kaart 5 A2. 🚌 119. Ⓜ Spagna.

Het Piazza di Spagna heeft de vorm van een gebogen vlinderdas en wordt omgeven door hoge huizen met oker, roomwit en roodbruin. Het Spaanse Plein is dag en ('s zomers) een groot deel van de nacht overvol. Het is het beroemdste plein van Rome en was lange tijd het trefpunt van buitenlandse bezoekers en handelingen. In de 17de eeuw hield de Spaanse ambassadeur bij de Heilige Stoel aan het plein kantoor, het gebied eromheen werd beschouwd als Spaans grondgebied. Buitenlanders die het per ongeluk betraden, verdwenen soms in het Spaanse leger. In de 18de en 19de eeuw was Rome bij toeristen bijna net zo populair als nu en het plein lag in het centrum van de belangrijkste horingen of gokken, het verzamelen van antieke beelden en affaires met Italiaanse vrouwen. Het is niet verwonderlijk dat de welgestelde reizigers horden bedelaars aantrokken, die meestal hartverscheurende brieven bij zich droegen, geschreven door scriba's die aan het plein werkten.

De Fontana della Barcaccia op het plein is de ingetogenste fontein van het barokke Rome; vaak is ze geheel niet te zien doordat er zoveel mensen op de rand zitten. De ontwerper was óf Gian Lorenzo Bernini óf zijn vader Pietro. Vanwege de bijzonder lage druk in het aquaduct dat de fontein voedt, zijn er geen spectaculaire watervallen of waterstromen. In plaats daarvan maakte Bernini een lekkende boot – *baraccia* bekende waardeloze, oude boot – die half onder water ligt in een ondiep bassin. De bijen en zonnen die de Fontana della Barcaccia decoreren, zijn afkomstig van het blazoen van paus Urbanus VIII Barberini, die de opdracht voor de fontein verstrekte.

Wapen van paus Urbanus VIII, met de Barberini-bijen

De Fontana della Barcaccia onder aan de Spaanse Trappen

Keats-Shelley Memorial House 7

Piazza di Spagna 26. **Kaart** 5 A2.
(678 42 35. **M** Spagna. ▥ 119.
Open ma-vr 9.00-13.00, 15.00-18.00
uur (okt.-maart: 14.30-17.30).
Gesloten feestdagen. **Niet gratis.**
Ø ✗ reserveren. ⓖ

I n november 1820 arriveerde de Engelse dichter John Keats voor een verblijf bij zijn vriend, de schilder Joseph Severn, in een stoffig roze huis, het Casina Rossa, op de hoek van de Spaanse Trappen. Zijn dokter had Keats, die aan tbc leed, naar Rome gestuurd in de hoop dat het milde, droge klimaat het herstel van de jongeman zou bevorderen. In de put en gekweld door de onbeantwoorde liefde voor Fanny Brawne, stierf Keats in februari van het volgende jaar op 25-jarige leeftijd.

Zijn dood inspireerde zijn vriend en collega Percy Bysshe Shelley tot het gedicht *Mourn not for Adonais*. In juli 1822 verdronk Shelley zelf bij een scheepsramp in de Golfo di Spezia voor de kust van Toscane. Keats, Shelley en Severn liggen allen begraven op het protestantse kerkhof van Rome (blz. 205).

In 1906 kochte een Engels-Amerikaanse vereniging het pand, die het beheert als museum en bibliotheek ter ere van Engelse romantische dichters. Tot de resten behoort een lok van Keats haar, enkele stukken van Shelley's beenderen in een kleine urn en een bont carnavalsmasker van lord Byron. U kunt de kamer bezoeken waar Keats stierf, hoewel het originele meublair na zijn dood op pauselijk bevel is verbrand.

Shelley, door Mozes Ezekiel

Babington's Tea Rooms 8

Piazza di Spagna 23. **Kaart** 5 A2.
(678 60 27. ▥ 119. **M** Spagna.
Open sept-juni: wo-ma 9.00-20.15
uur; juli en aug. di-za 9.00-20.15.
Gesloten feestdagen. ⓖ

D eze plechtige, ouderwetse tearoom werd in 1896 geopend door twee Engelse vrouwen: Anna Maria en Isabel Cargill Babington. Landgenoten met heimwee wilden ze *scones*, jam en potten Earl Grey thee serveren. Het eten blijft eenvoudig – *shepherd's pie* en kip in roomsaus, *muffins* en kanecloost – hoewel er ook pannekoeken met ahornsiroop als ontbijt op het menu staan, naast bacon en eieren.

Spaanse Trappen 6

Scalinata della Trinità dei Monti.
Piazza di Spagna. **Kaart** 5 A2. ▥ 119.
M Spagna.

I n de 17de eeuw besloten de Franse eigenaren van Trinità dei Monti de kerk met het Piazza di Spagna te verbinden via een schitterende nieuwe trap. Ze waren ook van plan op de top een ruiterstandbeeld van Lodewijk XIV te plaatsen. Paus Alexander VII Chigi was niet

De Spaanse Trappen in de lente met bloeiende azalea's

Sinds 1896 leveranciers van
Engels ontbijt voor banketlingen

Trinità dei Monti ⑩

Piazza della Trinità dei Monti.
Kaart 5 A2. ☎ 679 41 79. 🚌 119.
M Spagna. **Open** dag. 10.00-12.00,
16.00-18.00 uur. ♿ ⛪

Klokketorens van Trinità dei Monti

Het uitzicht op Rome vanaf
met dubbele kerktoren van de
Trinità dei Monti is zo mooi
dat de kerk zelf er vaak bij in-
schiet. Voor Rome is het een
ongewone kerk: de Fransen
stichtten haar in 1495 en er
zijn nog sporen van interessant laat-gotisch raatwerk in
de gewelven van het transept
te zien, hoewel de kerk later
ernstige schade opliep.
Maniëristische schilderijen sieren de met elkaar verbonden
zijkapellen, onder andere met
twee werken van Daniele da
Volterra. De leerling van
Michelangelo moest de naakten van *Het Laatste Oordeel* in
de Sixtijnse kapel met lende-
doeken bedekken, na de be-
zwaren van paus Pius IV.
De invloed van Michelangelo
is duidelijk te zien in de zeer
bespierde lichamen op de
Kruisafneming (tweede kapel
links). De groepen gebarende
figuren en dansende engelen
rondom de Maria op *Maria
Hemelvaart* (derde kapel
rechts) komen meer overeen
met de sterielijke stijl van
Rafaël.

gelukkig met het voorstel een
beeld te plaatsen van een
Franse monarch in de pauselijke stad. Het verschil van
mening duurde voort tot
1720, toen de Italiaanse architect Francesco de Sanctis met
een ontwerp kwam dat beide
partijen tevreden stelde. De in
1726 voltooide trap combineert rechte lijnen, welvingen
en terrassen tot een van de
spectaculairste en opvallendste symbolen van Rome.
Toen hij Rome bezocht, meld-
de de 19de-eeuwse roman-
schrijver Charles Dickens dat
de Spaanse Trappen het trefpunt vormden van modellen
van kunstenaars, uitgedost in
kleurrijke kleding. De trap is
nu een populaire plaats om
kaarten te schrijven, te flirten,
muziek te maken of mensen
te bekijken.

Villa Medici ⑪

Accademia di Francia a Roma, Viale
della Trinità dei Monti 1. Kaart 5 A2.
☎ 676 11 of 679 83 81. 🚌 119.
M Spagna. **Accademia open** op on-
geregelde tijden, dus bel eerst.
Tuinen open zo 10.00-12.30 uur.
Tentoonstellingen, concerten.
♿ **Niet gratis.**

De villa is prachtig gelegen
op de Pincio boven het
Piazza di Spagna. Het 16de-
eeuwse huis heeft de naam
behouden die het kreeg toen
kardinaal Ferdinando de'
Medici het in 1576 kocht.
Vanaf het terras ziet u uit
over Rome naar Castel Sant'-
Angelo, vanwaar
gin Christina van
Zweden de
grote kogel
afvuurde die
nu in de fontein
zit. In de villa is
nu de Franse

De 17de-eeuwse Franse schilder Nicolas Poussin

19de-eeuwse gravure van de binnenfaçade van de Villa Medici

academie gehuisvest. Lodewijk XIV stichtte haar in 1666
om schilders in Rome te laten
studeren. Nicolas Poussin was
een van de eerste adviseurs.
Ingres was er directeur en
Fragonard en Boucher heb-
ben er gestudeerd.
Na 1803 verhuisde de academie naar de Villa Medici.
Sindsdien waren ook musici
welkom; zowel Berlioz als
Debussy zijn student aan de
academie geweest.

All Saints ⑫

Via del Babuino 153B. Kaart 4 F2.
☎ 679 43 57. 🚌 90, 905, 119.
Open wo-vr-vo 's ochtends. ⛪

In 1816 stond de paus
Engelse ingezetenen en
toeristen toe anglicaanse
diensten te houden in Rome,
maar pas omstreeks 1880 kregen ze een plaats om hun
eigen kerk te bouwen. De
architect was G.E. Street, in
Engeland het bekendst om
zijn neogotische kerken en
het gerechtsgebouw in
Londen. Het interieur, hoewel
schitterend gedecoreerd met
diverse soorten Italiaans
gekleurd marmer,
ademt een onmis-
kenbaar pre-
rafaëlitische sfeer.
De Engelse
naar Edward Burne-
Jones ontwierp het
mozaïek in de
apsis. William
Morris zorgde
voor het pa-
troon van de
keramiektegels en
Huddersfield
bouwde het orgel.

Casa di Goethe ⑬

18-20 Via del Corso. Kaart 4 F1.
🚌 90, 906, 119, 926. **Gesloten voor publiek.**

De Duitse dichter, toneel- en romanschrijver Johann Wolfgang von Goethe (1749-1832) woonde in dit huis van 1786 tot 1788. Hij werkte er aan zijn dagboek, dat uiteindelijk onderdeel zou worden van zijn reisboek *Die Italienische Reise*. Het rumoerige straatleven in Rome, vooral tijdens carnaval, stoorde hem en het aantal moorden in de wijk bracht hem wat van zijn stuk, maar Rome maakte hem jeugdig. Zijn boek werd een van de invloedrijkste die over Italië zijn geschreven.

Santa Maria dei Miracoli en Santa Maria in Montesanto ⑭

Piazza del Popolo. Kaart 4 F1.
🚌 90, 906, 95, 119, 926. 🚇 Flaminio.
Santa Maria dei Miracoli 361 02 50 **Open** ma-za 6.00-13.00, 17.00-19.00 uur, zo 8.00-13.00, 17.00-19.00 uur.
Santa Maria in Montesanto 361 05 94. **Open** ma, wo, vr 17.00-20.00 uur (nov-maart: 16.00-19.00). 🚻 ♿

De barokarchitect Carlo Rainaldi (1611-1691) ontwierp de beide kerken aan de zuidkant van het Piazza del Popolo. Hij bewees hiermee dat hij niet onderdeed voor zijn beroemdere tijdgenoten Bernini en Borromini. Om het piazza een middelpunt te verschaffen, moesten de kerken er symmetrisch uitzien.

Santa Maria in Montesanto (rechts) een ronde koepel te geven en Santa Maria dei Miracoli (links) een ovale koepel. Zo klemde hij de ene kerk ingenieus op een kleinere oppervlakte, terwijl de muren van de onderbouw aan de kant van het piazza gelijk zijn.

Pincio-tuinen ⑮

Il Pincio. **Map** 4 F1. 🚌 90, 906, 95, 119, 926. 🚇 Flaminio. ♿

De Pincio-tuinen liggen boven het Piazza del Popolo op een helling. De terrassen zijn zo knap aangelegd en zo overvloedig met bomen beplant dat vanaf beneden de kronkelende weg naar de tuinen bijna niet te zien is. Ten tijde van het oude Rome waren er schitterende tuinen op de Pincio, maar de huidige tuinen ontstonden in zijn begin 19de eeuw ontworpen door Giuseppe Valadier

(die ook het nieuwe ontwerp voor Piazza del Popolo maakte). De brede lanen, omlijst door parasoldennen, palmen en altijdgroene eiken, vormden al snel een populair wandelpark. Nog in deze eeuw bezochten zulke verschillende personen als Gandhi, Mussolini, Richard Strauss en koning Faroek van Egypte het Casina Valadier, een exclusief café-restaurant in de tuinen.

Van het centrale plein op de Pincio, Piazzale Napoleone I, reikt het panorama over Rome van de Monte Mario naar de Janiculum. Voor het mooiste effect loopt u naar de tuin via de Villa Borghese (blz. 258-259), of langs de Viale della

Portret van Goethe op het Romeinse platteland, door Tischbein (1751-1821)

De waterklok in de Pincio-tuinen

De tweelingkerken Santa Maria in Montesanto (links) en Santa Maria dei Miracoli op een 19de-eeuwse schets van het Piazza del Popolo

Trinità dei Monti. Het uitzicht is vooral heel mooi bij zonsondergang, het gebruikelijke tijdstip voor toeristen om in het park te wandelen.

Een van de opvallendste objecten in het park is een obelisk in Egyptische stijl die de keizer Hadrianus liet plaatsen op de tombe van zijn gunsteling, de schone slaaf Antinoüs. Na diens vroege dood (volgens sommigen stierf hij toen hij de keizer van de dood redde) vergoddelijkte Hadrianus hem. Een dominicaner monnik ontwierp het waterwerk aan de Via dell'Orologio, dat pronkte op de Wereldtentoonstelling van Parijs in 1889.

Restaurant Casina Valadier in de Pincio-tuinen

⓰ Piazza del Popolo

Kaart 4 F1. **☐** 90, 90b, 95, 119, 926. **Ⓜ** Flaminio.

Als een enorme geplaveide ovaal op de top van een driehoek van wegen (wel de Drietand genoemd) is het Piazza del Popolo groots, symmetrisch voorportaal naar het hart van Rome. Dubbele neoklassieke gevels omlijsten het begin van de Via del Corso. Tegenwoordig is het een van de meest harmonieuze pleinen in Rome, maar dat is het resultaat van een eeuwenlange ontwikkeling. In 1589 liet de planologische paus Sixtus V de obelisk in het centrum plaatsen door Domenico Fontana. Het was Augustus die na de verovering van Egypte de meer dan 3000 jaar oude zuil naar Rome meenam om het Circus Maximus te versfraaien. Bijna een eeuw later gaf paus Alexander VII Carlo Rinaldi opdracht tot de bouw van de twee Santa Maria's.

In de 19de eeuw veranderde de ontwerper van de Pincio-tuinen, Giuseppe Valadier, het plein in een grandioze ovaal. Tevens verschafte hij de Santa Maria del Popolo een neoklassiek uiterlijk door de zuidgevel aan te passen aan de glorievolle aanblik van het plein. In weerwil van de geordende terechtstellingen op het Piazza del Popolo voltrokken, vaak als onderdeel van de carnavalsviering. Soms werden veroordeelden met enkele hamerslagen op de slaap ter dood gebracht. In 1826 stierf de laatste misdadiger op deze wijze, hoewel de guillotine al in gebruik was als een wetenschappelijker instrument voor executies.

De ruiterloze paardenraces vanaf het piazza richting Via del Corso waren nauwelijks menselijker: om ze harder te laten lopen, kregen de paarden stimulerende middelen te eten, werden louwen met spijkers om hun lichaam gewikkeld en werd vuurwerk onder hun hoeven afgestoken.

❷ Santa Maria del Popolo

Blz. 138-139.

⓲ Porta del Popolo

Tussen Piazzale Flaminio en Piazza del Popolo. Kaart 4 F1. **☐** 90, 90b, 95, 119, 926. **Ⓜ** Flaminio.

De Via Flaminia, aangelegd in 220 n.Chr. Rome met de Adriatische kust te verbinden, loopt de stad binnen bij de Porta del Popolo, een grootse 16de-eeuwse poort die de last van paus Pius IV Medici is gebouwd. De architect, Nanni di Baccio Bigio, ging uit van een Romeinse triomfboog. Aan de buitenkant staan beelden van Petrus en Paulus, met een Medici-wapenschild erboven. Een eeuw later gelastte paus Alexander VII Bernini de binnenkant van de boog te decoreren ter ere van de komst van koningin Christina van Zweden. Minder aanzienlijke bezoekers moesten vaak wachten terwijl de douane hun bagage plunderde. Onkopen was de enige manier om Rome sneller binnen te komen.

Boog van de Porta del Popolo

Traditioneel carnavalsorkest op Piazza del Popolo

Santa Maria del Popolo ⓱

Deze kerk uit de Vroege Renaissance, een geweldige opslagkamer van kunstschatten, is gebouwd in opdracht van paus Sixtus IV in 1472. Tot de kunstenaars die bij de bouw waren betrokken, behoorden Andrea Bregno en Pinturicchio. Latere verbouwingen werden door Bramante en Bernini uitgevoerd. Veel illustere families hebben er hun kapel. De Della Rovere-kapel bevat prachtige fresco's van Pinturicchio, de Cerasi-kapel toont twee meesterwerken van Caravaggio, *De bekering van Paulus* en *De kruisiging van Petrus*. De fraaiste van alle is echter de Chigi-kapel, ontworpen door Rafaël voor zijn mecenas, de bankier Agostino Chigi. De opvallendste renaissancegraven in de kerk zijn de twee door Andrea Sansovino achter het hoofdaltaar.

★ Chigi-kapel
Rafaël ontwierp de kapel, die een altaarschilderij van Sebastiano del Piombo heeft. In de nissen staan beelden van Bernini en Lorenzetto. Mozaïeken in de koepel geven God weer als schepper van de zeven hemellichamen.

Knielend skelet
Het vloermozaïek met de figuur van de dood is in de 17de eeuw aan de Chigi-kapel toegevoegd.

DE GEEST VAN NERO

Lang na de val van het Romeinse rijk leefde Nero nog in de verbeelding voort. Uit de Middeleeuwen dateert de legende dat de keizer rondwaarde bij de noteboom die op de plaats stond waar zijn as begraven was. De neergestreken raven in de boom beschouwde men als geesten die Nero kwelden vanwege zijn gruweldaden. Toen paus Paschalis II hier in 1099 de eerste kerk bouwde, is de boom omgekapt. Naar verluidt was de plaatselijke bevolking toen verlost van bovennatuurlijke verschijnselen.

Ingang

Cybo-kapel

Della Rovere-kapel
Pinturicchio schilderde de fresco's in de lunetten en de Aanbidding boven het altaar in 1485-1489.

STERATTRACTIES

★ Chigi-kapel
──────────────
★ Schilderijen van Caravaggio
──────────────
★ Delfische Sibille

Het altaarstuk van *Maria
Hemelvaart* is van Annibale
Carracci (1540-1609).

★ **Schilderijen van
Caravaggio in de
Cerasi-kapel**
*Een van de twee Cara-
vaggio's in de Cerasi-
kapel is* De kruisiging
van Petrus. *Caravaggio
legde de nadruk op de
inspanning om de ge-
kruisigde om te draaien.*

**Gebrand-
schilderd glas**
*Guillaume de
Marcillat maakte de
eerste twee gebrandschil-
derde ramen in Rome.*

De tombe van Ascanio Sforza,
die in 1505 stierf, is een werk
van Andrea Sansovino.

★ **Delfische Sibille**
*Dit is een van de fresco's uit een reeks
van Pinturicchio met klassieke en
bijbelse scènes. Hij schilderde ze in
1508-1509 voor het plafond in de apsis.*

In het altaar
hangt het 13de-
eeuwse schilde-
rij *Madonna del
Popolo.*

De tombe van Giovanni della
Rovere (1483) is van leerlingen van Andrea Bregno.

TIJDBALK

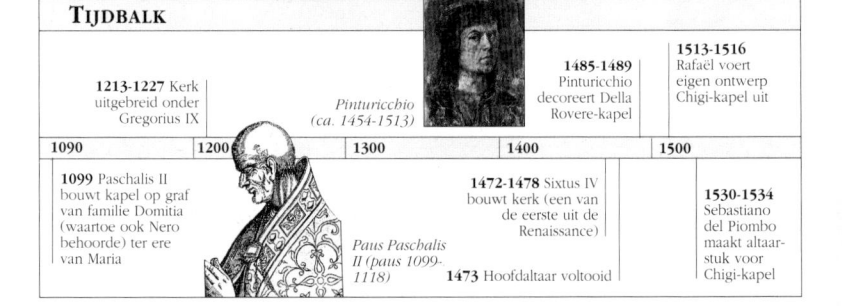

1213-1227 Kerk
uitgebreid onder
Gregorius IX

*Pinturicchio
(ca. 1454-1513)*

1485-1489
Pinturicchio
decoreert Della
Rovere-kapel

1513-1516
Rafaël voert
eigen ontwerp
Chigi-kapel uit

1090	1200	1300	1400	1500

1099 Paschalis II
bouwt kapel op graf
van familie Domitia
(waartoe ook Nero
behoorde) ter ere
van Maria

*Paus Paschalis
II (paus 1099-
1118)*

1472-1478 Sixtus IV
bouwt kerk (een van
de eerste uit de
Renaissance)

1473 Hoofdaltaar voltooid

1530-1534
Sebastiano
del Piombo
maakt altaar-
stuk voor
Chigi-kapel

Ara Pacis ⑲

Via di Ripetta. **Kaart** 4 F2. 🗐 67 10 24 75. 🚌 81, 90, 90b, 119, 926.
Open di-za 9.00-13.30, zo 9.00-13.00 uur; ook april-sept.: & za 16.00-19.00 uur (toegang tot 30 min. voor sluitingstijd). **Niet gratis.** 📷

Fries aan de zuidzijde met processie van familieleden van Augustus

De Ara Pacis (altaar van de vrede) heeft een jarenlange, kostbare restauratie ondergaan. Het is een van de belangrijkste monumenten van het klassieke Rome. Het herdenkt de vrede die in het mediterrane gebied heerste

Marcus Agrippa (rechts)

na de succesvolle veldtochten van keizer Augustus in Gallië en Spanje. In 13 v.C. gaf de Senaat opdracht voor het monument, dat vier jaar later was voltooid. Het is een vierkante, afgesloten ruimte op een lage verhoging met het altaar in het midden. Elk oppervlak is versierd met schitterende friezen en reliëfs, uitgehouwen in Carrara-marmer. De hoge kwaliteit ervan duidt op Griekse ambachtslui. De reliëfs op de noord- en zuidmuur tonen een processie die op 4 juli 13 v.C. plaatsvond, waarin u de

leden van de keizerlijke familie kunt herkennen. De officiële erfgenaam was Marcus Agrippa, echtgenoot van Julia, de dochter van Augustus. Alle portretten op het reliëf zijn verbazingwekkend realistisch uitgevoerd, zelfs de dreumes aan moeders rokken.
De herontdekking van de Ara Pacis dateert uit de 16de eeuw, toen de eerste panelen werden blootgelegd. Een deel kwam terecht in Parijs, een ander in Florence. Andere vondsten zijn in de late 19de eeuw gedaan. Toen beseften archeologen pas wat ze hadden ontdekt. Wat thans te zien is, is allemaal na

1938 in elkaar gezet. De reconstructie die deels uit originele maar ook deels uit nagemaakte fragmenten bestaat, staat in een grote glazen hal: een prachtig gezicht bij de avondlijke verlichting.

Livia (rechts), vrouw van Augustus en moeder van Tiberius, met een onbekend familielid

Zuidzijde

Oostzijde

Op het altaar werd eenmaal per jaar geofferd ter herdenking van de dag waarop het monument in gebruik was genomen.

Westzijde

Augustus' jonge kleinzoon Lucius

Noordzijde

Een acanthusfries loopt langs de onderkant van de buitenmuur.

Mausoleum van Augustus 20

Piazza Augusto Imperatore. **Kaart 4 F2.**
81, 90, 905, 119, 926. **Toegang** uitsluitend na schrift. toestemming.
Wend u tot: *Ripartizione X, Piazza Campitelli 7.* 67 10 38 19.

Wat ooit de aanzienlijkste begraafplaats in Rome was, is nu een heuvel met onkruid, omringd door cipressen en, helaas, bezaaid met afval. Augustus liet dit mausoleum in 28 v.C. bouwen. Het ronde gebouw heeft een diameter van 87 m. Twee obelisken (nu op Piazza del Quirinale en Piazza dell'Esquilino) stonden bij de ingang.

Het mausoleum telde vier rondlopende gangen (onderling verbonden) waarin de urnen met de as van de keizerlijke familie werden bijgezet. De eerste die hier werd bijgezet, was Augustus' lievelingsneef, Marcellus, de echtgenoot van de dochter van de keizer. Hij stierf in 23 v.C., mogelijk vergiftigd door Livia, de tweede vrouw van Augustus, die vond dat haar zoon Tiberius een betrouwbaarder keizer zou zijn. Bij Augustus' dood in 14 n.C. werd zijn as in het mausoleum bijgezet en werd Tiberius keizer. Door de vergiftigingen in de familie werd de tombe regelmatig voorzien van nieuwe urnen.

Het macabere monument is later gebruikt als middeleeuws fort, wijngaard, een privé-tuin en zelfs, tot de 18de eeuw, als arena voor stieregevechten.

Augustus, de eerste Romeinse keizer.

San Rocco 21

Largo San Rocco 1. **Kaart 4 F2.**
686 39 55. 81, 90, 905, 119.
Open dag. 7.30-10.00, 18.00-19.30 uur (okt.-maart: 17.00-20.00). **Gesloten** 17-31 aug.

Deze kerk, met de sobere, neoklassieke gevel van Giuseppe Valadier, de ontwerper van Piazza del Popolo, was ooit de kapel van een 16de-eeuws hospitaal met 50 bedden: San Rocco (de H. Rochus) genas immers pestlijders. Er kwam een kraamafdeling bij voor de vrouwen van schippers, opdat ze hun kind niet in de ongezonde omstandigheden op een boot zouden baren. Later kwamen ongetrouwde vrouwen naar de kraamafdeling en er werd een afdeling gereserveerd voor vrouwen die anoniem wilden blijven. Ze mochten tijdens hun verblijf zelfs een sluier dragen. Ongewenste kinderen kwamen in een weeshuis terecht; er waren anonieme graven voor kinderen of moeders die stierven.

Het ziekenhuis is omstreeks 1900 gesloten en in de jaren dertig gesloopt om de opgraving van het Mausoleum van Augustus mogelijk te maken. De kerk heeft een barok altaarstuk van Il Baciccia, de kunstenaar die het plafond van de Gesù versierde (blz. 114-115).

Madonna, San Rocco en Sant' Antonio met slachtoffers van de pest door *Il Baciccia* (1639-1709)

Santi Ambrogio e Carlo al Corso 22

Via del Corso 437. **Kaart 4 F2.**
687 83 32. 81, 90, 905, 119.
Open dag. 7.30-12.30, 17.00-19.00 uur (okt.-maart: 19.30), is de kerk gesloten, bel dan bij portier links.

De kerk was het bezit van de Lombardische gemeenschap in Rome en is gewijd aan twee heilig verklaarde bisschoppen van Milaan. In 1471 schonk paus Sixtus IV de Lombarden een kerk, die ze aan Sant'Ambrogio wijdden, die in 397 stierf. Na de heiligverklaring van Carlo Borromeo in 1610 is de kerk te zijner ere verbouwd. Het grootste deel van de nieuwe kerk is het werk van vader en zoon Onorio en Martino Longhi, maar de fraaie koepel is van Pietro da Cortona. Het altaarstuk van Carlo Maratta (1625-1713) heet *Gloria dei Santi Ambrogio e Carlo.* In een kapel bevindt zich het hart van San Carlo in een rijk bewerkte schrijn.

Beeld van San Carlo achter de apsis van Santi Ambrogio e Carlo, door Attilio Selva (1888-1970)

CAMPO DE' FIORI

T ussen de Corso Vittorio Emanuele II en de Tiber toont Rome veel verschillende gezichten. De openluchtmarkt op het Campo de' Fiori ademt nog steeds de drukke, zorgeloze sfeer van middeleeuwse herbergen die hier ooit floreerden. De wijk bezit ook een aantal renaissance-palazzi, zoals Palazzo Farnese en Palazzo Spada, waar machtige Romeinse families

hun woningen langs de pauselijke processieroutes bouwden. Dichtbij, uitziend op het pittoreske Tibereiland, ligt het joodse getto, waar sporen van het dagelijks leven van eeuwen her te vinden zijn. De Portico van Octavia en het Theater van Marcellus zijn imposante voorbeelden van de vele lagen geschiedenis van de stad, gebouwd op de half-vergane resten van het oude Rome.

18de-eeuwse Madonna op Campo de' Fiori

BEZIENSWAARDIGHEDEN IN HET KORT

Kerken en tempels
Santissima Trinità dei Pellegrini ④
Santa Maria dell'Orazione e Morte ⑥
San Girolamo della Carità ⑧
Sant'Eligio degli Orefici ⑨
Santa Maria di Monserrato ⑩
San Carlo ai Catinari ⑰
Santa Maria in Campitelli ⑲
San Nicola in Carcere ㉒
San Giovanni dei Fiorentini ㉘

Musea
Palazzo Spada ⑤

Historische straten en piazza's
Campo de' Fiori ①
Tibereiland ㉓
Getto en synagoge ㉔
Via Giulia ㉗

Fonteinen
Fontana delle Tartarughe ⑱

Historische gebouwen
Palazzo Pio Righetti ②
Palazzo del Monte di Pietà ③
Palazzo Farnese ⑦
Palazzo Ricci ⑪
Palazzo della Cancelleria ⑫
Palazzo Cenci ㉕
Casa di Lorenzo Manilio ㉖
Piccola Farnesina ⑬
Casa di Burcardo ⑭

Historische plaatsen
Area Sacra ⑯

Beroemde theaters
Teatro Argentina ⑮

BEREIKBAARHEID
De meeste straten rondom Campo de' Fiori zijn te smal voor bussen, maar veel komen samen op Largo Argentina, een goed begin voor uw verkenning. Lijn 90 en 90b brengen u direct naar de Via del Teatro di Marcello. Drie lijnen, 46, 62 en 64, rijden de hele Corso Vittorio Emanuele II af.

ZIE OOK
• **Plattegrond**, kaart 4, 8, 11, 12
• **Accommodatie** blz. 294-295
• **Restaurants** blz. 310-311
• **Wandeling** blz. 276-277

Fruitkraampjes bij het beeld van Giordano Bruno op de markt van het Campo de' Fiori

SYMBOLEN

▨ Stratenkaart

P Parkeerplaats

0 meter 300

Onder de loep: Campo de' Fiori

Deze boeiende renaissancewijk is ook zeer geschikt om te winkelen of uit te gaan, vooral het marktplein Campo de' Fiori. De kraampjes leveren aan menig restaurant in de buurt en veel jongeren kopen hun kleren in de Via dei Giubbonari. Dank zij populaire, redelijk geprijsde restaurants en pizzeria's is er tot laat op de avond leven in de brouwerij. Overdag kunt u fraaie bouwwerken bewonderen, hoewel er niet veel open zijn voor het publiek. Twee uitzonderingen zijn Piccolo Farnese en Palazzo Spada.

Sant'Eligio degli Orefici
De door Rafaël ontworpen renaissance-kerk ligt verscholen achter een jongere gevel **9**

Palazzo Ricci
Geschilderde klassieke scènes waren een populaire vorm van geveldecoratie op renaissancehuizen **11**

San Girolamo della Carità
Hoogtepunt in deze kerk is de schitterende Spada-kapel van Borromini **8**

Santa Maria di Monserrato
Deze kerk heeft nauwe banden met Spanje. Bernini maakte de buste van kardinaal Pedro Foix de Montoya **10**

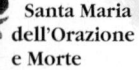

Santa Maria dell'Orazione e Morte
Een paar bizarre, gevleugelde schedels markeren de ingang van de kerk, die aan het begraven van de doden is gewijd **6**

Palazzo Farnese
Michelangelo en andere beroemde kunstenaars werkten mee aan het monumentale renaissance-palazzo **7**

SYMBOOL

- - - Aanbevolen route

0 meter   75

Palazzo della Cancelleria

Het pauselijk bestuur regelde de zaken van de kerk vanuit dit gebouw

Piccola Farnesina

De gedenkplaat is voor Giovanni Barracco, wiens beeldencollectie in het palazzo is te zien ⑬

ORIËNTATIEKAART
Zie kaart centrum Rome blz. 12-13

★**Campo de' Fiori**
De kleurrijke markt maakt dit tot een van de gezelligste pleinen in Rome ❶ ✗

Palazzo Pio Righetti
Heraldieke adelaars staren naar beneden vanaf de frontons van het palazzo ❷

Palazzo del Monte di Pietà
Dit was een pauselijke instelling waar de armen hun bezittingen konden verpanden ❸

Santissima Trinità dei Pellegrini
De belangrijkste taak van deze kerk was de liefdadigheid voor arme pelgrims die in Rome aankwamen ❹

★**Palazzo Spada**
Twee excentrieke 17de-eeuwse kardinaals legden de collectie aan die nu in de schilderijengalerij is te zien ❺

STERATTRACTIES

★**Campo de' Fiori**

★**Palazzo Spada**

Campo de' Fiori ❶

Piazza Campo de' Fiori. **Kaart** 4 E4 & 11 C4. 🚌 46, 62, 64, 70, 81, 87, 90, 90b, 186, 492, 926. Zie **Markten** blz. 338.

ma. 2a. 7⁰⁰- 13³⁰

De Campo de' Fiori (veld van Flora) was ooit een weide en thans de open ruimte tegenover het Theater van Pompejus. Een bont gezelschap van kardinalen, edelen, visboeren en buitenlanders bezocht de markt, die in de Middeleeuwen en Renaissance een van de drukste stukjes Rome was. De huidige markt heeft veel van de oude, levendige sfeer weten te bewaren. In het midden van het plein staat een beeld van een figuur met een hoed. Het is de filosoof Giordano Bruno, die wegens ketterij hier in 1600 op de brandstapel is beland – een herinnering aan de op het plein uitgevoerde executies. Herbergen voor pelgrims en andere reizigers omlijstten het piazza. Vele ervan waren ooit in bezit van de succesvolle 15de-eeuwse courtisane Vannozza Catanei, de maîtresse van paus Alexander VI Borgia. Op de hoek van het piazza met de Via del Pellegrino ziet u nog het wapen van de Catanei, versierd met haar eigen blazoen, dat van haar echtgenoot en dat van haar minnaar.

Marktkraampjes op Campo de' Fiori

Timpaan met heraldieke leeuw en denneappels, Palazzo Pio Righetti

Palazzo Pio Righetti ❷

Piazza del Biscione 89. **Kaart** 4 E5 & 11 C4. 🚌 46, 62, 64, 70, 81, 87, 90, 186, 492. **Gesloten voor publiek.**

Het uitgestrekte, 17de-eeuwse Palazzo Pio Righetti is gebouwd op de ruïnes van het Theater van Pompejus. De ramen van het palazzo zijn verfraaid met leeuwen en denneappels uit het blazoen van de familie Pio da Carpi, die hier heeft gewoond.
De Via di Grotta Pinta volgt de lijn van het Theater van Pompejus, dat in 55 v.C. was voltooid. Het was Romes eerste permanente theater dat van steen en beton was gebouwd. Hier en daar ziet u nog stukken *opus reticulatum*, blokjes tufsteen in een diagonaal patroon als deklaag van een betonnen muur.

Palazzo del Monte di Pietà ❸

Piazza del Monte di Pietà 33. **Kaart** 4 E5 & 11 C4. 📞 51 72 66 95. 🚌 44, 56, 60, 65, 75, 170, 710. **Kapel open** di-vr 7.40-18.00 uur, za 7.40-12.00 uur. **Gesloten** feestdagen. **Toegang** op afspraak of met toestemming van portier..

De Monte, zoals hij in de volksmond heet, is een openbare instelling, opgericht door paus Paulus III Farnese in 1539. De lommerd moest de destijds heersende woeker in de stad tegengaan. In enkele veilingzalen in het pand zijn nog steeds oningeloste goederen te koop.
De sterren met diagonale strepen op de enorme gedenkplaat in het midden komen uit het wapen van paus Clemens VIII Aldobrandini. Carlo Maderno voegde ze toe in de 17de eeuw. De klok links dateert uit later tijden.
De kapel is binnen een juweel van barokke architectuur, verfraaid met verguld stuc, marmerpanelen en reliëfs. De decoraties vormen een ideale omgeving voor de beelden van Domenico Guidi – een buste van San Carlo Borromeo en een reliëf van de *Pietà*. Er zijn ook schitterende reliëfs van Giovanni Battista Théudon en Pierre Legros.

Jozef schenkt graan aan de Egyptenaren, reliëf van Théudon in Palazza del Monte di Pietà

Santissima Trinità dei Pellegrini ❹

Piazza della Trinità dei Pellegrini. **Kaart** 4 E5 & 11 C5. 📞 656 84 57. 🚌 44, 56, 60, 65, 75, 170, 710 en veel andere lijnen. **Gesloten** wegens restauratie.

Een liefdadige instelling, opgericht door San Filippo Neri, schonk de kerk in de 16de eeuw voor de opvang van armen en zieken, vooral van de duizenden paupers

Guido Reni's Heilige Drieëenheid

die en masse als pelgrim Rome bezochten tijdens jubeljaren. In de nissen van de 18de-eeuwse façade staan beelden van de evangelisten door Bernardino Ludovisi. Het interieur met Corinthische zuilen loopt uit in een hoefijzervormig gewelf en apsis, waar het imponerende altaarstuk *Heilige Drieëenheid* (1625) van Guido Reni hangt. De fresco's in de lantaarn zijn ook van Reni.

Andere interessante schilderijen zijn *Gregorius de Grote bevrijdt de zielen uit het Vagevuur* van Baldassare Croce (derde kapel links); van Cavaliere d'Arpino *Maagd en Heiligen* (tweede kapel links) en een schilderij van Borgognone (1677) dat de Maagd en pas heilig verklaarden toont, onder wie San Carlo Borromeo en San Filippo Neri. In de sacristie vindt u afbeeldingen van edelen die de voeten van pelgrims wassen, een gebruik dat San Filippo invoerde.

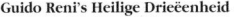

Fresco in de koepel van de Santissima Trinità

Palazzo Spada ❺

Piazza Capo di Ferro 13. **Kaart** 4 E5 & 11 C4. 🛈 *686 11 58.* 🚌 *44, 46, 62, 64, 65, 70, 87, 90, 186, 492, 926 en veel andere lijnen. Galerij open di-za 9.00-14.00 uur. Niet gratis.* 📷 🛈 🖪 *Toegang tot andere zalen met toestemming van Ufficio Personale, Consiglio di Stato* 🛈 *677 71.* 🚫

Het majestueuze palazzo, rond 1540 voor kardinaal Capo di Ferro gebouwd, heeft een elegante binnenplaats met pleisterwerk. De gevel is versierd met reliëfs die het roemrijke Rome in beeld brengen.
Kardinaal Bernardino Spada, die hier in de 17de eeuw met zijn broer Virginio woonde (ook een kardinaal), huurde Bernini en Borromini voor de werkzaamheden. De voorkeur van de broers voor vals perspectief leverde een zuilengalerij van Borromini op die vier keer zo lang lijkt als ze in feite is. De kardinalen verzamelden ook een schitterende privé-collectie schilderijen. Deze zijn nu in de Galleria Spada te zien, samen met enkele klassieke beelden en 18de-eeuws meubilair. Tot de kunstenaars behoren Rubens, Dürer en Guido Reni. Interessante werken van mindere goden zijn *De Visitatie* van Andrea del Sarto (1486-1530), *Kaïn en Abel* van Giovanni Lanfranco (1582-1647) en *De dood van Dido* van Guercino (1591-1666).

Santa Maria dell'Orazione e Morte ❻

Via Giulia. **Kaart** 4 E5 & 11 B4. 🚌 *23, 65, 280. Open voor de mis zo, feestdagen 18.00 uur.* ✝

In de 16de eeuw is hier een broederschap opgericht die ongeïdentificeerde lijken een christelijke begrafenis gaf. In deze kerk ligt de nadruk op de dood; ze is gewijd aan Maria van het Gebed en de Dood. De deuren en ramen van Ferdinando Fuga's opvallende barokgevel zijn versierd met gevleugelde

schedels. Boven de centrale ingang hangt een *clepsydra* (een oude zandloper) – symbool van de dood.

Offerblok in de Santa Maria dell'Orazione e Morte

Palazzo Farnese ❼

Piazza Farnese. **Kaart** 4 E5 & 11 B4. 🚌 *46, 62, 64, 70, 71, 87, 90, 186, 492, 926. Gesloten voor publiek.*

Het Palazzo Farnese, een imposant bouwwerk dat het model werd voor veel adellijke paleizen, is oorspronkelijk gebouwd voor kardinaal Alessandro Farnese. Hij vroeg de grootste kunstenaars uit zijn tijd om een ontwerp te maken.
Toen de kardinaal in 1534 promoveerde tot paus Paulus III, maakte Antonio da Sangallo de Jongere een nieuw ontwerp. Hij werd bijgestaan door Michelangelo, die de grote daklijst en de loggia in het midden van de hoofdgevel toevoegde en de derde etage van de binnenplaats. Michelangelo was van plan de Farnese-tuinen via een brug te verbinden met de Villa Farnesina *(blz. 220-221).* De sierlijke boog over de Via Giulia behoort tot dit helaas niet uitgevoerde plan. Giacomo della Porta voltooide het palazzo in 1589 in een bescheidener vorm. Thans is er de Franse ambassade gehuisvest.

Gevel van Palazzo Farnese

San Girolamo della Carità 8

Spada-kapel in San Girolamo

Via di Monserrato 62A. **Kaart** 4 E5 8. **[tel]** 687 97 86. **[bus]** 23, 46, 62, 64, 65, 280. **Open** ma-za 7.40-12.00 uur; zo 10.45-12.00 uur. **[icon]**

De kerk is gebouwd op de plaats van het huis van San Filippo Neri, de 16de-eeuwse heilige uit Toscane. Deze sympathieke persoon stimuleerde het geestelijke en culturele leven van Rome met zijn vriendelijke, open opvatting van religie. Hij zou de speelse putti om zijn beeld in zijn kapel waarderen: een herinnering aan de boeëfes aan wie hij zijn leven en werk had gewijd.

Borromini ontwierp de adembenemende Spada-kapel, die uniek is, zowel als kunstwerk en als voorbeeld van de geest van de Barok. Alle architecturale elementen zijn verborgen, zodat uitsluitend het sierlijke marmer en de beelden de ruimte in de kapel bepalen. Uitgehouwen geaderd jaspis en kostbaar veelkleurig marmer vormen imitatiedraperieën van fleurig damast en fluweel. Zelfs de communiebank is een lang stuk golvende draperie van jaspis, omhooggehouden door twee geknielde engelen.

Hoewel er gedenktekens zijn voor vroegere leden van de familie Spada, is er vreemd genoeg geen aanwijzing omtrent de Spada die de kapel heeft geschonken. Waarschijnlijk was het kardinaal Virginio Spada, een volgeling van San Filippo Neri.

Sant'Eligio degli Orefici 9

Via di Sant'Eligio 8A. **Kaart** 4 D4 8. **[tel]** 686 82 60. **[bus]** 23, 41, 46, 62, 64, 65, 280. **Open** ma-za 10.00-12.00. Indien gesloten, bel aan bij Via di Sant'Eligio 9. **Gesloten** aug. en sept. **[icons]**

Beeld van San Filippo Neri, door Pierre Legros

Een rijk gilde van goudsmeden (orefici) gaf in de vroege 16de eeuw de opdracht tot de bouw. Het oorspronkelijke ontwerp was van Rafaël, die zijn gevel voor grootsheid had geput uit de overblijfselen van de Romeinse Oudheid. De invloed van enkele werken van Bramante, zoals het koor van Santa Maria del Popolo (blz. 138-139), blijkt uit de eenvoudige manier waarop de bogen en zuilen de indeling van de muren bepalen. De koepel van Sant'Eligio wordt toegeschreven aan Baldassare Peruzzi, terwijl Flaminio Ponzio begin 17de eeuw de gevel toevoegde. Een van de diverse schilders die het interieur decoreerden, was Taddeo Zuccari, die ook in het Palazzo Farnese werkzaam was (blz. 147).

Santa Maria di Monserrato 10

Via di Monserrato. **Kaart** 4 E4 8. **[tel]** 686 58 61. **[bus]** 23, 41, 46, 62, 64, 65, 280. **Toegang** alleen met toestemming; schriftelijk aanvragen bij bovenstaand adres. **[icons]**

Een vroeg werk van Bernini: kardinaal Pedro Foix de Montoya

San Diego door Annibale Carracci

De nationale Spaanse kerk in Rome dateren uit 1506, toen een genootschap, gewijd aan de Maagd van Montserrat in Catalonië, een gastenverblijf begon voor Spaanse pelgrims. Opmerkelijk zijn Bernini's borstbeeld van Pedro Foix de Montoya, de weldoener van de kerk, en Annibale Carracci's schilderij van San Diego de Alcalá. Voorts staat in de derde kapel links een kopie van een beeld van Jakobus door Sansovino en zijn er enkele 15de-eeuwse tomben door Andrea Bregno en Luigi Capponi.

Palazzo Ricci ⑪

Piazza de' Ricci. **Kaart** 4 D4 & 11 B4.
🚌 23, 46, 62, 64, 65, 280.
Gesloten voor publiek.

Het Palazzo Ricci was beroemd vanwege de gevel met fresco's – nu tamelijk vergaan – van Polidoro da Caravaggio, een leerling van Rafaël, uit de 16de eeuw. In Rome was het gebruikelijk in de Renaissance om kunstenaars de buitenkant van huizen te laten decoreren met helden uit de klassieke Oudheid. Een fresco van een prominent kunstenaar als Polidoro, naar verluidt de uitvinder van deze schilderstijl, was een opvallend statussymbool. Deftige decoratieve patronen vergden fantasie, beheersing van het perspectief en bovenal grote vaardigheid. De schildering op natte kalk moest immers af zijn voor de kalk droog was.

Palazzo della Cancelleria ⑫

Piazza della Cancelleria. **Kaart** 4 E4 & 11 C3. 🕿 69 82. 🚌 44, 46, 62, 64, 70, 81, 87, 90, 186, 492, 926. **Open** ma-za 16.00-20.00 uur uitsluitend met toestemming.

In 1485 begon men met de bouw van het palazzo, een prachtig voorbeeld van de zelfverzekerde architectuur van de vroege Renaissance. Het is deels betaald uit de gokwinsten van kardinaal Raffaele Riario. Rozen, het embleem van de familie Riario, sieren de gewelven en kapitelen van de mooie Dorische binnenplaats. Het interieur is na de plundering van Rome in 1527 gedecoreerd. Giorgio Vasari ging er prat op dat hij het werk voor een enorme zaal in slechts 100 dagen had voltooid. Naar verluidt antwoordde Michelangelo prompt: 'Dat is te zien.' Andere manieristische kunstenaars zoals Perin del Vaga en Francesco Salviati brachten de

Piccola Farnesina ⑬

Corso Vittorio Emanuele II 166.
Kaart 4 E4 & 11 C3. 🕿 68 80 68 48.
🚌 46, 62, 64, 70, 81, 87, 90, 90b, 186, 492, 926. **Open** di-zo 9.00-13.30, di, do 17.00-20.00. **Niet gratis.** Ø

Dit lieflijke miniatuurpalazzo – zo ontleent zijn naam aan de leliën die de daklijst sieren. De bloemen zijn abusievelijk in verband gebracht met het familiewapen van de familie Farnese. Ze stonden eigenlijk op het blazoen van de Franse geestelijke Thomas Leroy, voor wie het paleis in 1523 is gebouwd. De ingang heeft een nieuwe façade die over de Corso Vittorio Emanuele II moest uitkijken toen de weg omstreeks 1900 werd aangelegd. De originele gevel links van de huidige ingang is wellicht het werk van Antonio da Sangallo de Jongere. Let op de asymmetrische indeling van de ramen en de richels. De sierlijke binnenplaats heeft ook het originele uiterlijk bewaard. In de Piccola Farnesina is nu het Museo Barracco gevestigd, een collectie klassiek beeldhouwwerk die de politicus baron Giovanni Barracco heeft verzameld. Een buste van de baron vindt

Lelie op gevel van de Piccola Farnesina

Burcardo Theatermuseum ⑭

Via del Sudario 44. **Kaart** 4 F4 & 12 D4.
🕿 68 80 67 55. 🚌 44, 46, 56, 60, 62, 64, 70, 81, 90, 492, 926.
Open ma-vr 9.00-13.30, 9.00-17.30. **Gesloten** aug. 📷

Dit laat-15de-eeuwse huis was eigendom van Johannes Burckhardt, kamerheer van paus Alexander VI Borgia en auteur van een dagboek dat het Rome onder de Borgia's beschrijft. In het huis is thans de omvangrijkste collectie theaterliteratuur van Rome ondergebracht: 30.000 boeken, voorts Chinese poppen en komische maskers.

Binnenplaats, Piccola Farnesina

Gedeelte van fresco's op façade van Palazzo Ricci

Detail van façade, Teatro Argentina

Teatro Argentina ⑮

Via di Torre Argentina. **Kaart** 4 F4 & 12 D4. 📞 68 80 46 01. 🚌 44, 46, 56, 60, 62, 64, 70, 81, 90, 90b, 94, 492, 926. **Uitvoeringen** nov-juni. Zie **Amusement** blz. 346-347.

In 1730 stichtte de invloedrijke familie Sforza Cesarini een van de belangrijkste theaters van Rome. De gevel is echter een eeuw later toegevoegd. Veel beroemde opera's gingen hier in première. In 1816 vond de première van Rossini's *Barbier van Sevilla* plaats. De componist beledigde het publiek, dat zijn werk niet waardeerde en daarna woedend Rossini door de straten van Rome achtervolgde. Veel van Verdi's meesterwerken zijn hier voor het eerst opgevoerd.

Area Sacra ⑯

Largo di Torre Argentina. **Kaart** 4 F4 & 12 D4. 🚌 44, 46, 56, 60, 62, 64, 70, 81, 90, 90b, 94, 492, 926. Wend u tot Ripartizione X (blz. 367).

De resten van vier tempels zijn bij een verbouwing in de jaren twintig ontdekt. Ze dateren uit de tijd van de republiek en behoren tot de oudste van Rome. Voor het gemak zijn ze A, B, C en D genoemd. De oudste (tempel C) dateert uit de 4de eeuw v.C. Hij stond op een verhoging met een altaar ervoor en heeft de typische vorm van een Italische tempel, in tegenstelling tot het Griekse model. Tempel A dateert uit de 3de eeuw v.C. In middeleeuwse tijden is de kleine kerk San Nicola over het podium heen gebouwd. De resten van de twee apsissen zijn nog zichtbaar.

De stompjes zuil aan de noordkant maakten deel uit van een grote zuilengang, ook wel Hecatostylum genoemd (gang van 100 zuilen). In de keizertijd zijn hier twee marmeren openbare toiletten gebouwd – de resten van een ervan vindt u achter tempel A. Achter de tempels B en C ziet u overblijfselen van een groot platform van blokken tufsteen. Het was een deel van de Curia van Pompejus, waar de Senaat bijeen kwam en op 15 maart 44 v.C. Julius Cesar werd vermoord.

Area Sacra, met ronde ruïnes van tempel B op de voorgrond

San Carlo ai Catinari ⑰

Piazza B Cairoli. **Kaart** 4 F5 & 12 D4. 📞 689 38 74. 🚌 44, 56, 60, 65, 75, 170, 710, 926. **Open** 7.00-12.00, 16.00-20.00 uur. **Gesloten** mei, juni.

In 1620 besloot de Milanese parochie in Rome met deze grote kerk de nieuwe heilige te eren, hun stadgenoot kardinaal Carlo Borromeo. Ze heet 'ai Catinari' vanwege de winkels van kommenmakers (*catinari*) in de wijk. De Romeinse architect Soria voltooide in 1638 de plechtige gevel van travertijn. Het 16de-eeuwse basilicale grondplan wordt geflankeerd door kapellen. Antonio Gherardi ontwierp en decoreerde de Ceciliakapel. Van zijn hand is ook het familieportret.

De schilderijen en fresco's in de kerk van Pietro da Cortona en Guido Reni zijn zelfbewuste, rijpe werken van de Contrareformatie. Het rijk gedecoreerde crucifix op het altaar in de sacristie mag u niet missen; het werk van de 16deeeuwse beeldhouwer Algardi is schitterend ingelegd met marmer, glas en parelmoer.

San Carlo in gebed, Guido Reni

Altaar in San Carlo ai Catinari

Fontana delle Tartarughe ⑱

Piazza Mattei. **Kaart** 4 F5 & 12 D4. 🚌 44, 56, 60, 65, 75, 170, 710, 926.

De bekoorlijke Fontana delle Tartarughe – *tarturughe* zijn schildpadden – was een opdracht van de familie Mattei om 'hun' piazza tussen 1581 en 1588 te verfraaien. Giacomo della Porta ontwierp de fontein, maar de vier slanke bronzen jongemannen die met een voet op de kop van een dolfijn staan zijn het werk van Taddeo Landini. Bijna een eeuw later kreeg een onbekende beeldhouwer het idee om de worstelende schildpadden toe te voegen en zo de groep te voltooien.

Della Porta's sierlijke Fontana delle Tartarughe

Santa Maria in Campitelli ⓳

Piazza di Campitelli. **Kaart** 4 F5 & 12 E5. [68 80 39 78. ▦ 57, 90, 90b, 92, 94, 95, 716. **Open** dag. 7.00-12.00, 16.00-19.00 uur. 🚻 📷 🚻

Engeltjes, Santa Maria in Campitelli

In het 17de-eeuwse Rome kon de pest nog hevig toeslaan en er waren geen betrouwbare, afdoende geneesmiddelen. Veel Romeinen baden gewoon voor herstel tot een middeleeuwse icoon van Maria, de Madonna del Portico. Toen een bijzonder hevige pestepidemie in 1656 afnam, was het volk zo dankbaar dat er een nieuwe kerk verrees om de icoon in gepaste pracht te bewaren. De kerk, ontworpen door Bernini's leerling Carlo Rainaldi, werd voltooid in 1667. Wat opvalt aan de levendige barokgevel zijn de sierlijke zuilen, die de dragers van het ware geloof symboliseren. In de kerk staat het door Giovanni de Rossi ontworpen vergulde altaartabernakel met gedraaide zuilen waarin het beeld van Maria rust. Enkele van de beste barokschilders van Rome decoreerden de zij-

kapellen: Sebastiano Conca, Giovanni Battista Gaulli (bekend als Il Baciccia) en Luca Giordano.

Theater van Marcellus ⓴

Via del Teatro di Marcello. **Kaart** 4 A5 & 12 E5. [481 48 00. ▦ 57, 90, 90b, 92, 94, 95, 716. **Open** alleen voor concerten. Zie **Amusement** blz. 343.

De rondlopende buitenmuur van dit enorme amfitheater was eeuwenlang het fundament van Romeinse gebouwen. Keizer Augustus liet het bouwen en wijdde het aan Marcellus, zijn neef en schoonzoon, die in 23 v.C. op 19-jarige leeftijd was overleden. Omstreeks 1200 was het theater omgebouwd tot vesting van de familie Savelli. In de 16de eeuw bouwde Baldassare Peruzzi er een groot paleis voor de familie Orsini. In de benedenverdieping kwamen later eenvoudige huisjes en werkplaatsen. Vlak bij het theater staan drie mooie Corinthische zuilen en een deel van een fries. Ze behoorden bij de Tempel van Apollo. De vele kunstwerken voor deze tempel waren door de Romeinen in de 2de eeuw v.C. uit Griekenland weggehaald.

Het Theater van Marcellus door T.H. Cromek (1809-1873)

Portico van Octavia ㉑

Via del Portico d'Ottavia. **Kaart** 4 F5 & 12 E5. ▦ 57, 90, 90b, 92, 94, 95, 716.

Deze zuilengang, gebouwd ter ere van Augustus' zuster Octavia (de vrouw die Marcus Antonius in de steek liet), is al wat resteert van het ooit monumentale piazza van het Circus Flaminius. De rechthoekige zuilengang liep om tempels die aan Jupiter en Juno waren gewijd en waar bronzen beelden in stonden. Wat u thans nog ziet, is het grote, centrale atrium dat ooit met marmer was bekleed. In de Middeleeuwen huisvestten de ruïnes van de zuilengang een grote vismarkt en een kerk, Sant'Angelo in Pescheria. Op veel inlegwerk zijn waterplanten en -dieren te zien omdat men de kerk in verband bracht met visserij in de nabije haven in de rivier. De band met de Tiber blijkt uit de stucgevel van de naastgelegen Kapel van de Visboeren. De kerk bezit een los fresco van de Madonna en engelen, uit de school van Benozzo Gozzoli.

Altaartabernakel in Santa Maria in Campitelli

San Nicola in Carcere ㉒

Via del Teatro di Marcello 46.
Kaart 5 A5 & 12 E5. **(** 686 99 72.
🚌 57, 90, 906, 92, 94, 95, 716.
Open ma-za 7.30-12.00, 16.00-
19.00 uur, zo 10.00-13.00 uur.
Gesloten aug.-half sept. 👥

De middeleeuwse kerk San Nicola in Carcere staat op de plaats van drie Romeinse tempels uit de tijd van de republiek, die in de Middeleeuwen als gevangenis dienst deden (*carcere* betekent gevangenis). Tegenover de tempels van Juno, Spes en Janus stond een stadspoort die het Forum Holitorium, de groente- en oliemarkt, verbond met de weg naar de haven aan de Tiber. Dat zuilen in de muren van de kerk zijn afkomstig van de inderijd aangrenzende tempels. De kerk is in 1599 herbouwd en in de 19de eeuw gerestaureerd, maar de klokketoren en Romeinse zuilen maken deel uit van het originele ont-werp.

Façade en middeleeuwse klokke-toren van San Nicola in Carcere

Tibereiland ㉓

Isola Tiberina. **Kaart** 8 D1 & 12 D5.
🚌 15, 23, 97, 774, 780.

In vroeger tijd waren aan elke kant van het eiland, dat tegenover de haven van Rome lag, blokken wit traver-tijn geplaatst om een boeg en achtersteven na te bootsen. In 293 v.C. is hier een tempel aan Aesculapius gewijd, de god der geneeskunde en be-schermer tegen epidemieën. Sindsdien is het eiland met ziekte geassocieerd. Er staat nog steeds een ziekenhuis op

het eilandje. San Bartolomeo, de kerk aan het piazza in het centrum, is in de 16de eeuw op de ruïnes van de Tempel van Aesculapius gebouwd. De romaanse klokketoren is een handig oriëntatiepunt.

Vanuit het getto bereikt u het eiland over een voetgangers-brug, de Ponte Fabricio. Deze is in 62 v.C. aangelegd en daarmee de oudste originele brug over de Tiber die nog in gebruik is. In de Middeleeuwen beheersten twee machtige families, de Pierleoni en later de Caetani, het strategische punt vanuit een toren, die er nog staat. De Ponte Cestio heeft inscrip-ties met de namen van de Byzantijnse keizers die in 370 de brug hebben gerestau-reerd.

Tibereiland met Ponte Cesto naar Trastevere

Getto en Synagoge ㉔

Synagoge, Lungotevere dei Cenci.
Kaart 4 F5 & 8 D5. **(** 687 50 51.
🚌 23, 44, 56, 60, 65, 75, 170, 710,
774. **Open** 9.30-14.00, 15.00-17.00.
Gesloten za. 🖼 🎥 📷 **Getto**.
hoofdstraat is Via del Portico d'Ottavia.

Hoewel Pompejus ze aan-vankelijk als slaven naar Rome had gebracht, werden joden in de Romeinse keizer-tijd zeer gewaardeerd om hun financiële en medische ken-nis. Ook in de Middeleeuwen genoten ze relatieve vrijheid, de tegenpaus Anacletus stam-de zelfs uit een bekeerde joodse familie.

Pas in de 16de eeuw was er sprake van systematische ver-volging. Vanaf 25 juli 1556 moesten alle joden in Rome binnen een hoog ommuurd gebied wonen dat op last van paus Paulus IV was aange-legd. Het getto lag in een zeer ongezond deel van Rome. De bewoners mochten er overdag uit, maar 's avonds gingen de poorten dicht. 's Zondags waren de joden verplicht een mis bij te wonen in de kerk Sant'Angelo in Pescheria – een praktijk die pas in 1848 is afgeschaft. De vervolging begon weer onder het fascisme.

Tegenwoordig wonen er nog veel joden hier, en nog middel-eeuwse straten, met winkels die typisch Romeins koosjer eten verkopen, hebben wei-nig van de vroegere sfeer ver-loren. In 1874 verrees de im-posante synagoge aan de Lungotevere.

Synagoge aan de Tiber

Palazzo Cenci ㉕

Vicolo del Cenci. **Kaart** 4 F5 & 12 D5.
🚌 44, 56, 60, 65, 75, 170, 710.
Gesloten voor publiek.

Het Palazzo Cenci was ei-gendom van de familie van Beatrice Cenci, die samen met haar broers en haar stief-moeder werd beschuldigd van hekserij en de moord op haar tirannieke vader. In 1599 werd ze ter dood veroordeeld en onthoofd op de Ponte Sant'Angelo.

Het originele middeleeuwse palazzo is grotendeels ge-sloopt; het huidige bouwwerk dateert uit ongeveer 1575, al doet het nogal strenge uiter-

San Giovanni dei Fiorentini 28

Via Acciaioli 2. **Kaart** 4 D4 & 11 A2. **☎** 687 08 86. **🚌** 23, 46, 62, 64, 65. **Open** dag. 7.00-11.00, 17.00-19.30 uur (okt.-maart: 16.30-19.00).

De kerk Sint Jan van de Florentijnen is gebouwd voor de grote Florentijnse gemeenschap die in deze wijk woont. Paus Leo X wilde met de kerk de culturele superioriteit van Florence over Rome tot uitdrukking brengen. De bouw, in de vroege 16de eeuw begonnen, nam meer dan een eeuw in beslag. De hoofdarchitect was Antonio da Sangallo de Jongere. De huidige façade dateert uit de 18de eeuw.

Toscaanse kunstenaars leverden de meeste decoraties voor de kerk. Een opvallende uitzondering is het 15de-eeuwse beeld van San Giovannino door de Siciliaan Mino del Reame. Het spectaculaire hoogaltaar herbergt een marmergroep van Antonio Raggi, *De doop van Christus*. Het altaar zelf is van Borromini, die samen met Carlo Maderno in de kerk begraven ligt.

Dit is de enige kerk in Rome waar dieren welkom zijn: de gelovige kan zijn huisdier meenemen. Met Pasen heeft hier de jaarlijkse ceremoniële zegening der lammeren plaats.

Antonio Raggi's De doop van Christus in San Giovanni dei Fiorentini

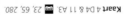

Via Giulia 27

Kaart 4 D4 & 11 A3. **🚌** 23, 65, 280.

Bramante legde de pittoreske 16de-eeuwse straat aan voor paus Julius II della Rovere. De Via Giulia, die wordt omzoomd door aristocratische palazzi uit de 16de-18de eeuw, kerken en antiekzaken, is bij uitstek geschikt voor een boeiende wandeling (blz. 276-277).

Fonteinmasker in Via Giulia

Reeks Romeinse borstbeelden van Casa di Lorenzo Manilio

Casa di Lorenzo Manilio 26

Via del Portico d'Ottavia 1D. **Kaart** 4 F5 & 12 D5. **🚌** 44, 56, 60, 65, 75, 170, 710. *Gesloten voor publiek.*

Voor de Renaissance hadden de meeste Romeinen maar een vaag en verward beeld van het roemrijke verleden van de stad. Na de 15de-eeuwse hernieuwde belangstelling voor klassieke filosofie en kunsten gingen sommigen zo ver dat ze huizen bouwden die de pracht van het klassieke Rome deden herleven. In 1468 bouwde een zekere Lorenzo Manilio een groot huis voor zijn familie. Volgens de inscriptie is het huis 2221 jaar na de stichting van de stad gebouwd, overeenkomstig de klassieke Romeinse methode. Ook de naam van de eigenaar is vermeld. In de gevels zijn originele reliëfs opgenomen, evenals een fragment van een klassieke sarcofaag. De ramen in de gevel aan het Piazza Costaguti dragen de inscriptie *Hare Roma* (heil Rome).

Balkon van Palazzo Cenci

lijk middeleeuws aan. Heraldieke halve manen sieren de hoofdgevel aan de Via del Progresso, terwijl aan de andere kant fraaie balkons te zien zijn. Een middeleeuws gewelf verbindt het paleis met het Palazzetto Cenci, ontworpen door Martino Longhi de Oudere. De binnenplaats heeft een loggia in Ionische stijl, in veel vertrekken is de 16de-eeuwse decoratie nog aanwezig.

QUIRINAAL

De Quirinaal, een van de zeven heuvels van Rome, was in de keizertijd een uitgestrekte woonwijk. Ten oosten van de heuvel lagen de Thermen van Diocletianus. De in de Middeleeuwen in de vergetelheid geraakte wijk kwam eind 16de eeuw weer in de gratie. De pausen namen met het Palazzo del Quirinaal

de belangrijkste plaats in. De palazzi van machtige families als de Colonna en de Aldobrandini stonden iets lager op de heuvel. Toen de paus in 1870 zijn macht kwijtraakte, werd de Quirinaal de residentie van de koningen van Italië. Het gebied eromheen, en dan vooral langs de Via Nazionale, werd opgeknapt.

Stukwerk uit 1ste eeuw v.C. in Museo Nazionale Romano

BEZIENSWAARDIGHEDEN IN HET KORT

Kerken
Santi Apostoli **4**
San Marcello al Corso **6**
Santa Maria in Trivio **8**
Santi Vincenzo e Anastasio **10**
Sant'Andrea al Quirinale **11**
San Carlo alle Quattro Fontane **12**
San Bernardo alle Terme **14**
Santa Maria degli Angeli **17**
Santa Maria dei Monti **21**
Sant'Agata dei Goti **22**
Santi Domenico e Sisto **24**

Musea
Museo delle Cere **5**
Accademia Nazionale di San Luca **9**

Historische gebouwen
Palazzo del Quirinale **2**
Museo Nazionale Romano **18**
Palazzo delle Esposizioni **20**

Historische plaza's
Piazza della Repubblica **19**

Fonteinen en beelden
Castor en Pollux **1**
Trevifontijn **7**
Le Quattro Fontane **13**
Mozesfontein **15**
Thermen van Diocletianus **16**
Palazzo Colonna **3**

Parken en tuinen
Villa Aldobrandini **23**

ZIE OOK

• *Plattegrond*, kaart 5, 6, 12
• *Accommodatie* blz. 294-295
• *Restaurants* blz. 310-311
• *Wandeling* blz. 282-283

BEREIKBAARHEID
Metrohaltes Repubblica en Cavour. De buslijnen 64, 65, 70 en 75 gaan door de Via Nazionale en 71 en 81 gaan door de tunnel Traforo Umberto I onder de heuvel. Voor de top van de heuvel moet u echter de Via XXIV Maggio uitlopen.

SYMBOLEN
⬛ Stratenkaart
M Metrostation
P Parkeergelegenheid

0 meter 300

Onder de loep: de Quirinaal

Hoewel het Palazzo del Quirinale voor het publiek is gesloten, loont het de moeite de heuvel te beklimmen naar het paleis. U ziet de enorme Romeinse beelden van Castor en Pollux op het piazza en u heeft een fraai uitzicht op de stad beneden. U verlaat de heuvel via de nauwe straatjes en trappen die naar de Trevifontein leiden. In de achterafstraatjes liggen veel kerkjes verscholen. Richting Piazza Venezia zijn er grootse palazzi, zoals dat van de Colonna, een van de oudste en machtigste families van Rome.

Santa Maria in Via heeft een middeleeuwse put en een wonderdadige icoon van Maria.

Santa Maria in Trivio
Achter de fraaie gevel van het kerkje gaat een rijk barokinterieur schuil.

Accademia Nazionale di San Luca
De kunstacademie bezit werken van vroegere leden, zoals Canova en Angelika Kauffmann. **9**

Santi Vincenzo e Anastasio
De imposante gevel van het barokkerkje staat op een boek tegenover de Trevifontein. **10**

★ Trevifontein
De mooiste en beroemdste fontein van Rome vult het Piazza di Trevi. **7**

San Marcello al Corso
In de sacristie van de kerk hangt deze strenge Kruisiging van Van Dyck. **6**

Het Palazzo Odescalchi bezit een gevel van Bernini uit 1664, met een balustrade en rijk gedecoreerde kroonlijst. Het staat tegenover Santi Apostoli.

Museo delle Cere
De nadruk van dit wassenbeeldenmuseum uit 1953 ligt op griezelen **5**

Naar Piazza
Venezia

Palazzo del Quirinale
In het voormalig paleis van de paus zetelt nu Italië's president ❷

ORIËNTATIEKAART
Zie kaart centrum Rome blz. 12-13

Het Piazza del Quirinale, voor het presidentieel paleis, wordt altijd streng bewaakt. De paleiswachten in hun kleurrijke uniformen zijn vaak te zien.

Castor en Pollux
De beeldengroep omvat ook een obelisk en een fontein ❶

Het Piazza della Pilotta wordt beheerst door de imposante gevel van de Gregoriana-universiteit.

Santi Apostoli
Carlo Rainaldi voegde in 1681 de figuren van Christus en de apostelen toe op de balustrade ❹

Palazzo Colonna
Een hoogtepunt van de collectie is De boneneter *van Annibale Carracci* ❸

STERATTRACTIES

★ **Trevifontein**

SYMBOOL

— — — Aanbevolen route

0 meter   75

Castor en Pollux ①

Piazza del Quirinale. **Kaart 5 B4.**
🚌 52, 53, 56, 60, 61, 62, 71, 81, 95, 119, 492 en veel andere lijnen.

Fontein en obelisk op de Quirinaal, van Castor en Pollux

Castor en Pollux – patronen van de ruiterkunst – pronken met hun steigerende paarden op het Piazza del Quirinale. De enorme, meer dan 5,50 m hoge beelden zijn Romeinse kopieën van Griekse originelen uit de 5de eeuw v.C. Ze stonden ooit voor de ingang van de nabije Thermen van Constantijn. Paus Sixtus V liet ze in 1588 restaureren en hier plaatsen. Ooit bekend als de 'paardentemmers' verleenden ze het plein de populaire naam Monte Cavallo (paardenheuvel).
De obelisk tussen hen in is in 1786 uit het Mausoleum van Augustus hierheen gebracht. In 1818 maakte het massief granieten bassin de groep compleet. Het bassin was ooit een voederbak op het Forum.

Palazzo del Quirinale ②

Piazza del Quirinale. **Kaart 5 B3.**
🚌 52, 53, 56, 60, 61, 62, 71, 81, 95, 119, 492 en veel andere lijnen. **Gesloten voor publiek.**

Omstreeks 1500 stond het Vaticaan bekend als een ongezond oord vanwege de vaak heersende malaria. Paus Gregorius XIII koos daarom deze schitterende plek op de hoogste heuvel van Rome als zomerresidentie van de pausen. De bouw begon in 1574. Aan drie zijden van het Piazza del Quirinale staan gebouwen, terwijl de vierde is opengelaten. Dit levert een fraai uitzicht op over de stad naar de grote koepel van de Sint Pieter in de verte. Veel beroemde architecten werkten aan het paleis voor het rond 1735 zijn huidige vorm kreeg. Domenico Fontana ontwierp de hoofdgevel, Carlo Maderno de enorme kapel en de smalle vleugel langs de Via del Quirinale. Na de verovering van Italië in 1870 werd het paleis de officiële residentie van de koning en in 1947 van de president van de republiek. Sinds 1979 zijn het paleis en de tuinen voor het publiek gesloten.

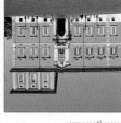

Palazzo del Quirinale, officiële zetel van de president van Italië

Palazzo Colonna ③

Via della Pilotta 17. **Kaart 5 A4 & 12 F3.**
📞 679 43 62. 🚌 57, 64, 65, 70, 75, 81, 170, 492, 710 en veel andere lijnen. **Open** alleen za 9.00-12.30 uur (toegang tot 12.00 uur). **Gesloten** aug. **Niet gratis.** 🏷 op verzoek.

Paus Martinus V Colonna (paus 1417-1431) begon met de bouw, maar het grootste deel van het palazzo dateert uit de 18de eeuw. De kunstgalerij, tussen 1654 en 1665 gebouwd door Antonio del Grande, is het enige wat u te zien krijgt. De schilderijen zijn genummerd, maar hebben geen kaartjes, dus neem een gids mee als u naar binnen gaat. Loop de trap op, door de antichambre die naar een dwaal van marmer glanzende gele zuilen, het opvallende gele zuilen, het embleem van de familie Colonna (colonna betekent zuil). De plafondfresco's herdenken de zege van Marcantonio Colonna op de Turken in de Slag bij Lepanto (1571). Aan de muren hangen schilderijen uit de 16de-18de eeuw. De zaal met landschappen, veel van Gaspare Dughet, getuigt van de 18de-eeuwse smaak van kardinaal Girolamo Colonna. Erachter ligt een zaal met een plafondfresco van *De apotheose van Martinus V*. In de troonzaal is een stoel te zien voor pausen die op bezoek kwamen en een kopie van Pisanello's portret van een gezette Martinus V. Vanuit de *galleria* heeft u ook een mooi zicht op de privé-pleintuin, met de ruïnes van de Tempel van Serapis.

Santi Apostoli ④

Piazza dei Santi Apostoli. **Kaart 5 A4.**
📞 679 73 35. 🚌 56, 60, 64, 65, 70, 75, 85, 90, 170, 492 en veel andere lijnen. **Open** dag. 6.30-12.00, 16.00-19.15 uur.

Monument voor paus Clemens XIV in de Santi Apostoli, met figuren van Nederigheid en Bescheidenheid

De pausen Martinus V Colonna en Sixtus IV della Rovere lieten de oorspronkelijk 6de-eeuwse kerk

...hier in de 15de eeuw verbouwen. De eiken uit het wapen van Sixtus sieren de kapitelen van de laat-15de-eeuwse zuilengang. Links in de galerij staat het monument van Canova uit 1807 voor de graveur Giovanni Volpato. De kerk zelf bevat een veel groter monument door Canova, de Tombe van Clemens XIV (1789). Het barokinterieur van Francesco en Carlo Fontana is in 1714 voltooid. Let op het driedimensionale effect van Giovanni Odazzi's *Opvoer der engelen*. Een enorm 18de-eeuws altaarstuk van Domenico Muratori toont de marteling van de apostelen Jacobus en Philippus, wier tomben zich in de crypte bevinden.

Museo delle Cere

Piazza dei Santi Apostoli 67. **Kaart** 5 A4 & 12 F3. **(** 679 64 82. **bus** 56, 60, 64, 65, 70, 75, 85, 90, 170, 492 en veel andere lijnen. **Open** dag. 9.00-20.00 uur. **Niet gratis.**

Tot de collectie van het wassenbeeldenmuseum van Rome behoren ook politici. Voor wie van het macabere houdt: er is ook een ouderwetse elektrische stoel.

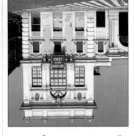

Gevel van het wassenbeeldenmuseum

San Marcello al Corso

Piazza San Marcello 5. **Kaart** 5 A4 & 8 12 F3. **(** 678 80 88. **bus** 56, 60, 62, 70, 85, 90, 95, 492. **Open** dag. 6.30-12.00, 16.00-19.00 uur.

Deze kerk was oorspronkelijk een van de eerste christelijke godshuizen in Rome, ook wel bekend als *tituli*. Een later romaans bouwwerk brandde in 1519 af. Jacopo Sansovino herbouwde het met een enkel schip en veel rijkversierde privé-kapellen aan weerskanten.

De derde kapel rechts bezit fraaie fresco's met scènes uit het leven van Maria door Francesco Salviati. De decoratie van de kapel eraan kwam stil te liggen tijdens de Sacco di Roma in 1527. Rafaëls leerling Perin del Vaga vluchtte. Toen de vrede was hersteld, voltooiden Daniele da Volterra en Pellegrino Tibaldi de fresco's op het plafond.

In het schip staat een prachtige, in Venetiaanse stijl uitgevoerde dubbele tombe van Sansovino voor de kardinaal Giovanni Michiel (in 1503 vergiftigd door de Borgia-paus Alexander VI) en diens neef bisschop Antonio Orso.

Kapel in San Marcello al Corso, beschilderd door Francesco Salviati

Trevifontein

Fontana di Trevi. **Kaart** 5 A3 & 12 F2. **bus** 52, 53, 58, 60, 61, 62, 71, 95, 492 en veel andere lijnen.

De meeste toeristen denken dat de fontein er altijd al gestaan heeft, maar naar de normen van de Eeuwige Stad is de Trevifontein in tamelijk recente datum. De uitvoering van het theatrale ontwerp van Nicola Salvi was pas in 1762 voltooid. De centrale figuur is Neptunus, geflankeerd door twee Tritons. De ene worstelt met een zeer weerspannig zeepaard', de andere leidt een veel volgzamer dier. Beide dieren symboliseren de wisselende stemmingen van de zee. Oorspronkelijk eindigde op deze plaats de Aqua Virgo, een in 19 v.C. aangelegd aquaduct. Een van de reliëfs toont het legendarische meisje naar wie het aquaduct is genoemd.

Rome's mooiste fontein: de Trevi

Santa Maria in Trivio ⑧

Piazza dei Crociferi 49. **Kaart** 5 A3 &
12 F2. 【 679 52 53. 🚌 52, 53, 58, 60,
61, 62, 71, 95, 492 en veel andere lijnen. **Open** dag. 8.10-12.00, 16.00-
19.00 uur (eerst bellen.) 🅾 ↧

Gevel van Santa Maria in Trivio omstreeks 1900

Er is wel beweerd dat de
Italiaanse architectuur er
vooral een gevels is.
Nergens is dat duidelijker te
zien dan aan de façade van
de Santa Maria in Trivio uit
1570-1580, die prachtig over-
gaat in het gebouw erachter.
Binnen is er ook optisch be-
drog, vooral in de plafondfresco's van Antonio Gherardi
(1644-1702) met taferelen uit
het Nieuwe Testament.
De naam van het kerkje betekent waarschijnlijk 'Heilige
Maria bij het knooppunt van
drie wegen'. Het woord trivio
is verbasterd tot Trevi, vandaar de naam van de fontein.

Accademia Nazionale di San Luca ⑨

Piazza dell'Accademia di San Luca 77.
Kaart 5 A3 & 12 F2. 【 679 88 50.
🚌 52, 53, 56, 58, 60, 61, 62, 71,
81, 95, 119, 492. **Open** ma, wo, vr
9.00-13.00 uur (toegang tot 12.15).
Gesloten juli, aug, feestdagen. 🅾
↧ wend u tot de bewaker.

N aar verluidt was de heilige Lucas een schilder:
vandaar de naam van de
Kunstacademie van Rome.
Heel toepasselijk hangt er een
schilderij van Lucas die een
portret van de Maagd schilderd
door Rafaël en zijn leerlingen.
De bloeiperiode van de academie was de 17de en 18de
eeuw, toen veel leden werken aan de collectie schonken. Canova gaf bijvoorbeeld
een model van zijn beroemde
marmergroep *De drie Gratiën*.
Van bijzonder belang zijn drie
boeiende zelfportretten van
vrouwen: de 17de-eeuwse
Italiaanse Lavinia Fontana, de
18de-eeuwse Zwitserse
Angelika Kauffmann, wier
schilderij een kopie is van
een portret dat Joshua
Reynolds van haar maakte, en
Elisabeth Vigée-Lebrun, een
Franse schilderes uit de jaren
voor de Franse Revolutie.

Zelfportret van Lavinia Fontana in de Accademia Nazionale di San Luca

Santi Vincenzo e Anastasio ⑩

Vicolo dei Modelli 73. **Kaart** 5 A3 &
12 F2. 【 678 30 98. 🚌 52, 53, 58,
60, 61, 62, 71, 95, 492 en veel andere lijnen. **Open** dag. 6.45-11.00,
16.00-19.00 uur. 🅾 ↧

Een van de spectaculairste
barokgevels van Rome
wordt gekroond door het
enorme wapenschild van kardinaal Raimondo Mazzarino,

Façade van Santi Vincenzo e Anastasio van Martino Longhi

die Martino Longhi de
jongere in 1650 in opdracht
voor de bouw van de kerk
gaf. Het borstbeeld boven de
ingang is van een van de beroemde nichtjes van de kardinaal: ofwel Maria Mancini
(1639-1715), de eerste liefde
van Lodewijk XIV, ofwel haar
jongere zus Ortensia. In de
apsis herinneren gedenkpla-
ten aan de pausen wier *prae-
cordia* (een gedeelte van het
hart) achter de muur in schrijnen worden bewaard. Paus
Sixtus V begon eind 16de
eeuw met deze macabere traditie. Pas begin deze eeuw
maakte paus Pius X een eind
aan het gebruik.

Sant'Andrea al Quirinale ⓫

Via del Quirinale 29. **Kaart** 5 B3.
474 48 01. 56, 64, 65, 70, 75, 94, 170. **Open** wo-ma 8.00-12.00, 16.00-19.00 uur. **Gesloten** aug. **Gift** aan koster als u de vertrekken van Stanislas wilt zien.

Sant'Andrea, bekend als de 'parel van de Barok' vanwege het roze marmeren interieur, is een ontwerp van Bernini en tussen 1658 en 1670 uitgevoerd. Het is een jezuïetenkerk, vandaar de vele IHS-emblemen (*Iesus Hominum Salvator* – Jezus, redder der mensheid).
Het grondvlak van de kerk was breed, maar niet diep. Bernini zorgde voor een vernieuwing: hij richtte de lengteas van zijn ovale ontwerp niet naar het altaar maar naar de zijkant; zo dwaalt de blik rond alvorens bij het altaar uit te komen. Hier plaatste hij diverse soorten kunstwerken die niet afzonderlijk, maar als geheel werken. Boven de gekruisigde Andreas op het altaarstuk is de heilige in stuc uitgevoerd, wiens blik naar de lantaarn en de Heilige Geest leidt.
Bezichtig ook de vertrekken van Stanislas Koska. De kamers van de jezuïetennoviciet die in 1568 op 19-jarige leeftijd overleed, getuigen niet van zijn eigen Spartaanse geest, maar van de overdadige stijl van de 17de-eeuwse jezuïeten. Pierre Legros (1666-1719) heeft de Poolse heilige vereeuwigd in marmer.

Interieur van Bernini's ovale Sant'Andrea al Quirinale

San Carlo alle Quattro Fontane ⓬

Via del Quirinale 23. **Kaart** 5 B3.
488 32 61. 52, 53, 56, 60, 61, 62, 95, 492. **Open** ma-za 9.00-13.00, ma-vr 16.00-18.00 uur.

De Spaanse trinitariërs, een orde die christelijke gevangenen van Arabieren vrijkocht, gaven in 1634 Borromini de opdracht een kerk en een klooster te ontwerpen. De kerk, zo klein dat ze in een van de pilaren van de Sint Pieter zou passen, heet ook wel 'San Carlino'. Hoewel gewijd aan Carlo Borromeo, in 1620 heilig verklaarde Milanese kardinaal, is de kerk net zo goed een monument voor Borromini. Zowel de gevel als het interieur vertonen gewaagde, vloeiende lijnen die de kleine, nauwe oppervlakte licht en ruimte verlenen. Engelen en een beeld van San Carlo verfraaien de golvende lijnen van de façade. De in 1667 voltooide gevel is een van de laatste werken van Borromini.
Een ander genot voor het oog vormen de speelse, omgekeerde vormen in het klooster en het stucwerk in de refter (nu de sacristie), waar een schilderij van San Carlo hangt door Orazio Borgianni (1611).
In een kamertje naast de sacristie hangt een portret van Borromini zelf, die het kruis van de trinitariërs draagt. Borromini pleegde zelfmoord in 1667; in de crypte (misschien binnenkort voor publiek toegankelijk) blijft de kleine, voor hem gereserveerde gewelfde kapel leeg.

Koepel van San Carlo alle Quattro Fontane, met verborgen ramen

Le Quattro Fontane ⑬

Kruising van Via delle Quattro Fontane en Via del Quirinale.
Kaart 5 B3. 🚌 56, 60, 61, 64, 65. 🚌 70, 75, 95, 119, 492. M Barberini.

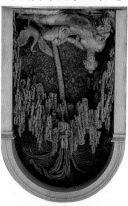

Fontein van de Kracht (of Juno)

De vier fonteintjes zijn verzonken in de hoeken van de panden op de kruising van twee nauwe, drukke straten. Zij dateren van de grote renovatie van Rome onder het bewind van paus Sixtus V (1585-1590). Op elke fontein staat een beeld van een leunende godheid. De riviergod met de wolvin is duidelijk de Tiber; de andere mannelijke figuur is misschien de Nijl of de Aniene. De vrouwen verbeelden Kracht en Trouw of de godinnen Juno en Diana. De kruising is het hoogste punt van de Quirinaal en biedt zicht op drie in de verte herkenbare obelisken: die voor de Santa Maria Maggiore en Trinità dei Monti, beide geplaatst in opdracht van paus Sixtus V, en die op het Piazza del Quirinale.

San Bernardo alle Terme ⑭

Via Torino 94. Kaart 5 C3. 🕿 488 21 22. 🚌 60, 61, 62, 65. 🚌 492. M Repubblica. Open dag. 6.00-18.30 uur. 🖲 🅿 ♿

De kerk ligt aan de zuidkant van het gelijknamige piazza. Ze was ooit een van de vier ronde torens die op de hoeken van de vervallen Thermen van Diocletianus stonden (Terme di Diocleziano). De kerk is een klein Pantheon: de koepel heeft een achthoekig cassettenplafond met een kleine opening bovenin om licht binnen te laten. De grote ronde muur waarop de koepel rust, bevat acht nissen met heiligen door Camillo Mariani (1567-1611).
Pas in 1598 kwam gravin Caterina Nobili Sforza op het idee de toren tot kerk te verbouwen. Ze ligt begraven onder een van de 18de-eeuwse marmeren altaren.

Mozesfontein ⑮

Fontana dell'Acqua Felice, Piazza San Bernardo. Kaart 5 C2. 🚌 60, 61, 62, 65, 492. M Repubblica.

Mozesfontein van Fontana

De officiële naam van de fontein luidt Fontana dell'Acqua Felice. Aan het groteske beeld van Mozes in

Rome. Het beruchte beeld van Mozes die water uit de rots slaat, is meer dan levensgroot en de verhoudingen van het lichaam zijn duidelijk verkeerd. Het werk van Prospero Bresciano of Leonardo Sormani is een onhandige poging om de ontzagwekkende verschijning te herhalen van de Mozes van Michelangelo in de San Pietro in Vincoli (blz. 170). Naar verluidt begon het beeld direct na de onthulling te fronsen, omdat het was vervaardigd door zo'n klungelige kunstenaar.
De zijreliëfs illustreren ook verhalen over water uit het Oude Testament: Aäron leidt de Israëlieten door het water en Jozua wijst het leger de op de fontein zijn kopieën van Egyptische originelen (nu in de Vaticaanse Musea).

Paus Sixtus V, de grote stadshervormer

de centrale nis is de andere naam onbekend. Domenico Fontana ontwierp het gevaarte met de drie sierlijke bogen als eindpunt van het aquaduct Acqua Felice. Die naam was afkomstig van Felice Peretti, paus Sixtus V, die veel verbeteringen in Rome liet aanbrengen. Het in 1586 voltooide aquaduct bracht voor het eerst schoon drinkwater naar deze wijk in Rome.

Trouw (of Diana) met haar hond, een van de Quattro Fontane

Thermen van Diocletianus

Deel van het Museo Nazionale Romano in de Thermen

Terme di Diocleziano, Piazza della Repubblica. **Kaart** 6 D3. 57, 65, 75, 170, 492, 910 en veel andere lijnen. [M] Repubblica, Termini.

De thermen (blz. 22-23), gebouwd tussen 298 en 306 onder de beruchte keizer Diocletianus, die de dood van duizenden christenen op zijn geweten heeft, besloegen

Gouden munt met hoofd van Keizer Diocletianus (285-305)

meer dan een hectare tussen het huidige Piazza della Cinquecento en Piazza della Repubblica. De uitgestrekte badhuizen van Rome konden 3000 mensen tegelijk ontvangen. De best bewaarde gedeelten zijn verbouwd om de kerk Santa Maria degli Angeli en het Museo Nazionale Romano te huisvesten.

Santa Maria degli Angeli

Via Cernaia 9. **Kaart** 6 D3. ☎ 488 08 12. 57, 65, 75, 170, 492, 910 en veel andere lijnen. [M] Repubblica, Termini. **Open** ma-zo 10.30-12.00, 16.00-19.00 uur.

Michelangelo plaatste de kerk in 1563 in de vervallen Thermen, maar Luigi Vanvitelli veranderde de kerk in de 18de eeuw dusdanig dat het originele karakter bijna geheel is verdwenen. De opvallendste kunstwerken zijn een fresco van *De marteling van de H. Sebastiaan* door Domenichino en een 18de-eeuws beeld van Bruno door Jean-Antoine Houdon. De tentoonstelling geeft een goed overzicht van het ontwerp van Michelangelo.

Museo Nazionale Romano

Viale Enrico de Nicola 79. **Kaart** 6 D2. ☎ 48 90 35 07. 57, 65, 75, 170, 492, 910 en veel andere lijnen. [M] Repubblica, Termini. **Open** di-za 9.00-14.00 uur, zo & feestdagen 9.00-13.00 uur (toegang tot 30 min. voor sluitingstijd). *Niet gratis.*

Het in 1889 opgerichte Museo Nazionale Romano bevat de meeste oudheden die in Rome sinds 1870 zijn opgegraven. Reeds bestaan de graven. Reeds bestaande de collecties zijn ook opgenomen, vooral die van de familie Ludovisi. Het is nu een van de voornaamste musea ter wereld wat betreft klassieke kunst. Het beslaat een deel van de Thermen van Diocletianus, waar ook de kerk Santa Maria degli Angeli staat, inclusief het vroegere

Egyptisch reliëf met hoofd, gekroond met symbolische cobra in Museo Nazionale Romano

kartuizer klooster. Hiervoor ontwierp Michelangelo een kloostergang toen hij aan de Santa Maria werkte.

Helaas is het museum een extreem voorbeeld van de malaise die de Romeinse musea treft. De meeste zalen, die veel bijzondere sarcofagen, mozaïeken en losse fresco's bevatten, zijn voor het publiek gesloten. Als u er speciaal naar toe gaat, levert een bezoek meer frustratie dan genoegen. Maar als u nog een uur moet wachten op een trein op Termini, loont het de moeite Piazza dei Cinquecento over te steken om de chaotische, maar sfeervolle hoop beeldfragmenten te bekijken om de centrale renaissance-binnenplaats. In de toekomst wordt misschien een geheel nieuwe afdeling van het museum geopend aan het Piazza Cinquecento.

Piazza della Repubblica ⑲

Kaart 5 C3. 🚌 4, 16, 36, 38, 60, 61, 62, 65, 75, 192, 492 en veel andere lijnen. Ⓜ Repubblica.

Vaak gebruiken Romeinen de oude naam, Piazza Esedra, zo genoemd omdat het plein de vorm van een *exedra* volgt (een halfcirkelvormige ruimte) die tot de Thermen van Diocletianus behoorde. Het plein was ook onderdeel van de grote restauratie, uitgevoerd toen Rome hoofdstad van het verenigde Italië werd. Onder de 19de-eeuwse zuilengangen waren ooit aardige winkels gevestigd, maar banken, reisbureaus en cafés hebben ze verjaagd. Midden op het piazza staat de Fontana delle Naiadi. De vier naakte bronzen nimfen van Mario Rutelli wekten bij de onthulling in 1901 grote verontrusting. Elk rust op een waterdier dat in diverse vormen water symboliseert: een zeepaard voor de oceaan, een zeeslang voor de rivieren, een zwaan voor de meren en een merkwaardige kraaghagedis voor de onderaardse stromen. De figuur in het midden, in 1911 toegevoegd, is de zeegod Glaucus. Hij staat voor de mens die de vijandige natuurkrachten bedwingt.

Een van de bronzen nimfen in de fontein op het Piazza della Repubblica

Palazzo delle Esposizioni ⑳

Via Nazionale 194 (tweede ingang aan Via Milano). Kaart 5 B4. 📞 488 54 65. 🚌 56, 64, 65, 70, 75, 94, 170. **Open** wo-ma 10.00-19.00 uur (toegang tot 20.30). **Gesloten** feestdagen. Ⓖ **Niet gratis.** ⓓ Alleen ingang aan Via Milano. 🎵 Concerten, lezingen, films. Zie Amusement blz. 346-347. 🅿 🍴 🚻

De architect Pio Piacentini ontwierp dit ietwat pompeuze gebouw met brede trappen, Corinthische zuilen en beelden als tentoonstellingscentrum. De stad Rome liet het in 1882 bouwen onder het bewind van Umberto I. De tentoonstellingsruimte is onlangs gemoderniseerd. Om de drie maanden wisselen de tentoonstellingen, die schilderijen, beeldhouwwerk, films en live-optredens omvatten. Buitenlandse films worden meestal niet nagesynchroniseerd. In het palazzo is ook de Galleria Comunale d'Arte Moderna gehuisvest, die echter al sinds begin van de jaren tachtig voor het publiek is gesloten.

Gevel van het Palazzo delle Esposizioni

Piazza della Repubblica en de Fontana della Fontana della Naiadi

Santa Maria dei Monti ㉑

Via Madonna dei Monti 41. Kaart 5 B4. 📞 48 55 31. 🚌 11, 27, 81. Ⓜ Cavour. **Open** ma-za 7.00-12.00, 17.00-19.00 uur, zo, feestdagen 8.30-13.30 uur. ⓓ 🚻 🅿

De door Giacomo della Porta ontworpen kerk uit 1580 heeft een bijzonder fraaie koepel. Boven het hoogaltaar hangt een middeleeuws schilderij van Maria, de patrones van dit deel van Rome. Het altaar in de linker zijbeuk bevat de tombe en het portret van de Franse heilige Benoît-Joseph Labre, die in 1783 sterft na een leven als pelgrim. In Rome sliep hij onder de blote hemel in de ruïnes van het Colosseum, gaf weg wat hij uit liefdadigheid had ontvangen en kwam geregeld naar de Santa Maria dei Monti om er te bidden. Rond zijn 35ste sterft hij voor de kerk. De lompen die hij droeg, worden als relikwie bewaard.

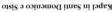

Sant'Agata dei Goti 22

Via Mazzarino 16 en Via Panisperna.
Kaart 5 B4. 488 19 94. 57, 64, 65, 70, 81, 170. **Open** ma-za 7.00-9.00, 17.30-19.00 uur, zo 7.00-11.00 (eerst bellen).

De Goten, aan wie de kerk haar naam ontleent, bezetten Rome in de 6de eeuw. Ze waren arianen, die de goddelijkheid van Christus loochenden. De kerk is kort voor de grote invasies van de Goten gesticht, tussen 462 en 470. Uit deze periode dateren de mooie granieten zuilen. Het hoofdaltaar bezit een goed bewaard gebleven, 12de-eeuwse Cosmaten-tabernakel. Het bekoorlijkste deel van de kerk is echter de 18de-eeuwse binnenplaats, die om een met klimop begroeide put ligt.

Villa Aldobrandini 23

Via Panisperna. Toegang tot de tuinen: Via Mazzarino 1. **Kaart 5 B4.** 57, 64, 65, 70, 75, 170. **Tuinen open** dag. zonsopgang-zonsondergang. **Villa gesloten voor publiek.**

De villa is in de 16de eeuw gebouwd voor de hertogen van Urbino. Later verwierf paus Clemens VIII Aldobrandini haar voor zijn familie; thans is ze in het bezit van de staat en zetelt er een internationale juridische bibliotheek. De villa zelf, getooid met het zessterrige blazoen van de Aldobrandini, is voor publiek gesloten. De tuinen en de terrassen, verscholen achter een hoge muur die langs de Via Nazionale loopt, zijn te bereiken via een ijzeren poort in de Via Mazzarino. Een trap leidt u langs ruïnes uit de 2de eeuw naar de recent gerenoveerde tuinen, bijzonder aanbevolen als een oase van rust in het centrum van Rome. Grindpaden lopen tussen de geometrisch aangelegde gazons en zijn duidelijk aangegeven speciaal gekweekte bomen. Het uitzicht is schitterend, omdat de tuin tot ongeveer 10 m boven straatniveau is opgehoogd.

Santi Domenico e Sisto 24

Largo Angelicum 1. **Kaart 5 B4.** 670 22 08. 57, 64, 65, 70, 75, 170. **Open** uitsl. op afspraak. **Gesloten** juli-sept.

Kapel in Santi Domenico e Sisto

De kerk heeft een hoge, slanke barokgevel die achter een steile trap verrijst. Deze bestaat uit twee delen, die in een boog naar het portaal leiden. Het timpaan van de façade wordt bekroond door acht brandende kandelaars.

Het interieur bezit een groot fresco van *De apotheose van Dominicus* door Domenico Canuti (1620-1684). De eerste kapel rechts heeft Bernini gedecoreerd, die ook het beeld van Maria Magdalena en de verrezen Christus heeft ontworpen. De fraaie marmergroep (1649) is van de hand van Antonio Raggi. Boven het altaar hangt een 15de-eeuwse terracotta plaat van Maria met Kind. Links boven een zijaltaar is een groot schilderij te zien van Maria uit dezelfde periode. Het is misschien een werk van Benozzo Gozzoli (1420-1497), een leerling van Fra Angelico.

Gevel van Santi Domenico e Sisto

18de-eeuwse binnenplaats van Sant'Agata dei Goti

ESQUILIJN

De Esquilijn is de grootste en hoogste van de zeven heuvels van Rome. In de keizertijd lagen op de westelijke hellingen, die op het Forum uitkeken, de dichtbevolkte krotenwijken van Suburra. Aan de oostkant stond hier een aantal villa's van rijke burgers zoals Maecenas. De sfeer is hier na 2000 jaar niet echt veranderd: het is nog steeds een van de armere wijken van de stad. Het is er behoorlijk volge-

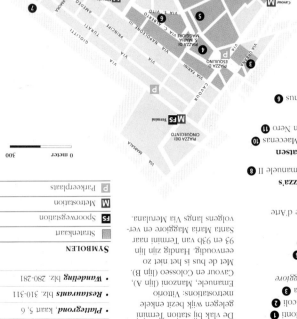

Rachel van Michelangelo in San Pietro in Vincoli

bouwd, afgezien van een vervallen park op de hoogste van de Colle Oppio, een kleinere heuvel ten zuiden van de Esquilijn, waar u de resten kunt zien van de Thermen van Titus, de Thermen van Trajanus en het Gouden Huis van Nero. Maar de wijk is vooral van belang vanwege de kerken. Vele zijn opge- richt op de plaats van particulie- re woningen. Hier kwamen christenen in het geheim bij- een voor de eredienst toen de religie nog verboden was.

BEZIENSWAARDIGHEDEN IN HET KORT

Kerken
1 San Martino ai Monti
2 San Pietro in Vincoli
3 Santa Pudenziana
4 *Santa Maria Maggiore blz. 172-173*
5 Santa Prassede
7 Santa Bibiana

Musea
9 Museo Nazionale d'Arte Orientale

Historische piazza's
8 Piazza Vittorio Emanuele II

Historische plaatsen
10 Auditorium van Maecenas
11 Gouden Huis van Nero

Bogen
6 Boog van Gallienus

BEREIKBAARHEID
De vlak bij station Termini gelegen wijk bezit enkele metrostations: Vittorio Emanuele, Manzoni (lijn A), Cavour en Colosseo (lijn B). Met de bus is het niet zo eenvoudig. Handig zijn lijn 93 en 93b van Termini naar Santa Maria Maggiore en ver- volgens langs Via Merulana.

SYMBOLEN

Stratenkaart
FS Spoorwegstation
M Metrostation
P Parkeerplaats

ZIE OOK

• *Plattegrond*, kaart 5, 6
• *Restaurants* blz. 310-311
• *Wandeling* blz. 280-281

0 meter 300

Onder de loep: de Esquilijn

De attractie die de meeste mensen naar dit tamelijk sjofele deel van Rome voert, is de grote basilica Santa Maria Maggiore. Maar het is ook interessant om een paar van de kleinere kerken te bezoeken op de Esquilijn: Santa Pudenziana en Santa Prassede met de beroemde mozaïeken, en San Pietro in Vincoli, waar een van Michelangelo's befaamdste beelden staat. In het park Colle Oppio, vindt u de resten van de Thermen van Trajanus.

Santa Pudenziana
De apsis van deze oude kerk bezit een schitterend 4de-eeuws mozaïek met Christus, omringd door de apostelen ❸

Het Piazza dell'Esquilino
werd voorzien van een obelisk door paus Sixtus V. Het baken leidde pelgrims uit het noorden naar de belangrijke kerk Santa Maria Maggiore.

Naar het Colosseum

★ San Pietro in Vincoli
Tot de kerkschatten behoren de Mozes van Michelangelo en de boeien van Petrus ❷

VIA CAVOUR

DELL'

VIA SFORZA

VIA DEI QUATTRO CANTONI

VIA

VIA GIOVANNI LANZA

PIAZZA SAN MARTINO AI M

VIA IN SELCI

PIAZZA DI SAN PIETRO IN VINCOLI

VIALE DEL MON

Trajanu was de eers die badhuize met enorme afm tingen bouwde (109 later herhaald do Diocletianus en Caracall

★ **Santa Maria Maggiore**
*De barokarchitect
Carlo Rainaldi ont-
wierp in 1673 de impo-
sante achtergevel. Het
interieur van de
Santa Maria is een van de
overdadigste in Rome* ❹

ORIËNTATIEKAART
Zie kaart centrum Rome blz. 12-13

De tombe van Pius V (overleden 1572) van Domenico
Fontana staat in deze minder
bekende Sixtijnse Kapel in de
Santa Maria Maggiore.

Boog van Gallienus
*Deze kwam in de 3de eeuw
in de plaats van een poort
in de oude Muur
van Servius* ❻

**Naar metro
Vittorio
Emanuele**

★ **Santa Prassede**
*De 9de-eeuwse mo-
zaïeken in de Kapel
van Zeno behoren
tot de mooiste in
Rome* ❺

De Torre dei Cappocci, een
gerestaureerde middeleeuwse
toren, is een van de opvallendste blikvangers in deze buurt.

SYMBOOL

--- --- Aanbevolen route

0 meter   75

**San Martino
ai Monti**
*De 17de-eeuwse
fresco's omvatten
Romeinse landschap-
pen en scènes uit het
leven van Elia door
Gaspare Dughet* ❶

STERATTRACTIES

★ **Santa Maria
Maggiore**

★ **San Pietro in
Vincoli**

★ **Santa Prassede**

San Martino ai Monti ❶

Viale del Monte Oppio 28. **Kaart** 6 D5.
📞 486 31 26. 🚌 11, 16, 27, 70, 71, 81, 93, 935, 613. Ⓜ Cavour, Vittorio Emanuele. **Open** dag. 7.00–12.00, 16.30–19.00 uur (okt.-maart: 16.30–18.30 uur). ♿ 📷 ⛪

Op de plaats van deze kerk komen christenen al sinds de 3de eeuw bijeen om God te eren. Ze ontmoetten elkaar toen in het huis van een zekere Equitius. In de 4de eeuw, na de erkenning van het christendom door Constantijn, bouwde paus Sylvester I er een kerk, een van de heel weinige daden die hij tijdens zijn pontificaat heeft verricht. Hij was zelfs zo onbeduidend dat er in de 5de eeuw een opwindender leven voor hem is verzonnen – met verhalen waarin hij Constantijn bekeerde, hem van lepra genas en hem dwong alle heidense tempels te sluiten. Het verzonnen leven van paus Sylvester werd in de 8ste eeuw verrijkt met een vals document waarin Constantijn hem de keizerskroon aanbood. Symmachus verving rond 500 de kerk van Sylvester. In de 9de eeuw volgde een verbouwing, en een totale renovatie omstreeks 1650. Bijgevolg zijn de enige originele delen de klassieke Corinthische zuilen die het schip en de zijbeuken verdelen. Het interessantste van het interieur, in de rechter zijbeuk, is een reeks frescolandschappen van de Campagna door de 17de-eeuwse Franse kunstenaar Gaspare Dughet, de zwager van Poussin. De fresco's van Filippo Gagliardi, aan begin en einde van de linker zijbeuk, tonen de oude Sint Pieter en het interieur van San Giovanni in Laterano voordat Borromini een nieuw ontwerp maakte. Als u de koster ziet, kunt u onder de kerk de resten van het huis van Equitius bekijken.

Fresco van de oude San Giovanni in Laterano in San Martino ai Monti

San Pietro in Vincoli ❷

Piazza di San Pietro in Vincoli 4A.
📞 488 28 65. 🚌 11, 27, 81. Ⓜ Colosseo. **Open** ma-za 7.00–12.30, 15.30–19.00 (okt.-maart: 18.00), zo 8.45–11.45 uur. ⛪ 📷 📹 ♿

Naar verluidt zijn de twee kettingen (*vincoli*) waaraan Petrus was geboeid toen hij in de krochten van de Mamertijnse Gevangenis zuchtte (*blz. 91*), vervolgens in Constantinopel terechtgekomen. In de 5de eeuw liet keizerin Eudoxia er een achter in een kerk in Constantinopel en zond de andere naar haar dochter in Rome. Deze gaf de keten aan paus Leo I, die de keten aan paus Pouwen als bewaarplaats. Enkele jaren later dook de andere keten op in Rome en klonk zich wonderbaarlijk aaneen met de eerste.

De kettingen zijn onder het hoogaltaar nog steeds te zien, maar de kerk is nu het beroemdst vanwege Michelangelo's tombe voor paus Julius II. Toen hij in 1505 de opdracht kreeg, heeft Michelangelo acht maanden in Carrara in Toscane naar de juiste blokken marmer gezocht. Intussen was paus Julius meer geïnteresseerd geraakt in de bouw van een nieuwe Sint Pieter en het project werd uitgesteld. Toen de paus in 1513 stierf, hervatte Michelangelo het werk aan de tombe. Hij had net de beelden *Mozes* en de *Stervende slaven* af toen paus Paulus III hem overhaalde om in de Sixtijnse Kapel met *Het Laatste Oordeel* te beginnen. Michelangelo had een enorm monument ontworpen met ruim 40 beelden, maar de voltooide tombe is slechts een façade met zes nissen. De *Stervende slaven* zijn in Parijs en Florence te zien. De hoornen op Mozes' hoofd moeten eigenlijk lichtstralen zijn – de oorzaak is een verkeerde vertaling van de originele Hebreeuwse tekst van het Oude Testament.

Mozes van Michelangelo in San Pietro

Reliëfschrijn met ketenen van Petrus

Santa Maria Maggiore 4

Blz. 172-173.

Santa Prassede 5

Via Santa Prassede 9A. **Kaart** 6 D4.
☎ 488 24 56. **🚌** 16, 93, 93b, 613.
M Vittorio Emanuele. **Open** dag. 7.30-12.00, 16.00-18.30 uur. **♿ 🅿 🚻 🅂**

9de-eeuws mozaïek, Santa Prassede

Paus Paschalis II stichtte de kerk in de 9de eeuw op de plaats van een 2de-eeuws oratorium. Kunstenaars uit Byzantium decoreerden de kerk met fonkelende, juweel-kleurige mozaïeken. In de apsis en het koor zijn gestileerde ouderlingen in witte gewaden afgebeeld. De uitverkorenen, met aureool, kijken vanaf de gouden en blauwen muren van de hemel naar beneden. In de apsis flankeren Prassede en Pudenziana Christus, terwijl de armen van Petrus en Paulus vaderlijk op hun schouders rusten. Mooie mozaïeken zijn er ook in de Kapel van Zeno, als mausoleum gebouwd voor Theodora, de moeder van paus Paschalis.

manier van de kerk om uit te drukken dat ze even belangrijk was als het wereldlijke gezag van Byzantium.

De apsis bevat een opmerkelijk 4de-eeuws mozaïek, dat in het subtiele kleurgebruik duidelijk de invloed van de klassiek-heidense kunst verraadt. De apostelen zijn afgebeeld als Romeinse senatoren in toga's. Helaas heeft een ongelukkige poging tot restauratie in de 16de eeuw twee apostelen vermield en andere figuren van hun benen beroofd.

11de-eeuwse fries en medaillons op de gevel van Santa Pudenziana

Santa Pudenziana 3

Via Urbana 160. **Kaart** 5 C4.
☎ 481 46 22. **🚌** 16, 70, 71, 93, 93b, 613. **M** Cavour. **Open** dag. 8.00-12.00, 16.00-19.00 uur (okt.-maart: 15.00-18.00). **🅿 📷**

Normaliter worden kerken gewijd aan bestaande heiligen. Door een taalkundig toeval schiep in dit geval de kerk een splinternieuwe heilige. In de 1ste eeuw woonde hier een Romeinse senator, Pudens genaamd, en volgens de legende mocht Petrus bij hem logeren. In de 2de eeuw verrees er op dezelfde plaats een badhuis en in de 4de eeuw is er in de thermen een kerk gebouwd. Deze stond bekend als de *Ecclesia Pudentiana* (de kerk van Pudens). Meteruijd meende men dat 'Pudentiana' een meisjesnaam was en er werd een leven bij verzonnen. Ze was de zus van Prassede en zou christelijke slachtoffers van vervolging hebben verzorgd. In 1969 raakten beiden heiligen hun status van heilige kwijt, maar de kerken behielden hun naam.

De 19de-eeuwse façade bevat een fries uit de 8ste eeuw met Prassede en Pudenziana, gekleed als gekroonde Byzantijnse keizerinnen – de

Apsismozaïek in Santa Prassede, met de heilige en Paulus

Santa Maria Maggiore ❹

Van alle grote basilica's in Rome is de Santa Maria Maggiore de geslaagdste vermenging van diverse bouwstijlen. Het drieledige schip met zuilengang was onderdeel van het originele 5de-eeuwse bouwwerk. De Cosmaten-vloer en de prachtige romaanse klokketoren zijn middeleeuws. In de Renaissance kwam er een nieuw cassettenplafond bij; in de Barok verschenen er twee koepels, het imposante front en de achtergevels. De Santa Maria is het bekendst om de mozaïeken. Uit de 5de eeuw dateren de bijbelse scènes in het schip en de spectaculaire mozaïeken op de triomfboog. Een 13de-eeuwse Christus is een van de hoogtepunten.

★ Cappella Paolina
Flaminio Ponzio ontwierp de rijk gedecoreerde kapel (1611) voor paus Paulus V Borghese.

Obelisk op Piazza dell'Esquilino
Paus Sixtus V liet de Egyptische obelisk in 1587 plaatsen als baken voor pelgrims.

LEGENDE VAN DE SNEEUW

In 352 gelastte Maria paus Liberius in een droom een kerk te bouwen op de plaats waar hij sneeuw zou vinden. De paus gehoorzaamde natuurlijk toen het op de Esquilijn sneeuwde: op de morgen van 5 augustus, midden in een snikhete Romeinse zomer. Elk jaar wordt het wonder van de sneeuw herdacht met een mis waarbij witte bloemblaadjes van dahlia's uit het plafond van de Santa Maria Maggiore dwarrelen.

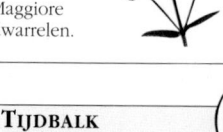

Cassettenplafond
Het vergulde plafond, misschien van Giuliano da Sangallo, was eind 15de eeuw een geschenk van Alexander VI Borgia. Het goud zou afkomstig zijn van de eerste lading van Columbus uit Amerika.

TIJDBALK

352 Maagd verschijnt aan paus Liberius	**1347** Cola di Rienzo tot tribuun van Rome gekroond in Santa Maria Maggiore	**1673** Carlo Rainaldi herbouwt apsis
432-440 Sixtus III voltooit de kerk	*Paus Gregorius VII*	

300 n.C.	600	900	1200	1500	1800

420 Waarschijnlijke stichtingsdatum	**1075** Paus Gregorius VII ontvoerd door tegenstanders terwijl hij de mis opdraagt in Santa Maria	**1288-1292** Nicolaas IV voegt apsis en dwarsbeuken toe
	Wapen van Gregorius VII	**1743** Ferdinando Fuga voegt hoofdfaçade toe op last van Benedictus XIV

TIPS VOOR DE TOERIST

Piazza di Santa Maria Maggiore. **Kaart** 6 D4. 48 31 95. 16, 27, 70, 71, 93, 93b naar Piazza di Santa Maria Maggiore en veel lijnen naar Piazza dei Cinquecento. 14. Termini, Cavour. **Open** dag. 7.00-20.00 uur (okt.- maart: 19.00) (toegang tot 15 min. voor sluitingstijd).

★ **Mozaïek: kroning van de Maagd**
Dit is de centrale scène in een reeks apsismozaïeken van de Maagd, door Jacopo Torriti (1295).

Baldacchino *(ca. 1740)*
De zuilen van rood porfier en brons zijn het werk van Ferdinando Fuga.

★ **Tombe van kardinaal Rodriguez**
De gotische tombe (1299) met Cosmatesk marmerwerk.

★ **Cappella Sistina**
Domenico Fontana bouwde de kapel voor paus Sixtus V (1585-1590). Hier staat ook de tombe van de paus.

Zuil op Piazza Santa Maria Maggiore
In 1615 is op deze klassieke marmeren zuil een bronzen Maagd met Kind geplaatst. De zuil komt uit de Basilica van Constantijn op het Forum.

STERATTRACTIES

★ **Cappella Sistina**

★ **Mozaïek van de kroning van de Maagd**

★ **Cappella Paolina**

★ **Tombe van kardinaal Rodriguez**

Boog van Gallienus **6**

Via Carlo Alberto. **Kaart** 6 D4. 🚌 4, 9, 16, 70, 71. **M** Vittorio Emanuele.

Net achter de Via Carlo Alberto staat tussen twee gebouwen de middelste boog geklemd van een poort die oorspronkelijk drie bogen had. Hij was opgericht ter ere van keizer Gallienus, die in 262 door zijn Illyrische officieren werd vermoord. Hij staat op de plaats van de oude poort van de Esquilijn in de Muur van Servius, waarvan nog enkele resten te zien zijn.

De ter ere van keizer Gallienus opgerichte boog

Santa Bibiana **7**

Via Giovanni Giolitti 154. **Kaart** 6 F4. 🇨 731 33 62. 🚌 11, 71. **M** Vittorio Emanuele. **Open** dag 7.00-10.00, 16.30-19.30 uur (okt.-maart: 19.00).

De bedrieglijk eenvoudige gevel van Santa Bibiana was Bernini's eerste visitekaartje. Het is een helder, economisch ontwerp met pilasters aan de bovenkant en schaduwrijke zuilengangen. De kerk is gebouwd op het terrein waar het paleis van de familie van Santa Bibiana

Vroeg beeld van Bernini van de martelares Santa Bibiana (1626)

stond. Hier is de heilige begraven nadat ze met loden koorden was doodgeslagen tijdens de korte vervolging van christenen onder Julianus Aposata (361-363). Vlak bij de ingang staat de zuil waar Bibiana doodgeranseld zou zijn. In een albasten urn onder het altaar worden haar resten bewaard, evenals die van haar moeder Dafrosa en haar zus Demetria, die ook de marteldood zijn gestorven. In een nis boven het altaar staat een beeld van Bibiana door Bernini – zijn eerste geheel geklede figuur. Ze staat naast een zuil en houdt de koorden beet waarmee ze is geslagen en lijkt op het punt te staan om te bezwijken.

Piazza Vittorio Emanuele II **8**

Kaart 6 E5. 🚌 14, 516, 517. **M** Vittorio Emanuele. Zie **Markten** blz. 338.

Het plein, kortweg Piazza Vittorio genoemd, is een van Romes belangrijkste openluchtmarkten. Het enorme plein met zuilengangen is gebouwd na de eenwording van Italië in 1870 tijdens de grootse verbouwing van Rome. Het is genoemd naar de eerste koning van Italië. De galerijen zijn stofel, met winkels en kraampjes die allerlei goedkope schoenen en kleren verkopen, van gymschoenen tot trouwjurken. In de net zo verwaarloosde tuinen in het midden van het plein ligt een aantal mysterieuze ruïnes, onder meer een grote grafheuvel, de resten van een 3de-eeuwse Romeinse fontein en de Porta Magica, een merkwaardige deur uit de 17de eeuw met alchemistische tekens en formules.

Museo Nazionale d'Arte Orientale **9**

Via Merulana 248. **Kaart** 6 D5. 🇨 73 59 46. 🚌 4, 9, 16, 70, 71, 93, 93b, 613. **M** Vittorio Emanuele. **Gesloten** wegens restauratie.

Het museum is gehuisvest in een deel van het laat-19de-eeuwse Palazzo Brancaccio, waar sinds 1957 het Italiaanse Instituut voor het Midden- en Verre Oosten zetelt. De collectie reikt van prehistorisch Iraans keramiek, sculpturen uit Afghanistan, Nepal, Kasjmir en India tot 18de-eeuwse Tibetaanse schilderijen op velijn. Uit het Verre Oosten zijn er collecties Japanse zeefdrukken en Chinese jade. De vreemdste voorwerpen zijn de vondsten van een Italiaanse opgraving van de oude beschaving van Swat in

14de-eeuws jade **reliëf uit Kasjmir**

Auditorium van Maecenas ⑩

Largo Leopardi. **Kaart** 6 D5.
🚌 4, 9, 16, 70, 71, 81, 93, 93b.
613. Ⓜ Vittorio Emanuele. **Open** di-
zo 9.00-13.30 uur; ook april-sept.:
do, za 16.00-19.00 uur. 📷 ⚠

Maecenas, de dandy, fijn-
proever en beschermer
der kunsten, was ook zijn
leven lang een scherpzinnig
adviseur van keizer Augustus.
Hij was onmetelijk rijk, en
spendeerde een deel van zijn
vermogen om een fantastische
villa met tuinen aan te leggen
op de Esquilijn. Het meeste
hiervan is echter allang verdwenen onder de moderne
stad. Het deels herbouwde
auditorium, eenzaam op een
vluchtheuvel, is al wat rest.
Binnen wijst de halve cirkel
met rijen zitplaatsen erop dat
het misschien is gebruikt voor
lezingen en uitvoeringen. In
dat geval vermaakten hier zijn
protégés, de lyrische dichter
Horatius en Vergilius, de auteur van de *Aeneis*, hun beschermer met hun laatste
werk. Er zijn echter ook waterleidingen ondekt en wellicht was het een *nymphaeum*

18de-eeuwse impressie van het Gouden Huis van Nero

Gouden Huis van Nero ⑪

Domus Aurea, Via Labicana 136.
Kaart 5 C5. 💷 699 01 10. 🚌 15, 81,
85, 87, 186. **Gesloten** wegens restauratie; bel Soprintendenza
Archeologica di Roma op bovenver-
meld nummer (8.00-13.30 uur).

Verbrek met fresco's in de ruïnes
van het Gouden Huis van Nero

Nadat hij volgens de legende in 64 n.C. Rome in
brand had gestoken, besloot
Nero een enorm, nieuw pa-
leis voor hemzelf te bouwen.
Het besloeg een deel van de
Palatijn en bijna de gehele
Coelius en Esquilijn – ongeveer 25 maal de omvang van
het Colosseum. In de hal op
de Palatijn stond een kolossaal, verguld beeld van Nero.
Er was een kunstmatig meer,
met tuinen en bossen waar in-
gevoerde wilde dieren mochten rondwalen. In Suetonius'
biografie van Nero staat dat
de paleismuren met goud en
parelmoer waren bekleed,
zalen hadden plafonds waaruit bloemen of reukstoffen
neerdaalden; de eetzaal draaide rond en de baden hadden
zowel zwavelhoudend water
als zeewater.

Tacitus beschreef de tuinfees-
ten van Nero: banketten werden geserveerd op bootjes en
in bordelen aan het meer,
waar vrouwen van adel de
dienst uitmaakten. Nero heeft
niet lang van zijn nieuwe huis
genoten: in 68 pleegde hij
zelfmoord.

Zijn opvolgers wilden zich
graag distantiëren van de
monsterlijke keizer en deden
hun uiterste best elk spoor
van het paleis uit te wissen.
Vespasianus legde het meer
droog en bouwde er het
Colosseum (blz. 92-95). Titus
en Trajanus lieten er elk een
complex thermen aanleggen
en Hadrianus bouwde de
Tempel van Venus en Rome
(blz. 87) op de hal.

Vertrekken van een vleugel
van het paleis zijn bewaard gebleven, maar bedolven onder
de ruïnes van de Thermen van
Trajanus op de Colle Oppio.
Er zijn nog enkele muurschilderingen te zien, maar de onderaardse kamers zijn vochtig
en gevaarlijk. Sinds een aard-
verschuiving in 1984 zijn ze
voor publiek gesloten.

– een soort zomerverblijf –
met fonteinen. De muren bevatten nog sporen van fresco's: u ziet tuinscènes en een
processie van kleine figuren,
onder wie een dronken
Dionysus, overeind gehouden
door een sater.

Nepalese bodhisattva in het Museo
Nazionale d'Arte Orientale

Noordoost-Pakistan. Deze
boeiende cultuur bloeide van
de 3de eeuw v.C. tot circa de
10de eeuw n.C. De prachtige
exotische en sensuele reliëfs
tonen een ongebruikelijke
combinatie van hellenistische,
boeddhistische en hindoeïsti-
sche invloeden.

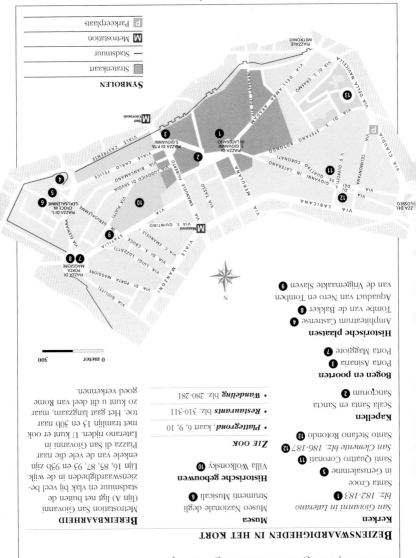
15de-eeuws fresco in de apsis van Santa Croce in Gerusalemme

LATERAAN

Het Lateraans Paleis (Palazzo del Laterano) was in de Middeleeuwen de residentie van de pausen; de Basilica di San Giovanni ernaast deed wat pracht betreft niet onder voor de Sint Pieter. Na de terugkeer van de pausen uit Avignon eind 14de eeuw daalde het aanzien van de wijk. Pelgrims kwamen nog

zowel de San Giovanni als de de Santa Croce in Gerusalemme bezoeken, maar het gebied bleef dunbevolkt, tot Rome in 1870 hoofdstad van Italië werd. Er werd een netwerk van straten aangelegd om de stroom nieuwe bewoners te huisvesten. Archeologisch interessant zijn vooral de Aureliaanse Muur en de resten van het Aquaduct van Nero.

Engel in San Giovanni in Laterano

BEREIKBAARHEID

Metrostation San Giovanni (lijn A) ligt net buiten de stadsmuur en vlak bij veel bezienswaardigheden in de wijk. Lijn 16, 85, 87, 93 en 93b zijn enkele van de vele die naar Piazza di San Giovanni in Laterano rijden. U kunt er ook met tramlijn 13 en 30b naar toe. Het gaat langzaam, maar zo kunt u dit deel van Rome goed verkennen.

BEZIENSWAARDIGHEDEN IN HET KORT

Kerken
San Giovanni in Laterano blz. 182-183 ❶
Santa Croce in Gerusalemme ❺

Kapellen
Scala Santa en Sancta Sanctorum ❷

Bogen en poorten
Porta Asinaria ❸
Porta Maggiore ❼

Historische plaatsen
Amphitheatrum Castrense ❹
Tombe van de Bakker ❽
Aquaduct van Nero en Tomben van de Vrijgemaakte Slaven ❾

Musea
Museo Nazionale degli Strumenti Musicali ❻

Historische gebouwen
Villa Wolkonsky ❿

Santi Quattro Coronati ⓫
San Clemente blz. 186-187 ⓬
Santo Stefano Rotondo ⓭

ZIE OOK
• *Plattegrond*, kaart 6, 9, 10
• *Restaurants* blz. 310-311
• *Wandeling* blz. 280-281

SYMBOLEN

Stratenkaart
— Stadsmuur
M Metrostation
P Parkeerplaats

0 meter 300

Onder de loep: Piazza di San Giovanni

Zowel de Basilica di San Giovanni als het Lateraanse Paleis zien uit op een enorme open ruimte, Piazza di San Giovanni, dat eind 16de eeuw is aangelegd met een Egyptische obelisk, de oudste in Rome, in het midden. Helaas doet het verkeer dat Rome via de Porta San Giovanni binnenkomt en verlaat, afbreuk aan de grandeur. Aan de overkant van het plein ziet u de Scala Santa (de heilige trap), een van de meest vereerde relikwieën in Rome en een doel van veel pelgrims. In de wijk vinden ook politieke bijeenkomsten plaats. Op het feest van San Giovanni op 23 juni is er een markt waar Romeinen grote hoeveelheden slakken naar binnen werken.

De kapel van Santa Rufina, oorspronkelijk de galerij van het baptisterium, bezit een 5de-eeuws mozaïek in de apsis.

VIA DI SANTO STE

VIA DELL'AMBA ARADAM

VIA DEI LATERANI

De kruisgang van San Giovanni heeft gelukkig de twee branden overleefd die de vroege basilica verwoestten. De kruisgang is een 13de-eeuws meesterwerk van mozaïekkunst en bezit fragmenten van de middeleeuwse basilica.

Het Piazza di San Giovanni in Laterano heeft een obelisk en delen van Nero's Aquaduct. Het schilderij van Canaletto laat zien hoe het piazza er ooit uitzag.

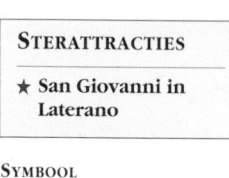

STERATTRACTIES

★ **San Giovanni in Laterano**

SYMBOOL

– – – Aanbevolen route

0 meter   75

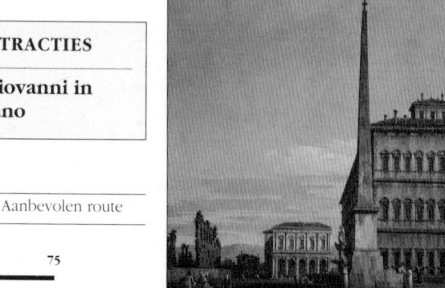

De kapel van San Venanzio is gedecoreerd met een reeks 7de-eeuwse mozaïeken tegen een gouden achtergrond. Op dit detail uit de apsis is een van de engelen te zien die de centrale Christusfiguur flankeren. San Venanzio was een talentvol Latijns dichter uit de 6de eeuw.

ORIËNTATIEKAART
Zie kaart centrum Rome blz. 12-13

Het Lateraans Paleis was de residentie van de pausen tot 1309 en is in 1586 verbouwd door Domenico Fontana.

★ **San Giovanni in Laterano**
Het 17de-eeuwse interieur is van Borromini, maar de grootse façade van Alessandro Galilei, met de enorme beelden van Christus en de apostelen, dateert uit 1735 ❶

Scala Santa
Door deze deur boven aan de trap komt u in het Sancta Sanctorum, de privé-kapel van de paus ❷

Het Triclinio Leoniano is een stuk muur met mozaïek uit de eetzaal van de 8ste-eeuwse paus Leo III.

Porta Asinaria
De kleine poort wordt niet meer gebruikt; hij is even oud als de Aureliaanse Muur (3de eeuw) ❸

San Giovanni in Laterano ❶

blz. 182-183.

Scala Santa en Sancta Sanctorum ❷

Piazza di San Giovanni in Laterano 14. **Kaart** 9 C1. 📞 70 09 44 89. 🚌 4, 15, 16, 81, 85, 87, 186 en veel andere lijnen. 🚊 13, 30b. Ⓜ San Giovanni. **Open** april-sept.: dag. 6.00-12.00, 14.30-18.30 uur; okt.-maart: dag. 6.00-12.30, 15.00-19.00 uur. 🚻

Gelovigen beklimmen de Scala Santa op hun knieën

Aan de oostkant van het Piazza di San Giovanni in Laterano huisvest het door Domenico Fontana ontworpen gebouw (1589) twee resterende delen van het oude Lateraanse Paleis. Het betreft de privé-kapel van de paus, de Sancta Sanctorum, en de heilige trap, de Scala Santa. Volgens de legende beklom Christus de 28 treden naar het huis van Pontius Pilatus tijdens zijn verhoor. De moeder van keizer Constantijn, Helena, zou de trap uit Jeruzalem hebben meegenomen. Dit verhaal echter komt niet eerder dan de 7de eeuw voor. Paus Sixtus V (paus 1585-1590) liet de trap naar de huidige plek brengen toen het oude Lateraans Paleis was vernield. Geen voet mag de heilige treden raken, dus zijn ze met hout bekleed. Alleen gelovigen mogen ze beklimmen, op hun knieën, een boetedoening die vooral op Goede Vrijdag wordt uitgevoerd. In de hal zijn diverse 19de-eeuwse beelden te zien, onder meer een *Ecce Homo* van Giosuè Meli (1874).

De Scala Santa en de twee trappen ernaast leiden naar de Kapel van Laurentius of het Sancta Sanctorum (heilige der heiligen), die paus Nicolaas III in 1278 bouwde. De kapel bezit veel belangrijke relikwieën. De kostbaarste is wel een portret van Jezus – het *Acheropoëton* of 'portret dat zonder handen is gemaakt'. Het zou het werk van Lucas zijn, bijgestaan door een engel. In de Middeleeuwen voerde men het schilderij in processies mee om epidemieën af te wenden.

Porta Asinaria ❸

Tussen Piazza di San Giovanni en Piazzale Appio. **Kaart** 10 D2. 🚌 4, 15, 16, 81, 85, 87. 🚊 13, 30b. Ⓜ San Giovanni. *Zie Markten blz. 339.*

De Porta Asinaria (ezelspoort) is een van de kleinere poorten in de Aureliaanse Muur (blz. 196). Later zijn dubbele, ronde torens toegevoegd en een kleine ommuring rondom de ingang; de resten zijn tot op heden te zien. Aan de buitenkant kunt u de witte travertijnen gevel van de poort zien en twee rijen kleine ramen. Hierdoor valt licht in twee gangen in de muur boven de poort. In 546

Binnenkant van de Porta Asinaria

openbaar uitheemse, verraderlijke soldaten in Romeinse dienst deze doorgang voor de horden van de Goot Totila, die de stad genadeloos plunderde. In 1084 kwam de keizer van het Heilige Roomse Rijk, Hendrik IV, Rome binnen via de Porta Asinaria met de tegenpaus Guibert om de afgezette Gregorius VII te verjagen. De redder van de paus, de Noorman Robert Guiscard, beschadigde later in dat jaar de poort ernstig. Het hele gebied rondom San Giovanni in Laterano stak hij in brand. Vlak bij de poort, vooral in de Via Sannio, stuit u op een populaire vlooienmarkt. De hele week is de straat vol kramptjes die goedkope kleding aanbieden, nieuw en tweedehands, schoenen en kampeerartikelen.

Amphitheatrum Castrense ❹

Tussen Piazza di Santa Croce in Gerusalemme en Viale Castrense. **Kaart** 10 E1. 🚌 9. 🚊 13, 30b. *Gesloten voor publiek.*

In dit kleine 3de-eeuwse amfitheater vonden spektakels met dieren plaats. Het is bewaard gebleven doordat het deel uitmaakt van de Aureliaanse Muur (blz. 196), die diverse bestaande grote gebouwen in de versterkingen opnam. De sierlijke bogen, omlijst door stenen halfzuilen, zijn dichtgemetseld. Het amfitheater ziet u het best van buiten de muur, vanwaar ook de klokketoren van Santa Croce in Gerusalemme goed zichtbaar is.

Zuilen en dichtgemetselde bogen van het Amphitheatrum Castrense

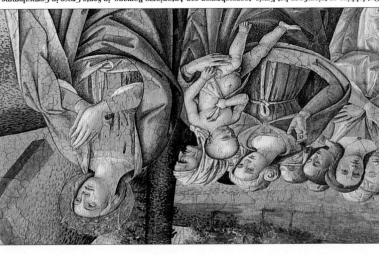

Ontdekking en triomf van het Kruis, toegeschreven aan Antoniazzo Romano, in Santa Croce in Gerusalemme

Santa Croce in Gerusalemme ❺

Piazza di Santa Croce in Gerusalemme. **Kaart** 10 E1. **■** 701 47 69. **□** 12, 9. **□** 13, 30b. **Open** dag. 6.00-12.30, 15.30-19.30 uur (okt.-juni 18.30).

Helena, de moeder van keizer Constantijn, stichtte de kerk in 320 op het terrein van haar eigen paleis. Hoewel de kerk aan de rand van de stad stond, werd ze een bedevaartsoord vanwege de relikwieën van de Kruisgang die Helena uit Jeruzalem

18de-eeuws beeld van Helena op de gevel van Santa Croce

had meegebracht. Het belangrijkst zijn stukjes van Christus' kruis (*croce* betekent Kruis) en een deel van de inscriptie van Pontius Pilatus in het Latijn, Hebreeuws en Grieks: 'Jezus van Nazareth, Koning der Joden'. In de crypte staat een Romeins beeld van Juno dat in Ostia is gevonden (*blz. 270-271*). Het 15de-eeuwse fresco in de apsis toont middeleeuwse legenden die rond het kruis zijn ontstaan. Op één tafereel herovert de Byzantijnse keizer Heraclius het kruis na bloedige strijd op de Perzen. Midden in de apsis staat een tombe van Jacopo Sansovino, gemaakt voor kardinaal Quiñones (overleden 1540), biechtvader van keizer Karel V.

Museo degli Strumenti Musicali ❻

Museo degli Strumenti Musicali, Piazza di Santa Croce in Gerusalemme. **Kaart** 10 E1. **■** 701 47 96. **□** 9. **□** 13, 30b. **Open** ma-za 9.00-14.00 uur (toegang tot 13.00). **Gesloten** feestdagen. **☉** *Niet gratis.*

Het museum staat op het terrein van het Sessoria-num, de uitgestrekte villa van keizerin Helena. Later is het paleis opgenomen in de Aureliaanse Muur. Het in 1974 geopende museum bevat een collectie van ruim 3000 instrumenten uit de hele wereld. Er zijn typische instrumenten uit de diverse regio's van Italië en blaas-, snaar- en slaginstrumenten van alle tijden (ook Egyptische, Griekse en Romeinse). Er zijn ook afdelingen gewijd aan kerkmuziek en militaire muziek. Barokinstrumenten zijn het talrijkst vertegenwoordigd: de prachtige Barberini-harp op de eerste verdieping in zaal 13 mag u niet missen. Hij is opmerkelijk goed bewaard gebleven. Er staan veel verschillende soorten spinetten, klavecimbels en clavichords en een van de allereerste piano's, uit 1722.

Art nouveau-ingang van het museum voor muziekinstrumenten

San Giovanni in Laterano ❶

Begin 4de eeuw viel de familie Laterani in ongenade en nam keizer Constantijn haar land in bezit om er de eerste christelijke basilica van Rome te bouwen. De huidige kerk heeft de originele vorm, maar is twee keer door brand verwoest en diverse malen herbouwd. Borromini voerde in 1646 de laatste ingrijpende verbouwing van het interieur uit. Voordat de paus in 1309 in Avignon in ballingschap ging, was het Lateraans Paleis ernaast het officiële pauselijke verblijf. Tot 1870 zijn alle pausen in de kerk gekroond. In deze hoofdkathedraal van Rome viert de paus de mis van Witte Donderdag en woont de jaarlijkse zegening van het volk bij.

Cappella di San Venanzio
De kapel is vastgebouwd aan het baptisterium en versierd met 7de-eeuwse mozaïeken.

Ingang van het museum

Apsis

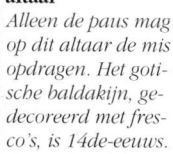

Pauselijk altaar
Alleen de paus mag op dit altaar de mis opdragen. Het gotische baldakijn, gedecoreerd met fresco's, is 14de-eeuws.

★ Kruisgang
De kruisgang, omstreeks 1220 gebouwd door de familie Vassalletto, valt op door de gedraaide, dubbele zuilen en het marmeren inlegwerk.

TIJDBALK

300 n.C.		800		1000		1400	
313 Constantijn schenkt het landgoed van de Laterani aan paus Melchiades			**896** Kerk beschadigd bij aardbeving	**1144** Kerk gewijd aan San Giovanni in Laterano			**1646** Borromini verbouwt interieur
314-318 Basiliek met vijf zijbeuken wordt gebouwd				**1309** Pauselijke ballingschap in Avignon	**1377** Terugkeer van pausen uit Avignon		
324 Paus Sylvester I neemt kerk in gebruik; wijding aan de Verlosser	**904-911** Kerk herbouwd onder paus Sergius III		**1300** Afkondiging eerste jubeljaar	**1308** Kerk verwoest door brand	**1360** Kerk opnieuw afgebrand	**1586** Domenico Fontana bouwt noordgevel	
						1730-1740 Alessandro Galilei bouwt hoofdfaçade	

★ Baptisterium
Het is flink gerestaureerd, maar het baptisterium met koepel dateert uit de tijd van Constantijn. Het kreeg de huidige achthoekige vorm in 432; het ontwerp diende als model voor doopkapellen in de hele christelijke wereld.

TIPS VOOR DE TOERIST

Piazza di San Giovanni in Laterano 4. **Kaart** 9 C2. 69 86 43. 4, 15, 16, 85, 87, 93, 93b en andere lijnen naar Piazza San Giovanni. San Giovanni. 13, 30b. **Kerk en kruisgang open** dag. 7.00-19.00 (okt.-mrt: 18.00) . **Baptisterium open** dag. 9.00-13.00, 16.00-18.00 uur. **Museum open** 9.00-13.00, 15.00-17.00 uur ma-vr. **Toegangsprijs** voor kruisgang en museum.

Noordzijde
Domenico Fontana schiep deze in 1586. De paus geeft zijn zegen vanaf de loggia bovenin.

STERATTRACTIES

★ Baptisterium

★ Kruisgang

Het originele Lateraans Paleis werd bijna geheel verwoest door de brand in 1308 die San Giovanni in de as legde. Paus Sixtus V gaf in 1586 Fontana opdracht voor herbouw.

Beelden van Christus en de Apostelen

Fresco van Bonifatius VIII
Dit fragment, waarop de paus het jubeljaar 1300 afkondigt, wordt toegeschreven aan Giotto.

Een zijdeur gaat elke 25 jaar open voor een jubeljaar.

Hoofdingang aan oostzijde

HET VEROORDEELDE LIJK
Angst voor partijenstrijd ging bij de vroege pausen buitengewoon ver. Een bizar voorval vond plaats in 897 toen paus Stefanus VI het lijk van zijn voorganger, Formosus, veroordeelde wegens ontrouw aan de kerk. Het lijk werd verminkt en in de Tiber gegooid.

Paus Formosus

Corsini-kapel
Deze kapel is omstreeks 1730 gebouwd voor paus Clemens XII. Het altaarstuk is een mozaïekkopie van Guido Reni's schilderij van Sant'Andrea Corsini.

Porta Maggiore ❼

Piazza di Porta Maggiore. **Kaart** 6 F5.
🚋 105. 🚌 13, 14, 19, 19b, 516, 517.

Aanvankelijk waren de twee bogen van de Porta Maggiore geen deel van de stadsmuur, maar van een aquaduct dat keizer Claudius in 52 n.C. had laten bouwen. Het water van de Aqua Claudia werd over de Via Labicana en Via Prenestina geleid, in het klassieke Rome twee doorgaande wegen naar het zuiden. De originele weg kunt u nog onder de poort herkennen. Let op de grote sporen die generaties karrewielen hebben achtergelaten in de grote platen basalt. Boven op de bogen stroomde het water van twee aquaducten door gescheiden leidingen ten: de Aqua Claudia en het latere Aquaduct van Nero. Er staan inscripties op de tijd van keizer Vespasianus en Titus, die ze in 71 en 81 lieten vernieuwen. In totaal kwamen zes aquaducten van afzonderlijke bronnen bij de Porta Maggiore de stad binnen.

De Aqua Claudia was 68 km lang, waarvan 15 km boven de grond. De majestueuze bogen zijn een opvallend landschap; een populair merk mineraalwater heet nog steeds zo. De bogen van een deel van de Aqua Claudia zijn dichtgemetseld toen ze in de 3de-eeuwse Aureliaanse Muur werden verwerkt.

Porta Maggiore, een stadspoort in de bogen van een aquaduct.

De Tombe van de Bakker ❽

Piazzale Labicano. **Kaart** 6 F5.
🚋 105. 🚌 13, 14, 19, 19b, 516, 517.

Midden op het tramknooppunt bij de Porta Maggiore staat de tombe van de rijke bakker Eurysaces en zijn vrouw Atistia in 30 v.C. Volgens Romeins gebruik waren begrafenissen binnen de stadsmuren verboden. Langs de wegen die de stad uit liepen, verrezen monumenten voor de goede en rijke Romein. De tombe heeft de vorm van een bakoven; op een bas-reliëf aan de bovenkant ziet u Eurysaces en zijn slaven bij de diverse fasen van het bakproces. De inscriptie vermeldt trots zijn afkomst. Hij was een vrijemaakte slaaf. Velen spaarden net als hij hun karig slavenloon op, kochten zich vrij en begonnen voor zichzelf.

Reliëf toont bakken van brood op de tombe van de bakker Eurysaces

Aquaduct van Nero en Tombe van de Vrijgemaakte Slaven ❾

Kruising Via Statilia en Via Santa Croce in Gerusalemme. **Kaart** 10 D1.
🚋 9, 105. 🚌 13, 14, 19, 19b, 30b.
Wend u voor toestemming tot:
Ripartizione X (blz. 367).

Nero bouwde het aquaduct in de 1ste eeuw als een uitbreiding van de Aqua Claudia. Later werd het uitgebreid om zijn paleizen op de Palatijn van water te voorzien. De enorme bogen, deels in recentere bouwwerken opgenomen, banen zich een weg via het Lateranen naar de Coelius. Langs het eerste deel van het aquaduct, in de Via Statilia, staat een kleine tombe uit de 1ste eeuw v.C. in de vorm van een huis. Er staan namen en figuren van een groepje vrijgelatenen op. De naam Statilii duidt erop dat de edele Statilii hen hebben vrijgekocht, familie van Claudius' beruchte vrouw Messalina. Slaven van families spaarden vaak met elkaar voor een waardige begrafenis.

Reliëf op Tombe van de Vrijgemaakte Slaven

Een deel van het Aquaduct van Nero bij San Giovanni

Villa Wolkonsky ⑩

Via Conte Rosso. **Kaart** 10 D1.
🚋 *4, 81.* 🚊 *13, 30b.* **Gesloten voor publiek.**

De villa heeft een schitterende tuin, bezaaid met Romeinse resten, compleet met bogen van de Aqua Claudia en een columbarium (collectief graf) uit de 2de eeuw n.C.
Momenteel is de villa residentie van de Britse ambassadeur en niet toegankelijk voor het publiek.

Santi Quattro Coronati ⑪

Via dei Santi Quattro Coronati 20. **Kaart** 9 B1. 🕿 *73 33 21.* 🚋 *15, 81.* 🚊 *85, 87, 118.* 🚋 *13, 30b.* **Open** *ma-za 9.30-12.00, 15.30-18.00 uur (okt.-maart: 9.30-12.00).* 🚻 ♿ 📷

Kruisgang van Santi Quattro Coronati

De naam van het versterkte klooster (vier gekroonde heiligen) verwijst naar vier christelijke soldaten die de marteldood stierven na hun weigering een heidense god te aanbidden. Eeuwenlang was dit het bastion van het pauselijke verblijf, het Lateraans Paleis. De hoge apsis steekt nog steeds dreigend boven de huizen uit, terwijl een Karolingische toren de ingang beheerst. Het klooster, verrezen in de 4de eeuw, is herbouwd na de inval van de Noormannen in 1084, die het gebied in brand hadden gestoken. De tuin ligt binnen verscholen met de prachtige kloostergang uit 1220 (toegang op verzoek), een van de eerste in zijn soort.
De resten van middeleeuwse fresco's zijn te zien in de Kapel van Santa Barbara, maar de attractie van het klooster is de Kapel van Sylvester: de curieuze fresco's (1246) geven de legende weer van paus Sylvester (paus 314-335), die keizer Constantijn (paus 314-335), die keizer Constantijn tot het christendom bekeert. De paus leidde destijds als kluizenaar op de Monte Soratte, ten noorden van Rome. De door de pest getroffen Constantijn moet een bad nemen in kinderbloed, tot afschuw van de moeders van Rome. Hij kan zich er niet toe brengen en wordt door Petrus en Paulus bezocht in een droom. Ze geven de raad naar Sylvester te gaan, die hem geneest en doopt.

San Clemente ⑫

Blz. 186-187.

Santo Stefano Rotondo ⑬

Via di Santo Stefano 7. **Kaart** 9 B2. 🕿 *70 49 37 17.* 🚊 *15, 118, 673.* **Open** *ma-vr 9.00-12.00 uur.* 📷

De tussen 468 en 483 gebouwde Santo Stefano Rotondo is een van de oudste christelijke kerken in Rome. Ze heeft een afwijkend, rond grondvlak met vier kapellen die in de vorm van een kruis uitsteken. Concentrische gangen met 22 Ionische zuilen omringden het ronde interieur. De hoge trommel in het midden is 22 m hoog en even breed. Het licht valt door 22 hoge ramen. Enkele zijn gerenoveerd of dichtgemetseld bij restauraties onder paus Nicolaas V (paus 1447-1455), die de Florentijnse architect Leon Battista Alberti raadpleegde. De galerij, die op twee hoge zuilen in het midden van de kerk rust, is wellicht in deze periode toegevoegd, toen de buitenste gang werd verwijderd.
In de 16de eeuw heeft Niccolò Pomarancio de kerkmuren van fresco's voorzien met bijzonder gruwelijke marteltaferelen van talloze heiligen. De middeleeuwse decoratie is in de kapellen nog gedeeltelijk bewaard. In de eerste kapel links van de ingang is een 7de-eeuws mozaïek te zien met Christus, San Primo en San Feliciano.

Opvallende contouren van Santo Stefano Rotondo

Fresco van Sylvester en Constantijn in Santi Quattro Coronati

San Clemente ⑫

Dank zij drie bouwlagen kunt u in de San Clemente in de tijd terugreizen. Op straatniveau staat de 12de-eeuwse kerk, eronder ligt een 4de-eeuwse kerk, en daaronder weer oude Romeinse gebouwen, waaronder een Mithrastempel. De verering van Mithras was een zuiver mannelijke cultus, geïmporteerd uit Perzië in de 1ste eeuw v.C. en in Rome een rivaal van het christendom.

De bovenlaag is gewijd aan de heilige Clemens, de vierde paus, die naar de Krim werd verbannen en, vastgebonden aan een anker, in het water werd geworpen. Enkele fresco's in de kerk beelden scènes uit zijn leven af. In de 17de eeuw namen Ierse dominicanen de kerk over. Het door vader Mullooly in 1857 begonnen opgravingswerk zetten zij nog voort.

De ingang van de kerk is een deur in de Via di San Giovanni in Laterano.

Paaskandelaar
Deze 12de-eeuwse gedraaide kandelaar, bekleed met schitterend mozaïek, is een mooi voorbeeld van Cosmatenwerk.

18de-eeuwse gevel
Voor de galerij zijn 12de-eeuwse zuilen gebruikt.

★ **Cappella di Santa Caterina**
De herstelde fresco's van de 15de-eeuwse Florentijnse kunstenaar Masolino bevatten scènes uit het leven van de martelares Catharina van Alexandrië.

12de-eeuwse kerk

4de-eeuwse kerk

Piscina
De diepe put is in 1967 ontdekt. Misschien fungeerde hij als doopvont of fontein.

1ste-3de-eeuwse tempel en gebouwen

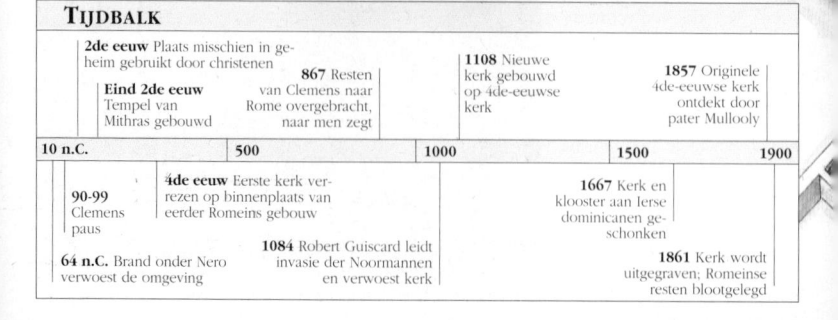

TIJDBALK

2de eeuw Plaats misschien in geheim gebruikt door christenen	**867** Resten van Clemens naar Rome overgebracht, naar men zegt	**1108** Nieuwe kerk gebouwd op 4de-eeuwse kerk	**1857** Originele 4de-eeuwse kerk ontdekt door pater Mullooly
Eind 2de eeuw Tempel van Mithras gebouwd			

10 n.C.	500	1000	1500	1900

90-99 Clemens paus	**4de eeuw** Eerste kerk verrezen op binnenplaats van eerder Romeins gebouw		**1667** Kerk en klooster aan Ierse dominicanen geschonken
64 n.C. Brand onder Nero verwoest de omgeving	**1084** Robert Guiscard leidt invasie der Noormannen en verwoest kerk		**1861** Kerk wordt uitgegraven; Romeinse resten blootgelegd

★ **Apsismozaïek**
Op de 12de-eeuwse
Triomf van het
Kruis zijn ook
dieren en acan-
thusbladeren en
detail te zien.

Schola Cantorum
De 6de-eeuwse
kooromheining is
betrokken bij de
nieuwe, in 1108
gebouwde kerk.

TIPS VOOR DE TOERIST

Via di San Giovanni in Laterano.
Kaart 9 B1. 🚋 70 45 10 18.
🚌 81, 85, 87, 93, 186 naar Via
Labicana. Ⓜ Colosseo. 🚎 13, 30b
naar Colosseo. **Open** dag. 9.00-
12.30, 15.30-18.30 uur (okt.-
maart: 18.00). **Toegangsprijs**
voor opgravingen. ✝ 📷

★ **Triclinium en
altaar van Mithras**
Het altaar, met
een reliëf waarop
Mithras een stier
doodt, staat in het
triclinium, een
zaal voor rituele
maaltijden.

**Tempel van
Mithras**

★ **11de-
eeuwe
fresco's**
De familie Rapiza was
opdrachtgever; u ziet onder
meer een jongen die levend
werd aangetroffen in de tombe
van Clemens onder de Zwarte Zee.

Catacombe
De in 1938 ont-
dekte catacombe
dateert uit de 5de of
6de eeuw en bevat
16 muurgraven,
loculi genaamd.

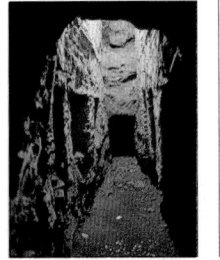

STERATTRACTIES

★ **Apsismozaïek**

★ **Cappella di Santa
Caterina**

★ **11de-eeuwse
fresco's**

★ **Triclinium en altaar
van Mithras**

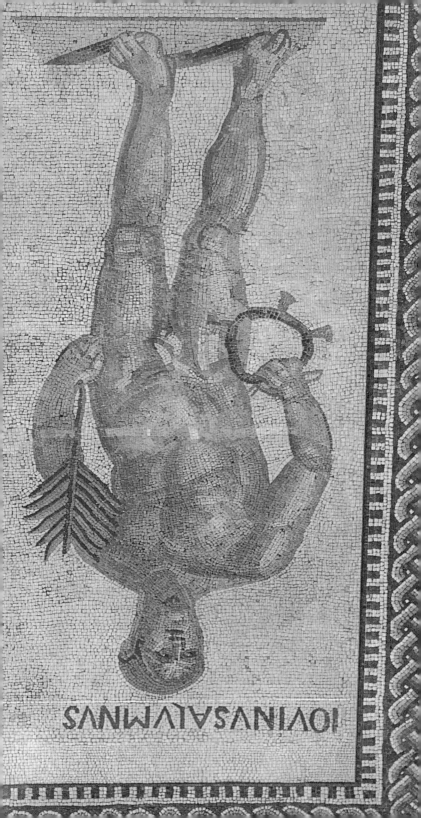

CARACALLA

D e Coelius biedt uit-
zicht op het Colos-
seum en is genoemd
naar Caelius Vibenna, de legendarische Romeinse held
in de strijd tegen de Tarquinii
(blz. 16-17). In de keizertijd
was het een modieuze wijk.
Van de grandeur van die
dagen resteren nog de uitgestrekte ruïnes van de Thermen
van Caracalla. Dank zij het begin

deze eeuw ingestelde ar-
cheologische zone is het
tegenwoordig een rustig
gebied, een groene strook
van de Aureliaanse Muur
naar het hart van Rome.
De met keien geplaveide Via
di Porta San Sebastiano loopt
erdoorheen en was ooit
een deel van de oude Via
Appia. Deze weg leidt naar de Porta
San Sebastiano.

Kapiteel van ruïnes in
Thermen van Caracalla

BEZIENSWAARDIGHEDEN IN HET KORT

Kerken
1 Santi Giovanni e Paolo
2 San Gregorio Magno
4 Santa Maria in Domnica
6 San Sisto Vecchio
7 Santi Nereo e Achilleo
8 San Cesareo
9 San Giovanni a Porta Latina
10 San Giovanni in Oleo
16 Santa Balbina

Tomben
11 Columbarium van
Pomponius Hylas
12 Tombe van de Scipio's

Historische gebouwen
17 VN Wereldlandbouw- en
Voedselraad (FAO)
18 Thermen van Caracalla

Parken en tuinen
5 Villa Celimontana

Bogen en poorten
3 Boog van Dolabella
13 Boog van Drusus
14 Porta San Sebastiano
en Aureliaanse Muur
15 Sangallo-bastion

BEREIKBAARHEID
Metrostation Circo Massimo is
handig voor een bezoek aan
de kerken en parken op de
Coelisheuvel. Neem lijn 90
of 118 langs de Viale delle
Terme di Caracalla voor de
Thermen van Caracalla en andere monumenten bij Porta
San Sebastiano. Andere lijnen,
zoals 93, 97 en 613, rijden
naar Piazzale Numa Pompilio,
een geschikte vertrekplaats
om de buurt te verkennen.

ZIE OOK
• *Plattegrond*, kaart 8, 9
• *Accommodatie* blz. 294-295
• *Restaurants* blz. 310-311

SYMBOLEN
Stratenkaart
— Stadsmuur
M Metrostation
P Parkeerplaats

0 meter   300

Onder de loep: de Coeliusheuvel

Als u op een morgen de groene hellingen van de Coelius verkent, ontdekt u een boeiend assortiment archeologische resten en mooie kerken. Een goede vertrekplaats is de kerk San Gregorio Magno, vanwaar de Clivo di Scauro naar de heuveltop leidt. De steile, smalle straat loopt langs de oude kerk Santi Giovanni e Paolo, met zuilengang en een fraaie romaanse klokketoren, die boven de omringende middeleeuwse kloostergebouwen uitsteekt. Het rustigste park is Villa Celimontana, met geometrisch aangelegde wandelpaden en lanen. Het park is geschikt voor een picknick; er zijn maar weinig bars en restaurants in de buurt.

Clivo di Scauro, de Romeinse *Clivus Scaurus*, leidt naar Santi Giovanni e Paolo, onder de luchtbogen van de kerk.

La Vignola is een prachtig renaissance-paviljoen, hier in 1911 herbouwd. Het had moeten wijken voor de aanleg van de archeologische zone rondom de Thermen van Caracalla.

San Gregorio Magno
Paus Gregorius de Grote stichtte hier eind 6de eeuw een klooster en een kapel **2**

Naar metro Circo Massimo

VIA DI SAN GREGORIO

CLIVO DI SCAURO

★ Santi Giovanni e Paolo
Een overdaad van kroonluchters verlicht het schip van de kerk. De vaak verbouwde kerk kreeg haar huidige uiterlijk in de 18de eeuw **1**

★ Villa Celimontana
De fraaie 16de-eeuwse villa is voor de familie Mattei gebouwd en staat nu midden in het openbare park **5**

Trams die vanaf het Colosseum over de Coelius rijden, ratelen via een pittoresk straatje door het Parco del Celio.

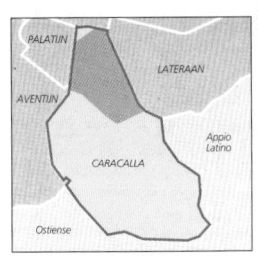

ORIËNTATIEKAART
Zie kaart centrum Rome blz. 12-13

Ruïnes van de Tempel van Claudius zijn te zien op een groot deel van de Coelius. De travertijnblokken zijn verwerkt in de sokkel van de klokketoren van Santi Giovanni e Paolo.

De ingang van San Tommaso in Formis is versierd met een schitterend 13de-eeuws mozaïek van Christus en twee bevrijde slaven, een blanke en een zwarte.

Boog van Dolabella
De boog uit de 1ste eeuw n.C. was vermoedelijk een stadspoort. De boog ging later op in het aquaduct van Nero naar de Palatijn ❸

★ **Santa Maria in Domnica**
De kerk staat bekend om haar 9de-eeuwse mozaïeken. De apostelen staan op de triomfboog boven de apsis en flankeren een medaillon met een Christusfiguur ❹

STERATTRACTIES

★ **Santi Giovanni e Paolo**

★ **Santa Maria in Domnica**

★ **Villa Celimontana**

SYMBOOL

– – – Aanbevolen route

0 meter   75

Santi Giovanni e Paolo ❶

Piazza Santi Giovanni e Paolo 13.
Kaart 9 A1. 📞 700 57 45. 🚌 11,
15, 27, 90, 118, 673. 🚋 13, 30b.
Ⓜ Colosseo of Circo Massimo. **Open**
za-do 8.30-12.00, 16.00-17.30 uur.
🚻 📷 ♿ alleen kerk (niet het
Romeinse huis).

Fresco's van Christus en de apostelen in Santi Giovanni e Paolo

S anti Giovanni e Paolo is
gewijd aan twee Romeinse
officieren die in het huis dat
hier stond de marteldood
stierven. Giovanni (Johannes)
en Paolo (Paulus) hadden de
eerste christelijke keizer ge-
diend, Constantijn. Toen zijn
heidense opvolger, Julianus
Apostata, hen onder de wape-
nen riep, weigerden ze en
werden in 362 in hun eigen
huis onthoofd.
De eind 4de eeuw gebouwde
kerk bezit nog veel elementen van de originele structuur.
De Ionische zuilengang dateert uit de 12de eeuw. De
apsis en de klokketoren voegde paus Adrianus IV toe (de
Engelsman Nicholas
Breakspeare, paus 1154-
1159). De basis van de schitterende 13de-eeuwse klokketoren was een deel van de
Tempel van Claudius die
hier stond. Evenals
vele romaanse klok-
ketorens bezit hij
marmeren inlegwerk
en keramiekmedail-
lons die het metsel-
werk verfraaien.
Het in 1718 gereno-
veerde interieur heeft granieten pijlers en zuilen. Een graf-
plaat in het schip duidt het
graf van de martelaren aan,
wier overblijfselen in een urn
onder het hoogaltaar worden
bewaard. In een kamertje bij
het altaar is op een schitterend 13de-eeuws fresco de
figuur van Christus geflankeerd door de apostelen
(vraag de koster of hij de
deur voor u opent).
Opgravingen onder de kerk
hebben twee Romeinse huizen
zen blootgelegd uit de 2de en
3de eeuw, die fungeerden als
christelijke begraafplaats. De
twee etages bevatten heidense en christelijke schilderingen. De bogen links van de
kerk behoorden tot een 3de-
eeuwse winkelstraat.

San Gregorio Magno ❷

Piazza di San Gregorio. **Kaart** 8 F2.
📞 700 82 87. 🚌 11, 15, 27, 118,
673. 🚋 13, 30b. Ⓜ Circo Massimo.
Open dag. 9.00-13.00, 16.00-19.00
uur. 🚻 📷

Gevel van San Gregorio Magno

V oor de Engelsen is dit een
van de belangrijkste ker-
ken in Rome, want vanhier
vertrok Augustinus op zijn
missie om Engeland tot het
christendom te bekeren. San
Gregorio Magno (Gregorius
de Grote) stichtte de kerk in
575. Van zijn familieverblijf
hier maakte hij een klooster.
In de Middeleeuwen is de
kerk verbouwd en in 1629-
1633 gerenoveerd door
Giovanni Battista Soria. U bereikt de kerk via een trap
vanaf de straat.
De voorhal bevat enkele interessante tomben: links staat
het graf van sir Edward Carne,
die tussen 1529 en 1533 meer-
malen naar Rome is gegaan
als gezant van koning Hendrik

VIII om toestemming van de
paus te krijgen voor de ont-
binding van het huwelijk tussen Hendrik en Catharina van
Aragon.
Het interieur, halverwege de
18de eeuw omgebouwd door
Francesco Ferrari, is typisch
barok, behalve de fraaie mozaïekvloer en een paar antieke zuilen. Aan het eind van
de rechter zijbeuk staat de
kapel van Gregorius. In een
andere kapel, de vermeende
cel van de heilige, staat de
bisschopsstoel – een Romeinse stoel van gebeeldhouwd
marmer. De Salviati-kapel
links bevat een portret van
Maria, die tot Gregorius zou
hebben gesproken.
Buiten staan drie kapellen,
gewijd aan Andreas, Sylvia
(de moeder van Gregorius de
Grote) en Barbara.

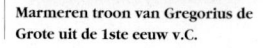

Marmeren troon van Gregorius de
Grote uit de 1ste eeuw v.C.

Apsismozaïek met Maagd en Kind in Santa Maria in Domnica

Boog van Dolabella ❸

Via di San Paolo della Croce.
Kaart 9 A2. 🚌 15, 118, 673.

De consuls Cornelius Dolabella en Caius Junius Silanus bouwden de boog in 10 n.C., waarschijnlijk op de plaats van een van de poorten in de oude Muur van Servius. Hij bestond uit massieve blokken travertijn, die Nero later gebruikte voor zijn uitbreiding van het aquaduct van Claudius. Nero had het water nodig voor zijn paleis.

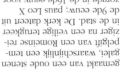

De Boog van Dolabella

Santa Maria in Domnica ❹

Piazza della Navicella 12. **Kaart** 9 A2.
📞 700 15 19. 🚌 15, 118, 673.
Open dag. 8.30-12.00, 15.30-19.00 uur (okt.-maart. 18.00). 🅳 ⓐ ♿ 🚻

De kerk ziet uit op het Piazza della Navicella (bootje), dat zijn naam ontleent aan de 16de-eeuwse fontein die daar staat. Deze is gemaakt van een oude stenen galei, waarschijnlijk een tempelgift van een Romeinse reiziger na een veilige terugkeer in de stad. De kerk dateert uit de 9de eeuw; paus Leo X zorgde in de 16de eeuw voor de zuilengang en het cassettenplafond.

De apsis achter het moderne altaar toont een schitterend 9de-eeuws mozaïek, besteld door paus Paschalis I. Met de vierkante aureool van de levenden verschijnt de paus voor Maria en het Kind. De Maagd, omringd door een grote groep engelen, houdt een zakdoekje vast als een deftige dame aan een Byzantijns hof.

Villa Celimontana ❺

Piazza della Navicella. **Kaart** 9 A2. **Park** 🚌 15, 81, 85, 87, 90, 118, 673. **open** dag. 7.00 uur-schemering.

De hertogen Mattei kochten het terrein in 1553 en maakten van de wijngaarden die de hellingen bedekten een geometrisch aangelegde tuin. Behalve palmen en andere exotische bomen heeft de tuin zelfs zijn eigen Egyptische obelisk. Villa Mattei, omstreeks 1580 gebouwd, heet nu Villa Celimontana en huisvest de Società Geografica Italiana. De Mattei openden het park gewoonlijk voor publiek op de dag van het Bezoek aan de Zeven Kerken, een jaarlijkse gebeurtenis die San Filippo Neri in 1552 had ingesteld. Vanaf de Chiesa Nuova (blz. 124) ging men te voet langs de zeven belangrijkste kerken in Rome. Eenmaal terug bij Villa Mattei kreeg men een maaltijd van brood, wijn, salami, kaas, een ei en twee appels. De tuin is nu eigendom van de gemeente Rome.

Park van Villa Celimontana

San Sisto Vecchio ❻

Piazzale Numa Pompilio 8. **Kaart** 9 A3.
📞 77 51 74. 🚌 90, 93, 97, 118, 613, 671. **Open** dag. 9.00-11.00 uur.
Gesloten aug. ∅

Het kerkje is van groot historisch belang, aangezien paus Honorius III het in 1219 aan Dominicus schonk. Deze verplaatste zijn eigen hoofdkwartier al snel naar Santa Sabina (blz. 204), waarmee San Sisto het eerste verblijf van de orde der dominicanessen werd. Het mooiste onderdeel van de kerk is de 13de-eeuwse klokketoren.

Santi Nereo e Achilleo **7**

Via di Porta San Sebastiano 4.
Kaart 9 A3. 575 79 96. 90, 93, 118, 613, 671. **Open** zo-do 10.00-12.00, 16.00-18.00 uur.

Na zijn ontsnapping uit de gevangenis heeft Petrus op zijn vlucht uit de stad naar verluidt een verband van zijn wonden verloren. Op de plaats waar het neerkwam, is in de 4de eeuw de originele kerk gebouwd, maar later is ze opnieuw gewijd, aan de 1ste-eeuwse martelaren Nereus en Achilleus.

Detail van mozaïek, Santi Nereo e Achilleo

De eind 16de eeuw gerenoveerde kerk bezit nog veel middeleeuwse details, waaronder enkele fraaie 9de-eeuwse mozaïeken op de triomfboog. Een magnifieke preekstoel rust op een enorme, porfieren sokkel, die in de nabije Thermen van Caracalla is gevonden. Niccolò Pomarancio decoreerde in de 16de eeuw de zijbeuken van de kerk met een reeks nogal gruwelijke fresco's: koel tonen ze en détail de marteling der beide apostelen.

Fresco van Niccolò Pomarancio van de *Marteling van Simon* in Santi Nereo e Achilleo

San Cesareo **8**

Via di Porta San Sebastiano.
Kaart 9 A3. 53 01 40. 118.
Gesloten wegens restauratie.

De schitterende oude kerk, gebouwd op Romeinse ruïnes uit de 2de eeuw, is sinds 1988 gesloten. De mooie renaissancegevel van Giacomo della Porta kunt u wel bewonderen. Als de werklui u binnenlaten, ziet u dat de kerk Cosmatenmozaïeken en houtsnijwerk bezit die zich met elke kerk in Rome kunnen meten. De bisschopstroon, het altaar en de preekstoel zijn gedecoreerd met prachtige vogels en andere dieren. Paus Clemens VIII liet de kerk in de 16de eeuw restaureren.

San Giovanni a Porta Latina **9**

Via di San Giovanni a Porta Latina.
Kaart 9 B3. 70 49 17 77. 4, 90, 118. **Open** dag. 8.00-12.30, 15.00-19.00 uur. **Gift** verwacht.

De kerk van 'Johannes bij de Latijnse Poort' is in de 5de eeuw gesticht, in 720 herbouwd en in 1191 gerestaureerd. Ze is een van de schilderachtigste oude kerken in Rome. De galerij rust op klassieke zuilen en de 12de-eeuwse klokketoren is een juweel. Een antieke bron in de voorhal staat in de schaduw van een hoge ceder. Het interieur is onlangs gerestaureerd, maar de zeldzame eenvoud uit de begintijd, met klassieke zuilen langs de zijbeuken, is bewaard gebleven. Er zijn nog resten van vroegmiddeleeuwse fresco's, waaronder fresco's uit de 12de eeuw met 46 scènes uit het Oude en Nieuwe Testament. Ze behoren tot de mooiste in hun soort in Rome.

Fresco, San Giovanni a Porta Latina

San Giovanni in Oleo **10**

Via di Porta Latina. **Kaart** 9 C4. 4, 90, 118. **Gesloten** wegens restauratie.

Fries van San Giovanni in Oleo

De naam van deze lieflijke achthoekige kapel uit de Renaissance betekent 'Johannes in de olie'. Het gebouwtje duidt de plaats aan waar volgens de legende Johannes in olie is gekookt – en er ongedeerd uit kwam, verfrist zelfs. Misschien heeft er eerder al een kapel gestaan; de huidige is begin 16de eeuw gebouwd. Bramante of wellicht Antonio da Sangallo de Jongere heeft het ontwerp gemaakt. Borromini heeft de kapel gerenoveerd. Hij kroonde het dak met een kruis dat op een met rozen versierde bol rust. Hij voegde ook een terracotta fries toe met rozen en palmbladeren. Op de muurschilderingen in de kapel is onder meer Johannes te zien in een ketel kokende olie.

Columbarium van Pomponius Hylas ⑪

Via di Porta Latina 10. **Kaart** 9 B4. 4, 90, 118. **Open** alleen op afspraak; wend u tot Ripartizione X, Via del Portico d'Ottavia 29 of tel. 67 10 38 19.

Dit type gewelfde tombe heet columbarium omdat het op een duiventil lijkt (*columba* betekent duif). Rijke Romeinen zetten hier gewoonlijk de gecremeerde overblijfselen van hun vrije lateren bij. Veel van dergelijke tomben zijn blootgelegd in dit deel van Rome, dat tot de 3de eeuw buiten de stadsmuren lag. Dit in 1831 blootgelegde graf dateert uit de 1ste eeuw n.C. Een inscriptie vermeldt dat het het graf is van Pomponius Hylas en zijn vrouw, Pomponia Vitalinis. Boven haar naam staat een 'V', wat erop wijst dat ze nog leefde toen de inscriptie is gemaakt. Een tombe was waarschijnlijk niet goedkoop. Mensen die zich geen eigen tombe konden veroorloven, konden een nis kopen in de muur van het columbarium.

Mozaïekinscriptie in het Columbarium van Pomponius Hylas

Nissen voor asurnen in het Columbarium van Pomponius Hylas

Tombe van de Scipio's ⑫

Via di Porta San Sebastiano 9. **Kaart** 9 B4. 70 49 00 53. 4, 90. 118. *Gesloten wegens restauratie.*

De familie Scipio telde veel succesvolle generaals. Zuid-Italië, Corsica, Algerije, Spanje en Asia Minor moesten alle buigen voor hun zegevierende Romeinse legers. De beroemdste telg was Publius Cornelius Scipio Africanus, die de grote Carthaagse generaal Hannibal versloeg in de Slag bij Zama in 202 v.C. Scipio Africanus ligt zelf niet in het familiegraf, maar in Liternum bij Napels, waar zijn lievelingsvilla stond. De Tombe van de Scipio's is in 1780 ontdekt. Ze bevatte enkele sarcofagen, beelden en nissen met terracotta-urnen. Veel origineel werk is nu overgebracht naar de Vaticaanse Musea en vervangen door kopieën.

De oudste sarcofaag was van Cornelius Scipio Barbatus, consul in 298 v.C., voor wie de tombe is gebouwd. Tot het midden van de 2de eeuw v.C. zijn leden van zijn roemrijke familie hier begraven.

Opgravingen in het gebied brachten veel ander archeologisch materiaal aan het licht: een columbarium zoals dat van Pomponius Hylas, een catacombe van christenen en een huis met drie verdiepingen uit de 3de eeuw, dat op de Tombe van de Scipio's is gebouwd.

Boog van Drusus ⑬

Via di Porta San Sebastiano. **Kaart** 9 B4. 118.

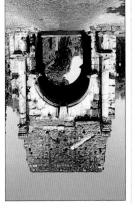

Boog van Drusus, deel van het aquaduct Aqua Antoniana

De Boog van Drusus was geen triomfboog, zoals ooit is verondersteld, maar droeg alleen het aquaduct dat de Thermen van Caracalla van water voorzag. Hij is in de 3de eeuw gebouwd, dus heeft niets met Drusus te maken, een stiefzoon van Augustus. De boog leek een monument omdat hij het aquaduct over de belangrijke Via Appia leidde. De boog overspant nog steeds de oude, geplaveide weg, op slechts 50 m van de toegangspoort Porta San Sebastiano.

De versterkte toegang Porta San Sebastiano

Porta San Sebastiano en Aureliaanse Muur ⓮

Museo delle Mura, Via di Porta San Sebastiano 18. **Kaart** 9 B4. 🕿 70 47 52 84. 🚌 118. **Open** di-za 9.00-13.00 zo, 9.00-13.00; ook april-sept.: di, do, za 16.00-19.00 uur (toegang tot 30 min. voor sluitingstijd). **Gesloten** feestdagen. **Niet gratis.** 🚫

Het grootste deel van de Aureliaanse Muur, begonnen onder keizer Aurelianus (270-275) en voltooid onder zijn opvolger, Probus (276-282), is nog intact. Aurelianus gelastte de bouw ter verdediging tegen plunderende Germaanse stammen die Italië steeds verder binnenvielen. De muur is ongeveer 18 km lang, heeft 18 poorten en 381 torens en omvat alle zeven heuvels van Rome. Maxentius (306-312) maakte de muur bijna twee keer zo hoog. De Porta San Sebastiano, die naar de Via Appia Antica leidt (blz. 284), is de grootste en best bewaard gebleven poort in de muur. Keizer Honorius herbouwde de poort in de 5de eeuw. De oorspronkelijke naam van de poort Porta Appia, veranderde in christelijke tijden geleidelijk tot Porta San Sebastiano omdat de Via Appia naar de basilica en catacomben van San Sebastiano leidde, een populair bedevaartsoord. De laatste grote triomftocht die Rome plechtig binnenkwam over de Via Appia,

ging door deze poort. Het betrof de zege van Marcantonio Colonna in 1571 op de Turkse vloot (Slag bij Lepanto). In de torens van de poort is thans een museum gevestigd met prenten en maquettes die de geschiedenis van de muur belichten. Het uitzicht is zeer fraai, vooral dat over de Via Appia.

De muur bleef de belangrijkste versterking van Rome tot 1870, toen Italiaanse artillerie er een bres in sloeg bij de Porta Pia. Veel poorten zijn nog in gebruik en hoewel de stad is uitgebreid, liggen de meeste topattracties nog binnen de muur.

Sangallo-bastion ⓯

Viale di Porta Ardeatina. **Kaart** 9 A4. 🚌 93, 94, 160, 613, 671. **Gesloten** wegens restauratie.

Paus Paulus III Farnese

Paus Paulus III verzocht Antonio da Sangallo de Jongere de Aureliaanse Muur te versterken. De herinnering

aan de Sacco di Roma in 1527 en de angst voor de Turken achtervolgden hem. Het werk begon in 1537. Voorlopig kunt u slechts de buitenkant bewonderen.

Santa Balbina ⓰

Piazza di Santa Balbina 8. **Kaart** 8 F3. 🕿 578 02 07. 🚌 160. Ⓜ Circo Massimo. **Open** dag. 8.00-18.00 uur. ✝

De afgelegen kerk is gewijd aan Santa Balbina, een maagd en martelares uit de 2de eeuw. De kerk dateert uit de 4de eeuw en is een van de oudste kerken in Rome. Het interieur herbergt een schitterende gebeeldhouwde tombe met inlegwerk voor kardinaal Stefanus de Surdis, een werk van Giovanni di Cosma uit 1303.

VN Wereldlandbouw- en Voedselraad (FAO) ⓱

Viale delle Terme di Caracalla. **Kaart** 8 F2. 🕿 57 97 37 32. 🚌 11, 15, 27, 90, 118, 673. 🚋 13, 30b. Ⓜ Circo Massimo. **Gesloten** voor publiek.

Obelisk van Axum (4de eeuw)

De Wereldlandbouw- en Voedselraad van de VN zetelt in een gebouw dat in 1951 is voltooid. Ervoor staat de obelisk van Axum, die Mussolini uit Ethiopië wegroofde. Het gebouw was aanvankelijk door Mussolini bestemd voor het ministerie van Italiaans Afrika.

Thermen van Caracalla ⓲

Viale delle Terme di Caracalla 52.
Kaart 9 A3. 575 86 26. 90, 93,
118, 160. **Open** di-za 9.00-18.00 uur
(okt.-maart: 15.00), zo, ma 9.00-13.00
uur. **Gesloten** feestdagen. **Niet gratis**.
Concerten 575 83 02.

Deel van een van de gymzalen in de Thermen van Caracalla

De door keizer Caracalla in
217 voltooide thermen
deden ongeveer 300 jaar
dienst, tot binnenvallende
Goten het leidingnet vernielden. Ongeveer 1500 mensen
konden tegelijk een bad
nemen. Een Romeins bad
duurde lang en was ingewik-
keld. Het begon met een soort
Turks bad, gevolgd door een
poosje in het *caldarium*, een
ruim, heet ver-
trek met water-
bassins voor
de vochtigheid.
Dan was het
tijd voor het
lauwe *tepidari-
um*, een be-
zoek aan de
grote, centrale
ontmoetings-
zaal, het *frigi-
darium*, en
ten slotte nam men een
duik in de *natatio*,
een openluchtzwem-

**Fragment van
vloermozaïek**

bad. De rijken werden daarna
afgedroogd met een geparfumeerde, wollen doek. Naast
de baden waren er gymzalen,
bibliotheken, kunstgalerijen
en tuinen – een waar ont-
spanningsoord. De fami-
lie Farnese gebruikte in
de 16de eeuw het meeste
van de rijke marmeren
decoraties voor het interieur van het Palazzo
Farnese *(blz. 147)*. In augustus vinden in de ruïnes

opera's plaats. Ondanks over-
belichting en de sjirpende
krekels vormen de opvoerin-
gen in de onvergelijkelijke
omgeving een grote attractie
(blz. 38-39).

SYMBOLEN

☐	Caldarium (heel heet)
☐	Tepidarium (lauw)
☐	Frigidarium (koud)
☐	Natatio (zwembad)
☐	Tuin

**Griekse en Latijnse
bibliotheken**

Waterreservoirs

Stadion

**Conferentie- en
ontmoetingszalen**

**Gymnastiek-
ruimte**

**Conferentie- en
ontmoetingszaal**

**Hoofd-
ingang**

**Kleed-
kamers**

**Voorraadkamer
voor oliën en parfums**

Gymnastiekruimte

AVENTIJN

D it is een van de rustigste wijken binnen de stadsmuren. Hoewel het grotendeels een woonwijk is, zijn er enkele unieke zaken van historisch belang te zien. Van de top van de Aventijn, met de magnifieke basilica Santa Sabina, hebt u een fraai uitzicht over de rivier op Trastevere en de Sint Pieter.

Onder aan de heuvel getuigen twee kleine tempeltjes op het Forum Boarium en het Circus Maximus nog van het klassieke Rome. De drukste straten vindt u in Testaccio, met winkels, restaurants en nachtclubs. In het zuiden, bij de Piramide van Caius Cestius, is de protestantse begraafplaats een oase van rust.

Fonteinmasker op binnenplaats van Santa Sabina

Straatsappel- en pijnbomen op de Aventijn met de koepel van de Sint Pieter in de verte

BEZIENSWAARDIGHEDEN IN HET KORT

Kerken en tempels
Santa Maria in Cosmedin ❶
San Giorgio in Velabro ❸
San Teodoro ❹
Santa Maria della Consolazione ❺
San Giovanni Decollato ❻
Tempels op het Forum Boarium ❽
Santa Sabina ❾
Santi Bonifacio e Alessio ❿
San Saba ⓯

Historische gebouwen
Casa dei Crescenzi ❼

Bogen
Boog van Janus ❷

Historische straten en piazza's
Piazza dei Cavalieri di Malta ⓫

Historische plaatsen
Monte Testaccio ⓬
Circus Maximus ⓰

Monumenten en tomben
Protestants kerkhof ⓭
Piramide van Caius Cestius ⓮

BEREIKBAARHEID
De snelste verbinding is metrolijn B naar Piramide of Circo Massimo. De tocht met de tram (13 of 30b) is interessanter. Diverse bussen rijden de Viale Aventino af, maar alleen lijn 94 stopt boven op de Aventijn.

SYMBOLEN
🟦 Straatenkaart
— Stadsmuur
Ⓜ Metrostation
🅿 Parkeerplaats

ZIE OOK
• **Plattegrond**, kaart 7, 8, 12
• **Accommodatie** blz. 294-295
• **Restaurants** blz. 310-311

0 meter — 300

Onder de loep: Piazza della Bocca della Verità

Hier komen bezoekers op af die hun hand in de Bocca della Verità (de mond der waarheid) willen leggen, in de galerij van Santa Maria in Cosmedin. Er is nog veel meer te zien in deze rustige hoek aan de Tiber, ooit de eerste haven en drukke veemarkt van het klassieke Rome. Belangrijke resten uit de Oudheid zijn de twee kleine tempels uit de republiek en de Boog van Janus uit het latere keizerrijk. In de 6de eeuw vestigde zich in deze wijk een Griekse gemeenschap uit Byzantium. Zij stichtte de kerken San Giorgio in Velabro en Santa Maria in Cosmedin.

Sant'Omobono, een laat-16de-eeuwse kerk, staat nu alleen in het midden van een belangrijk opgravingsgebied. Er zijn resten ontdekt van offeraltaren en twee tempels uit de 6de eeuw v.C.

Casa dei Crescenzi
Voor het 11de-eeuwse gebouw zijn zuilen en kapitelen van oude Romeinse tempels gebruikt ➐

Ponte Rotto, zoals deze verlaten boog in de Tiber heet, betekent 'kapotte brug'. De oorspronkelijke naam van de brug uit de 2de eeuw was Pons Aemilius.

★ **Tempels van het Forum Boarium**
De kleine, ronde Tempel van Hercules en de Tempel van Portunus ernaast zijn de best bewaard gebleven tempels uit de tijd van de republiek ➑

PONTE PALATINO

LUNGOTEVERE DEI PIERLEONI

TEVERE

Sterattracties

★ **Santa Maria in Cosmedin**

★ **Tempels van het Forum Boarium**

★ **Santa Maria in Cosmedin**
De middeleeuwse kerk bezit een mozaïekvloer en een gotisch baldakijn ➊

Santa Maria della Consolazione
Deze 16de-eeuwse kerk was voor patiënten uit het nabije ziekenhuis ❺

San Teodoro
Het 15de-eeuwse portaal van de antieke ronde kerk draagt het wapen van paus Nicolaas V ❹

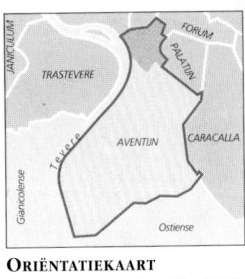

ORIËNTATIEKAART
Zie kaart centrum Rome blz. 12-13

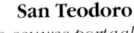

San Giovanni Decollato
De eenvoudige renaissancegevel is omstreeks 1504 voltooid ❻

San Giorgio in Velabro
De bescheiden portiek met Ionische zuilen en de romaanse klokketoren dateren uit de 12de eeuw ❸

Boog van Janus
De vierkante constructie met bogen aan elke kant dateert uit de 4de eeuw ❷

De Arco degli Argentari, in 204 gewijd aan keizer Septimius Severus, is versierd met religieuze en krijgshaftige scènes.

De Fontana dei Tritoni is hier in 1715 door Carlo Bizzaccheri gebouwd. De stijl verraadt grote invloed van Bernini.

Santa Maria in Cosmedin ①

Piazza della Bocca della Verità 18.
Kaart 8 E1. ☎ 678 14 19. 🚌 15, 23, 57, 90, 92, 94, 95, 160, 716.
Open dag. 9.00-13.00, 15.00-18.00 uur. 🚻 ♿ 🅿 🔒

D eze mooie, sobere kerk is in de 6de eeuw gebouwd op de plaats van de oude levensmiddelenmarkt. De sierlijke romaanse klokketoren en de zuilengang zijn er in de 12de eeuw bij gekomen. In de 19de eeuw is een barokgevel verwijderd en de kerk in oorspronkelijke eenvoud hersteld. Ze bevat veel fraaie voorbeelden van Cosmatenwerk, vooral het vloermozaïek, het verhoogde koor, de bisschopstroon en het baldakijn boven het hoofdaltaar. In de muur van de galerij is de Bocca della Verità (mond der waarheid) geplaatst. Misschien is het een puideksel geweest, nog van voor de 4de eeuw v.C. Volgens de middeleeuwse traditie klapten de machtige kaken dicht om de hand van elke leugenaar – handig om de trouw van echtelieden op de proef te stellen.

Bocca della Verità

Boog van Janus ②

Via del Velabro. Kaart 8 E1. 🚌 15, 57, 90, 92, 95, 160, 716.

D e imposante, vierzijdige, marmeren boog dateert vermoedelijk uit de tijd van Constantijn en stond op het drukke kruispunt op de hoek van het Forum Boarium, bij de oude dokken. In de schaduw was het voor handelaren en klanten ideaal zaken doen. Op de dekplaten boven de vier bogen ziet u nog figuurtjes van de godinnen Roma, Juno, Ceres en Minerva. In de Middeleeuwen fungeerde de boog als basis voor een versterkte toren. In 1827 kreeg de boog zijn originele vorm terug.

De Boog van Janus, waar veehandelaren voor de felle zon schuilden.

San Giorgio in Velabro ③

Via del Velabro 19. Kaart 8 E1. ☎ 679 33 35. 🚌 15, 57, 90, 90b, 92, 94, 95, 160, 716, 774, 780. **Gesloten** wegens restauratie.

D e straatnaam is ontleend aan Velabrum, het moeras waar Romulus en Remus zouden zijn aangetroffen. Op de open plek in de straat staat het aan de heilige Joris gewijde kerkje, wiens beenderen onder het altaar liggen. De 7de-eeuwse basilica is zorgvuldig in haar oude luister hersteld, met een dubbele rij afwisselend granieten en marmeren zuilen (uit oude Romeinse tempels) die drie schepen vormen. Het koele interieur is een verademing in de zomer als de deuren open staan. De verguldde fresco's in de apsis (toegeschreven aan Pietro Cavallini, 1295) doorbreken de strenge eenvoud. De façade en de klokketoren dateren uit de 12de eeuw. Hoe laag de kerk ligt, blijkt uit de steen in de galerij die de hoge waterstand van 1870 aangeeft.

Romaanse portiek en klokketoren van San Giorgio in Velabro

San Teodoro ④

Via di San Teodoro. Kaart 8 E1. ☎ 678 66 24. 🚌 15, 57, 90, 92, 95, 160, 716. **Gesloten** voor publiek. Godsdienstige bijeenkomst ma 17.30-19.00 uur.

A ls u toevallig op een maandag omstreeks 17.30 uur in de buurt bent, kunt u dit 6de-eeuwse ronde kerkje van binnen bekijken. De 6de-eeuwse mozaïeken in de apsis zijn adembenemend, net als de Florentijnse koepel (1454). Van Carlo Fontana is het fraaie plein voor de kerk (1705).

De kerk San Teodoro, een verborgen kleinood in Rome

Santa Maria della Consolazione 5

Piazza della Consolazione 84.
Kaart 5 A5. 678 46 54. 57, 64, 90, 92, 94, 95, 160, 716.
Open dag. 7.00-12.00, 16.00-19.00 uur (okt.-maart: 16.00-18.00).
Gesloten aug. 🚻 ⭘ ♿

D e kerk staat onder aan de Tarpeïsche Rots, de plaats van talrijke openbare terechtstellingen. In 1385 betaalde Giordanello degli Alberini, een veroordeelde edelman, twee gouden florijnen om hier een portret van Maria te plaatsen als troost voor gevangenen in hun laatste ogenblikken. Dat verklaart de naam van de kerk die hier in 1470 is gebouwd. Martino Longhi bouwde haar weer op tussen 1583 en 1606 en zorgde voor de vroeg-barokke gevel. De elf zijkapellen in de kerk zijn het bezit van adellijke families en leden van plaatselijke gilden. In het presbyterkoor hangt het befaamde portret van Maria, dat wordt toegeschreven aan Antoniazzo Romano.

Façade van Santa Maria della Consolazione

San Giovanni Decollato 6

Via di San Giovanni Decollato 22.
Kaart 8 E1. 678 94 48. 15, 57, 90, 92, 95, 160, 716.
Gesloten wegens restauratie.

D e onthoofding van Johannes (1553) van Giorgio Vasari beheerst het hoofdaltaar en verleent de kerk haar naam, San Giovanni Decollato. In 1490 schonk paus Innocentius VIII het terrein aan een bijzondere broederschap uit Florence om er een kerk te bouwen. Gehuld in naargeestige, zwarte gewaden en kappen moesten ze veroordeelde gevangenen tot berouw brengen en fatsoenlijk begraven nadat ze waren opgehangen. De kloostergang bevat zeven mangáten (een besloten voor vrouwen) waardoor de lijken verdwenen. Het oratorium bezit een frescocyclus die het leven van Johannes de Doper uitbeeldt, een werk van de prominente Florentijnse maniëristen Jacopino del Conte en Francesco Salviati.

Casa dei Crescenzi 7

Via Luigi Petroselli. Kaart 8 E1. 23, 57, 90, 92, 94, 95, 160, 716.

H et huis, met veel archeologische resten, is een overblijfsel van een 12de-eeuwse versterkte toren. De machtige familie Crescenzi bouwde hem om de oude haven van Rome in de gaten te houden (huidige zetel van de Anagrafe, het bevolkingsregister), en ook de brug waar de familie tol hief.

Romeinse resten in het Casa dei Crescenzi

Tempels op het Forum Boarium 8

Piazza della Bocca della Verità.
Kaart 8 E1. 15, 23, 57, 90, 92, 94, 95, 160, 716.

D eze bijna ongeschonden tempels uit de republiek zijn zeer aantrekkelijk bij maanlicht. Ze dateren uit de 2de eeuw v.C. en zijn voor het nageslacht bewaard toen ze in de Middeleeuwen als christelijke kerken gingen fungeren. Ze vormen zeldzame voorbeelden van de vermenging van elementen uit de Griekse en Romeinse architectuur.

De rechthoekige tempel (vroeger ook bekend als Tempel van Fortuna Virilis) was in feite gewijd aan Portunus, de god van rivieren en havens – een verwijzing naar de nabije haven van het oude Rome. Op de verhoging verheffen zich vier Ionische zuilen en twaalf halfzuilen, ingebed in de tufsteenmuur van de cella, de zaal waar het beeld van de god stond. Vlakbij staat de kleine, ronde Tempel van Hercules. Deze wordt ook vaak aangeduid als Tempel van Vesta, vanwege de gelijkenis met de tempel op het Forum.

Tempel van Portunus

Santa Sabina 9

Piazza Pietro d'Illiria 1. **Kaart** 8 E2.
(574 35 73. **94. Open** dag.
7.00-12.30, 15.30-19.00 uur.

Helder interieur van Santa Sabina

Hoog op de Aventijn staat een gave, vroeg-christelijke basilica, gesticht door Petrus van Illyrië in 422. Begin deze eeuw is ze in haar oorspronkelijke soberheid hersteld. Licht stroomt door hoge, 9de-eeuwse ramen het wijde schip binnen. De witte Corinthische zuilen eromheen dragen een galerij die met een mammerites is versierd. Boven de hoofdingang ziet u in blauw en goud het mozaïek met de wijdingsinscriptie. De preekstoel, de bisschopstroon en het koor dateren uit de 9de eeuw.

In de 13de eeuw werd de kerk aan de dominicanen geschonken en in het schip staat het schitterende graf van een van de eerste leiders van de orde, Muñoz de Zamora (overleden 1300). De zuilengang aan de zijkant heeft deuren met panelen uit de 5de eeuw die van cipressehout met een van de oudste afbeeldingen van de Kruisiging.

Santi Bonifacio e Alessio 10

Piazza di Sant'Alessio 23. **Kaart** 8 D2.
(574 34 46. **94. Open** dag.
8.30-12.00, 15.30-16.30 uur (okt.-maart 17.00).

De kerk is gewijd aan twee christelijke martelaren, wier resten onder het hoofdaltaar liggen. Volgens de le-

Façade van Santi Bonifacio e Alessio

gende vluchtte Alessio, zoon van een rijke senator die hier woonde, naar het oosten om een dreigend huwelijk te ontsnappen. Jaren later keerde hij terug en stierf als bediende, niet herkend, onder de trap van de hal, met in zijn hand het manuscript van zijn levensverhaal.

De oorspronkelijk 5de-eeuwse kerk heeft in de loop der eeuwen ingrijpende veranderingen ondergaan. Opmerkelijk zijn de 18de-eeuwse gevel met de vijf bogen, de gerenoveerde Cosmaten-deur, -vloer en schitterende romaanse klokketoren met vijf verdiepingen (1217). Een 18de-eeuwse barokkapel van Andrea Bergondi huisvest een deel van de beroemde trap. Andere overblijfselen zijn de put van Alessio's ouderlijk huis en de flonkerende Byzantijnse Madonna der Voorbede.

Piazza dei Cavalieri di Malta 11

Kaart 8 D2. 23, 57, 94, 95, 716.

Piranesi ontwierp in 1765 het elegante ommuurde piazza, versierd met obelisken en militaire trofeeën. Op het piazza komt een aantal lanen met cipressen uit. Het plein is genoemd naar de orde der Maltezer ridders (Cavalieri di Malta), wier priorij (op nr. 3) beroemd is om het bronzen sleutelgat. Als u erdoorheen kijkt, ziet u de Sint Pieter, omlijst door een laan. De kerk, Santa Maria del Priorato is door Piranesi in de 18de eeuw hersteld en in neoklassieke stijl gedecoreerd. Voor een bezoek is toestemming nodig van het hoofdkwartier van de orde. In de zuidwesthoek van het plein staat de internationale benedictijnenkerk Sant'Anselmo, waar u 's zondags om 9.30 uur flarden van gregoriaanse gezangen kunt beluisteren.

Monte Testaccio 12

Via Galvani. **Kaart** 8 D4. 27, 92.
Gesloten voor publiek.

De heuvel is tussen 140 v.C. en 250 ontstaan doordat hier miljoenen testae (vandaar Testaccio) zijn neergegooid: scherven van amforen die werden gebruikt om goederen naar de nabije opslagplaatsen te vervoeren. De kunstmatige heuvel is 36 m hoog. Pas eind 18de eeuw besefte men de archeologische waarde ervan.

Deur van de priorij van de Maltezer ridders

Protestantse begraafplaats ⑬

Via Caio Cestio 6. Kaart 8 D4.
📞 574 11 41. 🚌 11, 23, 27, 57, 94, 95, 716. 🚇 13, 30b. Ⓜ Piramide.
Open do-di 8.00-11.30, 15.20-17.30 uur (okt.-feb.: 14.20-16.30). Gift verwacht. 🚻 🅿 ♿

De rust op dit goed onderhouden kerkhof maakt een diepe indruk. Sinds 1738 worden hier niet-katholieken begraven, overwegend Engelsen en Duitsers. In het oudste gedeelte vindt u de graven van John Keats (overleden 1821), wiens grafschrift luidt: 'Here lies One Whose Name was writ in Water', en zijn vriend Joseph Severn (overleden 1879); niet ver daarvandaan rust de as van Percy Bysshe Shelley (overleden 1822).

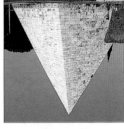

Grafzerk van John Keats

Piramide van Caius Cestius ⑭

Piazzale Ostiense. Kaart 8 E4. 🚌 11, 23, 57, 94, 95. 🚇 13, 30b. Ⓜ Piramide.

Caius Cestius, een rijke praetor, sterft in 12 v.C. Hij is nu alleen beroemd vanwege zijn tombe, een imposante piramide van wit marmer die naast de Aureliaanse Muur bij de Porta San Paolo staat.
De piramide is 27 m hoog en volgens de inscriptie in 330 dagen voltooid. Ook in die dagen moet het opvallende monument ongetwijfeld al uit de toon zijn gevallen.

San Saba ⑮

Via di San Saba 8 F3.
📞 574 33 52. 🚌 11, 27, 94, 673. 🚇 13, 30b. Open dag. 7.00-12.00, 16.00-18.30 uur. 🚻 🅿 ♿

San Saba, weggestopt in een straat met woonhuizen op de kleine Aventijn, was aanvankelijk een oratorium voor monniken uit Palestina die de Arabische invasie in de 7de eeuw waren ontvlucht. De huidige kerk dateert uit de 10de eeuw en is vaak verbouwd. De zuilengang herbergt een boeiende collectie archeologische resten. De kerk heeft drie schepen in Griekse stijl en links een kort vierde schip met sporen van 13de-eeuwse fresco's het leven van Nicolaas van Bari. Heel intrigerend is een scène met drie jongedames die naakt in bed liggen en, Nicolaas redt ze met een zak goud van een smadelijk bestaan. Het fraaie marmeren inlegwerk in de hoofdingang, de vloer en de resten van het koor is allemaal 13de-eeuws Cosmatenwerk.

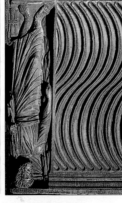

Detail van beeldhouwwerk op sarcofaag in de zuilengang van San Saba

Circus Maximus ⑯

Via del Circo Massimo. Kaart 8 F2.
🚌 11, 15, 27, 90, 94, 118, 673. 🚇 13, 30b. Ⓜ Circo Massimo.

Van het stadion dat ooit het grootste van het klassieke Rome was, rest niet veel meer dan een lange wandelpromenade met gras. Het werd in detail voorbouwd en uitgebreid, van de 4de eeuw v.C. tot 549, toen de laatste races werden gereden. De tribune bood plaats aan ongeveer 250.000 toeschouwers, die de wagenrennen wild aanmoedigden, en even zeer de atletiekwedstrijden in het midden gegokt. Daarbij werd flink gegokt. Het Circus had een scheidslijn (spina) met zeven eivormige objecten erop om de ronden van wedstrijden te tellen. In 33 v.C. kwamen er met dezelfde bedoeling zeven bronzen dolfijnen bij. In 10 v.C. bouwde keizer Augustus de keizerlijke loge onder de Palatijn en verfraaide de spina met de obelisk die nu op het Piazza del Popolo staat (blz. 137). Een tweede obelisk, die Constantius II in de 4de eeuw plaatste, staat nu op het Piazza San Giovanni in Laterano (blz. 178-179).

Reconstructie van het Circus Maximus in zijn bloeiperiode

TRASTEVERE

De trotse en zeer eigenwijze inwoners van Trastevere, de wijk 'aan de overkant van de Tiber', beschouwen zichzelf als de echte Romeinen. In deze schilderachtige oude wijk kunt u nog alledaagse taferelen meemaken die uit voorbije eeuwen lijken te stammen. Maar er zijn tekenen dat veel van het aardse, proletarische karakter van de wijk binnenkort ten prooi valt aan deftige restaurants, clubs en boutiques. Enkele heel interessante middel-

Romaanse klokketoren

eeuwse kerken liggen verscholen in een wirwar van nauwe, geplaveide straatjes. Slechts een toevallige glimp van een romaanse klokketoren verraadt hun ligging. Santa Cecilia is gebouwd op de plaats waar de beschermheilige van de muziek de marteldood stierf, San Francesco a Ripa herdenkt het bezoek van Franciscus van Assisi aan Rome en Santa Maria in Trastevere is het traditionele centrum van het geestelijke en sociale leven in deze wijk.

BEZIENSWAARDIGHEDEN IN HET KORT

Kerken
Santa Maria della Scala ❸
Santa Maria dei
Sette Dolori ❹
Santa Maria in Trastevere blz. 212-213 ❻
San Crisogono ❼
Santa Cecilia in Trastevere ❽
San Francesco a Ripa ❾

Musea
Sant'Egidio en Museo del Folklore ❺

Historische gebouwen
Casa della Fornarina ❶

Bruggen
Ponte Sisto ❷

Parken en tuinen
Villa Sciarra ❿

ZIE OOK

- **Plattegrond**, kaart 4, 7, 8, 11
- **Accommodatie** blz. 294-295
- **Restaurants** blz. 310-311
- **Wandeling** blz. 274-275

SYMBOLEN

	Stratenkaart
—	Stadsmuur
P	Parkeerplaats

BEREIKBAARHEID
Bijna alle bussen die door deze wijk rijden, komen door de centrale Viale di Trastevere. Lijn 75 en 170 zijn handig als u van Termini of Piazza Venezia vertrekt. In de buurt van de Via Veneto kunt u het best lijn 56 of 60 nemen. Eindstation *(capolinea)* van beide lijnen is Piazza Sonnino. Lijn 23 en 280 rijden langs het Vaticaan en de Lungotevere.

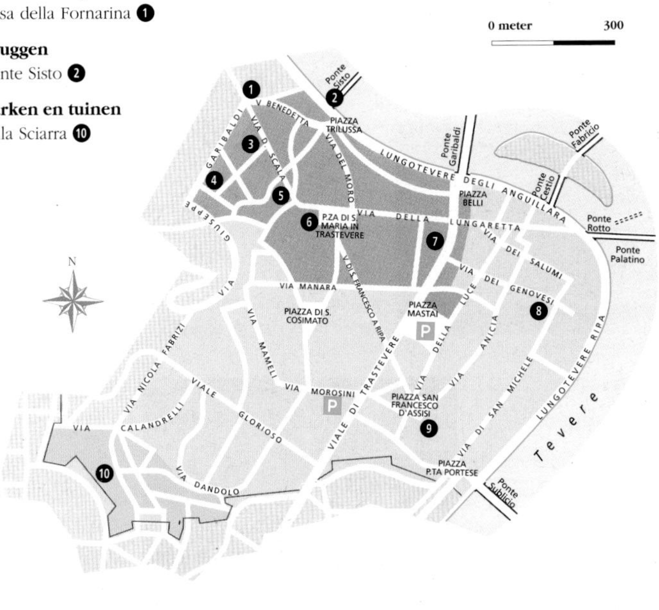

0 meter   300

Een karakteristieke *vicolo* (steeg) tussen de dicht op elkaar gepakte huizen in Trastevere

Onder de loep: Trastevere

Het hele jaar door is Trastevere een trekpleister, zowel vanwege de restaurants, clubs en bioscopen als de pittoreske wirwar van nauwe steegjes met kasseien. Op zomeravonden zijn de straten gevuld met drommen mensen op zoek naar vertier, vooral tijdens het rumoerige plaatselijke festival, het Festa de' Noantri (blz. 59). Overal staan de tafels van cafés en restaurants buiten, vooral rondom het Piazza di Santa Maria in Trastevere en voor de pizzeria's langs de Viale di Trastevere. Er zijn ook kraampjes die stukken watermeloen verkopen en *grattachecca*, een mengsel van siroop en stukjes ijs. Tip: 's morgens vroeg kunt u meestal in alle rust van de klassieke charme van de steegjes in Trastevere genieten.

Casa della Fornarina
Dit was vermoedelijk de woning van de mooie geliefde van Rafaël. In de tuin vindt u een florerend restaurant ❶

Santa Maria dei Sette Dolori
Deze kerk (1643) is een ontwerp van Borromini ❹

Santa Maria della Scala
De onopvallende gevel verbergt een rijk barokinterieur ❸

Sant'Egidio en Museo del Folklore
Het 17de-eeuwse fresco van Sant'Egidio in de linkerkapel van de kerk is een werk van Pomarancio. Het klooster ernaast herbergt een museum over Romeinse folklore ❺

★ Santa Maria in Trastevere
Beroemd zijn hier de 12de-eeuwse mozaïeken van Pietro Cavallini. Het detail met de profeet Jesaja is van een mozaïek links van de apsis ❻

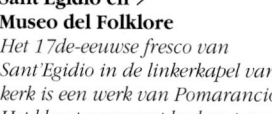

STERATTRACTIE

★ Santa Maria in Trastevere

SYMBOOL

– – – Aanbevolen route

0 meter   75

De fontein op Piazza di Santa Maria in Trastevere van Carlo Fontana (1692) is een populair trefpunt. 's Avonds is ze verlicht en tientallen jongeren zitten op de treden van de achthoekige sokkel.

Ponte Sisto

Sixtus IV liet de brug in 1474 bouwen om Trastevere met het centrum te verbinden ❷

ORIËNTATIEKAART
Zie kaart centrum Rome blz. 12-13

GIANICOLENSE

TRASTEVERE

JANICULUM

TEVERE

AVENTIJN

CAMPO DE
FIORI

Piazza Belli

is genoemd naar
Giuseppe Gioacchino Belli
(1791-1863), die satirische son-
netten schreef, meer in Romeins
dialect dan in standaard Italiaans.
Midden op het piazza staat een
beeld van de
dichter (1913).

Vicolo del Piédé is een van de
pittoreske steegjes met tafels voor
de restaurants die op Piazza di
Santa Maria in Trastevere uitkomen.

De Torre degli
Anguillara (13de
eeuw) is de enige die
resteert van de vele
middeleeuwse torens
die ooit het silhouet
van Trastevere bepaal-
den. Het bouwwerk
huisvest thans een
Dante-genootschap.

San Crisogono

De romaanse klokke-
toren dateert uit de vroege
12de eeuw. De eenvoudige
portiek is van later datum
(1626), maar uitgevoerd in
de stijl van de oude kerk ❼

Casa della Fornarina ❶

Via di Santa Dorotea 20. **Kaart** 4 D5 & 11 B5. **[** 581 82 84. **□** 23, 65, 280. *Zie* **Restaurants** *blz. 316.*

Over Rafaëls model en geliefde, La Fornarina, staat niets met zekerheid vast, maar na verloop van eeuwen heeft ze een naam en zelfs een korte biografie gekregen. Ze heette Margherita, haar vader was een bakker uit Siena (*La Fornarina* betekent 'de bakkersdochter') en de winkel was in Trastevere gevestigd, niet ver van Rafaëls fresco's in de Villa Farnesina (*blz. 220-221*).

Margherita's langdurige verhouding met Rafaël bezorgde haar de reputatie van 'gevallen vrouw'. Erger nog: Rafaël, die voor zijn dood of absolutie de wilde ontvangen, liet haar niet aan zijn sterfbed komen. Naar verluidt zocht ze vier maanden na zijn dood haar toevlucht in het klooster Sant'Apollonia in Trastevere. Over het algemeen wordt aangenomen dat ze model stond voor Rafaëls beroemde portret *La donna velata* (de gesluierde vrouw) in Palazzo Pitti in Florence.

Restaurant achter het huis van La Fornarina

Ponte Sisto ❷

Kaart 4 E5 & 11 B5. **□** 23, 65, 280.

Paus Sixtus IV della Rovere (paus 1471-1484) liet de brug bouwen door Baccio Pontelli ter vervanging van een oude Romeinse brug. Sixtus IV liet tevens de Sixtijnse Kapel bouwen (*blz. 244-247*) en het hospitaal Santo Spirito (*blz. 226*), en veel kerken en monumenten herstellen. De ondernemende paus had te kampen met grote financiële problemen. Hij moest de collectie edelstenen van zijn voorganger en zijn eigen zilveren schaal verkopen of verpanden om zijn projecten te financieren. Waarschijnlijk verkreeg paus Sixtus IV het benodigde geld voor de bouw en de brug via een belasting voor de prostituees. Van een aantal pausen is bekend dat ze deze bijzonder impopulaire vorm van belasting hebben geheven.

Paus Sixtus IV

Santa Maria della Scala ❸

Via della Scala. **Kaart** 4 D5 & 11 B5. **[** 58 06 23 30. **□** 23, 65, 280. **Open** ma-za 6.30-12.00, 16.00-19.00 uur (okt.-maart: 18.15), zo en feestdagen 6.45-12.15 uur. **[**

Deze kerk verrees in een periode van grote bouwactiviteit die ongeveer 30 jaar duurde, van eind 16de tot begin 17de eeuw. De nogal eenvoudige façade verbleekt bij het rijke interieur met veelkleurig marmer en een aantal bezielde barokke altaren en reliëfs.

Altaar van Santa Maria della Scala

Santa Maria dei Sette Dolori ❹

Via Garibaldi 27. **Kaart** 7 B1. **[** 589 73 27. **□** 23, 65, 280. *Gesloten voor publiek.*

Borromini ontwierp deze kerk. De bouw begon omstreeks 1640, maar werd niet voltooid. De ruwe stenen gevel met de holle en bolle vlakken is typerend voor zijn werk. Afgeronde hoeken en imposante benadrukken zullen de geringe afmetingen van de kerk.

Sant'Egidio en Museo del Folklore ❺

Piazza Sant'Egidio 1. **Kaart** 7 C1. **□** 23, 58, 60, 65, 280. **Museo del Folklore [** 581 37 17. **Open** di-zo 9.00-13.00 uur, ook di 8 tot 17.00-19.00 uur (toegang tot 30 min. voor sluitingstijd). **Niet gratis. Kerk open uitsl. voor missen. [** dag. 8.30 uur.

De in 1630 gebouwde Sant'Egidio was de kerk van het klooster der karmelieten ernaast, een van de vele die hier zijn opgericht om de armen en behoeftigen op te vangen. Het klooster is nu een folkloristisch museum met zeer veel materiaal over de feesten, spelletjes, het bijgeloof en de zeden van de Romeinen onder het pauselijke bewind. Er zijn oude schilderijen en prenten van de stad en tableaus met scènes uit het alledaagse leven in het Rome van de 18de en 19de eeuw. Het museum bezit ook de manuscripten van de populaire dialectdichters Belli en Trilussa.

Aquarel van een scriba (1880) in het Museo del Folklore

Santa Maria in Trastevere 6

Blz. 212-213.

San Crisogono 7

Piazza Sonnino 44. **Kaart** 7 C1.
581 82 25. 56, 60, 75, 170, 710.
Open ma-za 7.30-11.30, 16.00-19.00 uur, zo 7.00-13.00 uur. **Toegangsprijs** voor opgravingen.

De kerk staat op de plaats van een van de oudste *tituli* (particuliere huizen voor bijeenkomsten van christenen). Een kerk uit de 8ste eeuw met fresco's uit de 11de eeuw is nog te bezichtigen onder de huidige kerk. Deze dateert uit de vroege 12de eeuw. Pietro Cavallini decoreerde San Crisogono – het mozaïek door zijn leerlingen in de apsis is nog te zien. De meeste zuilen afkomstig uit oudere gebouwen, ook de grote porfierzuilen van de triomfboog. De mozaïekvloer is heropgebouwd van hergebruikt kostbaar marmer uit diverse Romeinse ruïnes.

Apsismozaïek in San Crisogono

Santa Cecilia in Trastevere 8

Piazza di Santa Cecilia. **Kaart** 8 D1.
589 92 89. 56, 60, 75, 710.
Open dag. 10.00-12.00, 16.00-18.00 uur. **Toegangsprijs** voor opgravingen. **Cavallini-fresco** te zien in de en do 10.00-11.30 uur (gift verwacht).

Cecilia, aristocrate en beschermheilige van de muziek, stierf hier in 230 de marteldood. Toen de poging om haar levend te koken mislukte, is ze onthoofd. Er werd een kerk gesticht – misschien in de 4de eeuw – op de plaats van haar huis (nog te zien onder de kerk, met resten van een Romeinse looierij). Geruime tijd was haar lichaam zoek, maar het dook op in de Catacomben van San Callisto (blz. 265). Paus Paschalis I herbouwde de kerk in de 9de eeuw en liet het lichaam hier opnieuw begraven. Het altaarbaldakijn van Arnolfo di Cambio en het fresco van *Het Laatste Oordeel* van Pietro Cavallino, te bereiken via het klooster naast de kerk, dateren uit de 13de eeuw, toen Rome een opvallende, eigen kunststijl had. Voor het altaar staat een beeld van Cecilia door Stefano Maderno. Hij gebruikte haar wonderlijk goed geconserveerde overschot als model toen het in 1599 voor korte tijd werd opgegraven.

Detail van 13de-eeuws fresco van Pietro Cavallini in Santa Cecilia

San Francesco a Ripa 9

Piazza San Francesco d'Assisi 88.
Kaart 7 C2. 581 90 20. 44,
75, 170, 710. **Open** dag. 7.00-12.00,
16.00-19.00 uur.

Bij zijn bezoek aan Rome in 1219 verbleef Franciscus van Assisi in een hospitium; zijn stenen kussen en crucifix zijn bewaard in zijn cel. De kerk is herbouwd door een volgeling, Rodolfo Anguillara, die in het habijt der franciscanen op de zerk van Franciscus prijkt.
De omstreeks 1680 door kardinaal Pallavicini geheel verbouwde kerk is rijk aan beeldhouwwerk. Heel uitbundig zijn de 18de-eeuwse monumenten voor de Hospiglioli en de Pallavicini in de kapel in de zijbeuk. De zijbeuk-kapel mag u niet missen vanwege Bernini's adembenemende werk *De extase van Beata Ludovica Albertoni*.

De extase van Beata Ludovica Albertoni (1674) door Bernini in San Francesco a Ripa

Villa Sciarra 10

Via Calandrelli 35. **Kaart** 7 B2. 44,
75, 710. **Park open** dag. 9.00-zonsondergang. Huis gesloten wegens restauratie.

In de Romeinse tijd was dit park het heiligdom van een nimf. Vooral in het voorjaar is het pittoresk, als de kersebomen en blauweregens in volle bloei staan. De lanen zijn opgefleurd met romantische liefjes, fonteinen en beelden. Verder heeft u prachtig uitzicht over de bastions van de Janiculum op de stad.

Santa Maria in Trastevere ❻

Piazza Santa Maria in Trastevere
Het piazza voor de kerk is het traditionele hart van Trastevere. Aan het plein staan levendige bars en restaurants. Carlo Fontana bouwde de eind 17de eeuw de achthoekige fontein.

Deze basilica is vermoedelijk het eerste officiële christelijke godshuis dat in Rome is gebouwd; het werd het centrum van de Mariavering. Men zegt dat paus Calixtus de kerk in de 3de eeuw stichtte. De huidige kerk dateert overwegend uit de 12de eeuw. Ze bezit fraaie mozaïeken, vooral die van Pietro Cavallini. De 22 zuilen in het schip zijn afkomstig uit ruïnes van gebouwen uit het klassieke Rome. Ondanks enkele barokke veranderingen in de 18de eeuw heeft Santa Maria haar middeleeuwse karakter behouden. De plaatselijke gemeenschap is sterk verbonden met de vriendelijke kerk.

De vloer is omstreeks 1870 opnieuw gelegd in het patroon van de Cosmateske mozaïekvloer uit de 13de eeuw.

★ Gevelmozaïeken
Het 12de-eeuwse mozaïek toont Maria die Jezus voedt en tien vrouwen met lampen. De acht brandende lampen symboliseren de maagdelijkheid; de vrouwen met gedoofde lampen zijn waarschijnlijk weduwen.

De klokketoren dateren uit de 12de eeuw. Bovenin ziet u een klein mozaïek van de Maagd.

STERATTRACTIES

★ Cavallini-mozaïeken

★ Gevelmozaïeken

BESCHEIDEN OPDRACHT-GEVERS

Op veel mozaïeken in Rome is een portret te zien van de paus of kardinaal die de bouw van de kerk gelastte. Het portret valt vaak in het niet bij de rest van de afbeelding, die de heilige verheerlijkt aan wie de kerk is gewijd. Op de gevel van de Santa Maria knielen twee onbekende, zeer kleine figuren aan de voeten van Maria.

Gevelmozaïek, detail

De vloer is om-
streeks 1870 op-
nieuw gelegd in
het patroon van
de Cosmateske
mozaïekvloer uit
de 13de eeuw.

De porticus werd
in 1702 door Carlo
Fontana ver-
bouwd. Op de ba-
lustrade erboven
staan vier beelden
van pausen.

Ingang

voorzijde

**15de-eeuwse
muurtabernakel
door Mino del Reame**

Apsemozaïek
Op het 12de-eeuw-se mozaïek in de koepel van de apsis is de kroning van de Maagd te zien. Zij zit rechts van Christus, omringd door heiligen.

TIPS VOOR DE TOERIST

Piazza Santa Maria in Trastevere.
Kaart 7 C1. 581 48 02.
44, 56, 60, 75, 97, 170, 280, 710, 718, 719, 774, 780 naar Viale di Trastevere (Piazza Sidney Sonnino); 23, 65 naar Lungotevere Raffaello Sanzio. **Open** dag. 7.30-13.00, 16.00-19.00 uur. dag. 18.00 uur.

★ Cavallini-mozaïeken
De details van de mozaïeken (1291) getuigen van een ontroerend realisme.

Madonna della Clemenza
De levensgrote icoon dateert waarschijnlijk uit de 7de eeuw. Een replica ontdekt u boven het altaar van de Cappella Altemps.

Tombe van kardinaal Pietro Stefaneschi
Pietro Stefaneschi, de laatste telg in zijn tak, stierf in 1417. De tombe is van de verder onbekende beeldhouwer Paolo.

TIJDBALK

			1291 Pietro Cavallini voegt mozaïeken toe met scènes uit het leven van Maria voor zijn beschermheer Bertoldo Stefaneschi	1617 Domenichino ontwerpt cassettenplafond met achthoekig paneel van Maria Hemelvaart
217-222 Paus Calixtus I sticht de kerk		*Paus Innocentius II*		
30 v.C.	**200 n.C.**	1150	1400	1650 · 1900
38 v.C. Een straal minerale olie spuit uit de grond. Later beschouwd als een voorteken van de komst van Christus	**ca. 1138** Paus Innocentius II begint herbouw van de kerk	**1580** Martino Longhi de Oudere herstelt de kerk en bouwt familiekapel voor kardinaal Marco Sittico Altemps	**1702** Paus Clemens XI laat porticus herbouwen **1866-1877** Kerk gerestaureerd door Virginio Vespignani	

JANICULUM

De Janiculum, die over de Tiber uitziet op Trastevere, heeft altijd een belangrijke rol gespeeld in de verdediging van de stad. Het laatst was dat in 1849, toen Garibaldi hier de Franse troepen tegenhield. Het park boven op de heuvel staat met monumenten voor Garibaldi en zijn getrouwen. Het park is populair bij wandelaars en is een verademing na de tjokvolle straatjes van Trastevere. Er zijn vaak

Poppen in het park boven op de Janiculum

poppenkastvoorstellingen en ander amusement voor kinderen. In de Middeleeuwen namen kloosters bijna de gehele heuvel in beslag. Bramante bouwde er zijn kleine meesterwerk, het Tempietto, bij het klooster San Pietro in Montorio. In de Renaissance kwam het gebied aan de oever, langs de Via della Lungara, tot ontwikkeling. De happy few lieten hier hun schitterende huizen bouwen, zoals de Villa Farnesina.

BEZIENSWAARDIGHEDEN IN HET KORT

Kerken en tempels
Sant'Onofrio ❻
San Pietro in Montorio ❼
Tempietto ❽

Musea
Palazzo Corsini en Galleria Nazionale d'Arte Antica ❷

Historische gebouwen
Villa Farnesina
blz. 220-221 ❶

Fonteinen
Fontana Paola ❾

Monumenten
Garibaldi-monument ❺

Bogen en poorten
Porta Settimiana ❸

Parken en tuinen
Botanische Tuinen ❹

ZIE OOK

• *Plattegrond*, kaart 3, 4, 7, 11

• *Accommodatie* blz. 294-295

• *Restaurants* blz. 310-311

BEREIKBAARHEID

De Janiculum (Il Gianicolo) is met het openbaar vervoer niet het best bereikbare deel van Rome. U kunt vertrekken van het Vaticaan *(blz. 223)* of Trastevere *(blz. 207)*. Alleen lijn 41 rijdt naar de top van de heuvel; lijn 44, 75 of 710 brengen u van Piazza Venezia naar een geschikt begin voor een wandeling. Voor de monumenten langs de Via della Lungara neemt u lijn 23, 65 of 280, die langs de Tiber rijden.

0 meter — 300

SYMBOLEN

▢ Kaart van de wandeling

— Stadsmuur

De trapvormige fontein in de Botanische Tuinen

Een wandeling over de Janiculum

A ls beloning voor de lange tocht naar de top van de Janiculum krijgt u schitterende panorama's over de stad. Tot de monumenten in het park behoren een vuurtoren en beelden van Garibaldi en zijn vrouw Anita. Er staat ook een kanon, dat iedere dag om 12 uur 's middags wordt afgevuurd. In de Via della Lungara staan Palazzo Corsini, met de nationale kunstcollectie, en Villa Farnesina, door Rafaël gedecoreerd voor zijn vriend en beschermheer Agostino Chigi.

Tasso's Eik is een monument voor de dichter Torquato Tasso, die hier graag zat voor hij in 1595 stierf. In 1843 sloeg de bliksem in de boom.

De Manfredi-vuurtoren, gebouwd in 1911, was een geschenk aan Rome van Italianen in Argentinië.

Het monument voor Anita Garibaldi van Mario Rutelli is in 1932 opgericht. De vrouw van de patriot ligt onder het monument begraven.

Vanaf Villa Lante, een mooie renaissancevilla, hebt u een schitterend uitzicht over heel Rome.

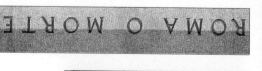

Garibaldi monument
De tekst op de sokkel van het ruiterstandbeeld betekent 'Rome of de dood'. ⑤

Botanische Tuinen
Ze zijn in 1883 aangelegd, maar behoorden voorheen tot het terrein van het Palazzo Corsini ❹

★ **Palazzo Corsini**
Dit 15de-eeuwse drieluik van Fra Angelico hangt in de Galleria Nazionale d'Arte Antica ❷

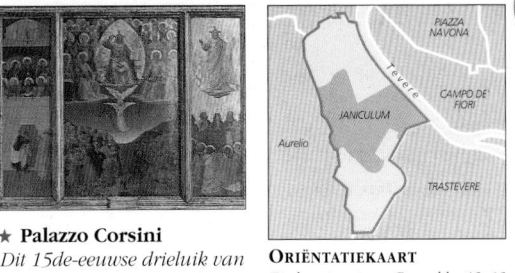

ORIËNTATIEKAART
Zie kaart centrum Rome blz. 12-13

★ **Villa Farnesina**
De villa van de bankier Agostino Chigi is beroemd om de fresco's van Rafaël, Baldassare Peruzzi en andere meesters uit de Renaissance ❶

Porta Settimiana
Als u door de renaissance-poort kijkt vanuit de Via della Lungara, wordt u een blik gegund op de wirwar van straatjes in Trastevere ❸

SYMBOOL

– – – Aanbevolen route

0 meter   75

STERATTRACTIES

★ **Villa Farnesina**

★ **Palazzo Corsini en Galleria Nazionale d'Arte Antica**

① Villa Farnesina

Blz. 220-221.

② Palazzo Corsini en Galleria Nazionale d'Arte Antica

Via della Lungara 10. **Kaart 4 DS 8 & 11 AS.** (68 80 23 23. 23, 41, 65, 280. **Open** di-za 9.00-14.00 uur, zo & feestdagen 9.00-13.00 uur (toegang tot 30 min. voor sluitingstijd). **Gesloten** 15 aug., 25 dec. en 1 jan. **Niet gratis.** ⏷ ♿ 🔲

Slaapvertrek van koningin Christina in Palazzo Corsini

Het eind 15de eeuw voor kardinaal Domenico Riario gebouwde paleis kan bogen op veel beroemde gasten: Bramante, de jonge Michelangelo, Erasmus en koningin Christina van Zweden. Ferdinando Fuga verbouwde het oude palazzo volledig in 1736 voor kardinaal Neri Corsini. Aangezien de Via della Lungara te smal is voor een goed frontaal zicht, ontwierp Fuga een gevel die van om de hoek te zien is.

Palazzo Corsini herbergt thans de Galleria Nazionale d'Arte Antica. Deze uitstekende collectie omvat werken van Rubens, Van Dyck, Murillo, Caravaggio en Guido Reni; verder Italiaanse regionale kunst uit de 17de en 18de eeuw. In het palazzo is ook de Accademia dei Lincei gehuisvest, een in 1603 opgericht wetenschappelijk genootschap dat ooit Galilei onder zijn leden telde.

③ Porta Settimiana

Tussen Via della Scala en Via della Lungara. **Kaart 4 DS 8 & 11 BS.** 23, 65, 280.

Paus Alexander VI Borgia bouwde de poort in 1498 ter vervanging van een kleinere doorgang in de Aureliaanse Muur. Bij de Porta Settimiana begint de Via della Lungara, een weg die begin 16de eeuw is aangelegd.

In 1797 was Palazzo Corsini het toneel van een historische gebeurtenis: de Franse generaal Duphot (verloofd met Napoleons zuster Pauline) kwam om het leven in een schermutseling tussen pauselijke en republikeinse troepen. De Fransen bezetten vervolgens de stad en voerden paus Pius VI weg. Dit leidde tot de proclamatie van de kortstondige Romeinse Republiek (1798-1799).

④ Botanische Tuinen

Largo Cristina di Svezia 24, achter Via Corsini. **Kaart 4 DS.** (686 41 93. 23, 65, 280. **Open** ma-za 9.00-19.00 uur (okt.-maart: 18.00), zo 10.00-17.00 uur. **Gesloten** feestdagen.

Sequoia's, palmbomen en prachtige collecties orchideeën en bromelia's vindt u in de Botanische Tuinen van Rome (*Orto Botanico*). In de tuinen groeien meer dan 7000 verschillende soorten planten uit de hele wereld. Inheemse en exotische soorten staan in botanische families bij elkaar om hun aanpassing aan verschillende klimaten en ecosystemen te verduidelijken. Er zijn ook interessante planten als gingko, die sinds onheuglijke tijden bijna niet veranderd is. De tuinen waren oorspronkelijk een gedeelte van Palazzo Corsini, maar horen sinds 1883 bij de universiteit van Rome.

Trap en gelaagde fontein in de Botanische Tuinen

⑤ Monument van Garibaldi

Piazzale Giuseppe Garibaldi. **Kaart 3 C5.** 41, 44, 75, 710.

Dit enorme ruiterstandbeeld staat in het park dat de held en de heroïsche gebeurtenissen op de Janiculum herdenkt. Dat was in 1849, toen Franse troepen Rome aanvielen. De Republikeinen van Garibaldi boden de Fransen, die veruit in de meerderheid waren, wekenlang weerstand voordat ze moesten toegeven. Het in 1895 opgerichte monument is een werk van Emilio Gallori. Rond de sokkel staan vier kleinere bronzen beelden met gevechtsscènes en allegorische figuren.

Sokkel van het Garibaldi-monument

San Pietro in Montorio ⑦

Piazza San Pietro in Montorio 2.
Kaart 7 B1. **℡** 581 39 40. **🚌** 41, 44, 75, 710. **Open** dag 9.00-12.00, 16.00-18.00 uur, indien gesloten, bellen bij deur rechts van de kerk. **📷**

San Pietro in Montorio – de kerk van Petrus op de Gouden Berg – verrees in de Middeleeuwen op de plaats waar Petrus zou zijn gekruisigd. Ze is eind 15de eeuw herbouwd op bevel van Ferdinand en Isabella van Spanje en door vooraanstaande kunstenaars uit de Renaissance gedecoreerd.

De façade kenmerkt het tijdperk van de klassieke heldere, geometrische vormen die toen in de mode waren. Het enkele schip eindigt in een diepe apsis waar ooit Rafaëls nieus geheel op.

Transfiguratie hing (nu in het Vaticaan). Enkele zeer beroemde leerlingen van Michelangelo decoreerden de brede kapellen aan weerszijden van het schip. De kapel links is ontworpen door een van de weinige kunstenaars die Michelangelo openlijk bewonderde, Daniele da Volterra, van wie ook het altaarschilderij is, *De doop van Christus*. Giorgio Vasari ontwierp de rechter kapel, en voegde een zelfportret (in het zwart, links) toe aan het altaarstuk, *De bekering van Paulus*.

De eerste kapel rechts van de ingang bezit een imposante *Geseling*, van de Venetiaan Sebastiano del Piombo (1518), die Michelangelo zou de originele tekeningen hebben gemaakt. Werk van Bernini en leerlingen ziet u in de tweede kapel links en in de beide tomben van De Raymondi.

Tempietto ⑧

Via Ganibaldi 33 (binnenplaats van San Pietro in Montorio). Kaart 7 B1. **℡** 581 39 40. **🚌** 41, 44, 75, 710. **Open** dag. 9.00-12.00, 16.00-18.00 uur. Zie *Geschiedenis van Rome* blz. 30-31.

In 1502 voltooide Bramante wat volgens velen het eerste echte renaissancebouwwerk van Rome is – het Tempietto. De naam betekent gewoon 'tempeltje'. De ronde vorm herinnert aan *martyria*, de vroeg-christelijke kapellen die op de plaats van marteling zijn gebouwd. Waar het Tempietto staat, zou Petrus gekruisigd zijn.

Voor de 16 zuilen die de kapel met koepel omringen, koos Bramante de Dorische orde. Een klassiek fries en een sierlijke balustrade kronen de zuilen. Hoewel het Tempietto klein van afmeting is, levert Bramantes toepassing van klassieke verhoudingen een overtuigend harmonieus geheel op.

Het Tempietto demonstreert de droom van de Renaissance dat Rome ooit zijn klassieke glorie zou zien herleven.

Het Tempietto, de ronde kapel van Bramante

Fontana Paola ⑨

Via Ganibaldi. Kaart 7 B1. **🚌** 41, 44, 75, 710.

De monumentale fontein herdenkt de heropening in 1612 van een aquaduct dat oorspronkelijk in 109 n.C. was aangelegd door keizer Trajanus. Het aquaduct werd omgedoopt tot Acqua Paola, naar paus Paulus V, de Borghese-paus die het liet renoveren. Aanvankelijk had de fontein vijf kleine bassins, maar in 1690 veranderde Carlo Fontana het ontwerp en voegde het huidige, grote bassin toe. Ondanks wetten die het verboden, gebruikten vele generaties Romeinen het gunstig gelegen bassin met fris groene water om zichzelf te wassen.

Fontana Paola

Sant'Onofrio ⑥

Piazza di Sant'Onofrio 2. Kaart 3 C4. **℡** 686 44 98. **🚌** 41. **Open** zo voor de mis 10.00-12.00 uur, anders uitsl. toegang op afspr. **Gesloten** aug., behalve feestdag van de heilige op 12 aug. **📷 Museum open** uitsl. op afspr.

Beato Nicola da Forca Palena stichtte de kerk in 1419 ter ere van de kluizenaar Sant'Onofrio. De sobere vormen van de galerij en de kloostergang ademen nog steeds een 15de-eeuwse sfeer. Domenichino decoreerde in de 17de eeuw de zuilengang met fresco's.

In het klooster is een klein museum gevestigd dat aan de 16de-eeuwse dichter Torquato Tasso is gewijd, die hier in een van de cellen overleed.

Binnenplaats van Sant'Onofrio

Villa Farnesina ❶

Agostino Chigi was een rijke bankier uit Siena, die het hoofdkwartier van zijn wijdvertakt financieel imperium in Rome had gevestigd. In 1508 liet hij zijn stadsgenoot Baldassare Peruzzi de villa bouwen. Het eenvoudige ontwerp, met een centraal deel en twee zijvleugels, was een van de eerste echte renaissancevilla's. Het tussen 1510 en 1519 aangebrachte decor is recentelijk hersteld. Sommige fresco's zijn van Peruzzi zelf. Later voegden Sebastiano del Piombo, Rafaël en leerlingen verfijnder werk toe. De fresco's behandelen klassieke mythen; het gewelf in de grote hal, de Sala di Galatea, bevat astrologische scènes met de stand van de sterren bij Chigi's geboorte. Chigi, de rijke en machtige gastheer, onderhield kunstenaars, dichters, kardinalen, prinsen en de paus in eigen persoon in stijl. Kardinaal Alessandro Farnese kocht de villa in 1577. Sindsdien is ze bekend als Villa Farnesina.

Noordgevel
De Loggia van Cupido en Psyche ziet uit op geometrisch aangelegde tuinen, waar feesten en schranspartijen plaatsvonden.

Ingang

De bruiloft van Alexander en Roxane door Sodoma
U ziet engeltjes die de bruid Roxane helpen bij de voorbereidingen voor haar huwelijk.

★ **Triomf van Galatea door Rafaël**
De mooie zeenimf Galatea was een van de 50 dochters van de god Nereus.

Het Gabinetto delle Stampe stelt soms zeldzame prenten ten toon.

Fresco's in de Zaal van Galatea
Perseus onthoofdt Medusa op een scène uit de reeks mythologische fresco's van Peruzzi.

DE ARCHITECT

De schilder en architect Baldassare Peruzzi kwam in 1503 op 20-jarige leeftijd uit Siena naar Rome en werd hoofdassistent van Bramante. Hoewel zijn bouwkundige ontwerpen typisch classicistisch zijn, getuigt het schilderwerk meer van gotische invloed. Toen Rafaël stierf, werd hij hoofduitvoerder in de Sint Pieter. Bij de Sacco di Roma *(blz. 31)* werd hij gevangengenomen en naar Siena verbannen, waar hij stierf in 1536.

Baldassarre Peruzzi

★ Salone delle Prospettive

Dank zij de fresco's van Peruzzi lijkt het alsof u door de marmeren galerij op het 16de-eeuwse Rome uitkijkt.

Fresco van de Salone delle Prospettive
Op het tafereel is de Torre delle Milizie te zien (blz. 90) zoals hij er in de 16de eeuw uitzag.

★ Loggia van Cupido en Psyche

De maîtresse van Agostino Chigi, de courtisane Imperia, stond model voor de figuur links op het schilderij De drie Gratiën *van Rafaël.*

Lunet in de Zaal van Galatea
Het enorme monochrome hoofd van Peruzzi werd ooit aan Michelangelo toegeschreven.

STERATTRACTIES

★ **Triomf van Galatea door Rafaël**

★ **Loggia van Cupido en Psyche**

★ **Salone delle Prospettive**

VATICAAN

H et Vaticaan, op de plaats waar Petrus is gemarteld en begraven, werd de residentie van de pausen die hem opvolgden. Hier zijn beslissingen genomen die het lot van Europa hebben bepaald. De grote basilica Sint Pieter trekt pelgrims uit de gehele christelijke wereld. In de pauselijke paleizen naast de Sint Pieter zijn de Vaticaanse Musea gevestigd. Met attracties als de Sixtijnse Kapel van Michelangelo en de Stanze van Rafaël be-

Nonnen op Sint-Pietersplein

horen deze musea tot de fraaiste van Rome. De positie van het Vaticaan als een staat binnen de staat is vastgelegd in het Verdrag van Lateranen uit 1929 en gesymboliseerd met de aanleg van een nieuwe weg, de Via della Conciliazione. Deze leidt van de Sint Pieter naar Castel Sant'Angelo, een monument uit een grimmiger verleden. Het pauselijk fort, aanvankelijk bedoeld als mausoleum voor keizer Hadrianus, is getuige geweest van veel felle gevechten.

BEZIENSWAARDIGHEDEN IN HET KORT

Kerken en tempels
Sint Pieter blz. 230-333 ❶
Santo Spirito in Sassia ❹
Santa Maria in Traspontina ❾

Musea
Vaticaanse Musea
blz. 234-247 ❷

Historische gebouwen
Hospitaal Santo Spirito ❺
Palazzo del Commendatore ❻
Palazzo dei Convertendi ❼

Palazzo dei Penitenzieri ❽
Palazzo Torlonia ⓬
Castel Sant'Angelo
blz. 248-249 ⓭
Palazzo di Giustizia ⓮

Poorten
Porta Santo Spirito ❸

Historische straten en piazza's
De Borgo ❿
Vaticaanse Corridor ⓫

BEREIKBAARHEID
De snelste verbinding is metrolijn A naar Ottaviano. Deze is zeer geschikt als u de Vaticaanse Musea wilt bezoeken. Lijn 64 vertrekt regelmatig van Piazza dei Cinquecento, voor station Termini. Andere lijnen die hier langskomen, zijn 23, 81 en 492, die op Piazza del Risorgimento stoppen. Er is een speciale busverbinding tussen de Sint Pieter en de Vaticaanse Musea.

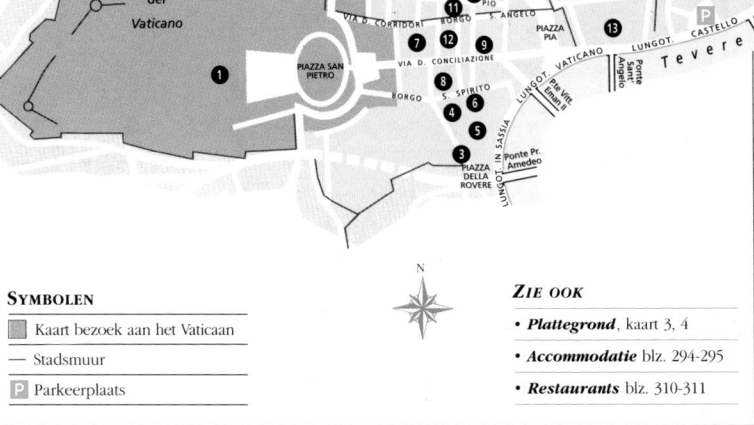

0 meter   400

SYMBOLEN
■ Kaart bezoek aan het Vaticaan
— Stadsmuur
P Parkeerplaats

ZIE OOK
• **Plattegrond**, kaart 3, 4
• **Accommodatie** blz. 294-295
• **Restaurants** blz. 310-311

De koepel van de Sint Pieter bepaalt het gezicht van het Vaticaan

Een bezoek aan het Vaticaan

De Madonna van Guadalupe is het wonderbaarlijke portret van Maria dat in 1531 op een mantel van een Indiaan uit Mexico verscheen.

Het Vaticaan, een machtsbolwerk voor katholieken en een soevereine staat sinds februari 1929, wordt geregeerd door de paus. Er wonen en werken ongeveer 1000 mensen. De staat heeft een postkantoor, winkels, een eigen radiostation, dat over de hele wereld in 20 talen uitzendt, een dagblad (*l'Osservatore Romano*), pauselijke kantoren en een uitgeverij.

De grot van Lourdes is een nabootsing van de grot in het zuidwesten van Frankrijk, waar in 1858 Maria aan Bernadette verscheen.

Pauselijke heliport

Radio Vaticaan zendt uit vanuit deze toren, een deel van de muur van Leo IV uit 847.

Het station van het Vaticaan is in 1930 geopend en ligt aan de lijn van Rome naar Viterbo, maar wordt nu alleen voor goederenvervoer gebruikt.

De pauselijke audiëntiezaal van Pier Luigi Nervi is in 1971 opengesteld. Er is plaats voor 12.000 personen.

Het inlichtingenbureau verzorgt rondleidingen door de tuinen van het Vaticaan.

PIAZZA SANTA MARTA

★ Sint Pieter
De Kapel van Petrus ligt in de grotten onder de basilica. De rijke, marmeren decoratie voegde Clemens VIII eind 16de eeuw toe ❶

Het Piazza San Pietro werd tussen 1656 en 1667 aangelegd door Bernini. De nauwe ruimte voor de kerk loopt uit in een enorme ellips met een zuilengalerij.

De obelisk is hier in 1586 geplaatst met behulp van 150 paarden en 47 takels.

PIAZZA DEL SANT'UFFIZIO

STERATTRACTIES

★ **Sint Pieter**

★ **Vaticaanse Musea**

Rafaëls *Madonna van Foligno (1513) is een van de vele meesterwerken uit de Renaissance* ❷

★ **Vaticaanse musea**

Ingang naar Vaticaanse musea

De Galjoen-fontein is een precies schaalmodel van een 17de-eeuws schip van lood, brons en koper. Een Vlaamse kunste-naar maakte het schip voor paus Paulus V.

De Cortile della Pigna is grotendeels het werk van Bramante. Pirro Ligorio schiep in 1562 de nis voor de denne-appel, ooit een Romeinse fontein.

PIAZZA PIO XII

VIA DI PORTA ANGELICA

VIA PIO X

SYMBOOL

— — — Aanbevolen route

0 meter 75

ORIËNTATIEKAART
Zie kaart centrum Rome blz. 12-13

Prati

VATICAAN

Tevere

PIAZZA NAVONA

Aurelio

CAMPO DE' FIORI

JANICULUM

Het Casina van Pius IV is een prachtig prieel in de tui-nen van het Vaticaan, om-streeks 1550 gebouwd door Pirro Ligorio.

De Adelaar-fontein is ge-bouwd toen het Acqua Paola-aquaduct werd met het Vaticaan verbonden. De adelaar staat op het wapen van de familie Borghese.

Sint Pieter ❶

Blz. 230-233.

Vaticaanse Musea ❷

Blz. 234-247.

Porta Santo Spirito ❸

Via dei Penitenzieri. **Kaart** 3 C3.
🚌 *23, 34, 49, 64, 81, 492.*

De poort staat aan de zuidelijke grens van de 'Leonische Stad', het gedeelte dat paus Leo IV had ommuurd ter verdediging tegen de Saracenen, die Rome in 845 hadden geplunderd. De muur heeft een omtrek van 3 km. De werkzaamheden begonnen in 846. Paus Leo hield persoonlijk toezicht op het enorme leger arbeiders. Dank zij zijn aansporingen was het karwei in vier jaar geklaard. Na afloop leidde hij een plechtige processie om zijn geweldige bouwprestatie in te wijden. Sinds de tijd van paus Leo moesten de muren vaak worden versterkt en hersteld. In 1543-1544 bouwde de architect Antonio da Sangallo de Jongere de nu nog zichtbare Porta Santo Spirito. Deze wordt geflankeerd door twee enorme bastions, die paus Pius IV Medici in 1564 liet

toevoegen. Helaas is het ontwerp van Sangallo voor een monumentale ingang naar het Vaticaan nooit voltooid; de grote zuilen eindigen nogal abrupt in een moderne laag cement.

Santo Spirito in Sassia ❹

Borgo Santo Spirito 4. **Kaart** 3 C3.
☎ *687 93 10.* 🚌 *23, 34, 41, 46, 64.*
Open *dag. 7.00-12.30, 16.00-20.00 uur.* 🚹 📷 ♿

Schip van Santo Spirito in Sassia

De kerk staat op de plaats van een oudere, door koning Ine van Wessex gebouwde kerk; Ine stierf in de 8ste eeuw in Rome. Antonio da Sangallo de Jongere bouwde de huidige kerk. Ze is her-

bouwd (1538-1544), toen ze in puin lag na de Sacco di Roma in 1527. Onder paus Sixtus V (1585-1590) is de façade toegevoegd. Het schip en de zijkapellen zijn versierd met levendige fresco's. De fraaie klokketoren dateert uit het bewind van Sixtus IV (1471-1480). Hij is vermoedelijk het werk van de pauselijke architect, Baccio Pontelli, die ook het hospitaal Santo Spirito bouwde en de Ponte Sisto *(blz. 210).*

Het wapen van Sixtus V boven de deur van Santo Spirito

Hospitaal Santo Spirito ❺

Borgo Santo Spirito 2. **Kaart** 3 C3.
🚌 *23, 34, 41, 46, 64.* **Achthoekige kapel open** *dag. 8.30-14.00 uur.*

Het hospitaal is volgens de legende gesticht na een nachtmerrie van paus Innocentius III (paus 1198-1216). In de droom toonde een engel hem de lijkjes van de ongewenste baby's in Rome die met netten uit de Tiber werden gevist. De paus haastte zich een ziekenhuis voor de armen te bouwen. Paus Sixtus IV liet het hospitaal in 1475 verbouwen om

Fresco van een engel in de achthoekige kapel van het hospitaal van Santo Spirito

Palazzo del Commendatore **6**

Borgo Santo Spirito 3. **Kaart 3** C3. 🚌 23, 34, 41, 46, 64. **Alleen binnenplaats toegankelijk voor publiek.**

De Commendatore, de directeur van het ziekenhuis Santo Spirito, leidde niet alleen het hospitaal, maar was ook verantwoordelijk voor de bezittingen en de inkomsten. Aanvankelijk kregen leden van de pauselijke familie deze belangrijke taak toegewezen. Het naast het hospitaal gebouwde palazzo heeft een ruime 16de-eeuwse loggia met fresco's die de past bij de waardige en sobere eigenaars. De fresco's geven het verhaal weer van de stichting van het hospitaal Santo Spirito. Links van de ingang is de Spezieria, de apotheek. Deze bezit nog steeds het wiel waarmee de bast van de kinaboom werd vermalen tot het geneesmiddel kinine.

Op de binnenplaats hangt een schitterende klok (1827). De wijzerplaat is in zes vlakken verdeeld; pas in 1846 voerde paus Pius IX in Rome de gebruikelijke dagindeling in van twee helften van 12 uren in.

De rota van Santo Spirito, voor ongewenste kinderen

de verwachte stroom pelgrims voor het jubeljaar op te vangen. Het hospitaal van Sixtus was voor die tijd revolutionair. Kloostergangen liepen tussen de verschillende soorten patiënten. Er is er nog een gereserveerd voor wezen en hun verzorgsters.

Ongewenste kinderen passeerden een soort draaiende ton, die *rota* heette, die links van de hoofdingang in Borgo Santo Spirito nog te zien is. De ton moest anonimiteit garanderen. Maarten Luther, in 1511 in Rome, was geschokt toen hij het aantal te vondeling gelegde kinderen zag en meende dat het 'de zonen van de paus zelf waren.

In het midden, onder de opvallende trommel van het hospitaal, staat een kapel waar patiënten de mis konden bijwonen. Dit vertrek kunt u bezichtigen; de rest doet nog dienst als ziekenhuis.

Palazzo dei Convertendi **7**

Via della Conciliazione 43. **Kaart 3** C3. 🚌 23, 34, 41, 46, 64. **Gesloten voor publiek.**

Bij de aanleg van de Via della Conciliazione in de jaren dertig is het Palazzo dei Convertendi gedemonteerd en later naar deze nabije plek verhuisd. In het huis, deels toegeschreven aan de architect Bramante, stierf Rafaël in 1520.

Rustiek uitgevoerde toegang van het Palazzo dei Convertendi

Wapen van Della Rovere

Palazzo dei Penitenzieri **8**

Via della Conciliazione 33. **Kaart 3** C3. 🖀 686 54 35. 🚌 23, 34, 41, 46, 64. *Zie* **Accommodatie** *blz. 295.*

Het palazzo dankt zijn naam aan het feit dat hier ooit de biechtvaders (*penitenzieri*) van de Sint Pieter woonden. Het gebouw huisvest thans toeristen, aangezien het is omgedoopt tot Hotel Columbus. Het palazzo is gebouwd voor kardinaal Domenico della Rovere in 1480, vandaar dat het wapen met de eik (*rovere*) nog steeds te zien is op de sierlijke putrand op de binnenplaats. Na de dood van de kardinaal kwam het palazzo in bezit van kardinaal Francesco Aldosi, de gunsteling van paus Julius II della Rovere. De van verraad verdachte kardinaal werd in 1511 vermoord door de neef van de paus, de hertog van Urbino, die ook het palazzo betrok. Enkele vertrekken bezitten nog mooie fresco's.

Zicht op de Tiber en de Borgo tussen Castel Sant'Angelo en de Sint Pieter door Gaspare Vanvitelli (1653-1736)

Santa Maria in Traspontina **❾**

Via della Conciliazione 14.
Kaart 3 C3. 📞 *68 30 00 63.*
🚌 *23, 34, 41, 46, 64.* **Open** *dag.
6.30-12.00, 16.00-19.00 uur.*
✝ 📷 ♿

**De gevel van de karmelietenkerk
Santa Maria in Traspontina**

Op de plaats van de kerk stond eerst een antieke Romeinse piramide, die in de Middeleeuwen werd beschouwd als het graf van Romulus. Paus Alexander VI Borgia liet de piramide afbreken. Op de bronzen deuren van de Sint Pieter en op een drieluik van Giotto in de Vaticaanse Pinacotheek *(blz. 240)* zijn er nog afbeeldingen van te zien.

De huidige kerk dateert uit 1566 en moest een oudere vervangen die in de vuurlinie had gestaan van de kanonnen die Castel Sant'Angelo moesten verdedigen tijdens de Sacco di Roma in 1527. De officieren van de pauselijke artillerie eisten een zo laag mogelijke koepel voor de nieuwe kerk, daarom is er geen steunende trommel. De eerste kapel rechts is gewijd aan de patroon van de schutters, Santa Barbara, en versierd met oorlogsmotieven. De derde kapel links bevat twee zuilen waaraan Petrus en Paulus voor hun marteling zouden zijn vastgebonden.

De Borgo **❿**

Kaart 3 C3. 🚌 *23, 34, 41, 46, 64.*

Het woord borgo is van het Germaanse woord *burg* afgeleid (stad). De Borgo van Rome huisvestte de eerste pelgrims voor de Sint Pieter in herbergen en hospitia, vaak voor geruime tijd. De eerste van deze buitenlandse kolonies, 'scholen' genaamd, werd in 725 gesticht door een Saks, koning Ine van Wessex. Tegenwoordig hebben hotels en herbergen de Borgo opnieuw tot een kolonie van internationale pelgrims gemaakt. Veel van het oorspronkelijke karakter is verdwenen na modernisering in de jaren dertig. Toch is het nog prettig om de oude, nauwe straten te verkennen rond de Via della Conciliazione.

Vaticaanse Corridor **⓫**

Van Castel Sant'Angelo naar het Vaticaan.
Kaart 3 C3. 🚌 *23, 34, 41, 46, 64.*

**Clemens VII, die in 1527 via de
Vaticaanse Corridor ontsnapte**

De lange gang, plaatselijk bekend als Passetto (gangetje), is in de Middeleeuwen in de versterkingen gebouwd.

Palazzo Torlonia ⑫

Via della Conciliazione 30. **Kaart** 3 C3. 23, 34, 41, 46, 64. **Gesloten voor publiek.**

Het palazzo is eind 15de eeuw gebouwd voor de rijke kardinaal Adriano Castellesi, in een stijl die nauw verwant is aan het Palazzo della Cancelleria (blz. 149). De kardinaal was een bereisde schurk, die enorme schatten vergaarde in het diocees Bath en Wells, dat hij had gekregen van zijn vriend koning Hendrik VII van Engeland. In ruil kreeg Hendrik zijn palazzo als residentie voor de Engelse ambassadeur bij de Heilige Stoel. Paus Leo X Medici ontnam hem ten slotte het kardinaalschap en Castellesi verdween uit de geschiedenis. Sindsdien heeft het palazzo veel eigenaars en huurders gekend. In de 17de eeuw huurde koningin Christina van Zweden het een tijdlang. De familie Torlonia, die het pand in 1820 verwierf, had haar fortuin te danken aan het financiële genie van de bankier Giovanni Torlonia. Hij leende de verarmde Romeinse adel geld en kocht hun bezittingen op tijdens de Napoleontische Oorlogen.

Paus Leo X

Bedoeld als verbinding tussen het Vaticaan en het Castel Sant'Angelo, was het een versterkte ontsnappingsroute. Hij kon ook dienen om de strategische Borgo te beheersen. Vanaf de bastions kon men pijlen en andere projectielen op de straten en woningen eronder afvuren. Paus Alexander VI Borgia gebruikte de gang in 1494, toen koning Karel VIII van Frankrijk Rome binnenviel. In 1527 was het de vluchtweg voor paus Clemens VII naar Castel Sant'Angelo; toen begonnen troepen onder aanvoering van Karel van Bourbon met de Sacco di Roma.

Castel Sant'Angelo ⑬

Blz. 248-249.

Palazzo di Giustizia ⑭

Piazza Cavour. **Kaart** 4 E3. 34, 49, 70, 87, 186, 280, 492, 990. **Gesloten voor publiek.**

Het imposante Palazzo di Giustizia (Paleis van Justitie) verrees tussen 1889 en 1910 als onderkomen voor de nationale gerechtshoven. Op de gevel aan de oever staat een bronzen rijtuig; enorme beelden van bekende Italiaanse juristen staan ervoor. Het gebouw moest de nieuwe orde belichamen en het onrecht van het pauselijke bewind vervangen. Maar bij de Romeinen heeft het zich nooit geliefd gemaakt. Het kreeg al gauw de naam 'Palazzaccio' (zowel als 'lelijk, oud paleis') vanwege het uiterlijk en de binnen behandelde zaken. Begin jaren zeventig begon het gebouw onder zijn eigen gewicht in te storten.

De weelderige travertijnfaçade van het Palazzo di Giustizia

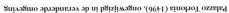

Palazzo Torlonia (1496), ongewijzigd in de veranderde omgeving

Sint Pieter ❶

Als centrum van het rooms-katholieke geloof trekt de Sint Pieter pelgrims aan uit de hele wereld. Slechts weinigen zijn teleurgesteld wanneer ze de weelderig gedecoreerde basilica betreden.
Op het graf van Petrus kwam in de 2de eeuw een heiligdom te staan en de eerste grote basilica werd in opdracht van keizer Constantijn omstreeks 349 voltooid. Tegen de 15de eeuw stond deze op instorten en in 1506 legde paus Julius II de eerste steen voor een nieuwe kerk. Alle bekende Romeinse architecten uit de Renaissance en Barok waren bij het ontwerp betrokken.

★ Koepel van Sint Pieter
Michelangelo stierf voor de voltooiing van de door hem ontworpen koepel. De 132,50 m hoge koepel verleent harmonie aan het majestueuze interieur van de basiliek.

Het schip
is 211,50 m lang.

Pauselijk altaar
Het huidige altaar dateert uit de tijd van Clemens VIII (1592-1605). Deze eenvoudige marmerplaat uit het Forum van Nerva staat onder het baldakijn van Bernini. Het altaar ziet uit over de confessio, de crypte waar Petrus begraven zou zijn.

Baldakijn
Het schitterende baldakijn van verguld brons rust op gedraaide zuilen van 20 m hoog. Het is een ontwerp van Bernini uit de 17de eeuw.

TIJDBALK

60 n.C.	800	1500	1550	1600	
61 n.C. Begrafenis van Petrus	**1452** Nicolaas V bereidt restauratie voor	**1506** Julius II legt eerste steen	**1547** Michelangelo benoemd tot hoofdarchitect van Sint Pieter	**1593** Koepel voltooid	**1626** Nieuwe basilica Sint Pieter gewijd
324 Constantijn bouwt basilica					
200 Altaar gebouwd op het graf van Petrus	**1503** Paus Julius II wijst Bramante aan als architect voor de nieuwe basilica	**1538** Antonio da Sangallo de Jongere neemt taak Rafaël over	**1606** Carlo Maderno breidt basilica uit	**1614** Maderno voltooit de gevel	
800 Karel de Grote tot keizer van het Heilige Roomse Rijk gekroond		**1514** Rafaël hoofduitvoerder	**1564** Dood van Michelangelo		

★ **Uitzicht vanaf de koepel**
Gezien vanaf de koepel komt de prachtige symmetrie van Bernini's zuilengang geheel tot haar recht.

De twee kleine koepels bij de dwarsbeuk zijn van Vignola.

De sleutels van paus Urbanus VIII
Onder aan de zuilen van het baldakijn zijn op het wapen van paus Urbanus VIII de sleutels van het Koninkrijk der Hemelen te zien.

Façade van Carlo Maderno (1614)

Trappen naar de koepel

Deur van Filarete
Antonio Averulino voltooide de bronzen deur in 1445.

Ingangen

Piazza San Pietro
Bij speciale gelegenheden verschijnt de paus op een balkon aan het plein om de menigte te zegenen.

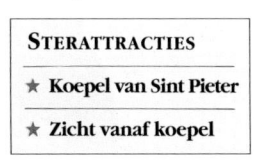

Wandeling door de Sint Pieter

De basilica is 227 m lang en het uitgestrekte met marmer beklede interieur bevat 11 kapellen en 45 altaren, naast een rijkdom aan kunstschatten. Sommige zijn uit de oorspronkelijke basilica gered en andere zijn werken van kunstenaars uit de late Renaissance en Barok. Een groot deel van de decoratie is echter omstreeks 1650 door Bernini uitgevoerd. De twee zijbeuken zijn 76 m lang en komen samen onder Michelangelo's geweldige koepel. Blikvanger in het gebouw is het pauselijk altaar onder het grote baldakijn van Bernini, dat de ruimte opvult tussen de vier machtige pijlers waarop de koepel rust. Vanuit de basilica kunt u de Sacre Grotte, de schatkamer, de sacristie van de Sint Pieter of het terras bezoeken.

⑤ **Baldakijn van Bernini**
De opdracht verstrekte paus Urbanus VIII in 1624; het extravagante barokke baldakijn beheerst het schip en kroont het pauselijk altaar, waar alleen de paus de mis mag opdragen.

Bernini's Monument van paus Urbanus VIII

④ **H. Stoel van Petrus**
In het raam in de apsis boven het barokke beeld van Bernini uit 1666 licht het symbool voor de Heilige Geest, de duif op, tussen wolken, zonnestralen en drommen engelen.

Ingang naar schatkamer en sacristie

HISTORISCHE PLATTEGROND VAN DE SINT PIETER

Petrus is in 64 begraven bij de plaats waar hij is gekruisigd, het Circus van Nero. Constantijn bouwde in 324 een basilica op de plaats van het graf. In de 15de eeuw bleek de kerk onveilig te zijn en werd gesloopt. In de 16de en 17de eeuw is ze herbouwd. In 1614 was de gevel voltooid; in 1626 is de nieuwe kerk gewijd.

SYMBOLEN

▨	Oud Romeins
▨	Constantijn
▨	Renaissance
▨	Barok

Ingang naar necropolis

③ **Monument van paus Alexander VII**
Bernini voltooide zijn laatste werk in 1678. De paus zit tussen beelden die Waarheid, Gerechtigheid, Barmhartigheid en Wijsheid symboliseren.

② **Monument van Leo XI**
Links onder de boog staat het witmarmeren monument van Alessandro Algardi voor Leo XI, die slechts 27 dagen paus was.

SYMBOOL

– – – Aanbevolen route

⑥ Angelo della Navicella

Een fragment van Giotto's mooie 13de-eeuwse mozaïek is gered uit de basilica en is nu in de Grotte. Een kopie van het gehele mozaïek van Jezus en de vissende Petrus op het Meer van Tiberias siert nu het atrium.

⑦ Petrus

Tot voor kort dacht men dat het beroemde 13de-eeuwse beeld een laat-Romeins werk was; nu wordt het toegeschreven aan Arnolfo di Cambio. Het bronzen beeld staat aan het eind van het schip.

Ingang naar de Grotte

De tabernakel van Bernini is van verguld brons en ziet eruit als een tempel.

Kapel van Sebastiaan

Monument van de Stuarts door Canova

De Porta Santa (heilige deur) gaat alleen in jubeljaren open.

⑧ Pietà

Michelangelo voltooide het beroemde marmerbeeld in 1499 op slechts 25-jarige leeftijd. Het staat in een kapel rechts in het schip, beschermd door glas na de beschadiging in 1972.

Deur van Filarete

Navicella-mozaïek

Atrium van Carlo Maderno

① Tombe van Maria Sobieska

Wat het eerste opvalt in het interieur van de basilica, is de enorme afmeting en de perfecte symmetrie. Bij de ingang links staat het 18de-eeuwse monument van Filippo Barigioni voor de vrouw van Jacobus Stuart, de 'Great Pretender'.

Vaticaanse Musea ②

De paleizen waar een van
's werelds belangrijkste
collecties kunst is ondergebracht, waren ooit pauselijke residenties, gebouwd voor renaissancepausen als Sixtus IV,
Innocentius VIII en Julius
II. De lange binnenplaatsen en galerijen die de
Villa Belvedere van Innocentius VIII
verbinden met de overige bouwwerken, zijn van Donato Bramante. De
meeste uitbreidingen naderhand dateren uit de 18de eeuw, toen de kunstwerken die pausen vroeger hadden
verzameld voor het eerst werden tentoongesteld. Tot het complex van
musea behoren ook de Sixtijnse Kapel
en de Stanze van Rafaël.

Atrio dei Quattro Cancelli
Camporese bouwde het
enorme koepelgebouw in
1792-1793; dit was de oorspronkelijke ingang van de
Vaticaanse Musea.

De Villa Belvedere werd eind
15de eeuw gebouwd in opdracht
van paus Innocentius VIII.

Cortile della Pigna
De grote bronzen denneappel, een fragment van
een oude Romeinse fontein, stond ooit op de binnenplaats van de oude
Sint Pieter. Pirro Ligorio
ontwierp de nis.

Cortile della
Biblioteca

Cortile del
Belvedere

Appartement
van Pius V

Sixtijnse Kapel

Borgia-toren

Appartemento
Borgia

Loggie van
Rafaël

Cortile di
San Damaso

STERATTRACTIES

★ Cortile della Pigna

★ Atrio dei Quattro
Cancelli

★ Trap van Bramante

Wenteltrap
Giuseppe Momo ontwierp in 1932 de spectaculaire trap die van de ingang naar de musea loopt.

Ingang

TIPS VOOR DE TOERIST

Città del Vaticano. Ingang aan Viale Vaticano. **Kaart** 3 B2.
698 33 33. 23, 81, 492 naar Piazza del Risorgimento of 64 naar Sint Pieter. Aansluiting van Sint Pieter naar musea. M Ottaviano. 19 naar Piazza del Risorgimento. **Open** ma-za 8.45-13.00 uur, laatste zo van maand (gratis) 8.45-13.00 uur; juli-sept. en Pasen: ma-vr 8.45-14.00 uur, za 8.45-13.00 uur. **Gesloten** nat. en religieuze feestdagen. Speciale toestemming nodig voor Loggie van Rafaël, bibliotheek, Galleria Lapidaria en archieven. **Niet gratis.** speciale routes. **Wisseltentoonstellingen, lezingen, films.**

Trap van Simonetti
De trap met een gewelfd plafond dateert uit omstreeks 1780, toen de Villa Belvedere werd verbouwd tot het Museo Pio-Clementino.

Cortile Ottagonale
De binnenplaats van de Villa Belvedere kreeg de achthoekige vorm in 1773.

Braccio Nuovo

★ Trap van Bramante
Paus Julius II liet de wenteltrap in een vierkante toren bouwen als toegang tot het paleis. In geval van nood kon men de trap te paard beklimmen.

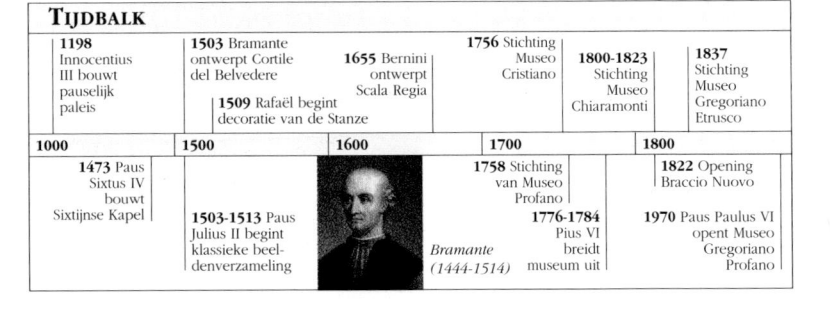

TIJDBALK

1000	1500	1600	1700	1800
1198 Innocentius III bouwt pauselijk paleis	**1503** Bramante ontwerpt Cortile del Belvedere — **1509** Rafaël begint decoratie van de Stanze	**1655** Bernini ontwerpt Scala Regia	**1756** Stichting Museo Cristiano — **1758** Stichting van Museo Profano — **1776-1784** Pius VI breidt museum uit	**1800-1823** Stichting Museo Chiaramonti — **1822** Opening Braccio Nuovo — **1837** Stichting Museo Gregoriano Etrusco — **1970** Paus Paulus VI opent Museo Gregoriano Profano
1473 Paus Sixtus IV bouwt Sixtijnse Kapel	**1503-1513** Paus Julius II begint klassieke beeldenverzameling	*Bramante (1444-1514)*		

De Vaticaanse Musea verkennen

Vier eeuwen van pausen die zowel mecenas als kunstkenner waren, resulteerden in een van de beste collecties ter wereld van kunst uit de Oudheid en Renaissance. In het Vaticaan zijn veel beroemde archeologische vondsten te zien uit Midden-Italië, zoals de *Laocoön*-groep, in 1506 op de Esquilijn ontdekt, de *Apollo del Belvedere* en het Etruskische brons dat bekend staat als de *Mars van Todi*. In de Renaissance zijn delen van het museum gedecoreerd met fresco's, onder meer in de Sixtijnse Kapel, de Stanze en het Appartamento Borgia.

Mars van Todi

Galleria dei Candelabri
De ooit open loggia is nu een galerij met Griekse en Romeinse sculpturen, die een fraai uitzicht biedt op de Tuinen van het Vaticaan.

Sala della Biga

Galleria degli Arazzi

Museo Etrusco

Beleg van Malta
De Galleria delle Carte Geografiche is een belangrijke kroniek van 16de-eeuwse geschiedenis en cartografie.

Boven- verdieping

Loggia van Rafaël

Moderne religieuze kunst

Sixtijnse Kapel

Stanze van Rafaël

Sala dei Misteri
Dit is een van de zalen van het Appartamento Borgia, rijk gedecoreerd met fresco's van Pinturicchio.

MUSEUMWIJZER
U dient zich in de musea aan het eenrichtingsverkeer te houden. Het beste kunt u een collectie uitkiezen of een bepaalde route volgen. Ze zijn met kleuren aangegeven, zodat u de route overal herkent. De lengte varieert van 90 minuten tot 5 uur. Neem ruim de tijd voor een bezoek. Spaar uw krachten voor de Sixtijnse Kapel en de Stanze van Rafaël; u bereikt ze na 20-30 minuten lopen vanaf de ingang, als u onderweg niets bekijkt.

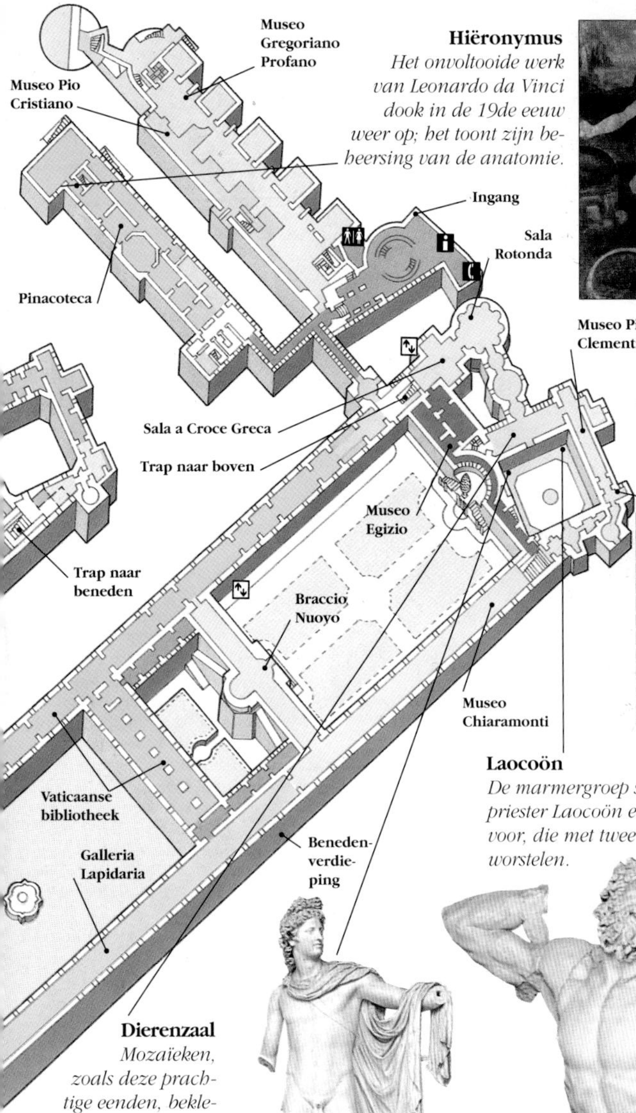

Hiëronymus
Het onvoltooide werk van Leonardo da Vinci dook in de 19de eeuw weer op; het toont zijn beheersing van de anatomie.

Museo Gregoriano Profano

Museo Pio Cristiano

Ingang

Sala Rotonda

Pinacoteca

Museo Pio-Clementino

Galleria dei Busti
Hier zijn portretten van keizers en andere prominente Romeinen te zien.

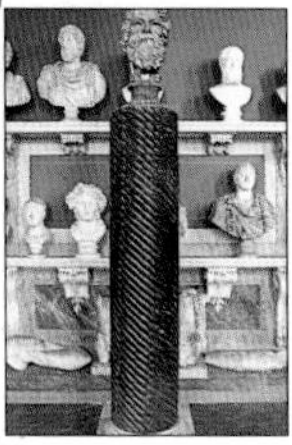

Sala a Croce Greca

Trap naar boven

Museo Egizio

Trap naar beneden

Braccio Nuovo

Museo Chiaramonti

Laocoön
De marmergroep stelt de Trojaanse priester Laocoön en zijn zonen voor, die met twee slangen worstelen.

Vaticaanse bibliotheek

Galleria Lapidaria

Benedenverdieping

Dierenzaal
Mozaïeken, zoals deze prachtige eenden, bekleden de muren en de vloer van de zaal met beelden van dieren.

Apollo del Belvedere
Deze Romeinse kopie van een Grieks beeld van Apollo is de belichaming van de idealen van klassieke schoonheid.

Symbolen

- Egyptische en Assyrische kunst
- Griekse en Romeinse kunst
- Etruskische en Italiaanse kunst
- Oude religieuze kunst
- 15-19de-eeuwse kunst
- Moderne religieuze kunst
- Geen tentoonstellingen
- Tijdelijk gesloten

De Vaticaanse collecties verkennen

De grootste schatten van het Vaticaan zijn de Griekse en Romeinse oudheden. Sinds de 18de eeuw kan het publiek ze bewonderen. In de 19de eeuw kwamen er bijzondere vondsten bij uit Etruskische graven en van Egyptische opgravingen. De Pinacoteca (schilderij-engalerij) bezit een kleine, selecte verzameling werken van onder meer Rafaël, Titiaan en Leonardo. Werken van beroemde schilders en beeldhouwers zijn ook in oudere afdelingen van de musea te zien: overdadige versieringen in opdracht van renaissance-pausen.

Gekleurd bas-reliëf uit een Egyptische tombe (ca. 2400 v.C.)

EGYPTISCHE EN ASSYRISCHE KUNST

De Egyptische collectie toont vondsten van opgravingen uit de 19de en 20ste eeuw in Egypte en beelden die in de keizertijd naar Rome zijn gebracht. Er zijn Egyptische kunst uit de Villa van Hadrianus (blz. 269) en ook Romeinse kopieën van Egyptische kunst in het Campus Martius-district in het oude Rome. De sculpturen in Egyptische stijl uit de Villa van Hadrianus decoreren nu de Sala a Croce Greca, de ingang naar de nieuwe vleugel van Michelangelo Simonetti uit 1780. De authentieke Egyptische werken, te zien op de eerste verdieping van de Villa Belvedere, bestaan uit beelden, mummies, sarcofagen en grafvoorwerpen. Er is ook een grote collectie van documenten op papyrus. Een van de grote schatten is een enorm granieten beeld van koningin Tuia, de moeder van Ramses II, dat in 1714 is gevonden in de tuinen van Horti Sallustiani (blz. 251). Het dateert uit de 13de eeuw v.C. en is wellicht door keizer Caligula (Keizer 37-41) naar Rome gebracht. De keizer had een ongezonde belangstelling voor farao's en voor zijn eigen moeder, Agrippina. Vermeldenswaard zijn ook de kop van een beeld van Mentuhotep IV (21ste eeuw v.C.), de mooie sarcofaag van koningin Hetep-heret-es en de tombe van Iri, de bewaker van de piramide van Cheops (21ste eeuw v.C.). De Assyrische trap is gedecoreerd met reliëffragmenten uit de paleizen van de koningen van Nineve (8ste eeuw v.C.). Ze geven de krijgsdaden weer van koning Sennacherib en zijn zoon Sargon II en tonen scènes uit de Assyrische en Chaldeeuwse mythologie.

ETRUSKISCHE EN ANDERE PRE-ROMEINSE KUNST

Deze verzameling omvat voorwerpen uit pre-Romeinse beschavingen in Etrurië en Latium, vanaf het Neolithicum tot de 1ste eeuw v.C., toen deze antieke stammen in de Romeinse staat opgingen. Hoogtepunt in het Museo Gregoriano Etrusco zijn de objecten die in de Regolini-Galassi-tombe zijn gevonden, die in 1836 in de necropolis in Cerveteri is blootgelegd (blz. 271). Het ongeschonden graf leverde veel alledaagse, huishoudelijke voorwerpen op, plus een troon, een bed en een begrafenisrijtuig. Alle waren in brons gegoten en dateerden uit de 7de eeuw v.C. Mooie zwarte vazen, prachtige terracotta figuurtjes en bronzen beelden zoals de beroemde Mars van Todi, te zien in de Zaal van de Bronzen, getuigen van de verfijnde beschaving van de Etrusken.

Een aantal Griekse vazen dat in Etruskische graven is gevonden, is te zien bij de collectie vazen. De Zaal van de Italische Vazen bevat uitsluitend plaatselijk vervaardigde exemplaren uit de Griekse steden in Zuid-Italië en in Etrurië zelf.

Etruskische gouden gesp (fibula) uit de 7de eeuw v.C.

Hoofd van een atleet in mozaïek uit de Thermen van Caracalla

GRIEKSE EN ROMEINSE KUNST

De Vaticaanse Musea zijn overwegend gewijd aan Griekse en Romeinse kunst. Er staan stukken in de verbindende gangen en hallen; aan muren en op vloeren prijken mozaïeken en beroemde sculpturen decoreren de grote binnenplaatsen.

De eerste serieuze indeling van de collectie vond plaats onder Julius II (1503-1513) rondom de Cortile del Belvedere van Bramante. De topstukken vormen de kern van het 18de-eeuwse Museo Pio-Clementino. In de paviljoenen van de achthoekige binnenplaats en in de aangrenzende vertrekken staan beelden die tot de hoogtepunten van de westerse beschaving worden gerekend. De *Apoxyomenos* (een atleet die zich afdroogt na een wedstrijd) en de *Apollo del Belvedere* zijn geslaagde Romeinse kopieën van Griekse originelen uit ongeveer 320 v.C. De schitterende *Laocoön*, een werk van drie kunstenaars uit Rhodos, was al bekend vanwege een beschrijving door Plinius de Oudere. Hij is in 1506 herontdekt tussen de ruïnes van het Gouden Huis van Nero *(blz. 175)*. Dergelijke klassieke werken oefenden grote invloed uit op Michelangelo en andere kunstenaars uit de Renaissance.

Het veel kleinere Museo Chiaramonti, genoemd naar paus Pius VII Chiaramonti, is begin 19de eeuw ontworpen door Canova. Er staat een waarlijk kolossaal hoofd van de godin Athene. In de Braccio Nuovo, een uitbreiding van het met Romeinse vloermozaïeken gedecoreerde Chiaramonti, staat een beeld van Augustus uit de villa van zijn vrouw Livia in Prima Porta. De houding is ontleend aan de beroemde *Doryphoros* van de Griekse beeldhouwer Polyclitus. Een Romeinse kopie hiervan is aan de overkant te zien.

Het scala in de Vazenzalen reikt van de geometrische stijl (8ste eeuw v.C.) tot vazen met zwarte figuren uit Corinthe. Er loopt een trap van deze afdeling naar de Galleria dei Candelabri en de Sala della Biga (een tweespan). De paarden en het harnas zijn in de 18de eeuw toegevoegd. Het Museo Gregoriano Profano is in een nieuwe vleugel ondergebracht en belicht de ontwikkeling van Romeinse kunst die afhankelijk is van Griekse modellen tot een herkenbare Romeinse stijl. Origineel Grieks

Marmerreliëf van keizer Vespasianus

zijn de grote marmerfragmenten van het Parthenon in Athene. Er is ook een Romeinse kopie van *Athene en Marsyas* door Myron, dat eveneens het Parthenon sierde. Geheel Romeins van karakter zijn de twee reliëfs die bekend staan als de Rilieve della Cancelleria omdat ze in de jaren dertig zijn ontdekt onder het Palazzo della Cancelleria *(blz. 149)*. Ze tonen militaire parades van keizer Vespasianus en zijn zoon Domitianus. Deze afdeling bezit ook fraaie Romeinse vloermozaïeken. Twee ervan, met atleten en scheidsrechters, komen uit de Thermen van Caracalla *(blz. 197)*. Ze dateren uit de 3de eeuw. Het hoogtepunt is een mozaïek dat op een ongeveegde vloer lijkt, bedekt met afval na een maaltijd. Uit de buurt van de klassieke collecties, in een van de zalen van de Vaticaanse bibliotheek, hangt de *Bruiloft van de Aldobrandini*, een prachtig Romeins fresco uit de 1ste eeuw.

De *Doryphoros* of speerdrager, een Romeinse kopie in marmer van een Grieks origineel in brons

Vloermozaïek uit de Thermen van Otricoli in Umbrië, in de Sala Rotonda

VROEG-CHRISTELIJKE EN MIDDELEEUWSE KUNST

De belangrijkste collectie vroeg-christelijke ouden- den bevindt zich in het Museo Pio Cristiano, dat paus Pius IX in de vorige eeuw stichtte. Daarvoor was ze in het Lateraans Paleis gehuisvest. Er zijn inscripties en beelden te zien uit catacomben en vroeg-christelijke basilica's. De sculpturen zijn voorname- lijk reliëfs van sarcofagen, hoewel het opvallendste stuk een vrijstaand beeld van de Goede Herder is uit de 4de eeuw. Van belang is in dit geval de wijze waarop het bij- belse verhaal en de heidense mythologie in elkaar over- gaan. Het christendom nam klassieke beelden om de leer voor iedereen helder en dui- delijk te maken. De geïdeali- seerde figuur van de herder bijvoorbeeld werd Christus zelf, en de behaarde filosofen veranderden in apostelen. Het christendom maakte tege- lijkertijd aanspraak op het geestelijke en culturele erf- goed van het Romeinse Rijk. De eerste twee zalen van de Pinacoteca zijn gewijd aan laat-middeleeuwse kunst. Het betreft overwegend met tem-

pera beschilderde panelen, die als altaarstukken dienden. Hoogte- punt is een schil- derij van Giotto uit ongeveer 1300, de zogehe- ten *Stefaneschi- triptiek*. Het on- derwerp is dat van veel vroeg- christelijke wer- ken: de voorstel- ling van de klas- sieke wereld van het Romeinse Rijk in de nieuwe orde van het christeli- ke Europa. Petrus wordt tussen twee symbolen van Rome gekrui- sigd, de Piramide van Caius Cestius (blz. 205) en de piramide die in de Middeleeuwen bekend stond als de Tombe van Romulus, vlak bij het Vaticaan. Het drieluik dat het hoofdaltaar van de oude Sint Pieter sierde, bevat portretten van paus Celestinus

Detail van Giotto's Stefaneschi-drieluik

V (paus 1294-1296) en de schenker, kardinaal Jacopo Stefaneschi, die het drieluik aan Petrus aanbiedt.
De Vaticaanse bibliotheek bezit tal van middeleeuwse schatten, die nogal lukraak in de vitrines zijn uitgestald: onder meer geweven en ge- borduurde kleding, schrijnen, emailwerk en iconen. Een van de doelstellingen van de herindeling van de Vaticaanse Musea in de 18de eeuw was de verheerlijking van christe- lijke werken. In de lange Galleria Lapidaria vindt u 3000 steentabletten met chris- telijke en heidense inscripties, in haar soort de grootste col- lectie ter wereld en alleen met speciale toestemming te bezichtigen.

15-19DE-EEUWSE KUNST

De pausen in de Renaissan- ce, van wie er velen ont- wikkelde kunstkenners waren, zagen het als hun taak de prominente schilders, beeldhouwers en goudsme- den uit hun tijd te steunen.

Pietà van de Venetiaanse kunstenaar Giovanni Bellini (1430-1516)

RAFAËLS ZWANEZANG

Bij zijn dood in 1520 trof men Rafaëls bijna voltooide *Transfiguratie* in zijn atelier aan. Het wonderlijk oplichtende werk stond aan het hoofd van de baar met het lichaam van de grote kunstenaar. Het is een afbeelding van een episode uit de Evangeliën waarin Christus drie apostelen naar de Olijfberg meeneemt. Hij verscheen aan hen in goddelijke glorie. Het detail links toont Christus in een aureool van hemels licht.

MODERNE RELIGIEUZE KUNST

Moderne kunst in de Vaticaanse Musea ondervindt felle concurrentie van de beroemde werken uit het verleden. Weinig moderne werken zijn opvallend aanwezig, behalve de wenteltrap van Momo uit 1932, die de bezoekers van de musea ontvangt en de abstracte sculptuur van Giò Pomodoro midden in de Cortile della Pigna. In 1973 heeft paus Paulus VI een collectie hedendaagse kunst geopend. De verzameling in het Appartamento Borgia omvat 800 werken van moderne kunstenaars uit de hele wereld, geschonken door verzamelaars of de kunstenaars zelf. Er zijn schilderijen, tekeningen, gravures en beelden van 19de- en 20ste-eeuwse kunstenaars, in mozaïek, glas, keramiek en wandtapijten. Beroemde schilders zoals Georges Braque, Paul Klee, Edvard Munch en Graham Sutherland zijn allen aanwezig. Verder zijn er tekeningen van Henry Moore, keramiek van Picasso en gebrandschilderd glas van Fernand Léger. Ornamenten voor moderne kerken zijn bijvoorbeeld de decoraties van Matisse voor de kerk St. Paul de Vence, de ontwerpen van Luigi Fontana voor de bronzen deuren van de kathedraal in Milaan en de panelen van Emilio Greco voor de deur van de kathedraal in Orvieto.

Alle galerijen rondom de Cortile del Belvedere zijn door grote kunstenaars gedecoreerd. De Galleria degli Arazzi hangt vol wandtapijten uit Brussel die leerlingen van Rafaël hebben ontworpen; de zaal van paus Pius V bezit fraaie 15de-eeuwse gobelins uit Vlaanderen; de fresco's in de Galleria delle Carte zijn 16de-eeuwse plattegronden van het klassieke en toenmalige Italië. Als u de Stanze van Rafaël bezoekt *(blz. 242-243)*, mag u de nabije zaal van de Chiaroscuri en de kleine privé-kapel van paus Nicolaas V niet missen. De kapel bezit fresco's (1447-1451) van Fra Angelico. Bezoek voordat u bij de Sixtijnse Kapel bent *(blz. 244-247)*, het Appartamento Borgia, met fleurige fresco's die Pinturicchio en zijn leerlingen omstreeks 1490 schilderden. Een groter verschil met het plafond van Michelangelo in de Sixtijnse Kapel (begonnen in 1508) is nauwelijks denkbaar. Een andere groep boeiende fresco's siert de Loggie van Rafaël, maar hiervoor is speciale toestemming nodig.
Veel belangrijke werken van meesters uit de Renaissance zijn in de Pinacoteca te zien. Hoogtepunten zijn 15de-eeuwse werken zoals een fraaie *Pietà* van de Venetiaan Giovanni Bellini en de onvoltooide *Hiëronymus* van Leonardo da Vinci. Wat 16de-

eeuwse werken betreft: de mooie retabel van Titiaan, de *Kruisiging van Petrus* van Guido Reni, de *Kruisafneming* van Caravaggio en de *Communie van Hiëronymus* van Domenichino zijn van een grote schoonheid. Aan het werk van Rafaël is een aparte zaal gewijd. Hier hangen de *Madonna van Foligno* en de *Transfiguratie*.

Lunet van de *Aanbidding der koningen* door Pinturicchio in de Sala delle Arti Liberali in het Appartamento Borgia

Stad met gotische kathedraal door Paul Klee (1879-1940)

Stanze van Rafaël

De privé-vertrekken van paus Julius II bevinden zich boven die van zijn gehate voorganger, Alexander VI. Deze Borgia-paus stierf in 1503. Julius was onder de indruk van Rafaëls werk en gaf hem de opdracht de

vier zalen *(stanze)* te decoreren. In 1508 togen Rafaël en zijn leerlingen aan het werk. Bekende kunstenaars, ook Perugino, de leermeester van Rafaël, vervingen bestaand werk. De decoratie nam 16 jaar in beslag en Rafaël stierf voor de voltooiing. De fresco's geven de religieuze en filosofische idealen van de Renaissance weer. Ze bezorgden Rafaël een goede reputatie en stelden hem op een lijn met Michelangelo, die toen aan het plafond van de Sixtijnse Kapel werkte.

Detail van *De verdrijving van Heliodorus uit de tempel*; paus Julius II kijkt toe vanuit zijn draagstoel

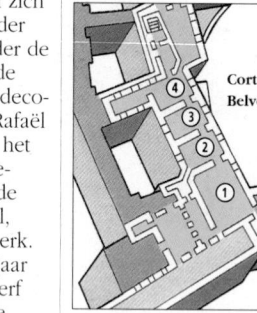
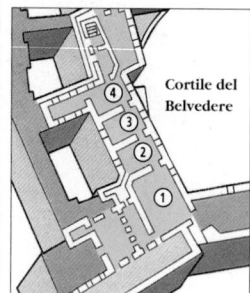

Cortile del Belvedere

SYMBOLEN

① Sala di Constantino
② Stanza di Eliodoro
③ Stanza della Segnatura
④ Stanza dell'Incendio

SALA DI CONSTANTINO ①

Het werk aan de fresco's in deze zaal begon in 1517, drie jaar voordat Rafaël stierf, maar zelf is hij bij de uitvoering vermoedelijk nauwelijks betrokken geweest. Daarom beschouwt men ze ook niet als van dezelfde hoge kwaliteit als de fresco's in de andere zalen. Giulio Romano en twee andere voormalige leerlingen van Rafaël, Giovanni Francesco Penni en Raffaellino del Colle, voltooiden het werk in 1525 onder paus Clemens VII. Het thema van de decoratie is de triomf van het christendom op het heidendom. De vier grote fresco's zijn taferelen uit het leven van Constantijn met zijn *Visioen van het kruis* en de zege op zijn rivaal Maxentius in de *Slag bij de Pons Milvius*, waarvoor Rafaël een voorbereidende schets had gemaakt. Zowel in *De doop van Constantijn* en *De schenking van Constantijn* kreeg paus Sylvester *(blz. 170)* het uiterlijk van Clemens VII.

STANZA DI ELIODORO ②

Rafaël decoreerde de privé-antichambre tussen 1512 en 1514. De grote fresco's verbeelden de wonderbaarlijke bescherming die de dienaren, leer en eigendom van de kerk genieten. De naam van de zaal verwijst naar het fresco rechts, *De verdrijving van Heliodorus uit de tempel*. Het betreft een verhaal uit de joodse geschiedenis waarin een ruiter de dief Heliodorus velt,

Wachtende Zwitserse garde op *De mis van Bolsena*

die er met de tempelschat van Jeruzalem vandoor wil. De paus, door hovelingen gedragen op een draagstoel, is ook aanwezig. Het voorval is tevens een nauwelijks verhulde verwijzing naar Julius' II succesvolle verdrijving van buitenlandse legers uit Italië. In *De ontmoeting van Leo I en Attila* verwijst Rafaël fijntjes naar de politieke vaardigheden van de paus. Paus Leo had aanvankelijk de trekken van Julius II, maar na diens dood verving Rafaël hem door de opvolger van Julius, Leo X. *De mis van Bolsena* geeft een mirakel weer uit 1263. Een priester die betwij-

De Slag bij de Pons Milvius, voltooid door leerlingen van Rafaël

De bevrijding van Petrus, een compositie in drie delen, toont in het midden de slapende heilige in zijn cel. Rechts leidt een engel hem uit de gevangenis terwijl links de wachten van schrik terugdeinzen

felde of het brood en de wijn echt het lichaam en bloed van Christus waren, zag opeens de hostie bloeden toen hij de mis opdroeg. Julius II is op dit fresco afgebeeld, samen met een kleurrijke groep Zwitserse garde die rond de pauselijke troon staat te wachten.

Julius verschijnt opnieuw, nu als Petrus in *De bevrijding van Petrus*. Wat opvalt zijn de dramatische lichteffecten van het fresco.

STANZA DELLA SEGNATURA ③

De naam is ontleend aan een speciale raad die hier bijeenkwam om officiële documenten te ondertekenen. De fresco's zijn tussen 1508 en 1511 aangebracht. Paus Julius II bepaalde de onderwerpkeuze van Rafaël. Deze drukt het humanistische geloof uit dat de klassieke cultuur en het christendom volledig met elkaar in harmonie waren dank zij het wederzijdse streven naar waarheid. *Het dispuut over het heilige Sacrament*, het eerste fresco dat Rafaël voor paus Julius voltooide, toont de zege van het geloof en de geestelijke waarheid. De hostie in het midden verbindt de groep geleerden die over het belang ervan twisten, met de Heilige Drieëenheid en de heiligen die op de wolken erboven drijven. Ertegenover hangt *De school van Athene (blz. 30)*, een bruisend tafereel, gericht op het debat over het streven naar waarheid tussen de Griekse filosofen Plato en Aristoteles. Het fresco bevat ook portretten van veel tijdgenoten van Rafaël, onder wie Leonardo da Vinci, Bramante en Michelangelo. Ander werk omvat een portret van paus Julius II, die in 1511 zwoer zich niet te scheren voor hij alle usurpatoren uit Italië had verdreven.

STANZA DELL'INCENDIO ④

Dit was aanvankelijk de eetzaal, maar toen de decoratie onder paus Leo X was voltooid, werd het een muziekzaal. Alle fresco's verheerlijken de toenmalige paus met taferelen uit de levens van zijn naamgenoten, de 9de-eeuwse pausen Leo III en IV. De grote fresco's zijn tussen 1514 en 1517 voltooid door twee leerlingen van Rafaël,

naar het ontwerp van de meester. Het belangrijkste, *De brand in de Borgo*, is volgens een schets van Rafaël geschilderd en weerspiegelt de rijpheid van de kunstenaar. Het fresco herdenkt het wonder uit 847, toen paus Leo IV een brand die in de Borgo *(blz. 228)* woedde, bluste door een kruis te slaan. Het incident wordt vergeleken met de vlucht van Aeneas uit Troje, door Vergilius beschreven. Aeneas verschijnt op de voorgrond met zijn vader op zijn rug. Het lenen van een motief uit de klassieke mythologie laat zien dat Rafaël bereid was om te experimenteren. Helaas voerden zijn leerlingen zijn ontwerpen niet altijd even getrouw uit.

Detail van *De brand in de Borgo*: Aeneas vlucht met zijn vader op zijn rug voor het vuur

Het dispuut over het Sacrament, het fresco dat het eerst voltooid was in de Stanze

Sixtijnse Kapel: de muren

De Cappella Sistina, genoemd naar paus en opdrachtgever Sixtus IV, is de belangrijkste kapel in het Vaticaan. Enkele van de grootste kunstenaars uit de 15de en 16de eeuw, onder wie Michelangelo, Perugino en Botticelli, hebben de hoge muren van fresco's voorzien. Op de 12 schilderingen op de zijmuren zijn parallel scènes uit de levens van Mozes en Christus te zien. Michelangelo voltooide de decoratie met het grote fresco achter het altaar, *Het Laatste Oordeel*.

DE FRESCO'S: KUNSTENAARS EN ONDERWERPEN

Het Laatste Oordeel

12 · 11 · 10 · 9 · 8 · 7 · 1 · 2 · 3 · 4 · 5 · 6

☐ Rosselli ☐ Signorelli ☐ Michelangelo
☐ Perugino ☐ Botticelli ☐ Ghirlandaio

1 Doop van Christus in de Jordaan
2 Verzoeking van Christus
3 Roeping van Petrus en Andreas
4 Bergrede
5 Overdracht van de sleutels aan Petrus
6 Laatste Avondmaal
7 Mozes' reis naar Egypte
8 Mozes voor het brandende braambos
9 Doortocht door de Rode Zee
10 Aanbidding van het gouden kalf
11 Bestraffing van Datan
12 Dood van Mozes

HET LAATSTE OORDEEL VAN MICHELANGELO

Een van de laatste werken van Michelangelo in de opgeknapte Sixtijnse Kapel is *Het Laatste Oordeel*, voltooid in 1541 en beschouwd als een meesterwerk uit zijn rijpe jaren. Paus Paulus III Farnese was de opdrachtgever; eerdere fresco's en twee ramen boven het altaar moesten voor het werk wijken. De nieuwe muur was enigszins hol, om stofvorming te vermijden. Michelangelo werkte zeven jaar aan het fresco, zonder assistentie.

Het fresco toont de verrijzenis van de doden om door God geoordeeld te worden, een zeldzaam thema voor een altaarschildering. De paus koos het onderwerp om

Detail van Christusfiguur

de katholieken tot geloofstrouw aan te sporen in de woelige Reformatie. Uit het werk spreekt ook de gekwelde positie van de kunstenaar tegenover het geloof. De sussende zekerheden van het orthodoxe christendom ontbreken geheel, net als de klassieke geordende kijk op de wereld. Op de dynamische, emotionele compositie worden de figuren opgenomen in een wervelende draaikolk. De doden worden uit hun graven gerukt om voor de rechtsprekende Christus te verschijnen, op Wiens atletische, gespierde figuur alle beweging in het fresco is gericht. Jezus heeft weinig medelijden met de heiligen om Zich heen

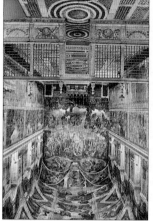

Blik op Het Laatste Oordeel

met hun martelwerktuigen.

Minos heeft ezelsoren en is in feite een portret van de hoveling Biagio da Cesena, die bezwaar had gemaakt tegen naaktfiguren op het fresco. Charon ontbreekt ook jegens de verdoemden, die naar de duivels in de hel geslingerd worden. Uit Dantes *Inferno* komen Michelangelo's duivels die mensen uit zijn boot in de diepten duwt en Hades helrechter Minos.

Michelangelo duikt op in de huid die de martelaar Bartholomeüs vasthoudt. Uit de schildering spreekt Michelangelo's overtuiging dat lijden nodig is om het geloof in God te vinden.

Bartholomeüs met zijn huid, met het gezicht van Michelangelo

MUURFRESCO'S

Ten tijde van de bouw van de Sixtijnse Kapel was het pausdom een sterke politieke macht met enorme rijkdommen. In 1475 kon paus Sixtus IV enkele van de grootste schilders uit die tijd de kapel laten decoreren. Een van hen was Perugino, Rafaëls leermeester, die vaak wordt beschouwd als de opzichter van het project; verder Sandro Botticelli, Domenico Ghirlandaio, Cosimo Rosselli en Luca Signorelli. Zij werkten tussen 1481 en 1483 aan de fresco's in de kapel. De fresco's op de zijmuren van de kapel vormen een hoogtepunt van de 15de-eeuwse Italiaanse kunst, hoewel toeristen ze vaak overslaan ten gunste van het werk van Michelangelo. De twee frescocycli bevatten scènes uit de levens van Mozes en Christus. Boven hen in de ruimte tussen de ramen zijn vroege pausen afgebeeld, het werk van diverse kunstenaars, onder wie Botticelli. De frescocyli beginnen aan de altaarzijde van de kapel, met het leven van Christus rechts en dat van Mozes links. Aanvankelijk waren er achter het altaar twee schilderingen: De geboorte van Christus en De vondst van Mozes, maar die zijn verwijderd om plaats te maken voor Het Laatste Oordeel van Michelangelo. De definitieve schilderingen van de twee cycli zijn ook verloren gegaan. Ze waren te zien bij de ingang, maar deze muur stortte in de 16de eeuw in. De opgebouwde muur is versierd met nieuwe, matige fresco's.

Zoals dikwijls gebruikelijk bevat elk fresco een aantal scènes die thematisch met het centrale tafereel samenhangen. Verborgen betekenissen en symbolen verbinden elke schildering met de tegenhanger op de andere muur. Er zijn ook veel toespelingen op gebeurtenissen uit die tijd. Op de fresco's zijn ook subtiele bouwkundige details van bekende monumenten uit Rome te zien. De Boog van Constantijn (blz. 91) is het decor voor De bestraffing van Korach, Dathan en Abiram door Botticelli, op het vijfde paneel van de cyclus van Mozes. Botticelli duikt op in de op een na laatste figuur rechts. Twee soortgelijke bogen verschijnen aan de overkant: Perugino's De overdracht van de sleutels aan Petrus. Mozes was zowel geestelijk als wereldlijk leider van zijn volk. Hij riep Gods toorn af over hen die zijn beslissingen tartten, zo schiep hij een precedent voor de macht die de paus zou uitoefenen. In De overdracht van de sleutels aan Petrus verenigt Christus geestelijke en wereldlijke macht aan Petrus, gesymboliseerd in de sleutels van het hemelse en aardse koninkrijk. Het gebouw met de gouden koepel midden op het uitgestrekte piazza is zowel de Tempel van Jeruzalem als de Kerk, gesticht door Petrus, de eerste paus. De vijfde figuur rechts is vermoedelijk een zelfportret van Perugino.

Op Botticelli's De verzoeking van Christus is het hospitaal Santo Spirito te zien, dat paus Sixtus IV in 1475 liet herbouwen (blz. 226). De duivel is hier vermomd als franciscaner monnik. Portretten van Botticelli en Filippino Lippi ziet u in de linkerhoek.

Girolamo Riario, een neef van de paus, staat op De doortocht door de Rode Zee van Rosselli; de zee is letterlijk rood. De schildering herdenkt ook de overwinning van de paus bij Campomorto uit 1482.

De overdracht van de sleutels aan Petrus door Perugino

Menigte toeschouwers op De roeping van Petrus en Andreas door Ghirlandaio

Middelste scène van Botticelli's Kastijding van Dalban

Detail van Botticelli's fresco Verzoeking van Christus

Sixtijnse Kapel: het plafond

Tussen 1508 en 1512 voorzag Michelangelo op wens van paus Julius II het plafond van de kapel met fresco's. De thema's zijn aan het Oude Testament ontleend – behalve de sibillen, die aanwezig zijn omdat ze de geboorte van Christus zouden hebben voorspeld. Op de grote afbeelding is het plafond voor de recente restauratie te zien; de details tonen de kleuren die na de schoonmaak aan het licht kwamen.

De schepping van Adam
Adam ontvangt geestelijke deugd en intellectueel vermogen uit handen van God.

Schepping van de zon en de maan
Op de derde dag beveelt de energiek ogende God de zon haar licht op aarde te laten schijnen.

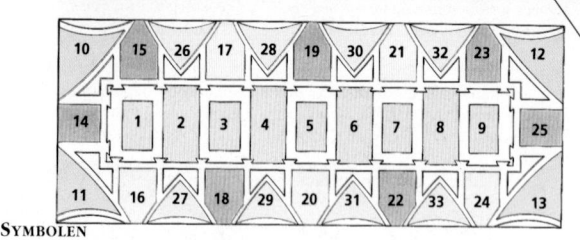

Symbolen

Genesis 1 Scheiding van licht en duisternis; **2** Schepping van zon en maan; **3** Scheiding van land en water; **4** Schepping van Adam; **5** Schepping van Eva; **6** Zondeval; **7** Offer van Noach; **8** Zondvloed; **9** Dronkenschap van Noach.

Voorouders van Christus 26 Salomo met voorouders; **27** Ouders van Isaï; **28** Rehabeam met moeder; **29** Asa met ouders; **30** Azaria met ouders; **31** Hizkia met ouders; **32** Zerubbabel met ouders; **33** Josia met ouders.

Profeten 14 Jona; **15** Jeremia; **18** Daniël; **19** Ezechiël; **22** Jesaja; **23** Joël; **25** Zacharia.

Sibillen 16 Libische sibille; **17** Perzische sibille; **20** Sibille van Cumae; **21** Erythrese sibille; **24** Delphische sibille.

Oudtestamentische scènes 10 Haman gespietst; **11** Mozes en de koperen slang; **12** David en Goliath; **13** Judith en Holofernes.

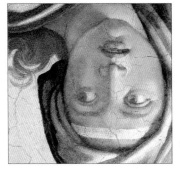

Delphische sibille
*Het portret van de schone
profetes van het orakel
van Delphi weerspiegelt
intense bezieling.*

De Zondvloed
toont vooral
mensen die door
het water worden
verrast.

De ignudi zijn atletische mannelijke naakten rondom de belangrijkste taferelen op het plafond.

De zondeval toont
hoe Adam en Eva van
de Boom der Kennis
eten en daarna uit de
Hof van Eden worden
verdreven.

De schepping van Eva
*God schept Eva uit een rib
van Adam. De vorm van de
boom doet denken aan
het Kruis van Christus.*

Castel Sant'Angelo ⑱

H et imposante fort Castel Sant'Angelo (Engelenburcht) ontleent zijn naam aan het beeld van de aartsengel Michaël op de top. In 139 n.C. was het nog het mausoleum van Hadrianus. Sindsdien heeft het veel functies vervuld: deel van de Aureliaanse Muur, middeleeuwse vesting en gevangenis en pauselijke residentie. Een museum met 58 zalen belicht elk aspect van de geschiedenis van het kasteel: van de vochtige cellen tot de fraaie vertrekken van de renaissance-pausen.

Mausoleum van Hadrianus
Op de schets is de tombe te zien voordat Aurelianus de stadsmuren in 270-275 versterkte.

De schatkamer was waarschijnlijk de oorspronkelijke plaats waar Hadrianus begraven lag.

Hal van de Zuilen

Zaal van de bibliotheek

Loggia van Paulus III

Cortile d'Onore
Stapels kanonskogels vullen de binnenplaats, ooit de ammunitie van de burcht.

De Sala della Giustizia bevat het fresco *De engel der gerechtigheid* van Perino del Vaga.

De vertrekken van Clemens VIII zijn gedecoreerd met het wapen van de familie Aldobrandini.

De spiraalvormige gang naar het mausoleum.

De kamer van de urnen bevatte de assurnen van de familie-leden van Hadrianus.

★ **Uitzicht vanaf het terras**
Het terras van de burcht, het toneel van de laatste scène van Puccini's *Tosca*, biedt een magnifiek uitzicht.

BESCHERMING VAN DE PAUS

De Vaticaanse Corridor leidt van het Vaticaan naar Castel Sant'Angelo. De gang is in 1277 gebouwd als ontsnappingsweg. De vijfhoekige versterking van het kasteel dateert uit de 17de eeuw en verbeterde de verdediging tijdens beleg.

■ Muren en versterkingen

□ Vaticaanse Corridor

STERATTRACTIES

★ **Sala Paolina**

★ **Uitzicht vanaf terras**

★ **Trap van Alexander VI**

TIPS VOOR DE TOERIST

Lungotevere Castello. **Kaart** 4 D3 & 11 A1. ☎ 687 50 36. 🚌 23, 64, 87, 280 naar Lungotevere Castello; 34, 49, 70, 81, 186, 926, 990 naar Piazza Cavour. Ⓜ Lepanto. **Open** di-za 9.00-14.00 uur; zo 9.00-13.00 uur; ma 14.00-19.00 uur (okt.-maart: 16.30) (toegang tot 1 uur voor sluiting). **Gesloten** feestdagen. **Niet gratis.** 📷 📹 zo 10.30 uur. 🖥 🍴 **Tentoonstellingen.**

Bronzen engel
De 18de-eeuwse Vlaamse beeldhouwer Pieter Verschaffelt schiep het gigantische beeld van de aartsengel Michaël.

In de ronde zaal staat het originele model waarvan de engel van Verschaffelt is gegoten.

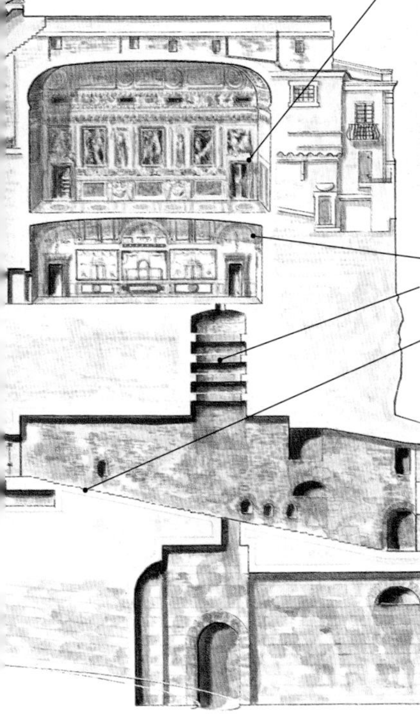

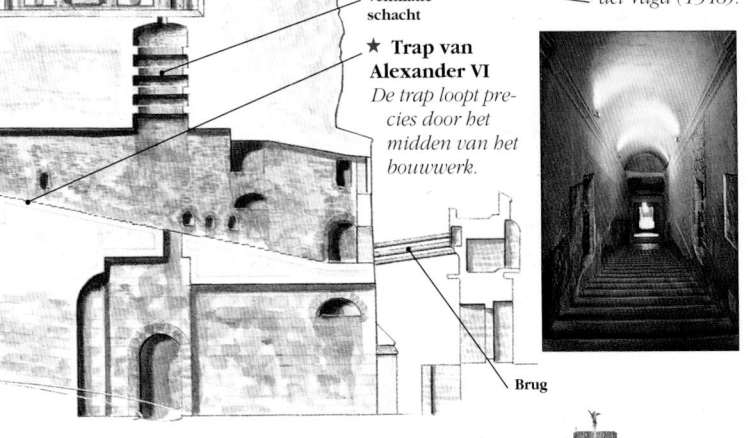

★ **Sala Paolina**
Een van de bedrieglijke fresco's van Perino del Vaga en Pellegrino Tibaldi (1544-1547) is deze boveling die door een geschilderde deur de kamer betreedt.

Sala dell'Apollo
De zaal bevat fresco's met mythologische scènes, toegeschreven aan leerlingen van Perino del Vaga (1548).

Ventilatieschacht

★ **Trap van Alexander VI**
De trap loopt precies door het midden van het bouwwerk.

Brug

TIJDBALK

139 n.C. Antoninus Pius voltooit mausoleum

590 Aartsengel Michaël verschijnt boven het kasteel

1493 Paus Alexander VI herstelt Vaticaanse Corridor

1390 Paus Bonifatius IX vernieuwt het kasteel

Façade van Castel Sant'Angelo

100 n.C.	500	1000	1500

271 Tombe wordt versterkt en opgenomen in Aureliaanse Muur

130 Hadrianus begint aanleg familiemausoleum

Kanonskogels op de Cortile d'Onore

1527 Kasteel doorstaat beleg tijdens Sacco di Roma

1542-1549 Paus Paulus III laat Sala Paolina en vertrekken bouwen

1557 Versterkingen aangelegd ter bescherming

1870 Kasteel gebruikt als barak en militaire gevangenis

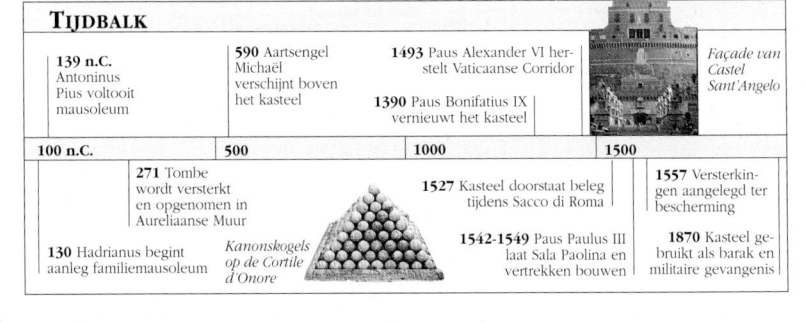

VIA VENETO

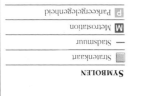

In de keizertijd was dit een voorstad waar rijke families luxueuze villa's en tuinen bezaten. Ruïnes uit deze periode kunt u bezoeken bij de opgravingen op het Piazza Sallustio, dat is genoemd naar de uitgestrekte tuinen in deze wijk, de Horti Sallustiani. Na de plundering van Rome in de 5de eeuw werd het gebied weer onbebouwd platteland. Pas in de 17de eeuw keerde de vroegere luister terug, met de aanleg van Palazzo Barberini en de nu verdwe-

Federico Fellini

nen Villa Ludovisi. Toen Rome in 1870 hoofdstad van Italië werd, verkochten de Ludovisi hun grond. Ze behielden een perceel, maar dat moesten ze uiteindelijk eveneens verkopen. Omstreeks 1900 was de Via Veneto een straat met chique, moderne hotels en cafés. Ze speelde een hoofdrol in Fellini's film *La dolce vita* (1960), een bijtende satire op het leven van filmsterren en ijdele rijken. Sindsdien is ze haar positie als trefpunt van beroemdheden kwijt.

BEZIENSWAARDIGHEDEN IN HET KORT

Kerken en tempels

Santa Maria della
Concezione ❸
Santa Susanna ❼
Santa Maria della Vittoria ❽

Historische gebouwen

Casino dell'Aurora ❷
Palazzo Barberini ❻

Beroemde straten

Via Veneto ❶

Fonteinen

Fontana delle Api ❹
Fontana del Tritone ❺

ZIE OOK

• *Plattegrond,* kaart 5
• *Accommodatie* blz. 294-295
• *Restaurants* blz. 310-311

BEREIKBAARHEID

Dit deel van Rome is met het openbaar vervoer zeer goed te bereiken. De metrostations Barberini en Repubblica aan lijn A zijn erg handig; station Termini ligt op 10-15 minuten loopafstand. De Via Veneto begint bij Piazza Barberini, waar bussen uit de hele stad langskomen. Lijn 95 rijdt de Via Veneto af naar Porta Pinciana. Andere nuttige verbindingen zijn de lijnen 52, 53, 56, 58 en 60 langs Via del Tritone.

SYMBOLEN

▨ Stratenkaart
— Stadsmuur
Ⓜ Metrostation
🅿 Parkeergelegenheid

Onder de loep: Via Veneto

De straten rondom de Via Veneto liggen binnen de muren van het klassieke Rome, maar er is weinig wat dateert van voor de eenwording van Italië in 1870. Met zijn hotels, restaurants, bars en reisbureaus is het gebied het centrum van het 20ste-eeuwse toerisme, zoals het Piazza di Spagna dat was in het 18de-eeuwse Rome. Maar tussen de moderne straten kunt u nog een glimp opvangen van de oude stad: Santa Maria della Concezione, de kerk van de kapucijnen. Het klooster stond ooit in zijn eigen tuinen. In de 17de eeuw verrees Palazzo Barberini voor de machtige pauselijke familie. De Fontana del Tritone en Fontana delle Api van Bernini staan al op Piazza Barberini sinds dat het snijpunt was van landwegen die wijngaarden rondom Rome met de stad verbonden.

Casino dell'Aurora
Van het Ludovisi-landgoed, dat ooit het grootste deel van deze wijk besloeg, is slechts dit paviljoen overgebleven ❷

Santa Maria della Concezione
Deze kerk is beroemd om de macabere verzameling beenderen in de crypte ❸

Fontana delle Api
Bernini's fontein is versierd met bijen, het embleem van zijn beschermers, de Barberini ❹

Fontana del Tritone
De gespierde zeegod van Bernini blaast al 350 jaar het water hemelwaarts ❺

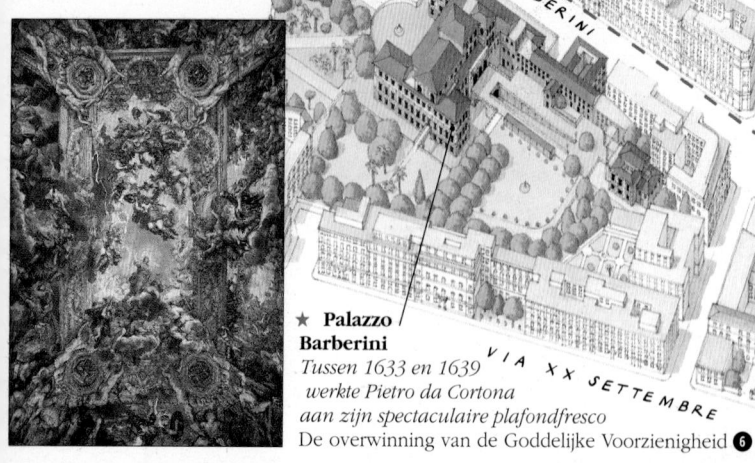

★ **Palazzo Barberini**
Tussen 1633 en 1639 werkte Pietro da Cortona aan zijn spectaculaire plafondfresco
De overwinning van de Goddelijke Voorzienigheid ❻

VIA VENETO

PIAZZA BARBERINI

VIA DI SAN NICOLA DA TOLENT

VIA DI SAN BASILIO

VIA BARBERINI

VIA XX SETTEMBRE

De Porta Pinciana is in 403 gebouwd. Alleen de witte travertijnen boog in het midden is origineel.

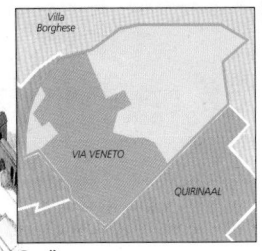

ORIËNTATIEKAART
Zie kaart centrum Rome blz. 12-13

Via Veneto
De straat is aangelegd tijdens de grote verbouwing van Rome eind vorige eeuw. De bloeiperiode van de straat met chique hotels en ruime terrassen viel in de jaren vijftig en zestig ❶

STERATTRACTIES

★ **Santa Maria della Vittoria**

★ **Palazzo Barberini**

SYMBOOL

— — — Aanbevolen route

0 meter   75

Santa Susanna
De kerk is gewijd aan een martelares die is gestorven tijdens de christenvervolging van Diocletianus in de 3de eeuw ❼

★ **Santa Maria della Vittoria**
Het hoogtepunt van de barokke kerk is de Cornaro-kapel, ontworpen als theater. Midden op het toneel ziet u het sensuele beeld van Bernini, de Extase van Teresa ❽

Via Veneto ①

Kaart 5 B1. 52, 53, 56, 58, 58b, 95, 490, 495 en veel andere lijnen. M Barberini.

De Via Veneto daalt in een flauwe bocht van de Porta Pinciana af naar het Piazza Barberini en wordt in het begin omzoomd door chique hotels uit de eeuwwisseling en overdekte terrasjes. Ze is in 1879 aangelegd op een stuk grond dat de familie Ludovisi had verkocht tijdens de bouwhausse in de eerste jaren van Rome als hoofdstad van Italië. Palazzo Margherita, bestemd als nieuwe residentie voor de Ludovisi, was in 1890 voltooid. Thans zetelt hier de Amerikaanse ambassade. In de jaren zestig was het de fraaiste straat van Rome; filmsterren frequenteerden de cafés, gevolgd door een zwerm paparazzi. De mensen die tegenwoordig in de cafés zitten, zijn meestal toeristen.

Terras aan Via Veneto

Palazzo Margherita, de Amerikaanse ambassade

Casino dell'Aurora ②

Via Lombardia 46. Kaart 5 B2. 48 39 42. 52, 53, 56, 58.
Open alleen na afspraak.

Het Casino (een groot landgoed) was een zomerverblijf op het terrein van de familie Ludovisi, gedecoreerd met fresco's van Guercino. Het thema van het plafondfresco is Aurora, godin van de dageraad. Het duizelingwekkende werk wekt de indruk dat het Casino geen dak heeft en onder een bewolkte hemel ligt. Hierlangs trekt Aurora in haar rijtuig voorbij, uit de duisternis van de nacht naar de ontluikende dag.

Santa Maria della Concezione ③

Via Veneto 27. Kaart 5 B2. 487 11 85. 52, 53, 56, 58, 58b, 490, 495 en veel andere lijnen. M Barberini. Open dag. 7.00-12.00, 15.45-19.30 uur. Crypte open 9.00-12.00, 15.00-18.20 uur (okt.-maart: 18.00). Gift verwacht.

De broer van paus Urbanus VIII, Antonio Barberini, was kardinaal en een kapucijn. In 1626 stichtte hij deze eenvoudige, sobere kerk aan de huidige voet van de Via Veneto. Anders dan de meeste kardinalen is hij niet begraven in een majestueuze marmeren sarcofaag, maar onder een simpele zerk bij het altaar. Het sombere grafschrift in het Latijn betekent: 'Hier ligt stof, as, niets.'

De gruwelijke realiteit van de dood komt nog meer naar voren in de crypte onder de kerk, waar generaties kapucijnen de muren van de vijf gewelfde kapellen hebben gedecoreerd met de beenderen en schedels van hun overleden broeders. In totaal zijn zo'n 4000 skeletten gebruikt om dit macabere *memento mori* te scheppen. Van sommige beenderen zijn christelijke symbolen gemaakt, zoals doornenkronen, heilige harten en crucifixen. Er is ook een aantal complete skeletten, waaronder van een van een Barberini-prinses die als kind stierf. De Latijnse inscriptie bij de uitgang luidt: 'Wat jij bent, waren wij. Wat wij zijn, zul jij zijn.'

Paus Urbanus VIII

Fontana delle Api ④

Piazza Barberini. Kaart 5 B2. 52, 53, 56, 58, 58b, 490, 495 en veel andere lijnen. M Barberini.

De fontein van de bijen – *api* betekent bijen, het symbool van de Barberini – is een van de bescheiden werken van Bernini. U loopt snel voorbij aan de in een hoek van het Piazza Barberini verscholen fontein uit 1644, die huldeblijk was aan paus Urbanus VIII Barberini. Er zitten krabachtige bijen op, die van het water lijken te nippen dat het bassin instroomt. Een Latijns opschrift vermeldt dat het water voor het publiek en hun dieren is bestemd.

De Fontana delle Api van Bernini

Fontana del Tritone ⑤

Piazza Barberini. Kaart 5 B3. 53, 56, 58, 58b, 490, 495 en veel andere lijnen. M Barberini.

In het midden van het Piazza Barberini staat een van Bernini's bruisendste fonteinen. Deze is in 1642 voor paus Urbanus VIII Barberini gemaakt, kort na de voltooiing van zijn paleis op de heuvel erboven. Acrobatische dolfijnen staan op hun kop en hun staarten houden een schelp in evenwicht. Hierop blaast de zeegod Triton een straal water de lucht in door een schelp. De pauselijke tiara, de sleutels van Petrus en het blazoen van de Barberini zijn kunstig verwerkt tussen de staarten van de dolfijnen.

De Triton en zijn schelp in Bernini's Fontana del Tritone

Palazzo Barberini ❻

Via delle Quattro Fontane 13. **Kaart** 5 B3. 📞 481 45 91 or 482 41 84. 🚌 52, 53, 56, 58, 58b, 490, 495 en veel andere lijnen. Ⓜ Barberini. **Open** di-za 9.00-14.00 uur, zo en feestdagen 9.00-13.00 uur (toegang tot 30 min. voor sluitingstijd). **Niet gratis.** 📷

Toen Maffei Barberini in 1623 paus Urbanus VIII werd, besloot hij een groots paleis te bouwen voor zijn familie. De plaats die hij uitkoos, lag destijds aan de rand van de stad en zag uit op een vervallen tempel. De architect, Carlo Maderno, ontwierp een typische plattelandsvilla met vleugels die doorliepen tot in de omringende tuinen. Maderno stierf in 1629, kort nadat het fundament was gelegd. Bernini, bijgestaan door Borromini, zette het werk voort. De eigenaardige timpanen boven enkele ramen op de hoogste etage en de ovale trap zijn zeer waarschijnlijk van Borromini. De Gran Salone is de imposantste en een van de vele rijk gedecoreerde vertrekken. Het heeft een duizelingwekkend en bedrieglijk plafondfresco van Pietro da Cortona. Het palazzo huisvest ook

schilderijen uit de 13de tot 16de eeuw en bezit belangrijke werken van Filippo Lippi, El Greco en Caravaggio. Er is ook een portret van Holbein van Hendrik VIII van Engeland. Van groter belang voor Rome zijn Guido Reni's *Beatrice Cenci*, het meisje dat is terechtgesteld vanwege de beraamde moord op haar vader (*blz. 150*), en *La Fornarina*, doorgaans beschouwd als een portret van de geliefde van Rafaël (*blz. 212*).

Santa Susanna ❼

Piazza San Bernardo. **Kaart** 5 C2. 📞 482 75 10. 🚌 16, 36, 37, 60, 61, 62, 910 en veel andere lijnen. Ⓜ Repubblica. **Open** zo 10.00-12.00 uur

Gevel van Santa Susanna

Wat opvalt aan de Santa Susanna is de krachtige barokgevel van Carlo Maderno, die hij in 1603 voltooide. Christenen houden hier al minstens sinds de 4de eeuw bijeenkomsten. In het schip zijn vier enorme fresco's van Baldassare Croce (1558-1628) te zien. Ze bevatten scènes uit het leven van Susanna, een Romeinse heilige die hier de marteldood stierf, en van de beter bekende Suzanna uit het Oude Testament. Twee wellustige rechters sloegen haar gade tijdens het baden in de tuin van haar echtgenoot. Na de restauratie zal Santa Susanna weer fungeren als kerk van Amerikaanse katholieken in Rome.

Santa Maria della Vittoria ❽

Via XX Settembre 17. **Kaart** 5 C2. 📞 482 61 90. 🚌 16, 36, 37, 60, 61, 62, 910 en veel andere lijnen. Ⓜ Repubblica. **Open** dag. 6.30-12.00, 16.30-18.00 uur. ✝ 🚫

Santa Maria della Vittoria is een intieme barokkerk met een weelderig gedecoreerd interieur met kaarslicht. Ze bezit een van Bernini's meest ambitieuze beelden, de *Extase van Teresa* (1646), in het midden van de Cornaro-kapel, die op een klein theater lijkt. Er is zelfs publiek aanwezig: beelden van de weldoener van de kapel, kardinaal Federigo Cornaro, en zijn voorouders zitten in de loges alsof ze het tafereel voor hen bekijken en van commentaar voorzien. Bezoekers raken misschien geschokt of opgewonden door het duidelijk fysieke karakter van de extase van Teresa. Ze ligt op een wolk, met half open mond en gesloten ogen; een golvend gewaad bedekt haar lichaam. Een engel met krullend haar kijkt naar Teresa en glimlacht, misschien teder of wreed. Hij staat op het punt haar lichaam voor de tweede keer te doorboren met de pijl die hij in zijn hand heeft. De bronzen stralen goddelijk licht omringen de marmeren figuren.

Bernini's verbluffende *Extase van Teresa*

BUITEN HET CENTRUM

De nieuwsgierige Rome-bezoeker wil misschien wel uitstapjes wagen naar de parken en afgelegen kerken in de buitenwijken van Rome. Als u een dag over hebt, kunt u de villa's in Tivoli verkennen en de ruïnes van de oude Romeinse haven in Ostia. De voor de Grand Tour (blz. 130) al populaire attracties, zoals de aquaducten van Parco Appio Claudio, bieden nog een blik op de verdwijnende Campagna, het platteland rondom Rome. Moderne trekpleisters zijn de voorstad EUR, in de fascistische periode aangelegd, en het monument bij de Fosse Ardeatine.

Bord (3de eeuw v.C.) in Villa Giulia

BEZIENSWAARDIGHEDEN IN HET KORT

Plaatsen en wijken
EUR 14
Tivoli 17

Historische wegen
Via Appia 7

Kerken
Santa Costanza 4
Sant'Agnese fuori le Mura 5
San Lorenzo fuori le Mura 6
San Paolo fuori le Mura 15

Parken en tuinen
Villa Borghese 1
Parco Appio Claudio 13
Villa Doria Pamphili 16
Villa d'Este 18
Villa Gregoriana 19

Musea
Museo Borghese blz. 260-261 2
Villa Giulia blz. 262-263 3

Tomben en catacomben
Catacomben van San Callisto 8
Catacomben van San Sebastiano 9
Catacomben van Domitilla 10
Fosse Ardeatine 11
Tombe van Cecilia Metella 12

Historische plaatsen
Villa van Hadrianus 20
Ostia Antica 21

SYMBOLEN

Gebieden met bezienswaardigheden
Snelweg

N

0 kilometer 2

BEZIENSWAARDIGHEDEN BUITEN ROME

ROMA-CIVITAVECCHIA
A12
GRANDE RACCORDO ANULARE
A24
ROMA-NAPOLI A2

BEZIENSWAARDIGHEDEN BUITEN HET CENTRUM

VIA TIBURTINA
AUTOSTRADA ROMA-L'AQUILA (A24)
VIA NOMENTANA
VIA FLAMINIA
VIA CRISTOFORO COLOMBO
VIA OSTIENSE
Tevere
AUTOSTRADA ROMA-FIUMICINO (A12)
VIA AURELIA
VIA APPIA ANTICA
VIA APPIA NUOVA

Villa Borghese ①

Kaart 2 E5. 🚌 3, 4, 52, 53, 57, 95, 490, 495, 910. 🚊 19, 19b, 30b. **Park open** van zonsopgang tot zonsondergang. **Dierentuin** Viale del Giardino Zoologico. Kaart 2 E4. 📞 321 65 64. 🚌 3, 52, 910. 🚊 19. 19b, 30b. **Open** ma-vr 8.30-17.00 uur (toegang tot 16.00 uur), za, zo 8.30-18.00 uur (toegang tot 17.00 uur). **Gesloten** ma middag, 1 mei.

Galleria Nazionale d'Arte Moderna Viale delle Belle Arti 131. Kaart 2 D4. 📞 322 41 52. 🚊 19, 19b, 30b. **Open** di-za 9.00-14.00 uur, zo en feestdagen 9.00-13.00 uur (toegang tot 30 min. voor sluitingstijd). 🚫 ♿

Neoklassieke Tempel van Diana

Villa en park zijn in 1605 ontworpen voor kardinaal Scipione Borghese, een neef van paus Paulus V. Het park was het eerste in zijn soort in Rome. Er stonden 400 pas geplante pijnbomen, tuinbeelden van Bernini's vader Pietro en spectaculaire waterwerken van Giovanni Fontana. Andere vooraanstaande Romeinse families namen de geometrische aanleg van tuinen over in Villa Ludovisi en Villa Doria Pamphili. De 18de-eeuwse opvolgers van de kardinaal prefereerden echter een natuurlijker park. Begin 19de eeuw bracht prins Camillo Borghese de schitterende kunstcollectie van de familie onder in het Casino Borghese, waar nu de Galleria Borghese en het Museo Borghese zijn gevestigd.

In 1902 werd het park eigendom van de staat. Op een oppervlakte van 6 km² staan thans musea, buitenlandse academies en instituten voor archeologie, die diverse wegen leiden naar het park; er is onder meer een monumentale ingang aan het Piazzale Flaminio die Luigi Canina in 1825 voor prins Camillo Borghese bouwde. Andere goed bereikbare ingangen zijn de Porta Pinciana aan het eind van de Via Veneto en bij de Pincio-tuinen (blz. 130).

Wat Italiaanse tuinen bij warm weer zo aantrekkelijk maakt, is de schaduw. Daarom staan er langs de lange lanen hagen en bomen. Het Piazza di Siena, een aangenaam gelegen, ruim, overwoekerd amfitheater, omgeven door lange pijnbomen, inspireerde Ottorino Respighi tot het beroemde symfonische gedicht *Pini di Roma*, gecomponeerd in 1924. Bij het Piazza di Siena staat het zogenaamde Casina di Raffaello, ooit misschien het eigendom van de kunstenaar, en het 18de-eeuwse Palazzetto dell'Orologio.

Geometrische tuinen lagen aanvankelijk rondom veel bouwwerken: het Casino Borghese en het nabije 17de-eeuwse Casino della Meridiana en de volière (de Uccelliera) hebben nog steeds geometrische bloembedden. Overal in het park staan op de kruisingen van paden en lanen fonteinen van exotische malligheid.

Beeld van de dichter Byron van Thorvaldsen

Ten westen van het Piazza di Siena ziet u de Fontana dei Cavalli Marini (Fontein van de zeepaarden), die bij de verbouwing van de villa in de 18de eeuw is toegevoegd. Wandelend door het park komt u beelden tegen van Byron, Goethe, Victor Hugo en een somber ruiterbeeld van koning Umberto I. Her en der verspreid over het park ziet u pittoreske tempels die de ruïnes moeten lijken, onder meer een ronde Tempel van Diana tussen Piazza di Siena en Porta Pinciana en een Tempel van Faustina, de vrouw van keizer Antoninus Pius, op de heuvel ten noorden van het Piazza di Siena. Het nabije, middeleeuws ogende Fortezzuola van Canina bevat werken van de beeldhouwer Pietro Canonica, die in het gebouw woonde en er in 1959 stierf. In de tuin staat Canonica's Monument voor de Alpino en

British School in Rome, een ontwerp van Edwin Luytens uit 1911

Ionische tempel gewijd aan Aesculapius op het eiland in het meer

zijn ezel, een eerbewijs aan de nederige alpenstrijders die in de Eerste Wereldoorlog voor Italië vochten tegen Oostenrijk. Midden in het park ligt de Giardino del Lago; een 18de-eeuwse kopie van de Boog van Septimius Severus geeft de ingang aan. De tuin heeft een kunstmatig meer, compleet met een Ionische Tempel van Aesculapius, de god der geneeskunde, van de 18de-eeuwse architect Antonio Asprucci. Roeiboten en eenden maken het meer geschikt voor kinderen en er groeien bananebomen en bamboe langs de oevers. Ten zuiden van het meer staat, omringd door bloembedden, de art nouveau Fontana dei Fauni, een van de fraaiste sculpturen in het park. Op de open plaats vlak bij de ingang aan de Viale Pietro Canonica staan de originele Tritons van de Fontana del Moro van het Piazza Navona *(blz. 120)* – in de 19de eeuw zijn ze verplaatst en vervangen door kopieën. Uit het noordwesten bereikt u

het park langs de Viale delle Belle Arti, waar de Galleria Nazionale d'Arte Moderna een tamelijk saaie collectie 19de- en 20ste-eeuwse schilderijen herbergt. De Wereldtentoonstelling die hier in 1911 is gehouden, is de reden voor het art nouveau-karakter. Veel landen bouwden paviljoens; het indrukwekkendste is wel de British School van Edwin Lutyens, met een façade die is gebaseerd op de westelijke

zuilengang van St. Paul's Cathedral in Londen. Het was eerst een school voor archeologie; nu kan men er literatuur, schone kunsten en geschiedenis studeren. De beelden in de buurt zijn even internationaal: u ziet onder anderen Simon Bolivar, diverse vrijheidsstrijders van Latijns Amerika en de grote Perzische dichter Firdusi. Achter de kunstgalerij liggen, in de noordoosthoek van het park, een nogal deprimerende dierentuin en het Museo Zoologico. Veel aantrekkelijker is de mooie 16de-eeuwse Villa Giulia met haar wereldberoemde collectie Etruskische en andere pre-Romeinse overblijfselen. Ook een belangwekkend gebouw uit de Renaissance is het Palazzina van paus Pius IV, vlak bij de ingang aan de Via Flaminia. De architect Vignola ontwierp het in 1552. Later is het verbouwd tot een sierlijk appartement voor Carlo Borromeo, neef van Pius IV. Thans zetelt er de Italiaanse ambassade bij het Vaticaan.

GIARDINO ZOOLOGICO

Ingang dierentuin

Museo Borghese ❷

Blz. 260-261.

Villa Giulia ❸

Blz. 262-263.

Een stenen leeuw bewaakt de ingang van de dierentuin

Museo Borghese ❷

De lievelingsneef van Paulus V, kardinaal Scipione Borghese, maakte de schets voor de villa en het park. Hij liet het huis bouwen voor zijn plezier en vermaak. De hedonistische kardinaal was tevens een extravagante beschermer van de kunsten; hij gaf de jonge Bernini opdracht beelden te maken die nu tot zijn beroemdste werken behoren. Scipione stelde zijn lusthof ook open voor publiek. Thans herbergt de villa de schitterende particuliere Borghese-collectie van beeldhouwwerk en schilderijen.

De gevel van Villa Borghese
Op dit schilderij (1613) van de Utrechtse architect Jan van Santen is de elegante façade van het originele ontwerp te zien.

MUSEUMWIJZER
Het museum kent twee afdelingen: de collectie sculptuur (Museo Borghese) en de collectie schilderijen (Galleria Borghese). De verzameling beelden beslaat de gehele begane grond en is momenteel de enig toegankelijke afdeling; de bovenverdieping is wegens restauratie gesloten.

★ Pluto en Persephone
Het beeld van Pluto die zijn bruid meevoert, is een van Bernini's fraaiste werken. De gedraaide figuren verraden hoe verbluffend goed de beeldhouwer het marmer beheerst.

Slapende Hermafrodiet
De bronzen Romeinse kopie van een Grieks origineel van Polycles dateert vermoedelijk uit 150 v.C. Andrea Bergondi voegde in de 17de eeuw het hoofd en de matras toe.

Egyptische zaal
Fresco's geven Egyptische motieven en scènes uit de Egyptische geschiedenis weer.

TIJDBALK

1613 15 jaar oude Bernini maakt *Aeneas en Anchises*	**Begin 19de eeuw** Beelden en reliëfs te barok gevonden en verwijderd van de villagevel	**1809** Groot deel van de collectie wordt verkocht en komt in het Louvre.	**1902** Staat verwerft terrein van de villa en collectie
1621-1625 Bernini maakt *Pluto en Persephone*			
1625	**1725**	**1825**	
1622-1625 Bernini beeldhouwt *Apollo en Daphne*		**1805** Canova beeldhouwt halfnaakte, achteroverleunende Pauline Borghese	**Begin 20ste eeuw** Lord Astor koopt balustrade van de voorhof voor landgoed Cliveden in Engeland
1613-1615 De Nederlandse architect Jan van Santen ontwerpt en bouwt Villa Borghese	*De vingers van Daphne veranderen in blaadjes*		

Achter-ingang

★ **Apollo en Daphne**
Bernini's beroemdste meesterwerk is een beeld van de nimf Daphne, die voor de zonnegod Apollo vlucht en verandert in een laurierboom.

★ **David**
Davids gezicht, een zelfportret van Bernini, op het moment dat hij de fatale steen naar Goliath slingerde.

TIPS VOOR DE TOERIST

Villa Borghese, Piazzale Scipione Borghese 5. **Kaart** 2 F5. ☎ *854 85 77.* 🚌 *52, 53, 910 naar Via Pinciana, 3, 4, 57 naar Via Po.* 🚋 *19, 30b naar Viale delle Belle Arti.* **Open** *di-za 9.00-19.00 uur (okt.-april: 14.00 uur), zo 9.00-13.00 uur (toegang tot 30 min. voor sluitingstijd).* **Gesloten** *feestdagen.* **Niet gratis.** 📷 *geen flitslicht.* **Galleria Borghese gesloten.** *Sommige schilderijen in Complesso San Michele;* **Kaart** *8 D2.*

ma. gesloten
zo. kort open

★ **Pauline Borghese**
Pauline, de zus van Napoleon, poseerde als Venus voor de beeldhouwer Canova. Toen het beeld af was, hield haar man Camillo Borghese het achter slot en grendel.

Vooringang

Mozaïek van gladiator
De Griekse letter theta (van thanatos, dood) boven een gladiator betekent dat hij dood is.

SYMBOLEN

☐ Tentoonstellingsruimte

▨ Niet voor tentoonstellingen

STERATTRACTIES

★ **Pauline Borghese van Canova**

★ **Apollo en Daphne van Bernini**

★ **David van Bernini**

★ **Pluto en Persephone van Bernini**

Villa Giulia ❸

Deze villa is gebouwd als zomerresidentie voor paus Julius II en was meer bedoeld voor ontspanning dan permanente bewoning. Ze bezat ooit een indrukwekkende collectie beelden – 160 bootladingen gingen richting Vaticaan na de dood van de paus in 1555. Buitengewone architecten ontwierpen de tuinen, paviljoenen en fonteinen: Vignola (ontwerper van de Gesù), de biograaf Vasari en de beeldhouwer Ammannati. Ook Michelangelo was bij de bouw betrokken. Het opvallendste aan de villa zijn de gevel, de binnenplaats, de tuin en het *nymphaeum*. Sinds 1889 is in de Villa Giulia het Museo Nazionale Etrusco gevestigd.

Faliscische krater van de Dageraad
Op de sierlijke vaas, geschilderd in de vrije stijl van de 4de eeuw v.C., verrijst de Dageraad in haar wagen.

Chigi-vaas
De Corinthische vaas uit de 6de eeuw v.C. met oorlogs- en jachtscènes.

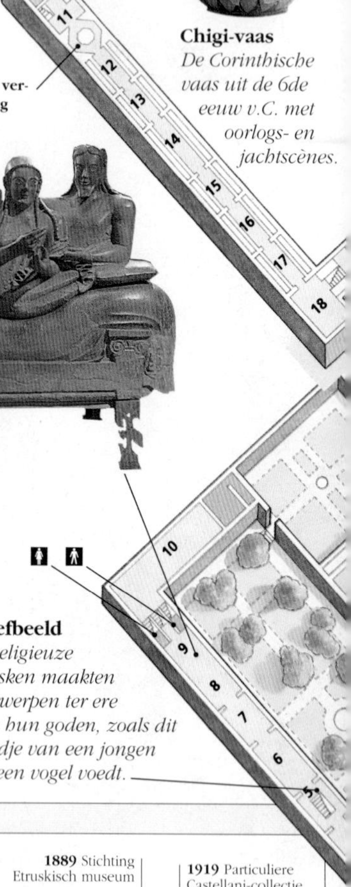

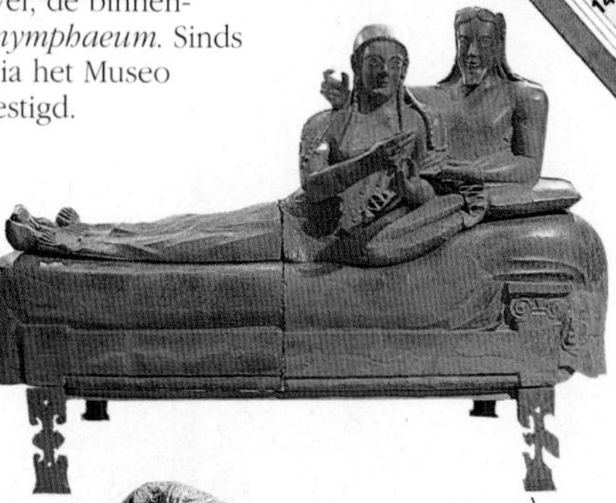

Eerste verdieping

11 12 13 14 15 16 17 18

★ Sarcofaag van de echtgenoten
Het meesterwerk uit de 6de eeuw v.C. laat u een dood echtpaar zien dat aan het eeuwige banket aanzit.

MUSEUMWIJZER
Dit is het belangrijkste Etruskische museum in Italië, met voorwerpen van de meeste grote opgravingen in Toscane en Lazio. De zalen 1-10 en 23-34 zijn naar plaats ingedeeld. Vulci, Todi, Veio en Cerveteri zijn hier vertegenwoordigd. Particuliere collecties in de zalen 11-22.

10

9 8 7 6 5

Votiefbeeld
De religieuze Etrusken maakten voorwerpen ter ere van hun goden, zoals dit beeldje van een jongen die een vogel voedt.

TIJDBALK

1550 Onder paus Julius III begint werk aan Villa Giulia	**1655** Koningin Christina verblijft in de villa als gast van het Vaticaan	**1889** Stichting Etruskisch museum **Eind 18de eeuw** Studies van Etruskische voorwerpen	**1919** Particuliere Castellani-collectie aan museum geschonken	
1550	1650	1750	1850	1950
Eind 16de eeuw Toevallige vondsten van Etruskische voorwerpen wekken interesse van geleerden *Bronzen wagentje om wierook te branden* **1555** Villa voltooid			**1908** Staat verwerft particuliere Barberini-collectie	**1972** Staat verwerft particuliere Pesciotti-collectie

Gevel
De façade van de villa dateert uit 1552-1553. De ingang heeft de vorm van een triomfboog.

★ Reconstructie van een Etruskische tempel
Graaf Adolfo Cozza bouwde hier in 1891 de Tempel van Alatri na. Hij baseerde zich op teksten van Vitruvius en 19de-eeuwse opgravingen.

Nymphaeum
Letterlijk: het gebied gewijd aan de nimfen. De binnenplaats bezit klassieke mozaïeken, sierlijke beelden en fonteinen.

★ Ficoroni-kist
De fraai gegraveerde en prachtig gedecoreerde bronzen kist dateert uit de 4de eeuw v.C.

Hoofdingang

Begane grond

STERATTRACTIES

★ **Sarcofaag van de echtgenoten**

★ **Ficoroni-kist**

★ **Reconstructie van Etruskische tempel**

SYMBOLEN

☐ Tentoonstellingsruimte

☐ Niet voor tentoonstellingen

☐ Tijdelijk gesloten

☐ Tuinen

☐ Nymphaeum-vijver

Santa Costanza 4

Via Nomentana 349. **C** 861 08 40.
36, 36b, 37, 60, 136, 137. Open
ma & wo-za 9.00-12.00, 16.00-18.00
uur, zo en feestdagen 16.00-18.00
uur. **Niet gratis.**

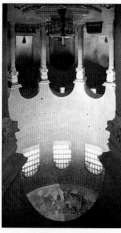

Het ronde interieur van de 4de-eeuwse kerk Santa Costanza

De ronde kerk Santa Costanza is in de vroege 4de eeuw gebouwd als mausoleum voor de dochters van keizer Constantijn. Een ronde galerij die op 12 paren schitterende granieten zuilen rust, draagt de koepel en de trommel. De kloostergang die om de centrale arcade loopt, heeft een plafond met ton-gewelven. Dit is versierd met mozaïeken van fruit, bloemen, dieren, vogels en zelfs fraaie scènes van een Romeinse druivenoogst. In een nis tegenover de ingang van de kerk ziet u een replica van de sierlijk bewerkte porfieren sarcofaag van Constantia. Het origineel hiervan is in 1790 naar de Vaticaanse Musea overgebracht.

Over de heiligheid van Constantia valt te twisten – de historicus Marcellinus beschreef haar als een vleesgeworden furie, die haar even onaangename echtgenoot Hannibalianus voortdurend tot geweld aanzette. Naar alle waarschijnlijkheid is ze heilig verklaard doordat ze met een gelijknamige non is verward.

Sant'Agnese fuori le Mura 5

Via Nomentana 349. **C** 861 08 40.
36, 36b, 37, 60, 136, 137.
Open ma & wo-za 9.00-12.00, 16.00-18.00
uur, zo en feestdagen 16.00-18.00
uur. **Toegangsprijs voor catacomben.**

De kerk Sant'Agnese behoort tot een complex vroeg-christelijke gebouwen met onder andere de crypte waar in 304 de 13-jarige martelares Agnes is begraven. Keizer Diocletianus was woedend omdat Agnes de avances van een jongeman van zijn hof had afgewezen. Agnes moest naakt verschijnen, maar met haar wonderbaarlijk gegroeide haar kon ze zich bedekken. Naar verluidt is de kerk gebouwd op verzoek van de dochter van Constantijn, Constantia, nadat ze bij het graf van Agnes om genezing van lepra had gebeden. Hoewel in de loop der eeuwen vaak veranderd, zijn vorm en indeling van de 4de-eeuwse basilica nog intact. Op het 7de-eeuwse apsismozaïek is Agnes de met juwelen behangen Byzantijnse keizerin

Apsismozaïek in Sant'Agnese met de heilige tussen twee pausen

met een stola van goud en een paars gewaad. Volgens de legende verscheen ze zo met een wit lam, acht dagen na haar dood. Jaarlijks worden op 21 januari twee lammeren gezegend op het altaar; van hun wol wordt een gewaad gemaakt, het *pallium*. De paus stuurt een pallium aan elke pas benoemde aartsbisschop.

Deel van het 4de-eeuwse mozaïek in de zuilengang van Santa Costanza

Trap naar Sant'Agnese

San Lorenzo fuori le Mura 6

Piazzale del Verano 3. **C** 49 15 11.
11, 71, 492. 19, 196, 30b.
Open dag. 7.00-12.00, 16.00-19.00
uur (okt-maart: 18.30).

Net buiten de stadsmuur aan de oostzijde staat de kerk San Lorenzo, omlijst door de cipressen van het kerkhof Campo Verano. San Lorenzo, in 258 langzaam doodgeroosterd, is een van de meest vereerde vroeg-christelijke martelaren in Rome. De door Constantijn op de sterfplaats gebouwde eerste basilica is in 576 grotendeels herbouwd door paus Pelagius II. Vlakbij stond een 5de-eeuwse kerk voor Maria. De huidige kerk is het resultaat van de samenvoeging van deze twee. Dit proces begon in de 8ste eeuw en werd voltooid in de 13de eeuw. Toen zijn het schip, de zuilengang en een groot deel van de decoratie ontstaan. De overblijfselen van San Lorenzo vindt u in het koor van de 6de-eeuwse kerk (onder het 13de-eeuwse altaar). De kerk is gerestaureerd nadat geallieerde bommenwerpers haar in de Tweede Wereldoorlog zwaar hadden beschadigd.

Romaanse klokketoren van San Lorenzo

Via Appia Antica ❼

🚶 118, 218. Zie Wandelingen blz. 284-285.

Censor Appius Claudius Caecus legde in 312 v.C. het eerste deel van de Via Appia aan. In 190 v.C. is ze doorgetrokken tot de havens van Benevento, Taranto en Brindisi en werd daarmee de verbindingsweg van Rome met het uitbreidingsgebied in het oosten. Langs deze weg trokken de legioenen van de dictator Sulla (78 v.C.) en keizer Augustus; ook Paulus kwam hier in 56 langs als Romeins gevangene. In de Middeleeuwen raakte de weg langzaam in verval, maar omstreeks 1550 liet paus Pius IV hem herstellen. Er staan familiegraven langs, collectieve begraafplaatsen, de columbaria; onder de grond strekt zich een wijdvertakt net van catacomben uit. Tegenwoordig begint de weg bij de Porta San Sebastiano (blz. 196). Belangrijke christelijke monumenten zijn de kerk Domine Quo Vadis?, gebouwd op de plaats waar Petrus Christus zou hebben ontmoet, de Catacomben van San Callisto en die van San Sebastiano. Tot de tomben behoren die van Cecilia Metella (blz. 266) en van Romulus, de zoon van keizer Maxentius.

12de-eeuwse kloostergang van San Lorenzo fuori le Mura

Catacomben van San Callisto ❽

Via Appia Antica 110. 📞 513 67 25. 🚌 118, 218. **Open** do-di 8.30-12.00, 14.30-17.30 uur (okt.-maart: 17.00). **Gesloten** feestdagen. **Niet gratis.**

Vroege christenen die hun doden in ondergrondse begraafplaatsen buiten de stadsmuren bijzetten, gehoorzaamden gewoon aan de wetten uit die tijd. Vervolging was geen reden om catacomben te gebruiken. Vanwege de vele hier begraven heiligen zijn de catacomben later heiligdommen en bedevaartsplaatsen geworden.

De uitgestrekte Catacomben van San Callisto beslaan vier afzonderlijke niveaus en zijn in dele blootgelegd. De kamers en verbindende gangen zijn uit vulkanisch tufsteen gehouwen. De doden plaatste men in nissen, loculi genaamd, bestemd voor twee of drie doden. De belangrijkste kamers zijn versierd met stucwerk en fresco's. U kunt ook een bezoek brengen aan de Crypte van de Pausen, waar vele vroege pausen zijn begraven, en de Crypte van Santa Cecilia. Haar lichaam werd in 820 ontdekt en overgebracht naar haar kerk in Trastevere (blz. 211).

Catacomben van San Sebastiano ❾

Via Appia Antica 136. 📞 788 70 35. 🚌 118, 218. **Open** vr-wo 9.00-12.00, 14.30-17.30 uur (okt.-maart: 17.00). **Gesloten** dec. **Niet gratis.**

De 17de-eeuwse kerk San Sebastiano op de plaats van de catacomben beslaat de plaats van een basilica uit de tijd van Constantijn. Bij de ingang is de triclia bewaard gebleven, een ooit bovengronds gebouw dat werd gebruikt door groepen rouwenden voor het begrafenismaal. De muren zijn bedekt met graffiti die Petrus en Paulus aanroepen, wier resten misschien hierheen zijn verplaatst toen het Romeins bewind christenen vervolgde.

Cipressen langs de Via Appia

Ruines van het Aqua Claudia-aquaduct (1ste eeuw) in het Parco Appio Claudio

Catacomben van Domitilla ⓾

Via delle Sette Chiese 282. ☎ 511 03 42. 🚌 94, 218, 613. **Open** wo-ma 8.30-12.00, 14.30-17.30 uur (okt-maart: 17.00). **Gesloten** jan. **Niet gratis.** 🚫 📷

Dit is het grootste netwerk van catacomben in Rome. Veel tomben uit de 1ste en 2de eeuw hebben geen christelijke oorsprong. In de grafkamers die u kunt bezoeken, ziet u zowel christelijke als klassieke fresco's; ook vroege afbeeldingen van Christus als de Goede Herder: Op de catacombe staat de basilica Santi Nereo e Achilleo. Na verbouwingen en restauraties is er van de oorspronkelijke 4de-eeuwse kerk weinig overgebleven.

Fosse Ardeatine ⓫

Via Ardeatina 174. ☎ 513 67 42. 🚌 218. **Open** dag. 8.30-18.00 uur (okt-maart: 16.00) (toegang tot 30 min. voor sluitingstijd). 📷

Op de avond van 24 maart 1944 namen de nazi's 335 gevangenen mee naar deze verlaten groeve ten zuiden van Rome en schoten hen van dichtbij dood. De executie was een represaille voor een bomaanval waarbij 32 Duitse soldaten waren omgekomen. Onder de slachtoffers bleven de joden en 10 andere burgers, onder wie een priester en een 14-jarige jongen. De Duitsers bliezen de tunnel op waar het bloedbad had plaatsgevonden, maar een boer uit de duur had het gezien en hielp later bij de zoektocht naar de lijken. Een monument herdenkt nu de idealen van het verzet tegen de Duitsers, waaruit de Italiaanse Republiek is voortgekomen. In het bunkerachtige monument ziet u de rijen identieke tomben van de slachtoffers. Ernaast staat het verzetsmuseum. Interessante, moderne beelden zijn *De martelaren* van Francesco Coccia en de poorten van Mirko Basaldella.

Bronzen toegangspoort van de Fosse Ardeatine van Mirko Basaldella

Tombe van Cecilia Metella ⓬

Via Appia Antica, III Miglio. ☎ 780 24 65. 🚌 118. **Open** di-za 9.00-1 uur voor zonsondergang (okt-maart: 14.00), ma & zo 9.00-14.00 uur. **Gesloten** feestdagen. 📷

E en van de beroemdste monumenten aan de Via Appia Antica is de grote trommelvormige tombe van de adellijke Cecilia Metella. Haar vader en haar man waren rijke patriciërs en succesvolle generaals uit de late Romeinse Republiek, maar over Cecilia is nauwelijks iets bekend. Byron mijmert over haar onbekende lot in zijn gedicht *Childe Harold*. In 1302 schonk paus Bonifatius de tombe aan zijn familie, de Caetani, die het betrokken in hun kasteel aan de Via Appia. Zo beheersten ze het wegverkeer en konden een hoge tol heffen. Paus Sixtus V plunderde in de 16de eeuw de marmeren bekleding van de tombe.

Resten van marmerreliëf op de Tombe van Cecilia Metella

Parco Appio Claudio ⓭

Via Lemonia. 🚌 118, 557, 558, 650, 663, 664, 765. **Open** dag en nacht.

Het park beslaat een groot gedeelte tussen de Via Appia Nuova en de Via Tuscolana. Misschien wordt het ooit onderdeel van een weids archeologisch park dat zich hier uitstrekt tot het Colosseum en het Forum. Belangrijkste monumenten zijn de resten van drie aquaducten, de Aqua Marcia uit 140 v.C., de Aqua Claudia, in 52 voltooid door keizer Claudius, en het Felice Aquaduct van

San Paolo fuori le Mura

Sixtus V uit de 16de eeuw. De bogen van Romeinse aqua-ducten vervoerden water in gescheiden leidingen uit twee of drie verschillende bronnen (blz. 20-21). Op deze plaats kunt u ongestoord genieten van het uitzicht op het platteland van Rome en de Colli Albani in het zuiden.

EUR 14

[buses] 93, 97, 197, 293, 493, 765, 771, 791. [M] EUR Fermi, EUR Palasport.

Museo della Civiltà Romana
Piazza G. Agnelli. [C] 592 61 35. **Open** di-za 9.00-13.30 uur, zo en feestdagen 9.00-13.00 uur, di of do ook 16.00-19.00 uur. *Niet gratis.*

Het Palazzo della Civiltà del Lavoro, het 'vierkante Colosseum' in EUR

D e Esposizione Universale di Roma (EUR), een voor-stad in het zuiden, is aange-legd voor een internationale tentoonstelling, een soort 'Olympische Spelen van de Arbeid'. Deze was gepland voor 1942, maar ging vanwe-ge de oorlog niet door. De ar-chitectuur moest het fascisme verheerlijken. Het Palazzo della Civiltà del Lavoro (paleis van de beschaving van de ar-beid) is een onmiskenbaar herkenningsteken voor wie op het vliegveld Fiumicino aankomt.

Het plan is in de jaren vijftig voltooid. Wat stadsplanning betreft, is EUR tamelijk ge-slaagd te noemen: mensen wonen er nog steeds graag. Verder is er een aantal over-heidskantoren en musea ge-huisvest. Het Museo della Civiltà Romana bezit een grote maquette van Rome ten tijde van Constantijn en af-gietsels van de Zuil van Trajanus. In het zuiden vindt u een meer, een park en het enorme Palazzo dello Sport, dat voor de Olympische Spelen in 1960 is gebouwd.

San Paolo fuori le Mura 15

Via Ostiense 186. [C] 541 03 41. [buses] 23, 93b, 170, 223, 673. [M] San Paolo. **Open** dag. 7.30-18.00 uur (sept.-maart: 18.00) toegang tot 15 min. voor sluitingstijd. [icons]

D e huidige kerk is een ge-trouwe, maar ietwat saaie reconstructie van de grote 4de-eeuwse basilica die in de nacht van 15 juli 1823 door brand werd verwoest. Enkele delen van de oorspronkelijke kerk zijn nog intact. De triomfboog over het schip is aan de ene kant gedecoreerd met gerestaureerde 5de-eeuwse mozaïeken. De ande-re zijde bezit mozaïeken van Pietro Cavallini. Op de schit-terende Venetiaanse apsismo-zaïeken (1220) zijn de figuren van Christus, Petrus, Andreas, Paulus en Lucas te zien.

Het fraaie marmeren baldakijn over het hoogaltaar draagt de handtekening Arnolfo di Cambio (1285) samen met zijn medewerker Pietro, met wie mis-schien Pietro Cavallini wordt bedoeld. Onder het altaar ligt de confes-sio, het graf van Paulus, wiens lichaam volgens de legende hier is begraven. Rechts staat een imposante paaskandelaar uit de tijd van Constantijn en af-gietsels van de Zuil van Angelo en Pietro Vassalletto.

Het enige van de San Paolo wat voor het vuur gespaard bleef, was de kloosterhof met de dubbele zuilen met fraai inlegwerk. De grotendeels door de familie Vassalletto ge-bouwde hof wordt be-schouwd als een van de mooiste in Rome.

Villa Doria Pamphili 16

Via di San Pancrazio. [buses] 41, 75, 144. **Park open** dag zonsopgang-zons-ondergang.

D e Villa Doria Pamphili, het grootste openbare park in Rome, is omstreeks 1650 ontworpen voor prins Camillo Pamphili. Zijn oom, paus Innocentius X, betaalde het dubbele zomerverblijf, het Casino del Bel Respiro en talrijke fonteinen en prieltjes. Thans is het park popu-lair trefpunt voor joggers en hondenliefhebbers.

Casino del Bel Respiro, Villa Doria Pamphili

19de-eeuws mozaïek op de gevel van San Paolo fuori le Mura

Tivoli ⓱

Stad ligt 31 km ten noordoosten van Rome. [FS] vanaf Roma Termini of Tiburtina. ACOTRAL vanaf Rebibbia (metrolijn B).

Al sinds de Romeinse repu-bliek is Tivoli een popu-lair vakantieoord. Tot de be-roemdheden die hier een villa bezaten, behoren de dichters Catullus en Horatius, Caesars moordenaars Brutus en Cassius en de keizers Trajanus en Hadrianus. Tivoli was zo aan-trekkelijk vanwege de frisse lucht, de riante ligging op de hellingen van de Tiburtijnse-heuvels, de genees-krachtige zwa-velbronnen en de watervallen van de Aniene. Keizer Augus-tus bewerde dat deze hem van slapeloos-heid hadden genezen.

Detail van Fontana dell'Organo in Villa d'Este

In de Mid-deleeuwen kreeg Tivoli vaak inva-sies te ver-duren; de ligging maakte het een ideale basis voor een aanval op Rome. In 1461 bouwde paus Pius II hier een vesting, de Rocca Pia, en verklaarde: 'Het is gemakkelijker Rome te her-overen als ik Tivoli bezit dan Rome bezit.' Nadat bombardementen in 1944 zware schade hadden

Tivoli, ideaal om te ontsnappen aan de zomerse hitte in Rome

Villa d'Este ⓲

Piazza Trento, Tivoli. [tel] 0774-220 70. [FS] Tivoli, dan 30 min. lopen of plaat-selijke bus (veel lijnen). Open di-zo 9.00-1 uur voor zonsondergang. Ge-sloten feestdagen. Niet gratis.

De villa staat op het terrein van een oud benedictij-nenklooster. In de 16de eeuw is het landschap aangelegd voor kardinaal Ippolito d'Este, de zoon van Lucrezia Borgia. Pirro Ligorio ontwierp het pa-leis om de ligging op de heu-vel maximaal te benutten, maar de villa is voornamelijk bekend om de terrastuinen en de fonteinen die Ligorio en Giacomo della Porta aanlegden. Hoewel de tuinen in de loop der eeuwen zijn verwaarloosd, geven de grotten en fonteinen nog een goede indruk van de frivole weelde die de kerkvor-sten genoten. Vanaf het grote bordes van het paleis daalt u via de paden met ligusters af naar de grot van Diana en Bernini's Fontana del Bicchierone. Onderaan rechts ziet u Rometta (klein Rome), een maquette van het Tiber-eiland met allegorische figu-ren en de legendarische wol-vin. De Rometta is het ene eindpunt van de Viale delle Cento Fontane. De 100 fontei-nen hebben de vorm van gro-tesken, obelisken, schepen en de adelaars van het wapen van de d'Este, nu overwoe-kerd met mos. De Fontana dell'Organo was een wateror-gel warm de waterkracht lucht door de pijpen stuwde, maar de fontein is al lang stil-gevallen. Het lage gedeelte van de tuin biedt u bloem-bedden, fonteinen en mooie vergezichten over het platte-land.

Terras van de 100 fonteinen in de tuinen van de Villa d'Este

Villa Gregoriana ⓳

Largo Massimo, Tivoli. [FS] Tivoli, dan korte wandeling. Open dag. juni-aug.: 10.00-19.00 uur, sept.-mei: 9.30-1 uur voor zonsondergang. Niet gratis.

De grootste attractie van het bosrijke park zijn de watervallen en de grotten die in de loop der eeuwen aan de rivier Aniene zijn ge-creëerd. Het park is genoemd naar paus Gregorius XVI, die in 1830 een tunnel liet bou-wen om het gevaar van over-stroming tegen te gaan. Dit leverde een waterval op, de Grande Cascata, die zich 108 m lager in het dal achter het stadje stort.

Villa van Hadrianus ⑳

Villa Adriana, Via Tiburtina, 6 km ten zuidwesten van Tivoli. ☎ 0774-53 02 03. FS Tivoli, dan plaatselijke bus 4. 🚌 ACOTRAL vanaf Rebibbia (metrolijn B). Open dag. 9.00 uur-90 min. voor zonsondergang (toegang tot 1 uur voor sluitingstijd). Gesloten feestdagen. Niet gratis.

De flink gerestaureerde Canopus, met replica's van de originele kariatiden langs de oever

D e tussen 118 en 134 voor keizer Hadrianus gebouwde privé-zomerresidentie was een enorm openluchtmuseum van de fraaiste architectuur uit de Romeinse wereld. Het keizerlijk paleis besloeg een oppervlakte van 300 ha; op het terrein stonden reprodukties op ware grootte van de favoriete Griekse en Egyptische beelden van de keizer. De opgravingen begonnen in de 16de eeuw, maar van veel ruïnes die her en der verspreid liggen is nog niet bekend wat ze ooit geweest zijn. Het terrein van de villa, met hier en daar zuilbrokken tussen olijfbomen en cipressen, vormt een pittoresk decor voor een picknick.

Om een indruk te krijgen van het hele complex in zijn hoogtijdagen, kunt u de maquette bestuderen in het gebouw naast het parkeerterrein. De belangrijkste gebouwen zijn met wegwijzers aangegeven en diverse zijn gedeeltelijk gerestaureerd. Een van de indrukwekkendste is het zogenaamde Maritieme Theater. Het is een rond bassin met een eiland in het midden, door zuilen omgeven. Het eiland, bereikbaar via een draaibrug, was vermoedelijk het privé-atelier van Hadrianus, waar hij zich bezighield met schilderen en architectuur. Verder waren er theaters, Griekse en Latijnse bibliotheken, twee thermen, uitgestrekte verblijven voor gasten en paleispersoneel en geometrische tuinen met fonteinen, beelden en vijvers.

Hadrianus hield zowel van Griekse filosofie als van architectuur. Een deel van de tuinen is misschien geweest van de academische zuilengang waar Plato zijn leerlingen onderwees. Hij liet ook een replica maken van de Stoa Poikile, de prachtig beschilderde galerij in Athene waar de stoïsche filosofen hun naam aan ontlenen. De kopie van Hadrianus omvatte een groot plein met een centrale vijver. De zogenaamde Hal der Filosofen was waarschijnlijk een bibliotheek. De stoutmoedigste replica van Hadrianus was de Canopus, een heiligdom voor de god Serapis bij Alexandrië. Hiervoor is een bassin van 185 m lang aangelegd en zijn er beelden uit Egypte geïmporteerd om de tempel en het terrein eromheen in te richten. Dit imposante staaltje bouwkunst is hersteld. Nog een schilderachtig plekje op het terrein is het Dal van Tempe, het legendarische verblijf van de godin Diana, met een beek die de rivier Peneios moet voorstellen. Ondergronds liet de keizer zelfs een onderwereld aanleggen, de Hades. Hij kon hier via tunnels komen; veel van die tunnels verbonden diverse delen van de villa. Barbaren plunderden de villa in de 6de en 8ste eeuw; de villa werd een bouwval. Het marmer werd verbrand vanwege de kalk voor cement en de antiquaren uit de Renaissance zorgden voor een verder verval. Hier opgegraven beelden zijn in musea in heel Europa te zien. De Egyptische collectie van het Vaticaan (blz. 238) bezit veel fraaie werken die hier zijn gevonden.

Twee Ionische zuilen in de overkoepelde thermen

Fragment van een marmeren mozaïekvloer in het keizerlijk paleis

Ostia Antica

Viale dei Romagnoli 717. 25 km ten
zuidwesten van Rome. **[** 565 00 22
of 565 14 05. **M** Magliana met lijn B,
dan trein naar Ostia Antica. **Opgravingen open** dag. 9.00 uur-ongeveer
1 uur voor zonsondergang (toegang
tot 1 uur voor sluitingstijd). **Gesloten**
1 mei. **Museum open** dag. 9.00-
13.00 uur. **Gesloten** feestdagen. **Niet
gratis**.

I n de republiek was Ostia
de grote commerciële
haven en militaire basis van
Rome, die de kust en de
monding van de Tiber moest
verdedigen. De haven bloeide
nog in de keizertijd, ondanks
de aanleg in de 2de eeuw van
Portus, een nieuwe haven die
iets ten noordwesten lag. De
achteruitgang kwam naar
Ostia in de 4de eeuw, toen
de handel terugliep en bovendien de haven langzaam
dichtslibde. Het werd nog
erger toen er in de streek malaria uitbrak. De gehele bevolking, vermoedelijk bijna
100.000 zielen, verliet de stad.
Ostia, eeuwenlang onder het
zand bedolven, is opmerkelijk
goed bewaard gebleven. Het
is minder spectaculair dan
Pompeji of Herculaneum
omdat Ostia geleidelijk stierf,
maar geeft een bredere kijk
op het leven in het Romeinse
Rijk. Mensen uit alle sociale
lagen en uit het gehele
Middellandse-Zeegebied
woonden en werkten hier.
De plattegrond van Ostia is
voor bezoekers bijna direct
begrijpelijk. De hoofdstraat
door de stad, de Decumanus
Maximus, zal vol haastige slaven en burgers geweest zijn,
die slingerende karren en rijtuigen ontweken, terwijl handelaren zaken deden in de

Vervallen winkels, kantoren en huizen bij het theater in Ostia

galerijen langs de straat. De
indeling van openbare gebouwen langs de weg is erg duidelijk. Vele waren thermen,
zoals de Thermen van de
Cisiarii (voerlui) en de grotere Thermen van Neptunus,
genoemd naar de mooie
zwart-witte vloermozaïeken.
Naast het herstelde theater
staan drie grote maskers op
grote stukken tufsteen.
Oorspronkelijk behoorden
ze tot het decor van het toneel. Onder de stenen
bogen die de halfronde ran-
gen van het theater steun-
den, waren taveernes en
winkels gevestigd.
's Zomers worden er klas-
sieke toneelstukken opge-
voerd.
De loop van de Tiber is aan-
zienlijk veranderd sinds Ostia
de haven van Rome was. Ooit
stroomde hij net ten noorden

**Siermasker aan
het theater**

langs het Piazzale delle
Corporazioni, het plein achter
het theater. De corporaties
waren de gilden van de diverse ambachtslui die
van de scheeps-
bouw leefden:
looiers en touw-
slagers, scheeps-
bouwers, hout-
en graanhandela-
ren en scheepsleve-
ranciers. Aan het
plein lagen 60 à 70
kantoren.
Mozaïeken met alle-
daagse scènes van
de haven, namen en
symbolen van de
corporaties zijn
nog steeds te
zien. Er waren
ook kantoren in gebruik bij
eigenaren en agenten die
zelfs uit Tunesië, Zuid-
Frankrijk, Sardinië of Egypte
kwamen. Er is een kantoor
van een handelaar uit
Sabratha (Libië) met een be-
koorlijk mozaïek van een olifant.
Het belangrijkste produkt
voor Rome was graan uit
Afrika. Veel hiervan werd
weggegeven om sociale on-
rust te voorkomen. Hoewel
alleen mannen deze *annona*
of korensteun kregen, kwamen er soms 300.000 voor in
aanmerking. Midden op het
plein stond een tempel, waar-

Muurschildering in Ostia: een schip wordt geladen met graan

schijnlijk gewijd aan Ceres, de godin van de oogst. Onder de uitgegraven gebouwen zijn veel grote silo's, waar graan werd opgeslagen voordat het naar Rome werd verscheept. De Decumanus leidt naar het Forum en de belangrijkste tempel van Ostia. Hadrianus liet hem in de 2de eeuw oprichten en wijden aan Jupiter, Juno en Minerva. Op deze tamelijk romantische, eenzame plaats kunt u het Forum moeilijk voorstellen als een bruisend centrum waar recht

Vloermozaïek van Nereïde en zeemonster in het Huis van de Dioscuri

Detail van vloermozaïek op het Piazza delle Corporazioni

werd gesproken en magistraten de politiek bespraken. In de 18de eeuw fungeerde de tempel als schaapskooi. Achter de hoofdstraat liggen de huizen van de bewoners van Ostia. Het merendeel

huurde een appartement in flats van drie of vier verdiepingen, de *insulae*. Deze verschilden nogal van comfort en inrichting. Het Huis van Diana was tamelijk chic, met een balkon voor de tweede etage, een privé-badhuis en een centrale binnenplaats met een waterbassin voor de huurders. Op de begane grond van de flat waren winkels, herbergen en bars gevestigd die eenvoudige maaltijden en drank verkochten. In de bar van het Huis van Diana is de marmeren toonbank te zien van

klanten die hier worst en warme, met honing aangezoete wijn kochten.
Voor de rijken waren er vrijstaande huizen *(domus)*, zoals het Huis van de Dioscuri, met fraai gekleurde mozaïeken; het Huis van Cupido en Psyche, genoemd naar een hier aangetroffen mooi beeldje. Het staat nu in het kleine museum van Ostia, samen met ander beeldhouwwerk en reliëfs. Andere interessante gebouwen en winkels zijn bijvoorbeeld een wasserij en de brandweerkazerne. Het kosmopolitische karakter van Ostia blijkt uit de gepraktizeerde godsdiensten in de havenstad. Er zijn maar liefst 18 tempels voor de Perzische god Mithras, een joodse synagoge uit de 1ste eeuw en een christelijke basilica. Een plaquette vermeldt dat de moeder van Augustinus hier in 387 in een hotel stierf.

OOK INTERESSANT:

Anagni 🚈 *vanaf Termini (ca. 50 min.).* Pittoresk heuveldorp met pauselijk paleis en beroemde romaanse kathedraal.

Bracciano 🚈 *vanaf Termini of Tiburtina (ca. 90 min.).* 🚌 *vanaf Lepanto, metrolijn A (bus ca. 90 min.).* Vulkanisch meer met dorpen en bosrijke heuvels. Geschikt voor wandelingen of bezoek aan kasteel Orsini. 's Zomers zwemmen.

Cerveteri 🚈 *vanaf Termini, Tiburtina of Ostiense naar Cerveteri-Ladispoli, dan plaatselijke bus (ca. 70 min.).* 🚌 *vanaf Via Lepanto, metrolijn A (bus ca. 80 min.).* Een van de grootste Etruskische steden. Necropolis met complete straten en huizen.

Nemi 🚈 *vanaf Cinecittà, metrolijn A (bus ca. 60 min.).* Fraai dorp bij vulkanisch meer in de Castelli Romani. Beroemd om wijn en aardbeien.

Palestrina 🚈 *vanaf Rebibbia, metrolijn B (bus ca. 70 min.).* Imposant Romeins heiligdom voor godin Fortuna. Museum en Nijlmozaïek.

Pompeji 🚈 *vanaf Termini. Sneltrein naar Pompeji (ca. 160 min.) of andere trein naar Napels; overstappen op plaatselijke trein (ca. 170 min.).* 🚌 *Speciale busreizen van reisbureaus.* Opgravingen in de rijke Romeinse stad waar de uitbarsting van de Vesuvius in 79 n.C. aan het drukke dagelijkse leven een eind maakte.

Subiaco 🚈 *vanaf Rebibbia, metrolijn B (bus ca. 120 min.).* Geboorteplaats van Benedictus. Twee kloosters te bezoeken.

Tarquinia 🚈 *vanaf Tiburtina of Ostiense (ca. 180 min.).* 🚌 *vanaf Via Lepanto, metrolijn A. Overstappen in Civitavecchia (ca. 150 min.).* Uitstekende collectie Etruskische voorwerpen en fresco's uit graven van Tarquinia.

Viterbo 🚈 *vanaf Termini (ca. 150 min.) of ACOTRAL-trein vanaf Roma Nord, Piazzale Flaminio, metrolijn A (ca. 120 min.).* 🚌 *vanaf Saxa Rubra, te bereiken met bovenvermelde ACOTRAL-trein (bus ca. 90 min.).* Middeleeuwse wijk, pauselijk paleis en archeologisch museum binnen 13de-eeuwse muren.

ZES WANDELINGEN

Rome is uitstekend geschikt om te wandelen. Bezienswaardigheden in het historische centrum zijn gemakkelijk te voet bereikbaar en veel straten zijn voetgangersgebied. Voor de vermoeiden zijn er veel terrassen met een prachtig decor, zoals Piazza Navona en Campo de' Fiori. Als u interesse hebt voor archeologie, dan leidt een wandeling over het Forum (blz. 76-87) en de Palatijn (blz. 96-101) u weg van het razende verkeer van het moderne Rome.

De eerste van de zes aanbevolen wandelingen omvat pittoreske wijken aan weerszijden van de Tiber, de rivier die zo'n belangrijke rol gespeeld in de ontwikkeling van de stad. De tweede wandeling, langs de kaarsrechte Via Giulia, geeft een goede indruk van het Rome van de Renaissance. De volgende drie routes hebben elk een speciaal thema. Als u de luister van het klassieke Rome wilt kennen, wandelt u langs de nog bestaande triomfbogen van de keizers. Prefereert u de Middeleeuwen, dan volgt u de route langs vroeg-christelijke kerken met vrijwel ongeschonden mozaïeken. Voor liefhebbers van de Barok in Rome is er een wandeling langs de vele monumenten die de warme Bernini Rome heeft verrijkt.

De Romeinen stonden bekend om hun rechte wegen. De laatste wandeling kunt u buiten het historische centrum afleggen langs de bekendste Romeinse weg, de Via Appia Antica.

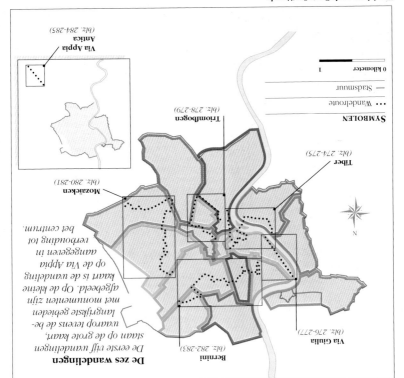

Engel van Bernini op Ponte Sant'Angelo

EEN WANDELING UITKIEZEN

De zes wandelingen
De eerste vijf wandelingen staan op de grote kaart, waarop tevens de belangrijkste gebieden met monumenten zijn afgebeeld. Op de kleine kaart is de wandeling op de Via Appia aangegeven in verbouding tot het centrum.

Via Appia Antica (blz. 284-285)

Triomfbogen (blz. 278-279)

Tiber (blz. 274-275)

Mozaïeken (blz. 280-281)

Via Giulia (blz. 276-277)

Bernini (blz. 282-283)

SYMBOLEN

• • • Wandelroute

— Stadsmuur

0 kilometer 1

N

Een wandeling langs de Tiber

Rome dankt zijn bestaan aan de Tiber; de stad ont-stond rondom een goed doorwaadbare plaats waar zich een markt ontwikkelde. De rivier kon ook grillig zijn; ondiep en woest overstroomde hij tot 1870 elke winter de stad. Toen begon het werk aan de omvangrij-ke Lungotevere-kade aan weerszijden van de rivier. De lanen met platanen bieden veel plaatsen waar u een pracht-tig uitzicht hebt. Al wandelend verkent u de wijken langs de oever, in het bij-zonder het joodse getto en Trastevere, waar nog veel bewaard is van het ka-rakter van verschillende perioden uit de kleurrijke geschiedenis van Rome.

Van de oude stadspoort naar Via dei Funari

U begint bij de kerk Santa Maria in Cosmedin ① (blz. 202) en steekt het piazza over naar de tempels op het Forum Boarium ② (blz. 203). Hier lag de veemarkt, naast de rivierhaven van Rome. De Tiber toont hier nog twee minder bekende resten van het antieke Rome: de mon-ding van de Cloaca Maxima, het grote riool van de stad, en een boog van een vervallen brug, de Ponte Rotto ④. In de Via di Ponte Rotto staat het buitengewone, middeleeuwse Casa dei Crescenzi ⑤ (blz. 203), versierd met resten van Romeinse tempels. Als u langs de moderne Anagrafe (bevolkingsregister) ⑥ loopt, die op de plek van de oude haven is gebouwd, komt u bij San Nicola in Carcere ⑦ (blz. 152).

U staat nu op het Foro Olitorio, de antieke groentemarkt van Rome. Aan de oostkant ziet u de ruïnes van een Romeinse galerij en het middeleeuwse huis van de familie Pierleoni.

Boog van de Ponte Rotto ④

Loop naar het imposante Theater van Marcellus ⑧ (blz. 151) en probeer de drie Corinthische zuilen te ontdekken van de Tempel van Apollo er-naast. Ga dan via Piazza Campitelli naar Santa Maria in Campitelli ⑨ (blz. 151). De kerk bezit een wonderdadig portret van Maria dat de pest van 1656 zou hebben tegengehouden. Aan het 16de-eeuwse piazza woonde ook de architect ervan, Flaminio Ponzio, op nr. 6. Sla de Via dei Delfini in naar Piazza Margana, waar u een blik kunt werpen op de 14de-eeuwse toren van de familie Margani ⑩. Keer terug en ga door de Via dei Funari (straat van de touwslagers) naar de 16de-eeuwse façade van Santa Caterina dei Funari ⑪.

Het getto

Vanaf Piazza Lovatelli loopt u door de Via Sant'Angelo in Pescheria, die naar de verval-len Portico d'Ottavia ⑫ leidt (blz. 151) in het joodse getto (blz. 152). De Romeinse gale-rij, ooit de vismarkt van Rome, huisvest de kerk Sant'Angelo in Pescheria. Zoek de mar-merplaat op de gevel: vissen langer dan deze steen waren bestemd voor de conservatori van Rome (hoge ambtenaren). Loop het getto (Ghetto) in: twee zuilstompen van de Portico staan voor een opge-lapte ingang van resten Ro-meins beeldhouwwerk. Het netwerk van gebouwen en

Santa Maria in Cosmedin ①

Hoofdaltaar in Santa Maria in Campitelli ⑨

De westpunt van het Tibereiland

Klassiek reliëf van Medusa boven de ingang van Palazzo Cenci ⑭

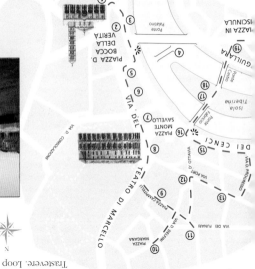

Piazza in Piscinula, oud Trastevere

SYMBOLEN

— Wandelroute

※ Mooi uitzicht

Trastevere

Als u Trastevere binnenkomt, ziet u het middeleeuwse huis van de machtige familie Mattei ⑲, met resten antiek

Op het eiland mag u de Toren van de Pierleoni ⑰ niet missen, noch de kerk San Bartolomeo all'Isola ⑱.

het Tibereiland (blz. 152) over de Ponte Fabricio met de twee klassieke stenen koppen op de balustrade, hebt u in beide richtingen een goed zicht op de rivier. Als u aan de overkant achterom kijkt, ziet u de middeleeuwse toren van de Anguillara ⑳ en het monu-

naar het begin van de Viale di Trastevere bij Piazza Belli.

WANDELTIPS

Vertrek: Piazza della Bocca della Verità

Lengte: 3,5 km

Bereikbaarheid: lijn 15, 23, 57, 90, 90b, 92 en 95 stoppen allemaal bij Santa Maria in Cosmedin.

Beste wandeltijd: deze wandeling is op elk moment geschikt, maar is 's avonds zeer romantisch.

Rustpunten: aan Piazza Campitelli en Piazza Margana typisch Romeinse restaurants; aan Via del Portico d'Ottavia twee koosjere restaurants en een bakkerij. Op het Tibereiland is een bar en het beroemde restaurant Sora Lella (blz. 314). Op Piazza Santa Maria in Trastevere vindt u drukke bars en restaurants met terrassen.

straten rondom de Via del Portico d'Ottavia is kenmerkend voor het oude Rome: bekijk het Casa di Lorenzo Manilio ⑬ (blz. 153) en loop de Via delle Cinque Scuole in, voorbij Palazzo Cenci ⑭ (blz. 152), richting Tiber. Wandel langs de synagoge ⑮ (blz. 152) aan de Lungotevere naar de kleine kerk San Gregorio ⑯. Hier stonden de poorten van het ghetto, die bij zonsondergang dicht gingen.

Lopend naar Trastevere

Over de rivier naar Trastevere

N

Trastevere. Loop

de sfeer van het oude
de buurt ademen nog de
in Piscinula en de straten in
beeldhouwwerk. Het Piazza

ment voor de dichter Gioacchino Belli ㉑ (blz. 209). Als u de Via Lungaretta uitloopt naar het Piazza Santa Maria in Trastevere, werp dan ook een blik op de ouderwetse apotheek op nr. 7. Het piazza zelf, voor de schitterende kerk Santa Maria in Trastevere ㉒ (blz. 212-213), ademt een prettige sfeer en de fonteinen zijn een geliefd trefpunt. Loop een eindje terug naar de Via del Moro. Deze loopt naar het Piazza Trilussa, beheerst door de fontein van Acqua Paola. Waar u weer bij de oever van de rivier uitkomt. Let op het levensgrote beeld bij de fontein van de Romeinse dichter Trilussa. Kijk vanaf Ponte Sisio ㉔ (blz. 210) naar het Tibereiland en, daarachter, naar Santa Maria in Cosmedin.

Een Wandeling langs de Via Giulia

Begin 16de eeuw legde Bramante de Via Giulia aan voor paus Julius II; het was de eerste straat uit de Renaissance die de wirwar van middeleeuwse steegjes in Rome doorsneed. Het originele ontwerp omvatte nieuwe gerechtshoven op een centraal piazza, maar dit project ging vanwege geldgebrek niet door. 's Zomers verlichten honderden olielampen de straat; kloostergangen en binnenplaatsen zijn dan romantische decors voor een bijzonder concertseizoen.

Van Lungotevere naar Largo della Moretta

U vertrekt bij Lungotevere dei Tebaldi ① aan de oostzijde van de Via Giulia en ziet voor u een boog ② die over de weg loopt. Hij was het begin van Michelangelo's niet uitgevoerde ontwerp om Palazzo Farnese en de tuinen (blz. 147) te verbinden met de Villa Farnesina (blz. 220-221) aan de overzijde van de Tiber. Net voor de boog ziet u links de curieuze Fontana del Mascherone ③, waar een antiek grotesk masker en een granieten bassin tot een barokke fontein zijn versmolten. Achter de Farnese-boog links valt de drukke barokgevel op van de Santa Maria dell'Orazione e Morte ④ (blz. 147). Iets verderop aan dezelfde kant van de straat staat Palazzo Falconieri ⑤, in 1650 door Borromini uitgebreid. Let op de twee stenen valken die el-kaar over de breedte van de gevel kwaad aankijken. Aan de overkant passeert u de ge-lige façade van Santa Caterina da Siena ⑥, de kerk van de Sienese gemeenschap in Rome, met aardige 18de-eeuwse reliëfs. De figuren van Romulus en Remus symboliseren Rome en Siena – er is een legende die beweert

Reliëf van Romulus en Remus op Santa Caterina da Siena ⑥

dat Siena is gesticht door de minder for-tuinlijke van de twee-ling. Na de korte straat die naar Sant'Eligio degli Orefici ⑦ (blz. 148) leidt en de gevel van Palazzo Ricci ⑧, betreedt u het gebied Largo della Moretta: half-geslopte gebouwen rondom de ver-vallen kerk van San Filippo Neri ⑨. Als u links naar de Tiber kijkt, ziet u de Ponte Mazzini en de gevangenis Regina Coeli aan de over-kant. Hier wilt u wellicht

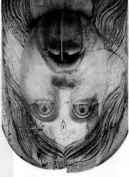

Fontana del Mascherone ③

een eindje omlopen naar rechts, naar het begin van de Via del Pellegrino. Daar mar-keert een inscriptie ⑩ het po-merium, de stadsgrens ten tijde van keizer Claudius.

Van Largo della Moretta naar de Sofa's van de Via Giulia

Verderop, regenover de nauwe Vicolo del Malpasso, ziet u de imposante gevange-nissen, de Carceri Nuove ⑪ in 1655 gebouwd door paus Innocentius X. Bij de opening stonden ze model voor de hu-mane behandeling van de ge-vangenen. Eind 19de eeuw zijn ze echter vervangen door de Regina Coeli aan de over-kant. In de gebouwen zijn thans kantoren van het minis-terie van Justitie en een klein Misdaadmuseum gehuisvest. Op de hoek van de Via del Gonfalone, een smalle zij-straat die naar de Tiber loopt, ziet u een stuk fundering van de gerechtshoven die Julius II hier had gepland. Even ver-

SYMBOLEN

※ Mooi uitzicht

━━━ Wandelroute

0 meter   250

Barok kapiteel aan de gevel van Sant'Eligio degli Orefici ⑦

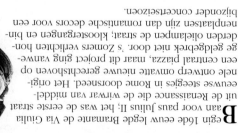

Farnese-galerij over Via Giulia, naar een ontwerp van Michelangelo ②

Gedenkplaat voor Antonio da Sangallo aan Palazzo Sacchetti ⑮

zorgde voor de bijnaam.

Op de hoek ziet u nog meer blokken travertijn van de fundering van de geplande rechtbanken van Julius II. Vanwege hun bizarre vorm worden ze ook wel de 'Sofa's van de Villa Giulia' genoemd.

De Florentijnse wijk

Eigenlijk moet u even stoppen voor nr. 66, het indrukwekkende Palazzo Sacchetti ⑮. Oorspronkelijk was dit het huis van Antonio da Sangallo de Jongere, de architect van Palazzo Farnese. De latere eigenaren hebben het fors uitgebreid. De binnenplaats met galerij bezit een 15de-eeuwse Madonna en een opvallend 3de-eeuws Romeins reliëf. Let op het mooie portaal uit de late Renaissance van Palazzo Donarelli ⑯, precies tegenover Palazzo Sacchetti. Het 16de-eeuwse huis op nr. 93 is rijk versierd met stucwerk en wapens ⑰. Ook nr. 85 is een typisch palazzo uit de Renaissance, met een onderbouw in rustiek werk ⑱. Men beweert dat het ooit, zoals zoveel hui-

zen uit die tijd, eigendom was van Rafaël. Antonio da Sangallo de Jongere bouwde Palazzo Clarelli ⑲ voor zichzelf. De inscriptie boven de deur vermeldt de hertog Cosimo II de' Medici, wiens familie het palazzo naderhand heeft gekocht.

Een bloeiende Florentijnse gemeenschap bewoonde ooit de hele wijk; ze had zelfs eigen watermolens gebouwd op pontons aan de Tiber. Hun nationale kerk is San Giovanni dei Fiorentini ⑳ (blz. 153), het laatste grote monument aan het eind van de Via Giulia. Veel Florentijnse kunstenaars en architecten droegen bij aan het ontwerp, onder wie Sangallo en Jacopo Sansovino.

Wapenschild van paus Paulus III Farnese aan de gevel van Via Giulia nr. 93 ⑰

der staat het kleine Oratorio di Santa Lucia del Gonfalone ⑫, waar vaak concerten plaatsvinden. De volgende interessante gevel is links die van de 17de-eeuwse Santa Maria del Suffragio ⑬ van Carlo Rainaldi. Aan dezelfde kant staat San Biagio degli Armeni ⑭, de Armeense kerk in Rome. Plaatselijke bewoners noemen haar vaak San Biagio della Pagnotta (van het ronde brood). De traditionele brooduitdeling aan de armen op de feestdag van de heilige

Detail naast de ingang van Santa Maria del Suffragio ⑬

WANDELTIPS

Vertrek: Lungotevere dei Tebaldi, bij Ponte Sisto.
Lengte: 1 km.
Bereikbaarheid: Neem bus 46, 62 of 64 naar Corso Vittorio Emanuele II en loop Via dei Pettinari uit of neem bus 23, 65 of 280 langs Lungotevere.
Beste wandeltijd: Op zomeravonden is de straat met olielampen verlicht. Met Kerst staan er kribben in de etalages.
Rustpunten: Er zijn bars in Via Giulia op nr. 21 en 84. Campo de' Fiori heeft betere bars met terrassen en een ruime keus aan eethuisjes. Er is onder andere een Chinees restaurant in Via dei Giubbonari en een visrestaurant aan Piazza Santa Barbara dei Librai (zo gesloten).

Een wandeling langs de triomfbogen

D e grootste bijdrage van Rome aan de bouwkunst was de boog en het grootste eerbewijs van de Romeinen aan zegevierende generaals was de triomfboog. In de keizertijd spraken bogen ter ere van overwinningen van de keizer bijna als vanzelf; ze vergrootten de persoonsverheerlijking en garandeerden de vergoddelijking na zijn dood. Spectaculaire optochten trokken onder de bogen door. Succesvolle generaals, toegejuicht door een uitzinnige menigte, reden in hun wagens naar het Capitool, vergezeld van hun legioenen.

Via Sacra, ooit overspannen door de boog van Augustus ③

Bogen op het Forum

Deze wandeling over het Forum en langs de voet van de Palatijn omvat de drie grootste resterende triomfbogen in Rome en twee be-

Reliëf van barbaarse gevangenen op de Boog van Septimius Severus ①

scheidener bogen die gewoon dienst deden als handelscentrum. U begint bij de Boog

van Septimius Severus ① en zijn zonen Geta en Caracalla (*blz. 83*) op het Forum. De in 203 opgerichte boog herdenkt een succesvolle campagne in het Midden-Oosten. Acht jaar later, toen Caracalla zijn broer had laten vermoorden, verdween elk spoor van Geta uit de inscriptie.

De reliëfs boven u zijn scènes uit de veldtocht.

De stroken zijn vermoedelijk de gebeeldhouwde pendanten van de illustraties die bij de triomftocht werden meegedragen. Rechts moeten de inwoners van een versterkte stad wijken voor de Romeinse belegeringsmachines. Eronder tonen de smallere friezen de triomftocht zelf.

In oostelijke richting loopt u over het Forum naar de Tempel van Julius Caesar ②. Augustus bouwde de tempel in 42 v.C. op de plaats waar Caesar is gecremeerd, na de beroemde lijkrede van Marcus Antonius. Een bord in de buurt geeft de ruïnes aan van de Boog van Augustus ③, die over de Via Sacra liep tussen de Tempel van Castor en Pollux ④ (*blz. 84*) en de Tempel van Caesar. Deze boog werd opgericht nadat Augustus Marcus Antonius en Cleopatra had verslagen, maar in 1545 gesloopt voor de nieuwe Sint Pieter. Van hier loopt u heuvelopwaarts naar

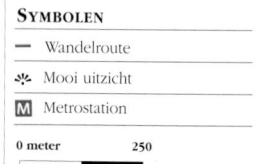

Kapiteel van de Tempel van Castor en Pollux ④

de sierlijke Boog van Titus ⑤ (*blz. 87*). Vergeleken met de Boog van Septimius Severus getuigt deze van een oudere, eenvoudiger stijl. Let op de fraaie letters van de inscriptie voordat u de bas-reliëfs aan de binnenkant bekijkt. Hier ziet u Romeinse soldaten met oorlogsbuit uit

Wandeltips

Vertrek: Forum Romanum, ingang Largo Romolo e Remo, aan Via dei Fori Imperiali.
Lengte: 2,5 km.
Bereikbaarheid: Colosseo is het dichtstbijzijnde metrostation (lijn B). De bussen 11, 27, 81, 85, 87, 186 stoppen in Via dei Fori Imperiali.
Beste wandeltijd: Geschikte wandeling tijdens openingsuren van het Forum (blz. 82).
Rustpunten: Diverse bars en restaurants zien uit op het Colosseum. Er is een kleine bar in Via dei Cerchi en een chiquere aan Piazza San Giovanni Decollato (zo gesloten). Probeer Alvaro al Circo Massimo (ma gesloten) in Via di San Teodoro als u honger hebt.

Symbolen

— Wandelroute

☀ Mooi uitzicht

Ⓜ Metrostation

0 meter   250

bouwmateriaal dat uit de diverse ruïnes op het Forum was geplunderd.

Boog van Constantijn

U verlaat het Forum als u de heuvel afloopt richting Colosseum ⑥ *(blz. 92-95)* en de nabije Boog van Constantijn ⑦ *(blz. 91)*. Deze haastig gebouwde boog, ter herinnering aan de zege van de keizer op zijn rivaal Maxentius in 312, is een lappendeken van reliëfs uit verschillende perioden. Staande aan de kant van de Via di San Gregorio kunt u de vroege panelen bovenin (180-193) vergelijken met de felle gevechtsscènes uit 315 net boven de kleine bogen. De

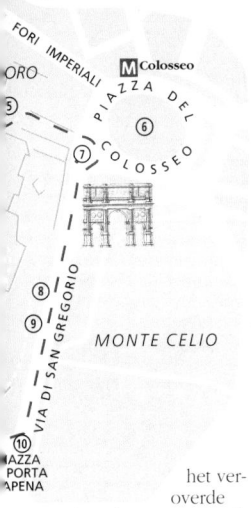

Boog van Titus op een 19de-eeuwse aquarel van de Engelse kunstenaar Thomas Hartley Cromek ⑤

het veroverde Jeruzalem, herauten met platen met de namen van overwonnen volken en steden, en Titus die in triomf in zijn wagen rijdt.

De middeleeuwse familie Frangipane veranderde het Colosseum in een onneembaar bolwerk en maakte de Boog van Titus een deel van haar vesting. Let op de krassen op de binnenmuur van de boog die generaties karrewielen er hebben achtergelaten; zij geven de gestage ophoging van het Forum aan voor het ten slotte in de 18de en 19de eeuw werd uitgegraven. Veel karren die onder de boog door reden, vervoerden

Bogen van Domitianus' uitbreiding van het aquaduct van Claudius ⑨

vreemde, dwergachtige soldaten op deze laatste tonen de overgang van de klassieke naar een ruwere, middeleeuwse stijl van beeldhouwen. Loop nu de Via di San Gregorio in, die tussen de Palatijn en de Coelius ligt. Dit was de klassieke route van de meeste triomftochten. Langs de ingang naar de Palatijn ⑧ en rechts de in goede staat verkerende

bogen van het aquaduct van Claudius ⑨ komt u bij het Piazza di Porta Capena ⑩, genoemd naar de poort die hier het begin van de Via Appia markeerde *(blz. 284)*. Vervolg uw weg langs de Palatijn en blijf de Via dei Cerchi volgen, die naast het overwoekerde terrein ligt met de ovale contouren van het Circus Maximus ⑪ *(blz. 205)*.

Bogen op het Forum Boarium

Als u bij de kerk Sant'Anastasia ⑫ bent, slaat u rechts de Via di San Teodoro in en dan de eerste straat links, Via del Velabro. Uitgespreid over de straat staat hier de vierzijdige Boog van Janus ⑬ uit de 3de eeuw. Het is geen triomfboog, maar een overdekt gebied waar handelaren voor regen of zon konden schuilen tijdens de zaken. Net als de Boog van Titus verwerkte de familie Frangipane de boog in de Middeleeuwen in een vesting.

Verscholen naast de nabije kerk San Giorgio in Velabro ⑭ *(blz. 202)* ziet u een soort grote rechthoekige doorgang. Dit is de Arco degli Argentari, de boog van de geldwisselaars ⑮. De inscriptie vermeldt dat plaatselijke zilversmeden de boog in 204 hebben opgericht ter ere van Septimius Severus en zijn familie. Evenals in de triomfboog van de keizer is de naam Geta uitgewist door zijn broer en moordenaar Caracalla. Ook bij de portretten op de panelen in de boog is Geta verwijderd. Triomf was in het Rome van de keizers soms van heel korte duur.

De vierzijdige Boog van Janus ⑬

Een wandeling langs de mooiste mozaïeken

De vroeg-christelijke kerken in Rome zijn gedecoreerd met kleurrijke mozaïeken, in navolging van de audiëntiezalen in de keizerlijke paleizen. De mozaïeken bestaan uit blokjes marmer, gekleurde steen en stukjes glas. Voor een gouden achtergrond werd goudblad tussen stukjes glas gelegd. Door verhitting versmolten deze dan met elkaar. De mozaïeken gunden de gelovigen een vluchtige blik op het hemelse rijk van de Koning der Koningen. Deze route loopt langs kerken die met deze vorm van kunst zijn gedecoreerd.

Apsis-mozaïek in de kapel van Santa Rufina ③

San Giovanni

Vertrek bij het Piazza di Porta San Giovanni, waar u het uitgebreid herstelde mozaïek kunt zien dat oorspronkelijk in de banketzaal van paus Leo III (paus 795-816) ① lag. Afgebeeld zijn Christus en de apostelen; links staan paus Sylvester en keizer Constantijn. Rechts ziet u paus Leo en Karel de Grote net voor de kroning tot keizer van het

Obelisk en zijgevel van San Giovanni in Laterano ②

Heilige Roomse Rijk in 800. In de kerk San Giovanni in Laterano ② *(blz. 182-183)* staat op het 13de-eeuwse mozaïek in de apsis Christus bij zijn wonderlijke verschijning bij de wijding van de kerk. Let op de twee kleine figuren op de panelen bij de ramen: het zijn de kunstenaars Jacopo Torriti (links) en Jacopo de Camerino (rechts). Verlaat de kerk door de rechteruitgang

bij het prachtige 16de-eeuwse orgel en ga naar het achthoekige baptisterium van San Giovanni ③. De kapel van Santa Rufina bezit een fraai, 5de-eeuws mozaïek in de apsis in groen, azuur en goud. In de nabije kapel van San Venanzio treft u gouden 7de-eeuwse mozaïeken aan die de destijds sterke invloed van de oosterse kerk verraden.

Van Santo Stefano Rotondo naar San Clemente

Volg na het piazza de smalle weg die leidt naar de ronde kerk Santo Stefano Rotondo ④ *(blz. 185)*. In een van de kapellen is een 7de-eeuws Byzantijns mozaïek te zien dat twee hier begraven martelaren gedenkt. Iets verder, op het Piazza della Navicella, staat Santa Maria in Domnica ⑤ *(blz. 193)*. De kerk koestert schitterende mozaïeken die paus Paschalis I bestelde. Dank zij hem kwam de productie van mozaïeken in de 9de eeuw opnieuw tot bloei. De paus is geknield naast Maria afgebeeld. Let bij het verlaten van de kerk op de gevel van San Tommaso in Formis ⑥, met een fraai 13de-eeuws mozaïek van Christus, geflankeerd door twee bevrijde slaven, een zwarte en een blanke. Hier beklimt u de steile helling,

Plafondmozaïek, baptisterium van San Giovanni ③

Interieur van het baptisterium van San Giovanni ③

langs de afschrikwekkende apsis van Santi Quattro Coronati ⑦ *(blz. 185)* naar de fascinerende kerk San Clemente ⑧ *(blz. 186-187)*. Op het 12de-eeuwse mozaïek in de apsis is het kruis omgeven door zwierige acanthusbladeren.

San Clemente

bezit ook een 12de-eeuwse Cosmateske mozaïekvloer.

De Colle Oppio

Als u de oude ingang van de kerk passeert en de Via Labicana, beklimt u de heuvel naar het kleine park Colle Oppio ⑨. Het park biedt u een fraai uitzicht op het Colosseum en bezit ruïnes van Nero's Gouden Huis ⑩ *(blz. 175)* en de Thermen van Trajanus ⑪. Achter het park liggen San Martino ai Monti ⑫ *(blz. 170)*, met in de crypte een 6de-eeuws mozaïekportret van paus Sylvester, en Santa Prassede ⑬ *(blz. 171)*. De Kapel van Zeno in deze kerk bezit de belangrijkste Byzantijnse mozaïeken in Rome, die doen denken aan de schitterende mozaïeken in Ravenna. Paus Paschalis liet de kapel als mausoleum bou-

14de-eeuwse gevelmozaïeken van Filippo Rusuti te bewonderen. Binnen tonen de 5de-eeuwse mozaïeken in het schip scènes uit het Oude Testament, terwijl de triomfboog de geboorte van Christus afbeeldt, compleet met de Wijzen, die gestreepte kousen dragen. In de apsis heeft Jacopo Torriti de kroning van de Maagd in mozaïek weergegeven (1295). Loop bij het verlaten van de Santa Maria langs de obelisk op het piazza achter de kerk en daal af naar de Via Urbana en Santa Pudenziana ⑯ *(blz. 171)*. De figuren op het apsismozaïek, een van de oudste in Rome (390), vallen op doordat ze zo natuurlijk zijn. Als u de kerk verlaat, kunt u terugkeren naar Santa Maria Maggiore of de Via Urbana uitlopen naar metrostation Via Cavour.

Heilige in mozaïek in Santa Prassede ⑬

11de-eeuws fries boven de ingang van Santa Pudenziana ⑯

PIAZZA DI S. GIOVANNI IN LATERANO

PIAZZA DI PORTA S. GIOVANNI

①

③

②

San Giovanni Ⓜ

VIA MERULANA

BOTTA

LABICANA

ELL' AMBA ARADAM

wen voor zijn moeder Theodora. Ook de apsis en de triomfboog van de kerk hebben fraaie mozaïeken. Als u verder loopt naar Santa Maria Maggiore ⑭ *(blz. 172-173)*, ga dan naar de zuil in het midden van het piazza voor de kerk om de mooie,

SYMBOLEN

— Wandelroute

— Stadsmuur

🌿 Mooi uitzicht

Ⓜ Metrostation

0 meter 250

WANDELTIPS

Vertrek: Piazza di Porta San Giovanni.

Lengte: 3,5 km.

Bereikbaarheid: San Giovanni is het dichtstbijzijnde metrostation (lijn A), aan Piazzale Appio, net buiten Porta San Giovanni. De bussen 81, 85, 87 en de trams 13 en 30b stoppen voor San Giovanni in Laterano.

Beste wandeltijd: Het best kunt u 's morgens deze wandeling maken, omdat u dan de mozaïeken in het beste licht ziet.

Rustpunten: Bars en restaurants aan Piazza del Colosseo zijn in trek bij kunstenaars, die het Colosseum op het papieren tafelkleed schetsen. In het Parco Colle Oppio is een klein café met terras. U vindt diverse bars bij Santa Maria Maggiore, sommige met terras.

Een wandeling door het Rome van Bernini

Gian Lorenzo Bernini (1598-1680) is de kunstenaar die vermoedelijk het sterkst zijn stempel op het uiterlijk van Rome heeft gedrukt. De favoriete architect, beeldhouwer en planoloog van drie opeenvolgende pausen maakte van Rome een bij uitstek barokke stad. Deze route belicht zijn enorme invloed op de ontwikkeling en het uiterlijk van het centrum van Rome. U vertrekt bij de drukke Largo di Santa Susanna, bij de kerk Santa Maria della Vittoria.

Façade van Santa Maria in Via ⑬

naamd Manica Lunga (lange mouw), is van Bernini. Aan de overkant van de weg verrijst de façade van Sant'Andrea al Quirinale ⑧ *(blz. 161)*, een van de beroemde kerken van Bernini. Als u op het Piazza del Quirinale ⑨ staat, let dan op de aan Bernini toegeschreven deur van het palazzo. Loop na het piazza de trap op naar de Via della Dataria en de Vicolo

waar de componist Donizetti woonde op nr. 77, en loop de Via Santa Maria in Via in. De kerk ⑬ heeft een fraaie ba-

Bernini's Fontana del Tritone ②

Over Piazza Barberini

Santa Maria della Vittoria ① *(blz. 255)* herbergt de Cornarokapel, het decor van een van de meest revolutionaire en controversiële beelden van Bernini, de *Extase van Teresa* (1646). Volg hier de Via Barberini naar Piazza Barberini. In het midden staat Bernini's spectaculaire Fontana del Tritone ② *(blz. 254)* en aan een kant de wat bescheidener Fontana delle Api ③ *(blz. 254)*. Loopt u de Via delle Quattro Fontane in, dan krijgt u even Palazzo Barberini ④ *(blz. 255)* te zien, gebouwd voor paus Urbanus VIII door Bernini en diverse andere kunstenaars. Vervolg uw weg naar de kruising, getooid met Le Quattro Fontane ⑤ *(blz. 162)*, om te genieten van het uitzicht in vier richtingen. Na de nietige San Carlo alle Quattro Fontane ⑥ *(blz. 161)*, een werk van Bernini's rivaal Borromini, neemt u de Via del Quirinale ⑦ *(blz. 158)*, de lange vleugel van het Palazzo del Quirinale ⑦ *(blz. 158)*, bijge-

Scanderbeg, die u naar het kleine gelijknamige piazza ⑩ voert. Scanderbeg was de bijnaam van de Albanese prins Giorgio Castriota (1403-1468), de 'Turkenschrik'. Zijn portret is bewaard aan het huis waar hij woonde.

De Trevifontein

Loop door de nauwe Vicolo dei Modelli ⑪, waar kunstenaars ooit mannelijke modellen uitkozen, en ga dan richting Trevifontein ⑫ *(blz. 159)*. De vitaliteit ervan is kenmerkend voor Bernini's werk, een hommage aan zijn voortdurende invloed op de Romeinse smaak. Verlaat het piazza langs de Via delle Muratte,

[Kaart met straten en pleinen:
PIAZZA DEL PARLAMENTO, PIAZZA SAN SILVESTRO, VIA DELLA SCROFA, PIAZZA DI MONTECITORIO ⑮, PIAZZA COLONNA ⑭, ⑬, VIA IN AQUIRO, VIA D. MU, VIA DEI PASTINI, VIA DELL'U, VIA DEL SALVATORE, PIAZZA D. ROTONDA, ⑯, VIA D. MINERVA, VIA DEL CORSO, ⑱ PIAZZA NAVONA, CORSO DEL RINASCIMENTO, PIAZZA DELLA MINERVA ⑰]

Neptunusfontein aan de noordzijde van Piazza Navona ⑱

rokgevel van Bernini's leerling Carlo Rainaldi. Sla boven aan de straat links de Via del Corso in. Aan de overkant verrijst de Zuil van Marcus Aurelius ⑭ *(blz. 113)* op het Piazza Colonna. Hierachter ligt Palazzo Montecitorio ⑮, dat Bernini in 1650 begon; thans zetelt hier het Italiaanse parlement *(blz. 112)*.

Van Pantheon naar Piazza Navona

De Via in Aquiro leidt u naar het Pantheon ⑯ *(blz. 110-111)*. Bernini wees het verzoek van paus Urbanus VIII

Collegio Innocenziano aan Piazza Navona van Bernini's rivaal Borromini ⑱

fontein, de Fontana dei Fiumi *(blz. 120)*; andere kunstenaars schiepen de beelden die vier rivieren voorstellen. De centrale figuur in de Fontana del Moro is weer van Bernini zelf. Bernini's tijdgenoten waren verrukt over het revolutionaire gebruik van natuurlijke vormen in zijn fonteinen. Dank zij zijn uitstekende hantering van het water is er constant beweging in de fontein.

Een uitgebreide route

Wie sterke wandelbenen heeft, kan nog richting Tiber lopen om de Ponte Sant'Angelo te zien, met de engelen van Bernini; daarna naar de Sint Pieter *(blz. 230-233)*, waar u Bernini's grootse piazza met galerij voor de kerk kunt bewonderen, en zijn pauselijke tomben, altaardecoraties en het bronzen baldakijn.

af om de koepel opnieuw te decoreren. Hij zei dat de Sint Pieter vele gebreken vertoonde, maar dat het Pantheon perfect was. Maak vanaf het Pantheon een kleine omweg naar het Piazza della Minerva, waar u de bizarre obelisk van Bernini kunt bewonderen. Een olifantje draagt de zuil, voor de Santa Maria sopra Minerva ⑰ *(blz. 108).* Keer terug en

Engel op Ponte Sant'Angelo

neem de Salita dei Crescenzi om bij het fameuze Piazza Navona ⑱ uit te komen. Bernini vernieuwde het voor paus Innocentius X Pamphili. Bernini ontwierp de centrale

SYMBOLEN

— Wandelroute

꙰ Mooi uitzicht

Ⓜ Metrostation

0 meter 250

(kaart met locaties: LARGO DI SANTA SUSANNA ①, VIA BISSOLATI, VIA BARBERINI, Barberini Ⓜ ②③, PIAZZA BARBERINI, VIA XX SETTEMBRE, Repubblica Ⓜ, VIA D QUATTRO FONTANE ④⑤, VIA DEL QUIRINALE ⑥⑦⑧, TRITONE, VIA D CONSULTA, PIAZZA DEL QUIRINALE ⑨⑩, VIA XXIV MAGGIO, DELLA DATARIA, ELLA PANETTERIA ⑪)

WANDELTIPS

Vertrek: *Largo di Santa Susanna.*
Lengte: *3,5 km.*
Bereikbaarheid: *Neem metrolijn A naar Repubblica of een bus naar Termini; vervolgens te voet. Bus 60, 61, 62 en 137 stoppen in Via Barberini.*
Beste wandeltijd: *Wandel tussen 9 en 12 uur 's middags vanwege het licht in de kerken, of tussen 16 en 19 uur.*
Rustpunten: *In de wijken om Piazza Barberini en Fontana di Trevi vindt u veel bars en pizzeria's voor toeristen. Een van de vele chique cafés onderweg is het beroemde Caffè Giolitti (blz. 109). Er is een ruime keus aan cafés met terrassen en restaurants rondom Piazza della Rotonda en Piazza Navona.*

Een wandeling langs de Via Appia Antica

D e Via Appia is bijzonder sfeervol: de weg wordt omzoomd door cipressen en pijnbomen, net zoals toen de oude Romeinen bij fakkellicht hier hun doden kwamen begraven. De velden zijn bezaaid met vervallen tomben en de Monti Albani in het zuiden vormen een pittoresk decor. Hoewel de marmeren of travertijnen deklagen van de meeste graven zijn geplunderd, zijn er nog enkele beelden en reliëfs over of vervangen door kopieën.

Tombe van Sextus Pompejus Justus ⑨

Capo di Bove

Vertrek bij de Tombe van Cecilia Metella ① (blz. 266). De middeleeuwse naam Capo di Bove (ossekop) is ontleend aan de fries met slingers en ossekoppen die op het graf nog te zien is. Aan de overkant van de weg ziet u de vervallen gotische kerk San Nicola ②, die evenals de Tombe van Cecilia Metella tot een middeleeuwse vesting behoorde van de familie Caetani.

San Nicola ②
Gotische vensters in de kerk

De vervallen kerk San Nicola ②

Vervolg uw weg naar de kruising ③, waar nog veel origineel Romeins plaveisel ligt: enorme blokken onverslijtbaar vulkanisch basalt. Net na de volgende afslag (Via Capo di Bove) ziet u links de kern van een mausoleum dat is overwoekerd met klimop, bekend als de Torre di Capo di Bove ④. Daarna ziet u aan

weerszijden van de weg nog meer graven. Sommige zijn nog bedekt met resten van middeleeuwse torens die de eroverheen gebouwd. Rechts passeert u enkele particuliere villa's en bereikt dan de militaire zone rondom Forte Appio ⑤, één uit een serie vestingen die in de 19de eeuw om Rome zijn aangelegd. Iets verder links staat de Tombe van Marcus Servilius ⑥, met reliëffragmenten die de neoklassieke beeldhouwer Antonio Canova in 1808 opgroef. Hij was een van de eersten die ervan uitgingen dat blootgelegde graven, inscripties en reliëfs op hun vindplaats moesten blijven. Aan de overkant staat een tombe met het 'Heroïsche Reliëf' ⑦, het reliëf van een naakte man met een korte

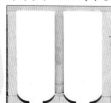

cape.

Links van de weg staat de zogenaamde Tombe van Seneca ⑧. De grote moralist bezat een villa hier in de buurt, waar hij in 65 n.C. zelfmoord pleegde op bevel van Nero. De volgende grote tombe is die van de familie van Sextus Pompejus Justus, een vrijgelatene uit de 1ste eeuw ⑨. De inscriptie in verzen vermeldt het verdriet van de vader die zijn jonggestorven kinderen ten grave moet dragen.

Reliëf gezicht op mausolea en tomben langs de Via Appia in de 2de eeuw

Gedeelte van de Via Appia, met originele Romeinse bestrating

Van Via dei Lugari naar Via di Tor Carbone

Net achter de door bomen beschutte Via dei Lugari rechts staat de Tombe van paus Urbanus ⑩ (paus 222-230). Links, iets van de weg af, staat een vervallen verhoging, vermoedelijk een deel van een Tempel van Jupiter ⑪. De architect Luigi Canna legde begin 19de eeuw het volgende stuk weg bloot.

Rechts ziet u de Tombe van Caius Licinius ⑫, gevolgd door een kleinere, Dorische tombe ⑬ en de imposante

Tombe van Hilarius Fuscus ⑭, met vijf reliëfbusten van familieleden. Dan volgt de Tombe van Tiberius Claudius Secondinus ⑮, waar een groep vrijgelatenen van de keizerlijke hofhouding is begraven in de 2de eeuw. Vervolgens loopt u langs een groot, vervallen columbarium en bereikt de Tombe van Quintus Apuleius ⑯ en de gereconstrueerde Tombe van de vrijgelaten Rabirii (1ste eeuw v.C.) ⑰. Deze bezit een fries met drie tot aan de

knieën afgebeelde figuren boven een inscriptie. De figuur rechts is een Isispriesteres. Achter haar ziet u de contouren van een *sistrum*, de metalen ratel die men bij religieuze plechtigheden gebruikte. De meeste graven zijn niet meer dan vormeloze hopen afgesleten steen. Twee uitzonderingen aan het eind van deze wandeling zijn de Tombe van de Guirlandes ⑱, met de herstelde fries met vrolijke putti, en de Tombe van het Frontispice ⑲, met een kopie van een reliëf met vier portretten.

Bent u bij Via di Tor Carbone, dan strekt de Via Appia zich kaarsrecht voor u uit. Als u verder loopt, zult u onderweg nog veel meer graven en vervallen villa's tegenkomen.

SYMBOLEN

— Wandelroute

✼ Mooi uitzicht

0 meter   250

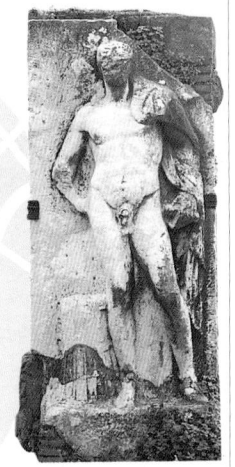

Figuur op de tombe met het Heroïsch Reliëf ⑦

WANDELTIPS

Vertrek: Tombe van Cecilia Metella.
Lengte: 3 km.
Bereikbaarheid: Neem bus 118 van San Giovanni in Laterano of het Colosseum. Op de terugweg rijdt bus 118 langs Via Appia Pignatelli. De bus laat soms lang op zich wachten.
Beste wandeltijd: Ga vroeg op pad, voordat het te warm wordt.
Rustpunten: Er is een bar bij de kerk Domine Quo Vadis?, voor het begin van de wandeling, maar u kunt beter zelf wat meenemen. Er zijn ook een paar bekende restaurants aan het begin van de Appia, zoals Cecilia Metella, Via Appia Antica 125/127, ☏ 513 67 43 (ma gesloten).

ACCOMMODATIE

Rome is al sinds de Middeleeuwen een belangrijk toeristisch centrum, toen pelgrims uit heel Europa een bezoek kwamen brengen aan de zetel van het katholicisme en de kerken vol relikwieën. Wie nostalgisch is aangelegd, kan hier nog steeds in een 15de-eeuws hotel overnachten of in een voormalig klooster of een gebouw dat nog steeds voor religieuze doeleinden in gebruik is de nacht doorbrengen. Romantici kunnen overnachten in het huis waar Keats heeft gewoond en dromers in palazzi die met de aanwezigheid van beroemdheden uit heden en verleden zijn vereerd. U hebt in Rome een ruime keuze aan accommodatie. Het gaat hierbij vooral om historische gebouwen, zelden om panden die als hotel zijn gebouwd. *Pensione* (pension) is nu geen officiële categorie meer. Veel gelegenheden hebben deze naam echter behouden en tevens het persoonlijke karakter dat ze bij reizigers zo populair heeft gemaakt. Andere soorten accommodatie: jeugdherbergen, *residenze* en appartementen. De 72 door ons geselecteerde hotels zijn in de kruistabel (*blz. 294-295*) en in het overzicht (*blz. 296-301*) ingedeeld naar prijsklasse en wijk.

Portier van hotel Majestic

WAAR MOET U ZOEKEN

Rond de Spaanse Trappen en het Piazza di Spagna ligt het traditionele centrum voor toeristen. U treft hier enkele van de exclusiefste kleine hotels aan. Soortgelijke hotels vindt u overal in het centrum van Rome, ten westen van de Via del Corso. Bescheiden geprijsde accommodatie is in het centrum van Rome schaars. Een verblijf vlak bij de vele oude bezienswaardigheden biedt echter veel voordelen. U kunt te voet naar de belangrijkste interessante buurten en gemakkelijk 's middags even terug naar uw hotel voor een douche en een dutje. Zitten deze hotels vol, ga dan naar de Borgo – bij het Vaticaan – of de levendige wijk Trastevere. Wie op zoek is naar glamour, moet in de Via Veneto zijn, met voorname luxehotels. Zoekt u een rustig toevluchtsoord, ga dan naar de wijk rond de Aventijn, of naar een van de eersteklas hotels rond het park van de Villa Borghese. Hoewel veel straten in de directe omgeving van station Termini nogal vervallen zijn, is dit een handige buurt voor een kort verblijf. U vindt er een concentratie aan goedkope hotels, waaronder een aantal behoorlijke (zij het eenvoudige) gelegenheden. De door ons aanbevolen hotels zijn gelegen in een tamelijk veilige buurt ten oosten van het station. Op weg van Termini naar het centrum komt u een aantal goede hotels tegen, vooral geschikt voor zakelijke reizigers.

HOTELPRIJZEN

Er is in Rome nog steeds goedkope accommodatie te vinden, maar de hotelprijzen zijn wel gestegen. De prijzen worden vastgesteld door de overheid en hotels zijn verplicht op de deur van iedere kamer het officiële tarief te vermelden. Dit is gewoonlijk inclusief BTW. Bij de prijsklassen op bladzijde 291 is de BTW doorberekend. Een beperkt aantal hotels in Rome berekent verschillende tarieven voor het laag- en het hoogseizoen. Het kan dus de moeite waard zijn om te onderhandelen over de prijs, aangezien u in het hotel ongetwijfeld het officiële tarief te horen krijgt, zelfs in de wintermaanden voor en na Kerstmis, als de concurrentie het minst sterk is. Over kortingen voor een lang verblijf en groepen valt ook vaak te onderhandelen. Kamers zonder badkamer kunnen zo'n 30 procent minder kosten. Wie alleen reist,

De Verdi-kamer in hotel Majestic in de Via Veneto (*blz. 301*)

Villa San Pio garden (blz. 299)

AANKOMST EN VERTREK

Italiaanse hotelhouders zijn wettelijk verplicht om u bij de politie in te schrijven. Om deze reden vragen ze u altijd om uw paspoort. Ze houden dit gewoonlijk een paar uur in hun bezit. Als u geld wisselt, heeft u echter uw paspoort nodig. In Italië is iedereen verplicht zich te kunnen identificeren.

In sommige goedkopere pensioni in Rome moet u niet verbaasd zijn als u als vooruit moet betalen. Om het uitchecken te versnellen, moet u vooraf vermelden of u met een creditcard betaalt.

Het Locarno (blz. 297)

TOERISTENBUREAUS

De provinciale en nationale toeristenbureaus kunnen u adviseren over accommodatie en het reserveren van kamers.

Provinciaal Verkeersbureau (EPT)
Via Parigi 5, 00185.
☎ 488 37 48.

EPT Leonardo da Vinci Airport, Fiumicino, 00054.
☎ 65 95 44 71.

EPT Stazione Termini, Piazza dei Cinquecento, 00185.
☎ 487 12 70.

Italiaans Verkeersbureau (ENIT)
Via Marghera 2, 00185.
☎ 497 11.

---

vaak weerspiegeld in de prijs). Schroom daarom niet te vragen of u eerst uw kamer mag zien, alvorens u in te schrijven. Om dezelfde reden zult u maar sporadisch zwembaden aantreffen. Dakterrassen of tuinen zijn wel gebruikelijk in dit type hotels.

De meest luxueuze hotels zijn doorgaans enigszins geluiddicht gemaakt, maar is dit niet het geval, dan kan het verkeerslawaai verschrikkelijk zijn. Vraag in zo'n geval een kamer die niet aan de straat ligt. De tabel op bladzijden 294-295 geeft aan welke hotels rustig zijn gelegen.

Parkeren is in het centrum van Rome een probleem, hoewel enkele hotels over een beperkt aantal eigen parkeerplaatsen beschikken. Zakelijke bezoekers komen in de stad goed aan hun trekken. De voorzieningen in de hotels variëren tot hotels tot vergaderzalen (blz. 294-295).

HOE BOEKT U

De Italiaanse posterijen zijn niet altijd even betrouwbaar, dus is het veiliger om telefonisch of per fax te boeken. Dit moet u ten minste twee maanden van tevoren doen, als u een specifiek hotel in mei, juni, september of oktober wilt. Met Pasen en Kerstmis is het ook druk.

Als het hotel een aanbetaling verlangt, kunt u met uw creditcard of een internationale postwissel betalen. Volgens de Italiaanse wet is een reservering geldig zodra de aanbetaling is gedaan. De kans is daarom groot dat het u geld gaat kosten als u uw reservering annuleert.

Indien u per trein aankomt, kunt u op het station worden benaderd door zwarthandelaars die u accommodatie aanbieden. Als u niet van tevoren heeft geboekt, kan een van de toeristenbureaus een kamer voor u reserveren in de prijsklasse van uw keuze.

Hotel Portoghesi (blz. 296)

Het Plaza Minerva (blz. 296)

BIJKOMENDE KOSTEN

Zelfs als de kamerprijs inclusief bediening is, wordt er van u voor de room service toch een fooi van ten minste L 1000 verwacht en voor picolo's rond L 2000. Hotels rekenen vaak een forse toeslag voor internationaal telefoneren. Ook rekenen ze soms extra voor parkeren en airconditioning. De drankjes in de minibar kunnen prijzig zijn. In de winkels bent u een stuk goedkoper uit.

VOORZIENINGEN

De kwaliteit van de hotels is de laatste tijd verbeterd. In sommige middenklassehotels kunt u airconditioning en badkamers met föhn verwachten en in middelmatige tot lager geprijsde kamers telefoons met een directe buitenlijn. In goedkope hotels mag u echter niet meer verwachten dan een schone kamer.

Omdat de meeste hotels in historische gebouwen zijn gevestigd, kan de grootte van de kamers, zelfs in het zelfde hotel, sterk variëren (dit wordt

Receptie van Regina Hotel Baglioni *(blz. 301)*

GEHANDICAPTEN

De voorzieningen voor gehandicapte reizigers zijn erg slecht. Bij kleine hotels die in een deel van een gebouw zijn gevestigd, bereikt u de eerste kamers soms pas nadat u diverse trappen hebt beklommen. Bepaalde andere hotels kunnen gehandicapte gasten op de begane grond onderbrengen of beschikken maar over een paar geschikte kamers. Oprijhellingen, brede deuropeningen en badkamers met handgrepen zijn schaars. Onze gegevens over hotels met voorzieningen voor mensen in rolstoelen is gebaseerd op de mening van de hotels zelf. Controleer daarom eerst of specifieke benodigdheden aanwezig zijn voordat u boekt. De 'CO.IN.' *Guida di Roma: Accessibilità e Barriere Architettoniche*, een uitgave van Gangemi, kan u van dienst zijn.

REIZEN MET KINDEREN

Italianen zijn dol op kinderen. Doorgaans worden ze in alle hotelklassen met open armen ontvangen. De voorzieningen stellen op papier echter weinig voor. De meeste hotels beschikken over wiegen of kinderbedjes, maar kinderstoelen, kindermenu's en kinderoppas treft u zelden aan. Veel hotels – vooral de familiebedrijven – doen in de praktijk echter wel hun uiterste best om u van dienst te zijn. Veel hotels hanteren speciale kindertarieven, vooral in het hoogseizoen, en berekenen een standaardtarief als u op een kamer een extra bed laat bijplaatsen, of dit nu voor een baby of een volwassene is. Dit tarief kan variëren van een paar duizend *lire* tot 40 procent van de prijs van een tweepersoonskamer. Een gezin met oudere kinderen slaagt er soms in een suite met twee kamers te vinden. Zie voor hotels met voorzieningen voor kinderen Een hotel kiezen *(blz. 294-295)*.

APPARTEMENTEN

Wie langer dan een paar weken in de stad verblijft, zou kunnen overwegen om een appartement te huren. Hierbij kan er door een aantal bureaus worden bemiddeld. **International Services** kan u aan een lijst van studio's en flats helpen.

APPARTEMENTEN BOEKEN

International Services
Via del Babuino 79, 00187.
[36 00 00 18. FAX 36 00 00 37.

RESIDENZE

Als u prijs stelt op het comfort en de privacy van uw eigen appartement, gekoppeld aan de services van een hotel, geeft u er misschien de voorkeur aan om in een *residenza* te verblijven. De prijzen lopen uiteen van rond L 500.000 tot ruim L 1,3 miljoen per week voor een kamer met twee bedden, hoewel sommige *residenze* alleen worden verhuurd voor een verblijf van twee weken of een maand. Een volledige lijst is verkrijgbaar bij de toeristen-

bureaus *(blz. 289)*. Enkele centraal gelegen adressen zijn:

Residenza Babuino
Via del Babuino 172, 00187.
[361 16 63.

Di Ripetta
Via di Ripetta 231, 00186.
[67 21 41. FAX 320 39 59.

In Trastevere
Vicolo Moroni 35, 00153.
[581 27 68.

Ripa
Via Orti di Trastevere 1, 00153.
[586 11.

Vittoria
Via Vittoria 60, 00187.
[679 75 33.

RELIGIEUZE INSTELLINGEN

Wanneer u geen bezwaar hebt tegen een vroeg uitgaansverbod, kunt u terecht bij een groot aantal religieuze instellingen die betalende gasten opnemen. Om in een van deze instituten te verblijven, hoeft niet praktizerend katholiek te zijn. Boek lang van tevoren, omdat elk van de volgende adressen ook onderdak biedt aan groepen studenten en pelgrims. **Domus Mariae** en **Instituto Madri Pie** vindt u vlak bij het Vaticaan. **Congregazione Suore dello Spirito Santo** ligt verder van de stad, 6 km ten westen van het centrum. De prijzen liggen op het niveau van die van de goedkoopste hotels.

Domus Mariae
Via Aurelia 481, 00165.
[662 31 38, 662 49 04.

Het Gregoriana *(blz. 297)*

Istituto Madri Pie

Via A. de Gasperi 4, 00165.
📞 *63 19 67.*

Congregazione Suore dello Spirito Santo

Via della Pineta Sacchetti 227, 00168.
📞 *305 31 01.*

Façade van het Excelsior *(blz. 301)*

GOEDKOPE ACCOMMODATIE

Zelfs als u met heel weinig geld op zak reist, is het mogelijk om in Rome een schone, behoorlijke kamer te krijgen. U kunt slaapplaatsen vinden tegen de allerlaagste prijzen in eenvoudige gelegenheden als **Ottaviano** en **Ostello del Foro Italico**. Jeugdherbergen vormen een goede keuze, en zijn niet alleen beschikbaar voor jongeren. Vrouwen kunnen een-, twee- en driepersoonskamers krijgen in de **Young Women's Christian Association** (YWCA). Deze ligt vlak bij Termini, maar wel in een onveilige buurt, dus wie 's nachts arriveert, moet op haar hoede zijn. De organisatie **Protezione della Giovane** levert nuttige informatie voor

vrouwen onder de 25 en zoekt een overnachtingsplaats voor u.

JEUGDHERBERGEN EN SLAAPPLAATSEN

Ottaviano

Via Ottaviano 6, 00192.
📞 *370 05 33.*

Associazione Italiana Alberghi per la Gioventù

Via Cavour 44, 00184.
📞 *487 11 52.*

Ostello del Foro Italico

Viale delle Olimpiadi 61, 00194.
📞 *323 62 79.*

Residenza Universitaria de Lollis

Via Cesare de Lollis 20, 00185.
Alleen 's zomers kamers. Gegevens verkrijgaar bij Associazione Italiana Alberghi per la Gioventù, zie hierboven

YWCA

Via C. Balbo 4, 00184.
📞 *488 39 17.*

Protezione della Giovane

Termini Station, Piazza dei Cinquecento, 00185.
📞 *482 75 94.*

CAMPINGS

De meeste campings liggen een eind buiten de stad, maar u kunt wel af en toe een uitstapje naar Rome maken. Een uitzondering is **Flaminio**, bij het Olympisch Dorp, 6 km ten noorden van het centrum.

Flaminio

Via Flaminia Nuova 821, 00191.
📞 *333 26 04.*

Zwembad in de tuin van Aldrovandi Palace *(blz. 301)*

SYMBOLEN

De hotels op bladzijden 296-301 zijn gerangschikt naar wijk en prijs. De symbolen geven de voorzieningen van het hotel aan.

🛁 kamers met bad en/of douche beschikbaar
1 kamers voor één persoon beschikbaar
🛏️ kamers voor meer dan twee personen beschikbaar of er kan een extra bed in een tweepersoonskamer worden geplaatst
24 24 uur per dag room service
TV tv op alle kamers
🍸 minibar op alle kamers
🚭 niet-rokenkamers beschikbaar
🏞️ kamers met mooi uitzicht
🖹 airconditioning op alle kamers
🏊 zwembad in het hotel
🔟 zakelijke faciliteiten: aannemen van boodschappen, fax voor gasten, bureau en telefoon op iedere kamer en vergaderruimte in het hotel
🚼 wiegen en kinderoppas
♿ toegankelijk voor rolstoelen (bel voor gegevens)
🛗 lift
🐕 huisdieren toegestaan op de kamer (geef op dat u een dier meebrengt). De meeste hotels accepteren geleidehonden.
P parkeren bij het hotel
🌳 tuin/terras open voor gasten
🍸 bar
🍴 restaurant
ℹ️ informatie voor toeristen
💳 creditcards geaccepteerd
AE American Express
DC Diners Club
MC Mastercard/Access
V Visa
JCB Japanese Credit Bureau

Prijsklassen voor een standaard tweepersoonskamer per nacht inclusief ontbijt, belasting en bediening:
Ⓛ minder dan L 100.000
ⓁⓁ L 100.000-L 199.000
ⓁⓁⓁ L 200.000-L 299.000
ⓁⓁⓁⓁ L 300.000-L 399.000
ⓁⓁⓁⓁⓁ meer dan L 400.000

Hotels: een selectie

De hotels in Rome variëren van paleizen met fresco's en de vergane glorie van het *fin-de-siècle* tot pensions. De meeste liggen dicht bij restaurants, winkels en openbaar vervoer. Alle hotels op deze kaart, ongeacht hun prijsklasse, hebben iets speciaals te bieden, of dit nu een chique ligging is of een dakterras met een schitterend uitzicht. Helaas vormen deze gelegenheden en die in het overzicht op bladzijden 294-301 uitzonderingen op de vele oninteressante hotels. Boek daarom lang van tevoren. De hotels op deze bladzijden zijn de beste in hun specifieke stijl of prijsklasse.

Hotel Raphaël

Sole al Pantheon
In dit schitterend gelegen, onlangs opnieuw ingerichte 15de-eeuwse palazzo hebben Jean-Paul Sartre en Simone de Beauvoir overnacht.
(Blz. 296)

N

0 meter 500

Raphael
Dit centraal gelegen hotel staat vol antiek en kunst.
(Blz. 297)

Vaticaan

Pia
Sp

Pa
a
Ro

Piazza Navona

Campo
de
Fiori

Janiculum

Trasteve

Campo de' Fiori
De kamers in dit hotel zijn klein en goed ingericht. Het uitzicht van het dakterras op de zesde etage is magnifiek. (Blz. 298)

Teatro di Pompeo
Dit pension-achtige hotel is gebouwd op de resten van een oud theater. (Blz. 299)

Sant'Anselmo
In deze rustig gelegen villa met zijn fraaie afgeschermde tuin moet u lang van tevoren boeken om zeker te zijn dat u een kamer krijgt. (Blz. 299)

Villa Borghese

In dit prettige informele hotel scheppen de uitnodigende lounges en de koele, beschutte binnenplaats onder een dak van bladeren een eenvoudige, ontspannen sfeer. (Blz. 301)

Hassler

De luxe-suites en de sfeer van vergane glorie doen terugdenken aan de hoogtijdagen van het Hassler. Op de bovenste etage vindt u een beroemd restaurant. (Blz. 298)

Carriage

Aan te bevelen vanwege de rustige sfeer. (Blz. 297)

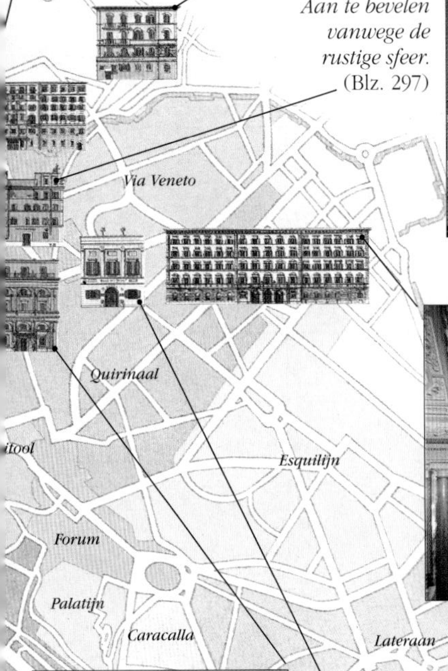

Via Veneto

Quirinaal

tool

Esquilijn

Forum

Palatijn

Caracalla

Lateraan

Grand

De bediening in dit ouderwetse luxehotel is uitstekend. Het Grand is van alle gemakken voorzien. (Blz. 299)

Scalinata di Spagna

Dit hotel is zeer populair bij toeristen vanwege de schitterende ligging boven aan de Spaanse Trappen en het grote terras. (Blz. 298)

Inghilterra

Drink een cocktail in de bar van dit hotel, waar Hemingway ooit geregeld te gast was. (Blz. 298)

Een hotel kiezen

Alle hotels op deze bladzijden zijn onderzocht en beoordeeld. De keuzetabel laat een aantal factoren zien die van invloed kunnen zijn op uw keuze. De hotels zijn gerangschikt naar wijk en prijsklasse. Meer informatie over deze hotels vindt u in het overzicht op bladzijden 278-285.

Hotel	Prijsklasse	Aantal kamers	Ruime kamers	Zakelijke voorzieningen	Parkeerruimte	Aanbevolen restaurant	Dicht bij winkels en restaurants	Rustige ligging	24-uurs room-service
FORUM *(blz. 296)*									
Forum	ⓁⓁⓁⓁ	76	■						●
PIAZZA DELLA ROTONDA *(blz. 296)*									
Abruzzi	Ⓛ	25					●		
Mimosa	Ⓛ	11					●	■	
Santa Chiara	ⓁⓁⓁ	97					●		
Sole al Pantheon	ⓁⓁⓁⓁ	29					●		●
Colonna Palace	ⓁⓁⓁⓁⓁ	110	●				●		
Holiday Inn Crowne Plaza Minerva	ⓁⓁⓁⓁⓁ	134	●	■			●	■	●
Nazionale	ⓁⓁⓁⓁⓁ	87	●	■			●		●
PIAZZA NAVONA *(blz. 296)*									
Navona	Ⓛ	26					●	■	
Due Torri	ⓁⓁ	26					●	■	
Portoghesi	ⓁⓁ	27			●		●	■	
Genio	ⓁⓁⓁ	60					●		
Raphael	ⓁⓁⓁⓁ	63					●	■	
PIAZZA DI SPAGNA *(blz. 297)*									
Jonella	Ⓛ	9					●		
Firenze	ⓁⓁ	25	●				●		●
Homs	ⓁⓁ	50			●		●	■	
Locarno	ⓁⓁ	38		■	●		●		
Lydia	ⓁⓁ	17					●		
Margutta	ⓁⓁ	21					●	■	
Piazza di Spagna	ⓁⓁ	16					●		
Suisse	ⓁⓁ	13	●				●	■	
Carriage	ⓁⓁⓁ	27	●				●		
Condotti	ⓁⓁⓁ	17	●				●		●
Gregoriana	ⓁⓁⓁ	19			●		●	■	
Manfredi	ⓁⓁⓁ	15		■			●	■	●
Mozart	ⓁⓁⓁ	31					●	■	
Scalinata di Spagna	ⓁⓁⓁ	15			●		●		●
Borgognoni	ⓁⓁⓁⓁ	50		■			●	■	
Hassler	ⓁⓁⓁⓁⓁ	100	●	■	●	■	●	■	
Inghilterra	ⓁⓁⓁⓁⓁ	105		■			●	■	●
Valadier	ⓁⓁⓁⓁⓁ	38		■			●	■	●
CAMPO DE' FIORI *(blz. 298)*									
Lunetta	Ⓛ	36					●	■	
Piccolo	Ⓛ	15					●		
Campo de' Fiori	ⓁⓁ	27					●	■	
Pomezia	ⓁⓁ	22					●		
Rinascimento	ⓁⓁ	19					●	■	
Smeraldo	ⓁⓁ	35					●		
Sole	ⓁⓁ	62		■	●		●	■	●
Teatro di Pompeo	ⓁⓁⓁ	12		■	●		●		

Prijsklassen voor een tweepersoonskamer per nacht inclusief ontbijt, belasting en bediening.
Ⓛ onder L. 100.000
ⓁⓁ L. 100.000-L. 199.000
ⓁⓁⓁ L. 200.000-L. 299.000
ⓁⓁⓁⓁ L. 300.000-L. 399.000
ⓁⓁⓁⓁⓁ boven L. 400.000.

PARKEERRUIMTE
Parkeergelegenheid bij hotel of in complex.

DICHT BIJ WINKELS EN RESTAURANTS
Binnen vijf minuten lopen van een buurt met winkels, bars, cafés en restaurants.

ZAKELIJKE VOORZIENINGEN
Dienst voor het aannemen van boodschappen, faxapparatuur beschikbaar voor gasten, bureau en telefoon op iedere kamer en vergaderzaal in het hotel.

		AANTAL KAMERS	RUIME KAMERS	ZAKELIJKE VOORZIENINGEN	PARKEERRUIMTE	AANBEVOLEN RESTAURANT	DICHT BIJ WINKELS EN RESTAURANTS	RUSTIGE LIGGING	24-UURS ROOM-SERVICE
QUIRINAAL *(blz. 299)*									
Grand	ⓁⓁⓁⓁ	171	●	■		■			●
TERMINI *(blz. 299)*									
Cervia	Ⓛ	26							
Gexim	Ⓛ	9						■	
Katty	Ⓛ	11							
Mari	Ⓛ	13	●						
Restivo	Ⓛ	6							
Canada	ⓁⓁ	70	●	■	●				
AVENTIJN *(blz. 299)*									
Aventino	ⓁⓁ	23	●	■				■	●
Sant'Anselmo	ⓁⓁ	46		■				■	●
Villa San Pio	ⓁⓁ	59	●	■	●			■	●
Domus Aventina	ⓁⓁⓁ	26	●	■	●			■	●
TRASTEVERE *(blz. 300)*									
Carmel	Ⓛ	10							
Manara	Ⓛ	7				●			
VATICAAN *(blz. 300)*									
Alimandi	Ⓛ	30						■	
Amalia	ⓁⓁ	25				●			
Columbus	ⓁⓁⓁ	100		●	●				●
Atlante Star	ⓁⓁⓁ	70	●	■	●	●			●
VIA VENETO *(blz. 300)*									
Merano	ⓁⓁ	32				●			
Alexandra	ⓁⓁⓁ	45			●	●			
Oxford	ⓁⓁⓁ	58		■	●				
Residenza	ⓁⓁⓁ	29	●			●			
Barocco	ⓁⓁⓁⓁ	28		■		●			
Imperiale	ⓁⓁⓁⓁ	95		■		●			●
Pullman Boston	ⓁⓁⓁⓁ	124	●	■		●		■	
Victoria	ⓁⓁⓁⓁ	120		■		●		●	●
Bernini Bristol	ⓁⓁⓁⓁⓁ	126	●	■		●			●
Excelsior	ⓁⓁⓁⓁⓁ	327	●	■	●	●			●
Majestic	ⓁⓁⓁⓁⓁ	96			●	●			
Regina Hotel Baglioni	ⓁⓁⓁⓁⓁ	130	●	■	●	●			
VILLA BORGHESE *(blz. 301)*									
Villa Borghese	ⓁⓁⓁ	31			●				●
Lord Byron	ⓁⓁⓁ	37		■			■	■	●
Aldrovandi Palace	ⓁⓁⓁⓁⓁ	140		■	●				

PIAZZA NAVONA

Navona
Via del Seminario 8, 00186. Kaart 4 F4 &
12 D3. 🕿 686 42 03. Kamers: 26.
① ①①①

Grandioos gelegen tegenover het
Piazza Navona, vijf minuten lopen
van het Pantheon. U moet dan
ook lang tevoren boeken, wilt
u hier kamer krijgen. Het hotel
wordt voornamelijk beheerd door
de zeer behulpzame Australische
schoonzoon van de eigenaar. De
kamers zijn eenvoudig, maar sommige beschikken over een bakka-
mer. Het restaurant is geopend
voor groepen van minimaal vijftien personen.

Due Torri
Vicolo del Leonetto 23-25, 00186.
Kaart 4 E3 & 11 C1. 🕿 687 69 83.
FAX 686 54 42. 🕿 62 20 50. Kamers:
26. ① AE, DC, MC, V.

Dit vriendelijke hotel ligt een
korte wandeling van het Piazza
Navona en de Spaanse Trappen.
De kamers liggen verscholen in de
ambachtswijk van de oude stad.
De kamers lopen uiteen: sommige
zijn stijlvol, andere eenvoudig en
vrij klein. De elegante lounge is
verfraaid met draperieën, beeldjes,
een immense spiegel met een verguide lijst en roze fluwelen sofa's.

Portoghesi
Via dei Portoghesi 1, 00186. Kaart 4
E3 & 11 C2. 🕿 686 42 31. FAX 687
69 76. Kamers: 27. ① MC, V.

Portoghesi is ideaal gelegen in een
straat met kinderkopjes, een paar
minuten lopen van het Piazza
Navona. Het is een familie eenvoudig hotel met ietwat ouderwetse kamers. Het beschikt echter over
elegante lounges en een dakterras
dat uitkijkt op de dom van de kerk
van de Portugese gemeenschap.

Genio
Via Zanardelli 28, 00186. Kaart 4 E3
& 11 C2. 🕿 683 37 81. FAX 686 30 72
🕿 62 36 51 ORALAR. Kamers:
60. AE, DC, MC, V, JCB.

Genio ligt aan een vrij drukke
straat, net achter het Piazza
Navona. De kamers zijn alledaags,
maar wel comfortabel. Aantrekkelijk hotel, vanwege de ligging en
het dakterras, waar u kunt pick-
nicken.

Colonna Palace
Piazza di Montecitorio 12, 00186.
Kaart 4 F3 & 12 E2. 🕿 678 13 41.
FAX 679 44 96. 🕿 62 14 67 CIFCOL.
Kamers: 110. AE, DC, MC, V
①①①①

Dit hotel ligt aan hetzelfde piazza
als het Italiaanse Huis van Afgevaardigden en trekt daardoor niet
alleen toeristen, maar ook politici.
De kamers zijn ruim, de bakkamers
echter niet. De onbijtzaal in de kelder is met fresco's verlevendigd.
Van de imposante daktuin, waar
oudings een wereldbal is gensial-
leerd, hebt u een fraai uitzicht.

Holiday Inn Crowne Plaza Minerva
Piazza della Minerva 69, 00186.
Kaart 4 F4 & 12 D3. 🕿 684 18 88.
FAX 679 41 65. 🕿 62 00 91 HIMMIN.
Kamers: 134. ① AE, DC, MC, V, JCB.
①①①①

Dit hotel, gevestigd in het Palazzo
Fonseca achter het Pantheon, is
het nieuwste luxehotel van Rome.
Het interieur is ontworpen door de
postmoderne architect Portoghesi.
Het pronkstuk is de lounge, overdekt met halfdoorschijnend
Venetiaans glas en verfraaid met
een standbeeld van Minerva. Het
interieur van de riante kamers is
beige en koraalkleurig. Van het
dakterras hebt u een magnifiek uitzicht, dat zich uitstrekt tot de
Pantheon en de Sint Pieter tot de
Janiculum.

Nazionale
Piazza di Montecitorio 131, 00186.
Kaart 4 F3 & 12 E2. 🕿 678 92 51.
FAX 679 86 77. 🕿 62 14 27. Kamers:
87. AE, DC, MC, V, JCB.
①①①①

Toen Robert de Niro Godfather III
opnam, verbleef hij in dit hotel.
Normaliter wordt Nazionale bezocht door toeristen, zakenlieden
en politici. Het hotel staat precies
op de hoek van het Huis van
Afgevaardigden. De gastenverblijven zijn comfortabel, vooral de
lounge met zijn gebrocheerde
sofa's en bloemstukken. Sommige

FORUM

Forum
Via Tor de' Conti 25, 00184. Kaart 5 B5.
🕿 679 24 46. FAX 678 64 79.
🕿 62 25 49. Kamers: 76. ①
①①①① AE, DC, MC, V.

Het paleis waarin dit hotel is gevestigd, is gebouwd van het mate-
raal van de ruïnes van de keizerlijke fora. De prettige lounges zijn
met lambrizeringen verfraaid. Van
het dakterras van het restaurant
kijkt u prachtig uit over het archeologische centrum.

PIAZZA DELLA ROTONDA

Abruzzi
Piazza della Rotonda 69, 00186.
Kaart 4 F4 & 12 D3. 🕿 679 20 21.
Kamers: 25. ①

Abruzzi is gevestigd in een okerkleurig palazzo dat uitkijkt op het
Pantheon. De kamers zijn cenvou-
dig, met terracotta tegels op de vloeren. De kamers achter zijn het de
beste, maar wel rustig. Geen onbijt.

Mimosa
Via di Santa Chiara 61, 00186. Kaart
4 F4 & 12 D3. 🕿 68 80 17 53.
Kamers: 11. ① ①

Mimosa is een schoon, zij het ietwat sjofel, familiebedrijf vlak bij het
Pantheon. Het beschikt over koele
kamers en vijf onberispelijke ge-
meenschappelijke badkamers. Het
hotel is populair bij jongeren studenten, dus boek lang van tevoren.

Santa Chiara
Via di Santa Chiara 21, 00186.
Kaart 4 F4 & 12 D3. 🕿 687 29 79.
FAX 687 31 44. Kamers: 97. ① AE, DC,
MC, V, JCB.

Santa Chiara, gevestigd in een abri-
kooskleurig palazzo, is gunstig gelegen in het historische centrum. De
gastenverblijven zijn koel, vooral
de marmeren receptie en de lounge. De kamers zijn voorzien van
tapijt, uitstekend meubilair en marmeren badkamers. De kamers aan
de straatkant zijn soms lawaaierig.

Sole al Pantheon
Piazza della Rotonda 63, 00186.
Kaart 4 F4 & 12 D3. 🕿 678 04 41.
FAX 684 06 89. Kamers: 29. ① AE.
DC, MC, V.

Raphael

Largo Febo 2, 00186. **Kaart** 4 E3 8 11 C2. (68 28 31. **FAX** 687 89 93. **TX** 62 23 96 RHOTEL. **Kamers:** 63
AE, DC, MC, V.

Het met klimop begroeide Raphael is gelegen aan een straat net buiten Piazza Navona. De grote receptie-lounge heeft wel iets weg van een tentoonstellingsruimte. Hij staat vol met antieke beelden, moderne sculpturen en u vindt er zelfs een beschilderde slee. De kelder bevindt zich een restaurant met als pronkstuk een rijk gedecoreerd wijnkabinet. De kamers zijn ingericht met parket, gemarmerde muren en meublair in een 18de-eeuwse stijl. Boven hebt u een fantastisch uitzicht.

Jonella

Via della Croce 41, 00187. **Kaart** 4 F2. (679 79 66. **Kamers:** 9

Jonella is gevestigd in een oranje palazzo aan een van de aantrekkelijkste winkelstraten in de wijk rond het Piazza di Spagna. De inrichting is een tikkeltje haveloos, maar door de ligging en de lage prijzen is dit echt toch zeker aan te bevelen. De eigenaar gaat af en toe even weg voor een boodschap, dus als u bij aankomst niemand aantreft, wacht dan geduldig.

PIAZZA DI SPAGNA

Firenze

Via Due Macelli 106, 00187. **Kaart** 5 A2 8 12 F1. (679 72 40. **FAX** 678 56 36. **Kamers:** 25. AE, MC, V.

Firenze ligt aan een drukke hoofdstraat, niet ver van het Piazza di Spagna. De eigenares heeft haar stempel op het hotel gedrukt. In de aankomsthal wordt u begroet door Chinese urnen en beelden met aangrenzend. De grote kamers met een schitterend ingericht. Het hotel beschikt over een commercieel terras, waar u kunt ontbijten.

Homs

Via della Vite 71-72, 00187. **Kaart** 5 A3 8 12 F1. (679 29 76. **FAX** 678 04 82. **Kamers:** 50. AE, MC, V.

Homs ligt aan een rustige, minder pretentieuze winkelstraat in de buurt rond het Piazza di Spagna. De kamers zijn schoon en aangenaam en verfraaid met groene tapijten, witte muren en witte badkamers. De ontbijtzaal heeft een prettig terras.

Locarno

Via della Penna 22, 00186. **Kaart** 4 F1. (361 08 41, 361 80 18 42, 361 08 43. **FAX** 321 52 49. **TX** 622 51 HOTLOC. **Kamers:** 38. AE, DC, MC, V, JCB.

Locarno ligt aan een kleine, drukke zijstraat vlak bij de Tiber, een korte wandeling van het Piazza del Popolo. Het hotel dateert uit 1920 en bezit een deur in art nouveau-stijl. De gevel is begroeid met een. Zo vindt u er een grootvaderklok en een tiffany-lamp in de receptie en een glanzend houten bar met een mammeren blad. De patio biedt een grote plantenrijkdom alsmede een kleine verkoelende fontein.

Suisse

Via Gregoriana 54-56, 00187. **Kaart** 5 A2 8 12 F1. (678 36 49. **FAX** 678 12 58. **Kamers:** 13 8.

Suisse is een klein, prettig hotel met vriendelijk personeel, gelegen op de derde verdieping van een palazzo (de ingang is op nr. 54). De gangen en kamers zijn verfraaid met Chinese prenten, gepolijste vloeren, bewerkte plafonds en kasten en tafels met marmeren bladen. Het ontbijt wordt op de kamers geserveerd.

Carriage

Via delle Carrozze 36, 00187. **Kaart** 5 A2. (699 01 24, 679 33 12. **FAX** 678 82 79. **TX** 62 62 46. **Kamers:** 27. AE, DC, MC, V.

De elegantie van het Carriage is onmiddellijk af te lezen aan de lambrisering en de kandelaars en de spiegels met verguide lijsten. De kamers zijn ingericht in een rustige blauwe tint, met enkele antieke meubels. De kamers komen uit op een met terracotta tegels en planten verfraaid terras dat open is voor de gasten. Twee kamers beschikken over eigen terras.

Lydia

Via Sistina 42, 00187. **Kaart** 5 B2. (679 38 15. **FAX** 679 72 63. **TX** 62 33 13. **Kamers:** 17. 6. AE, DC, MC, V.

Dit aangename hotel is populair bij studenten. Het ligt aan een drukke straat, een paar minuten lopen van de Spaanse Trappen. De kamers zijn voorzien van lichtblauwe muren en op de bedden liggen pastelkleurige spreien. Twee kamers beschikken nog over de oude plafonds met fresco's. Als u niet het geluk hebt deze kamers te krijgen, kunt u nog altijd genieten van de fraaie fresco's in de eetzaal.

Condotti

Via Mario de' Fiori 37, 00187. **Kaart** 5 A2 8 12 F1. (679 47 69. **FAX** 679 01 57. **Kamers:** 17. AE, DC, MC, V.

Condotti is een comfortabel, gastvrij hotel, u vindt het vlak bij het Piazza di Spagna, midden in de buurt met chique kleding. De meid delgorde de grote kamers zijn goed ingericht. Eén kamer is voorzien van een eigen terras en drie andere te delen er samen een.

Gregoriana

Via Gregoriana 18, 00187. **Kaart** 5 A2 8 12 F1. (679 42 69. **FAX** 678 42 58. **Kamers:** 19.

Gregoriana staat vlak bij de Spaanse Trappen in een rustige, voorname straat met elegante palazzi. De gangen op de eerste en derde verdieping zijn voorzien van luipaardbehang en die op de tweede verdieping is gedecoreerd met de stijl van William Morris. Alle kamers zijn hetzelfde: zwart gelakte deuren, terracottakleurige tapijten, bloemetjesbehang en tekeningen uit de jaren twintig op de muren. Lounges ontbreken, ontbijt wordt op de kamer geserveerd.

Margutta

Via Laurina 34, 00187. **Kaart** 4 F1. (679 84 40, 322 36 74. **Kamers:** 21. AE, DC, MC, V.

Margutta ligt aan een rustige straat ten zuiden van het Piazza di Popolo. De stofilef gevel en de iet-wat groezelige stoelen in de foyer zijn vergeten zodra u uw kamer binnen gaat, met de witte muren en groene smeedijzeren ledikanten. Boven vindt u drie zolderkamers die samen een dakterras delen. Mocht u in deze kamers willen verblijven, boek dan lang van tevoren.

Piazza di Spagna

Via Mario de' Fiori 61, 00187. **Kaart** 5 A2 8 12 F1. (679 30 61, 679 06 54. **FAX** 679 06 54. **Kamers:** 16. AE, MC, V.

Dit kleine, aantrekkelijke hotel ligt vlak bij de modezaken en de Via Condotti. De kamers zijn eenvoudig, maar ruim genoeg en het hotel beschikt bovendien over een paar badkamers met een werveldbad. De ontbijtzaal en de bar zijn klein en daarom ontbijten de meeste gasten op hun kamer.

Manfredi

Via Margutta 61, 00187. **Kaart** 5 A2.
320 76 76, 320 76 95.
FAX 320 77 36. **Kamers**: 15.
AE, MC, V, JCB.

Dit plezierige familiebedrijf is schitterend gelegen net buiten het Piazza di Spagna, in een rustige straat met galeries en antiekzaken. De receptie en de bar annex ontbijtzaal zijn voorzien van marmeren vloeren en gedecoreerd in zachte pasteltinten. De rustige kamers, alle geluiddicht, zijn ingericht met lichte stoffen op de muren en bijpassend meubilair.

Mozart

Via dei Greci 23, 00187. **Kaart** 4 F2.
684 00 41. FAX 678 42 71.
Kamers: 31.
AE, DC, MC, V, JCB.

Mozart, gelegen tussen het Piazza del Popolo en het Piazza di Spagna, spreekt meteen tot de verbeelding. Het interieur is op een aantrekkelijke manier sleets. Zo vindt u hier een Venetiaanse spiegel die gespikkeld is door ouderdom. De ontbijtzaal is klein en dit geldt ook voor de bar bij de receptie. Op de vloer in de kamers vindt u parket of tegels van keramiek. De badkamers zijn klein en meestal alleen voorzien van een douche.

Scalinata di Spagna

Piazza Trinità dei Monti 17, 00187.
Kaart 5 A2. 684 08 96.
FAX 684 05 98. **Kamers**: 15.
MC, V.

Dit eenvoudige, gezellige hotel is gevestigd in een 18de-eeuwse villa boven aan de Spaanse Trappen. U ontbijt hier aan een gemeenschappelijk tafel onder het wakende oog van een papegaai. In sommige kamers vindt u nog de oude plafonds met panelen. Mocht u willen logeren in een van de kamers die op het grote terras uitkomen, boek dan lang van tevoren.

Borgognoni

Via del Bufalo 126, 00187. **Kaart** 5 A3 & 12 F1. 678 00 41. FAX 684 15 01.
TX 62 30 74 BUFALO. **Kamers**: 50.
AE, DC, MC, V, JCB.

Dit elegante hotel ligt net buiten het Piazza San Silvestro, vijf minuten van de Spaanse Trappen. In de lounges wordt een moderne stijl gecombineerd met traditionele olieverfschilderijen. De kamers – sommige met terras – zijn prachtig ingetogen ingericht.

Hassler

Piazza Trinità dei Monti 6, 00187.
Kaart 5 A2. 678 26 51. FAX 678 99 91. TX 61 02 03. **Kamers**: 100.
AE, MC, V, JCB.

Hassler staat boven aan de Spaanse Trappen en van het dakterras, het restaurant *(blz. 313)* en de suites hebt u een grandioos uitzicht. Ooit logeerden hier leden van koninklijke families en de beau-monde uit Europa en Amerika. De tijden van het *dolce vita* zijn voorbij, maar de lounges en kamers met hun kroonluchters en de marmeren badkamers ademen nog de sfeer van een extravagant tijdperk.

Inghilterra

Via Bocca di Leone 14, 00187. **Kaart** 5 A2. 67 21 61. FAX 684 08 28. TX 61 45 52. **Kamers**: 105.
AE, DC, MC, V.

Sinds de opening in 1850 hebben tal van schrijvers, kunstenaars en musici in dit hotel gelogeerd. Het staat midden in de luxe kledingbuurt, vlak bij de Spaanse Trappen. Alle kamers zijn verschillend gedecoreerd en gemeubileerd. De bar komt regelrecht uit een Londense club. De muren van het restaurant zijn beschilderd met afbeeldingen van tuinen en de plafonds zijn verfraaid met fresco's met een 'luchtdessin'. Dit wekt de illusie dat u buiten dineert.

Valadier

Via della Fontanella 15, 00187. **Kaart** 4 F1. 361 19 98. FAX 320 15 58.
TX 62 08 73. **Kamers**: 38.
AE, DC, MC, V, JCB.

Het hotel met zijn glanzende hout en marmer typeert zichzelf als een intiem toevluchtsoord voor mensen die een romantisch bezoek aan Rome brengen. De lounges zijn geknipt voor verleidingspogingen, met hun lage sofa's, marmeren vloeren en oosterse tapijten. Als we de advertenties mogen geloven, is de bizarre kunstcollectie speciaal bedoeld om timide Casanova's stof te geven om een gesprek aan te knopen.

CAMPO DE' FIORI

Lunetta

Piazza del Paradiso 68, 00186.
Kaart 4 E4 & 11 C4. 686 10 80, 686 36 87. FAX 689 20 28. **Kamers**: 36. 13. L

Lunetta, gelegen aan een klein vervallen plein tussen de Corso Vittorio Emanuele en het Piazza Campo de' Fiori, is een populair, goed onderhouden hotel met keurige, schone kamers en een binnentuin. Geleidelijk aan worden er meer badkamers ingebouwd. Ook wordt de daktuin gerenoveerd. Geen ontbijt.

Piccolo

Via dei Chiavari 32, 00186. **Kaart** 4 E4 & 11 C4. 68 80 25 60. **Kamers**: 15. 4. L

Piccolo is een betaalbaar familiebedrijf vlak bij het Piazza Campo de' Fiori. Het is een koel, rustig hotel met schone, eenvoudig kamers van uiteenlopende grootte. U vindt hier ook een bar-ontbijtzaal met televisie.

Campo de' Fiori

Via del Biscione 6, 00186. **Kaart** 4 E4 & 11 C4. 654 08 65. FAX 687 60 03.
Kamers: 27. 13.
MC, V.

Dit is een uitstekend middenklassehotel, gevestigd in een goed onderhouden huis net buiten het marktplein Campo de' Fiori. U komt in de receptie via een gang waarin spiegels op een intrigerende wijze een reeks zuilen tot in het oneindige herhalen. De kleine kamers zijn voorzien van balken en paisley-stoffen of plafonds waarop de blauwe lucht is geschilderd, muren met kant en spreien met ruches. Van de split level-daktuin op de zesde etage hebt u een duizelingwekkend uitzicht op het Pantheon, het Victor Emmanuel-monument en de Sint Pieter.

Pomezia

Via dei Chiavari 12, 00186. **Kaart** 4 E4 & 12 D4. 686 13 71. **Kamers**: 22. 11. AE, MC, V.

Pomezia, midden in de levendige wijk rond het Campo de' Fiori, is onlangs gerenoveerd. De kamers zijn nu eenvoudig en onberispelijk ingericht en in de receptie is een bar gebouwd.

Rinascimento

Via del Pellegrino 122, 00186.
Kaart 4 E4 & 11 B3. 687 48 13.
FAX 683 35 18. TX 62 02 07 HTLRIN.
Kamers: 19.
L

Rinascimento is aantrekkelijk gelegen in de wijk rond het Campo de' Fiori, vlak bij kunstateliers en diverse restaurants. Het hotel is gevestigd in een oud palazzo met boogramen. De kamers zijn echter wat afgeleefd en beschikken over tamelijk kleine badkamers.

Smeraldo

Vicolo dei Chiodaroli 11, 00186.
Kaart 4 F5 & 12 D4. █ 687 59 29.
FAX 654 54 95. **Kamers**: 35. 🛏 18.
🔲 🍽 🛡 🗣 🍴 ⬚ AE, MC, V.
Ⓛ Ⓛ

Smeraldo, in het hart van het bruisende Campo de' Fiori, is gevestigd in een okerkleurig gebouw met luiken. De kamers zijn schoon en eenvoudig ingericht.

Sole

Via del Biscione 76, 00186. **Kaart** 4 E4 & 11 C4. █ 68 80 68 73, 68 80 52 58.
FAX 689 37 87. **Kamers**: 62. 🛏 31.
🔲 🎖 🕿 🍴 🗣 🛡 🍴 🅿 ⬚ Ⓛ Ⓛ

Het aantrekkelijke Sole, in een palazzo net buiten het centrale marktplein van Campo de' Fiori, is wellicht het oudste hotel van Rome. De inrichting van de kamers is ietwat willekeurig maar heeft wel karakter. Het hotel beschikt over kleine lounges en een zonnig groen terras met een automaat voor hapjes en drankjes. Geen ontbijt.

Teatro di Pompeo

Largo del Pallaro 8, 00186. **Kaart** 4 E4 & 11 C4. █ 68 30 01 70, 687 25 66.
FAX 68 80 55 31. **Kamers**: 12. 🛏 🔲
🎖 TV 🕿 🛍 ⬚ 🍴 🛡 🗣 🍴
🅿 🛡 ⬚ AE, DC, MC, V.
Ⓛ Ⓛ Ⓛ

Dit kleine, beschaafde hotel staat op de ruïnes van het eerste permanente theater van de stad, dat in 55 v.C. door Pompejus werd voltooid. U ontbijt hier tussen de originele gewelven van het theater. De bar heeft een terracotta vloer en marmeren tafels. In de kamers zijn de plafonds voorzien van balken.

Grand

Via V. E. Orlando 3, 00185. **Kaart** 5 C2.
█ 47 09. FAX 474 73 07. TX 610 210.
Kamers: 171. 🛏 🔲 🛏 24 TV 🕿
⬚ 🛡 🗣 🍴 🕿 🍴 🛡 ⬚ AE, DC,
MC, V, JCB. Ⓛ Ⓛ Ⓛ Ⓛ Ⓛ

Als u het Grand binnengaat, belandt u in een andere wereld. Geschilderde engeltjes dartelen op het plafond boven de receptie. In de muren van de lounge zijn guirlandes van bloemen en fruit uitgesneden en op de parketvloer liggen dikke, pastelkleurige tapijten. Verder beschikt het hotel over een sauna, een schoonheidssalon, een kapper en een restaurant dat bekend staat als een van de mooiste van Italië. De kamers variëren, maar als u geluk hebt, kunt u slapen in een antiek bed en lezen bij het licht van een echte Venetiaanse lamp.

Cervia

Via Palestro 55, 00185. **Kaart** 6 E2.
█ 49 10 57. FAX 49 10 56. **Kamers**: 26. 🛏 6. 🔲 🛏 ⬚ AE, V. Ⓛ

Crevia is gevestigd in hetzelfde gebouw als de hotels Mari en Restivo. Enkele kamers zijn opnieuw ingericht met eigen badkamers en deze bieden veel waar voor uw geld. De overige kamers zijn wat eenvoudiger. De lounges zijn onberispelijk en u vindt hier ook een aangename moderne bar-ontbijtzaal.

Gexim

Via Palestro 34, 00185. **Kaart** 6 E2.
█ 446 02 11, 444 13 11. FAX 444 13 11.
Gesloten laatste 2 weken aug.
Kamers: 9. 🛏 1. 🔲 🛏 ⬚ Ⓛ

Laat u niet afschrikken door het sjofele exterieur van het palazzo. Gexim, gevestigd op een gedeelte van de derde etage, steekt met kop en schouders uit boven de meeste goedkope hotels. Aan de muren hangen reproducties van impressionistische schilderijen en de kamers, badkamers en lounges zijn onberispelijk. Er zijn plannen om meer badkamers in te bouwen.

Katty

Via Palestro 35, 00185. **Kaart** 6 E2.
█ 444 12 16. **Kamers**: 11. 🛏 2.
🔲 🛏 Ⓛ

De kamers in Katty zijn schoon en eenvoudig en sommige zijn verfraaid met een enkel antiek meubelstuk. Het hotel is zeer in trek bij studenten. Boek daarom van tevoren of arriveer vroeg, het liefst tussen 8.00 en 9.00 uur. Het hotel serveert geen ontbijt.

Mari

Via Palestro 55, 00185. **Kaart** 6 E2.
█ 446 21 37. FAX 482 83 13.
Kamers: 13. 🔲 🛏 ⬚ MC, V. Ⓛ

Dit vriendelijke hotel wordt door drie vrouwen beheerd en beschikt over schone, prettige kamers. Mocht het vol zijn, ga dan naar Mari 2 in de Via Calatafimi 38 (telefoon 474 03 71), dat ook uitstekend is en over meer kamers beschikt. Er wordt een toeslag van 5 procent berekend als u met een creditcard betaalt.

Restivo

Via Palestro 55, 00185. **Kaart** 6 E2.
█ 446 21 72. **Kamers**: 6. 🔲 🛏 Ⓛ

Restivo is in hetzelfde gebouw gevestigd als de Mari en beschikt over zes onberispelijke kamers. De oudere eigenares heeft de hal verfraaid met tal van cadeautjes en kaarten van dankbare gasten, die vaak blijven terugkomen.

Canada

Via Vicenza 58, 00185. **Kaart** 6 E2.
█ 445 77 70. FAX 445 07 49. TX 61
30 37 CANADA. **Kamers**: 70. 🛏 🔲
🛏 TV 🕿 ⬚ 🛡 🗣 🍴 🅿 ⬚
🛡 🍴 ⬚ AE, DC, MC, V, JCB. Ⓛ Ⓛ

Canada, gelegen buiten het centrum achter station Termini, is een goed middenklassehotel. U vindt er een prettige lounge-bar met leuke rieten stoelen en zachte sofa's. Beleefde bediening.

Aventino

Via San Domenico 10, 00153.
Kaart 8 D2. █ 574 51 74, 578 32 14, 574 35 47. FAX 578 36 04.
Kamers: 23. 🛏 🔲 🛏 24 🛡 🍴
⬚ 🛡 ⬚ AE, MC, V. Ⓛ Ⓛ

Dit hotel wordt beheerd door de eigenaars van Villa San Pio en Sant'Anselmo, maar is bescheidener. De kamers zijn groot, maar vrij eenvoudig. De weelderige tuin is grandioos. De ontbijtzaal, met zijn prachtige grote kast en magnifieke glas-in-lood, herinnert aan onstuimiger dagen.

Sant'Anselmo

Piazza di Sant'Anselmo 2, 00153. **Kaart** 8 D2. █ 574 51 74. FAX 578 36 04.
TX 62 28 12 SELMO. **Kamers**: 46. 🛏
🔲 🛏 24 🛡 🍴 ⬚ 🛡 ⬚
AE, DC, MC, V. Ⓛ Ⓛ

Deze fraaie villa ligt tussen de tuinen van de Aventijn of loopafstand van het Colosseum. Het plafond van de ingang is gesjabloneerd met bloemen. Het hotel is voorzien van kroonluchters en gangen met vloeren van ingelegd marmer. De lounge kijkt uit op de rustige hoteltuin. Sommige kamers zijn ingericht met antiek, handbeschilderd meubilair.

Villa San Pio

Via Sant'Anselmo 19, 00153.
Kaart 8 E3. █ 578 32 14, 574 35 47.
FAX 578 36 04. TX 62 28 12. **Kamers**:
59. 🛏 🔲 🛏 24 🛡 🗣 🍴 🅿
🛡 🍴 ⬚ AE, DC, MC, V. Ⓛ Ⓛ

Dit hotel is gevestigd in een okerkleurige villa, gelegen in een beeldentuin. De sierlijke entree is ingericht met fluwelen stoelen, een beschilderd staand horloge en een 18de-eeuws Venetiaans wandtapijt. Sommige kamers zijn eenvoudig, andere zijn verfraaid met geborduurde spreien en meubilair met sjablonen, en weer andere komen uit op de tuin. Het hotel beschikt over twee bars. U kunt ontbijt en drankjes ook op uw kamer gebruiken of in de tuin.

Domus Aventina

Via di Santa Prisca 11 B, 00153. **Kaart**
8 E2. **C** 574 61 35. **FAX** 57 30 00 44.
Kamers: 26.

AE, DC, MC, V.

Dit onberispelijke hotel is gevestigd in een 14de-eeuws klooster
aan de voet van de Aventijn. De
kamers zijn groot en gedecoreerd
met pasteltinten. Achttien kamers
beschikken over een balkon. Van
een groot aantal balkons en het
enorme terras hebt u een geweldig uitzicht op de Coelius (Celio).

TRASTEVERE

Carmel

Via Mameli 11, 00153. **Kaart** 7 C2.
C 580 99 21. **Kamers**: 10. 9.

Carmel overtreft qua luxe hotel
Manara, het enige andere hotel in
Trastevere. Het hotel is vooral
aantrekkelijk vanwege het terras
met zijn pergola, potplanten en
tuinmeubilair. Enkele kamers
komen uit op het terras. De eigenares is niet erg dol op kinderen
in haar hotel. Aangezien ze het
hotel sluit als ze denkt dat er weinig gasten komen, moet u van tevoren boeken.

Manara

Via Manara 25, 00153. **Kaart** 7 C1.
C 581 47 13. **Kamers**: 7. 1.

Manara ligt net buiten het voornaamste marktplein van
Trastevere. Het is een goed bud-
gethotel voor wie zijn avonden wil
doorbrengen in lokale *trattoria's*,
bars en clubs. Alle kamers zijn
eenvoudig en uiterst schoon. Er is
in het hotel slechts één kamer die
beschikt over een badkamer en
suite.

VATICAAN

Alimandi

Via Tunisi 8, 00192. **Kaart** 3 B2.
C 39 72 39 48. **FAX** 39 72 39 43.
TX 61 62 19. **Kamers**: 30. 24.

AE, DC, MC, V, JCB.

Alimandi is gelegen in een vrij rustige straat ten zuiden van de ingang van de Vaticaanse Musea. Dit
eenvoudige *pensione* is tamelijk
goedkoop en daarom zeer populair bij jonge reizigers. De kamers
zijn schoon en onberispelijk. Het
pension valt vooral op door het
schitterende dakterras, waar u op
mag barbecuen, als u dit van tevoren vraagt.

Amalia

Via Germanico 66, 00192. **Kaart** 3 C2.
C 39 72 33 54, 39 72 33 56. **FAX**
39 72 33 65. **Kamers**: 25. 2.

AE, MC, V.

Amalia, tussen metrostation
Ottaviano en het Vaticaan, trekt
vooral Italiaanse gasten. De kamers, verdeeld over drie etages,
zijn onberispelijk. De lounge beschikt over een bar en bij de receptie vindt u een koffieautomaat.

Columbus

Via della Conciliazione 33, 00193. **Kaart**
3 C3. **C** 686 54 35. **FAX** 686 48 74.
TX 62 00 96. **Kamers**: 100.

AE, DC, MC, V.

Columbus, gevestigd in een sober
voormalig klooster, is een ideaal
hotel voor wie graag vlak bij het
Vaticaan verblijft. Gietijzeren lampen
hangen van de gewelven in de receptie. De magnifieke lounge is verfraaid met een balkenplafond en
een terracotta vloer. De feestzaal
in de oude refter heeft nog mooie
fresco's. U vindt er ook een ommuurde tuin. De kamers zijn goed
voorzien, al zijn de bedden wat smal.

Atlante Star

Via Vitelleschi 34, 00193. **Kaart** 3 C2.
C 687 32 33. **FAX** 687 23 00.
TX 62 23 55. **Kamers**: 70.

AE, DC, MC, V.

Mocht u in Rome zakelijke voorzieningen nodig hebben, dan is dit
een goede keus. Van het restaurant op de bovenste etage hebt u
een panoramisch uitzicht op de
Sint Pieter. De service en de sfeer
laten echter veel te wensen over.
De tweepersoonskamers zijn niet
erg groot en ook de eenpersoons-
kamers kunnen klein zijn.
Sommige beschikken alleen over
een douche. De kamers aan de
straatkant zijn lawaaierig.

VIA VENETO

Merano

Via Veneto 155, 00187. **Kaart** 5 B2.
C 482 17 96. **FAX** 482 18 10.
Kamers: 32.

AE, DC, MC, V.

Merano is een klein, vriendelijk
pensione in een 19de-eeuws palazzo, waarin u ook een pianobar en
een kapper aantreft. De inrichting
is ietwat gedateerd en de betrekkelijk hoge prijzen zijn een afspiegeling van de dure ligging van het
hotel. Het hotel heeft een mooie,
zonnige ontbijtzaal.

Alexandra

Via Veneto 18, 00187. **Kaart** 5 B2.
C 488 19 43, 488 19 44. **FAX** 487 18
04. **TX** 62 26 55. **Kamers**: 45.

AE, DC, MC, V, JCB.

Dit is een van de minder dure hotels aan de chique Via Veneto. Het
beschikt over een serre-achtige
ontbijtzaal en een lounge die is
gedecoreerd met chintz en brokaat. Alle kamers zijn verschillend
en u kunt zowel terechtkomen in
een mooie, met antiek ingerichte
kamer als in een kamer met slor-
dig geverfde muren. Bent u een
lichte slaper, vraag dan om een
kamer die niet aan de straat ligt.

Oxford

Via Boncompagni 89, 00187. **Kaart**
5 C1. **C** 482 89 52. **FAX** 481 53 49.
TX 63 03 92. **Kamers**: 58.

AE, DC, MC, V, JCB.

Oxford ligt aan een stille straat bij
het Piazza dei Fiumi, zo'n tien minuten lopen van de Via Veneto.
De lounges zijn stijlvol: de receptie is ingericht met zachte, roze
sofa's en moderne schilderijen en
de bar met gestreepte sofa's en
abstracte kunst. De kamers zijn
wat ouderwetser. De muren zijn
hier bedekt met jute en op de bedden liggen spreien van chenille.

Residenza

Via Emilia 22–24, 00187. **Kaart** 5 B2.
C 488 07 89. **FAX** 48 57 21.
TX 41 04 23 GIOTEL. **Kamers**: 29.
17.

MC, V.

Residenza is een elegant hotel in
een villa in een stille straat. In de
ruime lounges liggen kelim-tapij-
ten. Het hotel heeft ook een over-
kapt terras met vurehouten meubilair en daktuin met terracotta tegels en potplanten. De kamers zijn
minder stijlvol dan de lounges,
maar wel ruim en van alle gemakken voorzien.

Barocco

Piazza Barberini 9 (ingang op de Via
della Purificazione 4), 00187.
Kaart 5 B3. **C** 487 20 01, 487 20 02,
487 20 03, 487 20 05. **FAX** 48 59 94.
Kamers: 28.

AE, DC, MC, V, JCB.

Barocco is gevestigd in een gerestaureerd palazzo. Het hotel is ideaal voor wie de voorkeur geeft
aan een klein hotel. De aangename kamers zijn onopvallend ingericht en sommige beschikken over
een werkruimte. Verder vindt u
hier twee kleine lounges (één met
bar) en een restaurant.

Imperiale

Via Veneto 24, 00187. **Kaart** 5 B2.
C 482 63 51. **FAX** 482 63 52.
TX 62 10 71. **Kamers**: 95.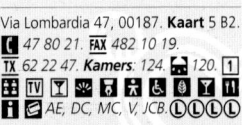

Dit is een van de redelijker geprijsde hotels aan de Via Veneto. Het hotel mist het vertoon van zijn chique buren en het vriendelijke personeel zorgt voor een ontspannen sfeer. De lounge is meer een ruimte om in te wachten dan om uw avond in door te brengen, maar de bar is heel aangenaam. De kamers zijn ingericht met mooie, bij elkaar passende meubels en kleine, marmeren badkamers.

Pullman Boston

Via Lombardia 47, 00187. **Kaart** 5 B2.
C 47 80 21. **FAX** 482 10 19.
TX 62 22 47. **Kamers**: 124. 120.
 AE, DC, MC, V, JCB.

Een rustig, ouderwets hotel dat uitkijkt op de prachtige onderhouden gronden van de Villa Medici en Villa Ludovisi. Het hotel is gunstig gelegen, zowel ten opzichte van de Via Veneto als de Spaanse Trappen. De kamers zijn ingericht in pasteltinten en sommige zijn erg ruim. Van het dakterras hebt u een uitzicht dat zich uitstrekt tot de Sint Pieter en Vaticaanstad.

Victoria

Via Campania 41, 00187. **Kaart** 5 B1.
C 47 39 31. **FAX** 487 18 90.
TX 61 02 12. **Kamers**: 120.
AE, DC, MC, V.

Dit hotel staat in een stille straat en kijkt uit op de muren die tegen de Porta Pinciana liggen. Victoria beroept zich erop een 'hotel voor individuelen' te zijn en probeert zijn persoonlijke aanpak te behouden door boekingen van grote groepen te weigeren. De lounges zijn stijlvol en het dakterras aangenaam. De kamers zijn echter tamelijk klein en wat saai.

Bernini Bristol

Piazza Barberini 23, 00187. **Kaart** 5 B3. **C** 488 30 51. **FAX** 482 42 66.
TX 61 05 54. **Kamers**: 126.
AE, DC, MC, V, JCB.

Dit onopvallende stenen gebouw ligt aan een druk plein met in het midden de Fontana del Tritone van Bernini. Het hotel is met veel marmer verfraaid. U vindt er een comfortabele daktuin, maar de inrichting van het hotel werkt niet

erg inspirerend. Door de centrale ligging en de zakelijke voorzieningen kan het hotel verzekerd zijn van een gestage stroom zakenlui.

Excelsior

Via Veneto 125, 00187. **Kaart** 5 B1.
C 47 08. **FAX** 482 62 05. **TX** 61 02 32.
Kamers: 327.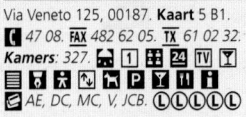
AE, DC, MC, V, JCB.

In dit extravagante hotel met zijn exotische balkons zijn ook winkels, sauna's, een restaurant en een beroemde pianobar gevestigd. De weelderige lounges zijn verfraaid met marmeren muren en vloeren, dikke tapijten en rijk versierd meubilair. De muren van de gangen zijn bedekt met zijde of imitatiemarmer. De stijlvolle, ruime kamers zijn voorzien van kroonluchters, geschilderde en vergulde lambrizeringen en rijk versierde marmeren badkamers.

Majestic

Via Veneto 50, 00187. **Kaart** 5 B2.
C 48 68 41, 482 80 14. **FAX** 488 09 84, 488 56 57. **TX** 62 22 62. **Kamers**: 96.
AE, DC, MC, V.

Majestic werd in 1889 geopend en is het oudste hotel aan de Via Veneto. Na een ingrijpende renovatie hebben er tal van internationale sterren gelogeerd, zoals Madonna, Luciano Pavarotti en Sylvester Stallone. De meubels en het decor in de gastenverblijven zijn nog grotendeels oorspronkelijk, tot en met de opvallende gifgroene en vergulde lounge. De kamers en de gangen zijn ingericht in een opvallende, opgewekte stijl, vooral op de vijfde etage, waar kleden met zigzagpatronen de achtergrond vormen voor chintz en brokaat.

Regina Hotel Baglioni

Via Veneto 72, 00187. **Kaart** 5 B2.
C 47 68 51. **FAX** 48 54 83. **TX** 62 08 63.
Kamers: 130.
AE, DC, MC, V.

Het exterieur van het Baglioni is geel en roze geschilderd en versierd met grimassende maskers. Deze uitbundigheid wordt voortgezet in de receptie, waar een smeedijzeren trap wordt bewaakt door een het beeld van een zeegod. De kamers zijn beschilderd in levendige koraalrood, blauwgroen en blauw en de meeste zijn ruim. De dubbele beglazing in de kamers die uitkijken op de Via Veneto, houdt het verkeerslawaai iets tegen, maar lichte slapers doen er toch beter aan om een kamer aan de achterkant te boeken.

Villa Borghese

Via Pinciana 31, 00198. **Kaart** 2 F5.
C 844 0105, 854 96 48.
FAX 844 26 36. **Kamers**: 31.
AE, DC, MC, V, JCB.

Dit hotel, in een villa vlak bij de Villa Borghese, spreekt direct aan. Hoewel het aan een vrij drukke straat ligt, ademt het een prettige sfeer, meer die van een woonhuis dan van een hotel. Onder de gastenverblijven bevinden zich een huiselijke bar en een lounge met gerieflijke sofa's en gebloemd textiel. Ook vindt u hier een binnentuin die is afgeschermd door een mooie, met klimop begroeide pergola. De kamers zijn enigszins aan de kleine kant, maar daarentegen smaakvol ingericht

Lord Byron

Via de Notaris 5, 00197. **Kaart** 2 D4.
C 361 30 41. **FAX** 322 04 05.
TX 61 12 17 HBYRON. **Gesloten** Zo en de laatste twee weken van aug.
Kamers: 37.
AE, DC, MC, V.

Dit kleine, verfijnde hotel is gevestigd in een oogverblindend wit gebouw in de woonwijk Parioli. Oorspronkelijk was het een klooster, maar tegenwoordig hebben de kamers niets ascetisch meer. De lounge is weelderig ingericht met antiek en luie stoelen en in de kleine salon vindt u riante sofa's en ouderwetse portretten. Het restaurant is verfraaid met veel chintz en verse bloemen en heeft een uitstekende keuken. Alle kamers hebben tapijten en gebloemd textiel. Op elke kamer treft u bij wijze van welkom een volle karaf port. Met de complimenten van de directie.

Aldrovandi Palace

Via Aldrovandi 15, 00197. **Kaart** 2 E4.
C 322 39 93. **FAX** 322 14 35.
TX 61 61 41 ALDROV. **Kamers**: 140.

AE, DC, MC, V, JCB.

Het Aldrovandi staat net buiten het centrum van Rome aan een tamelijk drukke straat en kijkt uit op Villa Borghese. De elegante receptie is rijk gestoffeerd en er zijn tal van kandelaars, tapijten en overal waar u kijkt, staan vazen met schitterende bloemen. Het is een pronkstuk van het hotel is de zonnige tuin met zijn fraaie zwembad, die u vanuit het restaurant kunt bekijken.

Verklaring van de symbolen *blz*. 291

RESTAURANTS EN CAFÉS

In Rome is uit eten gaan zowel een culinair als een sociaal ge-noegen. Op warme zomeravon-den zet men tafels buiten op elke denkbare plek. De eters wijden uren aan het observeren van an-dere mensen: een bonte menge-ling van straatmuzikanten, rozen-verkopers en verkeer. Hoewel Romeinen altijd liefhebbers zijn ge-weest van lang tafelen, zijn hun diners van nu een slap aftreksel van de overdadige banketten uit het oude Rome. De huidige keuken is gebaseerd op eenvoud, vers-heid en lokale rauwe ingrediën-ten van goede kwaliteit, en houdt

Ober in Alberto Ciarla (blz. 316)

rekening met het seizoen. Fast food raakt langzaam ook meer in, maar past eigenlijk niet bij het tempera-ment en de leefwijze van de Romeinen. De 66 restaurants die we in dit hoofdstuk bespreken, zijn geselecteerd uit het beste wat Rome heeft te bieden in alle prijs-klassen. Met de tabel op bladzij-den 310-311 kunt u een eerste selectie maken en de kaart op bladzijde 308 geeft de hoogte-punten aan. In *Lichte maaltij-den en snacks* op de bladzijden 318-321 leest u alles over aan te be-velen cafés, pizzeria's en andere informele eetgelegenheden.

WAAR VINDT U GOEDE RESTAURANTS

Iedere wijk heeft zijn eigen culinaire specialiteiten. De echte Romeinse keuken komt u tegen in Testaccio, met zijn oude slachthuizen, en in de joodse wijk (het Ghetto) bij Campo de' Fiori. Rond de universiteit, in San Lorenzo, ten noordoosten van de stad, zijn veel goedkope pizzeria's en trattoria's te vinden. Bij station Termini vindt u een keur aan goede Afrikaanse restaurants, vooral Ethiopische en Eritrese. Als u liever in de buitenlucht eet, wat meestal neerkomt op prachtige afgelegen piazza's of indrukwekkende oude stadsdelen, ga dan naar de restaurants in Trastevere (de oude kunstenaarswijk), rond het Campo de' Fiori of langs de aloude Via Appia Antica.

Het interieur van Relais le Jardin (blz. 317)

SOORTEN RESTAURANTS

Over het algemeen is een *trattoria* een bescheiden familiebedrijf met en goede, eenvoudige keuken. Een *ris-torante* is een chiquere, ele-gantere en daar-om ook duur-dere gelegen-heid. Veel eethuizen – waar de pa-pieren tafel-kleden een indicatie zijn voor de lage prijzen – hebben eenvoudig geen naam. De deur staat open en er worden in de regel uitstekende, eenvoudige gerech-ten opgediend. Sommige hebben nog veel meer te bie-den in deze eet-huizen hebt u meer kans op authentieke Romeinse gerechten dan in de dure res-taurants.

Soms heeft u mis-schien niet zo'n be-hoefte aan een uitge-breide maaltijd. Rome biedt een enorme verscheiden-heid aan zaken waar u terecht kunt voor informeler eten (blz. 318-321). De *eno-te-*

Verse artisjokken, een Romeinse specialiteit

ca is een gelegenheid waar snacks of steviger maaltijden verkrijgbaar zijn tevens, zoals de naam aangeeft, een wijnzaak.

Het bord *vino e cucina* (wijn en eten), dat helaas snel uit het straatbeeld aan het ver-dwijnen is, duidt op een zelf-de soort gelegenheid. Andere zaken waar u kunt gaan zitten voor een informele lunch of diner, zijn *birrerie*. Hier kunt u niet alleen bier drinken, maar ook pizza's en zelfs vegan menu's verorberen. Er zijn voldoende snacks verkrijgbaar om overdag mee te nemen. Overal in de stad kunt u *pizza al taglio* (een pizzapunt) krijgen. Ga voor hele pizza's naar eetge-legenheden met houtovens (*forno a legna*). De pizza's smaken hier beter dan die uit elektrische ovens. Andere hapjes om mee te nemen, zoals gebraden kip, aardappe-len of *suppli* (rijstkroketten), zijn te koop bij *rosticcerie*.

VEGETARISCH ETEN

Echt vegetarische restau-rants zijn een onbekend verschijnsel in Rome. Wel kunt u overal pasta of risotto krijgen die bestaat uit interes-sante combinaties van groen-ten, salades en artisjokken, of gevulde groenten uit de oven. Neem anders een ome-let (*frittata*).

HOEVEEL BETAALT U

Wat u moet betalen, hangt vanzelfsprekend af van de eetgelegenheid. In een *tavola calda* of Romeinse pizzeria, bijvoorbeeld, kunt u al eten voor maar L 15.000. In een trattoria betaalt u misschien L 25.000, en in een groot restaurant kunt u rekenen op zo'n L 50.000. Een fles wijn is vaak duurder dan een kan of karaf huiswijn (*vino della casa*), maar u hebt wel keus bij een interessantere collectie wijnen (*blz. 306*). De huiswijn is echter in de regel zeer goed drinkbaar.

DE MENUKAART

Niet ieder restaurant biedt automatisch een menukaart. Vaak vertelt de ober wat de specialiteiten van de dag (*piatti del giorno*) zijn, die doorgaans niet op de menukaart vermeld staan, maar bijna altijd het bestellen waard zijn. Vraag bij twijfel om *la lista* (de kaart) en laat de ober u helpen.

Een maaltijd begint met *antipasti* (voorafjes) of *primi piatti*. Deze laatste bestaan uit *pasta asciutta* (pasta met een bepaalde saus), *pasta in brodo* (heldere bouillon met pasta), *pasta al forno* (pasta uit de oven), *risotto* of een stevige soep. Dan gaat u verder met de *secondi*, de hoofdschotel, die gewoonlijk uit vlees of vis bestaat. Als u hier groente of pasta (*contorni*) bij wilt, moet u deze apart bestellen. Als nagerecht kunt u kiezen uit *formaggi* (kazen), *frutta* (fruit) of *dolci* (toetjes). Romeinen eten meestal geen kaas plus een zoet toetje. Wel maar bij fruit, zoals peren, vijgen of meloen, wordt gewoonlijk wel kaas geserveerd. De maaltijd wordt afgerond met espresso en, naar wens, een likeur (*amaro*), een cognac (*vecchia romagna*) of een grappa (*blz. 306*). U kunt de eerste gang ook overslaan, of een salade of groenteschotel nemen.

OPENINGSTIJDEN

Restaurants zijn over het algemeen geopend van rond 12.00 tot 23.00 uur. Bij het diner is het gewoonlijk het drukst tussen 21.00 en 21.30 uur en bij de lunch tussen 13.00 en 13.30 uur. Het diner is het moment om ontspannen te eten, vooral in de zomer. Het diner begint en eindigt dan pas laat, als de warmte van de dag afneemt. Bars zijn de gehele dag geopend en vaak kunt u er al zeer vroeg terecht. Hier verkoopt men allerlei soorten drankjes en snacks. Augustus is de stilste maand. Veel restauranthouders zijn dan met vakantie (dit ziet u dan aan het bord met het opschrift *chiuso per ferie*).

EEN TAFEL BESPREKEN

Reserveren (*prenotazione*) is over het algemeen raadzaam. Zondag is de belangrijkste dag van de week wat de lunch betreft en dan moet u zeker reserveren. Dit geldt ook voor de zaterdagavond. Als u niet reserveert, controleer dan op welke weekdag de zaak gesloten is. Veel gelegenheden zijn op maandag dicht, sommige ook op zondagavond. Probeer 's zomers een tafel buiten in de schaduw te bespreken.

Terras op het piazza bij de Santa Maria in Trastevere

UIT ETEN MET KINDEREN

Kinderen zijn zeer welkom, vooral in familiebedrijven. U kunt gewoonlijk halve porties bestellen (deze kosten meer dan de helft) of een extra bord vragen. In sommige zaken zijn ook hoge kinderstoelen (*seggiolone*) aanwezig.

TOEGANKELIJKHEID VOOR ROLSTOELEN

Rome houdt tegenwoordig meer rekening met mensen in rolstoelen. Bel van tevoren om zeker te zijn dat u een geschikte tafel krijgt.

Restaurant in Trastevere

SYMBOLEN

Verklaring van de symbolen op blz. 312-317.

- |O| vaste prijzen
- deel voor niet-rokers
- vegetarische schotels
- ook voor rolstoelen
- kindermenu's
- tafels buiten
- live-muziek
- jasje en stropdas
- uitstekende wijnkaart
- ★ zeer aanbevolen
- creditcards geaccepteerd
- AE American Express
- DC Diners Club
- MC Mastercard/Access
- V Visa
- JCB Japanese Credit Bureau

Prijsklassen voor een driegangenmenu per persoon inclusief een halve fles huiswijn, couvertkosten, belasting en bediening:

- tot L 35.000
- L 35.000-L 55.000
- L 55.000-L 75.000
- L 75.000-L 100.000
- boven L 100.000

Wat eet u in Rome

Verse knoflook

De traditionele cucina romanesca is altijd gebaseerd geweest op lokale markten vol verse groente en fruit van het seizoen, kaas en vlees van het nabijgelegen platteland, plus vis, schelp- en schaaldieren uit de Middellandse Zee. Net als in de rest van Italië speelt pasta in Rome een belangrijke rol bij de maaltijd. Een populaire schotel is de befaamde spaghetti alla carbonara, die in Rome is uitgevonden. Veel echte Romeinse vleesschotels zijn gebaseerd op het zogenaamde *quinto quarto* (vijfde kwart) – hersenen, ingewanden, staart, poten enzovoort. Op smaak gebracht met olijfolie, kruiden, varkensvet, spek (*pancetta*) of varkenswang (*guanciale*) veranderen ze in een culinaire lekkernij. *Misticanza* smaakt ook goed in het seizoen: een frisse gemengde salade van blaadjes sla met de pittige *rughetta* (raket, roquette) en *puntarelle* (krulandavie, vaak geserveerd met ansjovisdressing). Als nagerecht is er ijs, maar velen prefereren een klassieke tiramisu.

Mariozzi alla Panna
Deze broodjes met rozijnen en gekonfijte schil zijn gevuld met slagroom.

Bruschetta
Geroosterd brood, ingewreven met knoflook en olijfolie. Eet er tomaat bij.

Suppli
Smakelijke rijstkroketten, gevuld met mozzarella.

Risotto alla Romana
Voor deze risotto worden lever, zwezerik, marsala en pecorino gebruikt.

Filetti di Baccalà
Gefrituurde kabeljauwfilets: joodse specialiteit en ook typisch Romeinse eerste gang.

Olijfolie en azijn
Staan altijd op tafel voor op het brengen van smaak van salades en voorgerechten.

Antipasto
Italiaanse voorafjes kunnen bestaan uit olijven, vlees, vis en gegrilde of ingemaakte groente.

Geroosterde paprika's

Artisjokharten

Baby-octopus

Ansjovis

Vers basilicum

TYPISCH ITALIAANSE PASTA

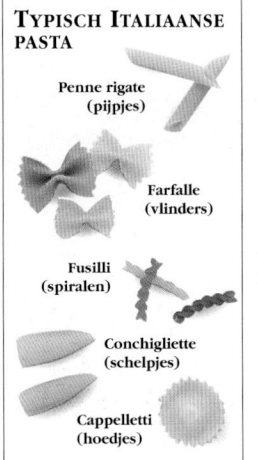

Penne rigate (pijpjes)

Farfalle (vlinders)

Fusilli (spiralen)

Conchigliette (schelpjes)

Cappelletti (hoedjes)

Bucatini all'Amatriciana
Buisjespasta met bacon, tomaten, uien en gegratineerde pecorino.

Spaghetti alla Carbonara
Stukjes spek, eieren, kaas en room vormen de ingrediënten van deze beroemde schotel.

Gnocchi alla Romana
Kleine aardappel- of griesmeelballetjes met tomaten of alleen met boter.

Fiori di Zucca e Carciofi Fritti
Courgette in beslag met hele gefrituurde artisjokken zijn populaire antipasti.

Coda alla Vaccinara
Deze Romeinse schotel is gemaakt van gesmoorde ossestaart met tomaten.

Saltimbocca alla Romana
Kalfsvlees met Parmaham en salie. Wordt ook opgerold en gespiest geserveerd.

Fave al Guanciale
Jonge tuinbonen worden zachtjes gekookt met spek en uien.

Parmezaan

Italiaanse kaas
Parmezaanse kaas is de bekendste Italiaanse kaas, maar dè klassieke Romeinse kaas is pecorino romano, die van schapemelk is gemaakt. De gerijpte harde versie wordt vaak gegratineerd gebruikt, maar verse pecorino kan als dessert worden gegeten. Mozzarella is de klassieke kaas voor pizza's.

Mozzarella

Crostata di Ricotta
Romeinse kaastaart, gevuld met ricotta, marsala en citroen.

Tiramisù
Overheerlijk dessert van mascarpone, koffie, chocolade.

Wat drinkt u in Rome

Italië is een van de belangrijkste wijnproducerende landen van Europa. Deze traditie begon meer dan 2000 jaar geleden in de heuvels rond Rome. Tegenwoordig is het drinken van wijn bij de maaltijd een vanzelfsprekendheid en om u te redden hoeft u waarschijnlijk niet meer Italiaans te kennen dan het verschil tussen *rosso* (rood) en *bianco* (wit). Bier is ook overal verkrijgbaar, evenals een grote verscheidenheid aan aperitieven en digestieven. Het drinkwater in Rome, een ander overblijfsel uit de Romeinse Oudheid, is zeer goed.

Frascati, zuidoostelijk van Rome.

Mozaïek met vogel en wijnrank

WITTE WIJN

Wijn gedijt goed in het warme klimaat van Lazio, de streek rond Rome. Hier wordt een overvloed aan goedkope droge witte wijn geproduceerd voor de cafés en restaurants in de stad. Deze wordt gewoonlijk per karaf geserveerd. Van de lokale gebottelde wijnen is Frascati de bekendste, maar Castelli Romani, Marino, Colli Albani en Velletri lijken hier veel op. Al deze wijnen worden van dezelfde druif, de Trebbiano, gemaakt. Orvieto en Verdicchio zijn twee andere uitstekende wijnen uit Midden-Italië. Witte kwaliteitswijnen uit alle delen van Italië, zoals de fijne witte wijnen van Friuli, zijn in Rome overal verkrijgbaar.

Orvieto   Frascati

Calcaia van Barberani, een goede producent van Orvieto.

Bigi produceert goede Orvieto, vooral de wijngaard Torricella.

Casal Pilozzo is een gemakkelijk drinkbare wijn uit de Colli di Catone. Kies een recent jaar.

Colle Gaio, met zijn fruitige smaak, valt op tussen de droge witte Frascati's.

WIJNSOORT	GOEDE JAREN	GOEDE PRODUCENTEN
WITTE WIJN		
Friuli (Pinot Bianco, Chardonnay, Pinot Grigio, Sauvignon)	De recentste	Gravner, Jermann, Puiatti, Schiopetto, Volpe Pasini
Orvieto/ Orvieto Classico	De recentste	Antinori, Barberani, Bigi, Il Palazzone
RODE WIJN		
Chianti/ Chianti Classico/ Chianti Rufina	'90, '88, '85	Antinori, Castello di Ama, Castello di Cacchiano, Castello di Volpaia, Felsina Berardenga, Fontodi, Frescobaldi, Isole e Olena, Il Palazzino, Riecine, Rocca della Macìe, Ruffino, Vecchie Terre di Montefili, Villa Cafaggio
Brunello di Montalcino/ Vino Nobile di Montepulciano	'90, '88, '85	Altesino, Avignonesi, Biondi Santi, Caparzo, Case Basse, Lisini, Il Poggione, Poliziano, Villa Banfi
Barolo/ Barbaresco	'82, '78 '90, '89, '88, '85	Aldo Conterno, Altare, Ceretto, Clerico, Gaja, Giacomo Conterno, Giacosa, Mascarello, Ratti, Voerzio

RODE WIJN

Toscaanse tafelwijn · Barolo

Hoewel er een paar lokale rode wijnen worden gemaakt, komt de meeste gebottelde rode wijn uit andere delen van Italië. Toscane en Piemonte produceren goede kwaliteitswijnen. Aan de prijs moet de kwaliteit zijn af te lezen. Goede rode wijnen zijn Dolcetto, Rosso di Montalcino of Montepulciano.

Montepulciano d'Abruzzo, een volle rode wijn, is altijd goed. Hij komt uit de streek Abruzzi, ten oosten van Rome.

Chianti Classico Riserva is ouder en steviger dan de gewone Chianti Classico.

Torre Ercolana wordt algemeen beschouwd als een van de beste rode wijnen uit Lazio. Hij wordt gemaakt van Cesanese- en Cabernet-druiven en moet ten minste vijf jaar rijpen.

HET ETIKET

Italië hanteert twee aanduidingen bij het etiketteren van kwaliteitswijn. DOC (*denominazione di origine controllata*) betekent dat de wijn gegarandeerd is gemaakt in de streek die op het etiket is vermeld en van de aangegeven druivensoorten. Een hogere kwalificatie – DOCG (*denominazione di origine controllata e garantita*) – wordt gegeven aan kwaliteitswijn als de rode Barolo, Barbaresco en Chianti Classico.

Chianti Classico

APERITIEVEN EN DIGESTIEVEN

De populairste aperitieven zijn de bittere dranken met kruiden als Martini, Campari en Aperol. (Vraag om een *analcolico* als u een alcoholvrije drank wilt.) Italianen drinken hun aperitieven puur of met ijs en soda. Sterke drankjes voor na het eten, *digestivi* of *amari*, zijn aan te raden als u uw maag tot rust wilt brengen. Vecchia romagna (Italiaanse cognac) en grappa zijn flink pittig.

Campari dat vaak bij pizza wordt gedronken, is goed drinkbaar.

FRISDRANKEN

Italiaanse vruchtesappen zijn goed. De meeste bars persen ter plekke vers sinaasappelsap voor u (*spremuta*).

Koel bewaren van wijn en bier

DRINKWATER

Anders dan de meeste zuidelijke steden profiteert Rome van een constante toevoer van drinkwater, aangevoerd uit de heuvels via een systeem van pijpen en aquaducten dat weinig is veranderd sinds de Romeinse tijd. Alleen als er een bord staat met *acqua non potabile*, is het water niet drinkbaar.

Een van de vele Romeinse drinkfonteintjes

KOFFIE

Koffie is in Rome bijna net zo belangrijk als wijn. Espresso, sterke zwarte koffie, kunt u de hele dag drinken. Cappuccino, met melk, drinkt u bij het ontbijt of 's middags. Neem caffè-latte voor extra melk.

Espresso · Cappuccino · Caffelatte

Restaurants en cafés: een selectie

Rome is niet zozeer vermaard om zijn luxerestaurants, als wel om de sfeervolle eethuizen waar de nadruk ligt op de sociale kant van een diner en de regionale keuken. U treft in Rome een enorme variatie aan eetgelegenheden aan. De meeste hebben zich gespecialiseerd en beschouwen zichzelf als de beste in hun soort, of ze nu uitstekende espresso serveren of traditionele schotels als gefrituurde kabeljauw *(baccalà)*. Andere beschikken over een fraai interieur of staan bekend als de beste gelegenheden om te kijken en bekeken te worden. Hier volgt een selectie.

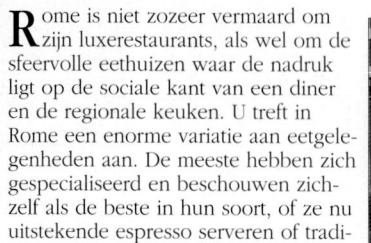

Caffè Giolitti
Deze ijssalon serveert tal van smaken, om meteen op te eten of mee te nemen. (Blz. 320)

Romolo nel Giardino della Fornarina
Ga voor een romantisch Romeins diner naar Romolo, met ommuurde tuin, tafels met kaarslicht en gitaarmuziek. (Blz. 316)

Il Delfino
Dit eethuis in de Largo Argentina verkoopt alles, van hele kippen aan het spit tot salades, sandwiches en suppli (rijstkroketten): een lust voor het oog. (Blz. 320)

Vaticaan

Piazza Navona

Campo de' Fiori

Janiculum

Trastevere

Filetti di Baccalà
Deze kleine eetgelegenheid serveert smakelijke kabeljauwfilets, een van de traditionele schotels van Rome. (Blz. 320)

Piperno
De traditionele joodse keuken van Rome is al meer dan een eeuw een specialiteit van Piperno, in het hart van het getto. (Blz. 314)

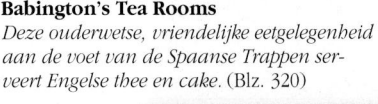

Babington's Tea Rooms
Deze ouderwetse, vriendelijke eetgelegenheid aan de voet van de Spaanse Trappen serveert Engelse thee en cake. (Blz. 320)

Caffè Greco
In de 19de eeuw was dit een trefpunt voor kunstenaars en intellectuelen. Het café bezit nog steeds de vergane glorie die op dit schilderij te zien is. (Blz. 320)

Tazza d'Oro
Deze figuur siert de muur van Tazza d'Oro. De koffie die hier wordt geschonken, behoort tot de beste van Rome. De espresso wordt zeer gewaardeerd. (Blz. 320)

Via Veneto

izza di pagna

a della nda

Quirinaal

Capitool

Esquilijn

Forum

Palatijn

Lateraan

Aventijn   *Caracalla*

0 meter   500

Vecchia Roma
's Zomers kunt u hier het beste genieten van de gerechten en het rustige en fraaie barokpiazza. (Blz. 314)

Sora Lella
Deze Romeinse trattoria is beroemd om haar ligging op het Tibereiland en ook vanwege het modieuze publiek dat er komt. (Blz. 314)

Een restaurant kiezen

Deze restaurants zijn geselecteerd om de goede prijs-kwaliteitverhouding of om uitzonderlijk goed eten. In deze tabel ziet u enkele factoren die van invloed kunnen zijn op uw keuze. De restaurants zijn alfabetisch en naar prijs gerangschikt. Meer informatie vindt u op bladzijden 312-317. Zie voor cafés en wijnbars bladzijden 318-321.

Restaurant	VASTE PRIJZEN	VEGETARISCHE SCHOTELS	TAFELS BUITEN	VISSPECIALITEITEN	LAAT GEOPEND	AIRCONDITIONING	MOOI GELEGEN
PIAZZA DELLA ROTONDA (blz. 312)							
Da Gino	①					●	
Il Buco	②②		●			●	
Girone VI	③③③	●	■		■	■	●
Chez Albert	④④④④		●		■	●	
La Rosetta ★	④④④④④			■		■	
El Toulà	⑤⑤⑤⑤⑤	●			■		■
PIAZZA NAVONA (blz. 312)							
La Taverna	②②	●	●		■		●
Nel Regno del Re Ferdinando	③③③		■		■	●	■
Il Convivio ★	④④④④		●		■		●
Osteria dell'Antiquario	④④④④	●	●		■		●
Papà Giovanni	④④④④		■				■
PIAZZA DI SPAGNA (blz. 313)							
Birreria Viennese	①	●			■	●	
Fiaschetteria Beltramme	①		■				
Mario alle Vite	①					■	
Al 34	②②		■	■		■	
Porto di Ripetta	③③③		●	■		●	■
Sogo-Asahi	④④④④			■		■	
Hassler Roof Restaurant	⑤⑤⑤⑤⑤	●				■	●
CAMPO DE' FIORI (blz. 313)							
Mekong	①	●		■			■
Le Maschere	②②	●	■	●		●	■
Al Pompiere	②②					●	
Taverna Giulia	②②		●		●		■
Il Cardinale	③③③		■	■		■	
Il Drappo	③③③	●	●			●	■
Piperno	③③③		●	■			
Sora Lella	③③③					■	
Vecchia Roma	③③③		●	■		■	●
Camponeschi	⑤⑤⑤⑤⑤	●	●	■	●	●	●
Da Patrizia e Roberto del Pianeta Terra ★	⑤⑤⑤⑤⑤	●		■		■	
QUIRINAAL (blz. 314)							
Colline Emiliane	②②					■	
Al Moro	③③③			■		■	
Il Posto Accanto	③③③		■			■	
Quadrifoglio	④④④④		●			■	
TERMINI (blz. 314)							
Gemma alla Lupa	①	●	■	●		■	
Coriolano	④④④④		■		■	■	

Prijsklassen per persoon voor een driegangenmenu met een halve fles huiswijn, inclusief extra kosten als couvertkosten, bediening en BTW:
Ⓛ minder dan L 35.000
ⓁⓁ L 35.000-L 55.000
ⓁⓁⓁ L 55.000-L 75.000
ⓁⓁⓁⓁ L 75.000-L 100.000
ⓁⓁⓁⓁⓁ meer dan L 100.000.

★ Betekent: zeer aanbevolen

MENU'S TEGEN VASTE PRIJZEN
Restaurant serveert een *menu turistico* (toeristenmenu): gewoonlijk vier gangen zonder wijn of koffie, tegen vaste prijzen.

VEGETARISCHE SCHOTELS
Restaurant met een goed assortiment vegetarische schotels.

LAAT GEOPEND
Laatste bestellingen om of na 23.30 uur.

MOOI GELEGEN
Restaurant aan een mooi piazza, met een terras of met een fraai uitzicht.

	Prijsklasse	Vaste prijzen	Vegetarische schotels	Tafels buiten	Visspecialiteiten	Laat geopend	Airconditioning	Mooi gelegen
ESQUILIJN *(blz. 315)*								
Cicilardone	ⓁⓁ							
La Tana del Grillo	ⓁⓁ							
Trattoria Monti	ⓁⓁ	●	■					
Agata e Romeo	ⓁⓁⓁⓁ	●	■	●			●	
LATERAAN *(blz. 315)*								
Alfredo a Via Gabi	ⓁⓁ				●		■	
Cannavota	ⓁⓁⓁ	●					■	
Charly's Saucière	ⓁⓁⓁ					●	■	
AVENTIJN *(blz. 315)*								
Perilli a Testaccio	ⓁⓁ						■	
Checchino dal 1887 ★	ⓁⓁⓁ				●			
TRASTEVERE *(blz. 316)*								
Da Lucia	Ⓛ			●				
Da Paris	ⓁⓁ			●	■		■	●
Romolo nel Giardino della Fornarina	ⓁⓁ	●		●		●	■	
La Taverna di Bambù	ⓁⓁ			■		●	■	
La Cornucopia	ⓁⓁⓁ	●		●	■	●	■	●
Peccati di Gola	ⓁⓁⓁ			●	■			
Cul De Sac 2 ★	ⓁⓁⓁⓁ					■		
Tentativo ★	ⓁⓁⓁⓁ	●				●	■	
Alberto Ciarla ★	ⓁⓁⓁⓁⓁ	●		●		■	■	
JANICULUM *(blz. 316)*								
Al Tocco	ⓁⓁⓁ	●	■			●	■	
VATICAAN *(blz. 316)*								
Tavola d'Oro	Ⓛ		■			■		
San Luigi	ⓁⓁⓁ	●	■				■	
VIA VENETO *(blz. 317)*								
Cantina Cantarini	Ⓛ			●	■	●		
Giovanni	ⓁⓁⓁ	●					■	
Tullio	ⓁⓁⓁ				■		■	
Andrea	ⓁⓁⓁⓁ				■		■	
San Benedetto	ⓁⓁⓁⓁ	●					■	
George's ★	ⓁⓁⓁⓁⓁ			■	●		■	●
Le Sans Souci ★	ⓁⓁⓁⓁⓁ			■		■	●	■
VILLA BORGHESE *(blz. 317)*								
Al Ceppo	ⓁⓁⓁ			■	●		■	
Relais la Piscine ★	ⓁⓁⓁⓁ	●		●	■		■	●
Relais le Jardin ★	ⓁⓁⓁⓁ	●				■		

PIAZZA DELLA ROTONDA

Da Gino

Vicolo Rosini 4 (Piazza del Parlamento). **Kaart** 4 F3 & 12 D1. 🛎 687 34 34. **Open** 12.45-14.45 uur, 20.00-22.45 uur. **Gesloten** aug. 🛐 🛈

In deze typisch Romeinse trattoria vechten journalisten, politici en kenners om een plaats onder de met fresco's verfraaide pergola om zich te goed te doen aan de traditionele schotels: *gnocchi* en *osso bucco* (donderdags), *baccalà* (vrijdags), pens (zaterdag) en klassieke stevige soepen, plichtsgetrouw bereide standaardgerechten en heerlijke zelfgemaakte *tiramisù*.

Il Buco

Via di Sant'Ignazio 8. **Kaart** 4 F4 & 12 E3. 🛎 678 32 98, 678 44 67. **Open** di-zo 12.30-16.00 uur, 18.30-24.00 uur. **Gesloten** 10 aug.-1 sept. 🍴 ⚡ 🛐 🍽 AE, DC, MC, V. 🛈🛈

Sinds het *buco* (gat) in 1891 werd geopend, is de kleine osteria uitgegroeid tot een groot restaurant. De rustige sfeer, onvermoeibare hoffelijkheid en formidabele Toscaanse gerechten zijn echter gebleven. Alles doet hier typisch Toscaans aan, van de traditionele *crostini* (geroosterd brood met leverpastei), *ribollita* (dikke groentesoep), enorme Florentijnse biefstukken, tot het dessert *tozzetti* (amandelkoekjes) met *vin santo* (dessertwijn).

Girone VI

Vicolo Sinibaldi 2. **Kaart** 4 F4 & 12 D3. 🛎 68 80 28 31. **Open** zo 20.00-24.00 uur. **Gesloten** 20 dec.-10 jan. 🔽 🍽 🛐 🍽 AE, DC, MC, V, JCB. 🛈🛈🛈

Breng 's zomers een bezoek aan dit kleine Ligurische familiebedrijf, als alle tafels buiten staan. Alles is tot in de puntjes verzorgd, inclusief de onberispelijke bediening. De gerechten worden gekenmerkt door een fantasievolle combinatie van kruiden en groenten: risotto met courgette, flensjes met *porcini*, gevuld getruffeerd konijn en veel verse vis. Er is een goed assortiment Franse en regionale wijnen.

Chez Albert

Vicolo della Vaccarella 11. **Kaart** 4 F3 & 12 D2. 🛎 686 55 49. **Open** ma-za 19.00-1.00 uur. **Gesloten** aug. 🍴 ⚡ 🍽 AE, DC, MC, V. 🛈🛈🛈🛈

In deze kleine, intieme en elegante bistro maken Albert en zijn gezin gerechten klaar uit de Provence, waar ze vandaan komen, en andere streken (*bouillabaisse*, *cassoulet*, *coq au vin*). Even verrukkelijk zijn de klassieke gerechten uit het Middellandse-Zeegebied (*couscous*, *paella*). Probeer ook de lichte, geurige desserts en de uitstekende Franse en Italiaanse wijnen.

La Rosetta

Via della Rosetta 9. **Kaart** 4 F4 & 12 D2. 🛎 68 30 88 41. **Open** ma-za 13.00-15.00 uur, 20.00-23.30 uur. **Gesloten** 3 weken aug., Kerstmis. 🍴 ⚡ 🍽 ⭐ 🍽 AE, DC, V. 🛈🛈🛈🛈

Ondanks de buitensporige prijzen stromen de gasten hier iedere avond binnen in de stijlvolle overvolle zalen. De vis, die elke dag vers uit Sicilië wordt aangevoerd, bereikt, na op eenvoudige wijze te zijn bereid, culinaire perfectie. De enthousiaste obers en de Franse en Italiaanse kwaliteitswijnen (vooral de witte Siciliaanse) doen de keuken eer aan.

El Toulà

Via della Lupa 29B. **Kaart** 4 F3 & 12 D1. 🛎 687 34 98. **Open** ma-vr 13.00-15.00 uur, 20.00-23.00 uur, za 20.00-23.00 uur. **Gesloten** aug., Kerstmis. 🍴 🔽 🍽 🍽 ⚡ 🍽 AE, DC, MC, V. 🛈🛈🛈🛈

El Toulà staat met recht bekend als een van de exclusiefste, traditioneelste en meest luxueuze restaurants van Rome. De serieuze professionele gerechten zijn op Venetië georiënteerd, waarbij wordt gestreefd naar het allerbeste op het gebied van de klassieke internationale keuken. De bediening is voorbeeldig en het assortiment wijnen voortreffelijk.

PIAZZA NAVONA

La Taverna

Via del Banco di Santo Spirito 58. **Kaart** 4 D3 & 11 A2. 🛎 686 41 16. **Open** di-zo 12.00-15.00 uur, 19.00-23.00 uur. 🍴 ⚡ 🍽 🍽 🍽 AE, DC, MC, V, JCB. 🛈🛈

Zowel de toeristen als de plaatselijke bewoners genieten in Giovanni's drukke Romeinse trattoria van de informele sfeer en de traditionele regionale gerechten. Vooral populair zijn de *rigatoni all'amatriciana*, *coda alla vaccinara* en donderdags, vrijdags en zaterdags respectievelijk *gnocchi*, *baccalà* en pens.

Nel Regno del Re Ferdinando

Via dei Banchi Nuovi 8. **Kaart** 4 D4 & 11 B2. 🛎 68 80 11 67. **Open** ma-za 20.00-1.00 uur. **Gesloten** aug. 🔽 🔽 🍽 AE, MC, V. 🛈🛈🛈

Re Ferninando heeft iets weg van een 19de-eeuwse taverne. Het is een van de weinige restaurants in Rome waar u gerechten kunt proeven uit het zuidelijke Campania. Heerlijk zijn de kleurrijke groente- en vis-antipasti en de *maccheroni*. Een andere specialiteit is *sartù di riso* (een smakelijke rijstpudding bedekt met tomatensaus, kaas en broodkruimels en gebakken in de oven). De Napolitaanse desserts zijn uitmuntend. Het restaurant schenkt goede regionale wijnen, waaronder veel wijnen uit Ischia.

Il Convivio

Via dell'Orso 44. **Kaart** 4 E3 & 11 C2. 🛎 686 94 32. **Open** ma-za 13.00-14.30 uur, 20.00-23.00 uur. **Gesloten** mei. 🍴 🍽 🍽 ⭐ 🍽 AE, DC, MC, V. 🛈🛈🛈

Het intieme Il Convivio ademt een sfeer van verfijnde rust en is een van de beste restaurants die zijn gespecialiseerd in modern creatief koken. Het restaurant wordt beheerd door drie broers uit de Marche. Een van hen is de chef en hij creëert geraffineerde en bijzondere combinaties van smaken. De zeer persoonlijke menukaart wijzigt met het seizoen. De wijnkaart is uitgebreid en de bediening discreet.

Osteria dell'Antiquario

Piazzetta San Simeone 27. **Kaart** 4 E3 & 11 B2. 🛎 687 96 94. **Open** ma-za 12.30-14.30 uur, 20.00-23.00 uur. **Gesloten** 15 aug., 20 dec.-7 jan. 🍴 🍽 🍽 🍽 AE, DC. 🛈🛈🛈🛈

Dit restaurant is gevestigd in een stijlvol gerenoveerde voormalige antiekzaak. Het menu van Giorgio Nisti's zaak wordt bepaald door de grillen van de kok en de dagelijkse markt. De traditionele schotels zijn creatief aangepast aan de hedendaagse, op gezonde voeding georiënteerde smaak. U kunt kiezen uit een indrukwekkend assortiment regionale, Franse en Californische wijnen.

Papà Giovanni

Via dei Sediari 4. **Kaart** 4 F4 & 12 D3. 🛎 686 53 08. **Open** ma-za 13.00-14.30 uur, 20.00-23.00 uur. **Gesloten** aug., dec. 🔽 🔽 🍽 🍽 MC, V. 🛈🛈🛈

Er is bijna 60 jaar verstreken sinds Papà Giovanni zijn eerste levensmijnen in Rome verkocht. De flessen langs de muren getuigen hiervan en ook van de formidabele kelder van Giovanni's zoon. Op de menukaart staan klassieke gerechten als *cacio e pape*, gezouten kabeljauw en pens naast exotische salades en getruffeerde schotels. Als dessert kunt u kiezen uit ricotta-soufflé, warme chocoladesoesjes en exquise sorbets.

PIAZZA DI SPAGNA

Birreria Viennese

Via della Croce 21. Kaart 5 A2.
€ 679 55 69. Open 1di-do 11.30-
24.00 uur. Gesloten 15 juli-15 aug.
🍴 🔇 AE, DC, MC, V, JCB. Ⓛ

Via de ingang van gebrandschilderd glas kunt u in een lange, drukke zaal waar al meer dan 60 jaar traditionele biersoorten en Oostenrijkse specialiteiten worden geserveerd. Neem worst, goelasj, Wiener schnitzel, zuurkool of de enorme *Piatto di amore della Transilvania* (houten schotel vol heerlijkheden voor twee personen). Er is ook wijn. De bediening is uiterst behulpzaam en beleefd.

Fiaschetteria Beltramme

Via della Croce 39. Kaart 4 F2.
Open ma-za 12.10-15.00 uur, 19.45-22.30
uur. Gesloten 2 weken aug. 🍴 Ⓛ

Deze kleine trattoria getuigt van haar glansrijke verleden: de muren hangen vol met gesigneerde foto's en schilderijen. Door de drukte ontkomt u er niet aan om uw tafel met anderen te delen, én nieuwe vriendschappen te sluiten. De gezellige sfeer wordt versterkt door de eenvoudige gerechten: *pasta e ceci*, *minestra di fagioli*, verse vis en karakteristieke vleesschotels. Door de efficiëntie en vlotte bediening is dit een geschikt adres om niet lang te tafelen.

Mario alla Vite

Via della Vite 55. Kaart 5 A3 & 12 E1.
€ 678 38 18. Open ma-za 12.30-
15.00 uur, 19.30-23.00 uur. Gesloten
aug. 🔇 AE, DC, MC, V, JCB. Ⓛ

Ondanks de exclusieve ligging van dit restaurant staan er nog altijd eenvoudige, eerlijke Toscaanse gerechten op het menu tegen redelijke prijzen. Overvolle tafels, losse bediening en rumoerige wanorde liken dan ook onvermijdelijk. Het eten is hier echter waard, met specialiteiten als traditionele *fagioli al fiasco* (bonen in olie), *ribollita* (dikke groentesoep), Florentijnse biefstukken en heerlijke pasteien, plus een ruim assortiment wijnen.

AI 34

Via Mario de' Fiori 34. Kaart 5 A2.
€ 679 50 91. Open di-zo 12.00-15.00
uur, 19.30-23.00 uur. Gesloten aug.
🍴 🔇 AE, DC, MC, V, JCB. Ⓛ

AI 34 biedt een perfect decor voor een prettig gesprek of een roman-tisch *tête-à-tête*. De uitgebreide menukaart is vooral georiënteerd op de Zuiditaliaanse keuken en biedt een uitstekende keuze, met name de combinaties van groenten

Mekong

Corso Vittorio Emanuele II 333.
Kaart 4 E4 & 11 C3. € 686 16 84.
Open wo-ma 12.00-15.00 uur, 19.00-
23.00 uur. 🍴 🔇 AE, MC, V. Ⓛ

In dit vrolijke Vietnamese restaurant kunt u bij kaarslicht in een ontspannen sfeer genieten van een uitgebreid assortiment betrekkelijk goedkope gerechten. Wie Mekong voor het eerst bezoekt, krijgt een geduldige uitleg van de menukaart. Aanbevolen zijn de voorgerechten van gebakken ravioli, kip in folie (*pollo d'argento*) of de *tre delizie* (drie genoegens: biefstuk, kip en garnalen in een speciale saus). U kunt hier ook echte Italiaanse wijn, thee, ginseng-likeur en een assortiment grappa's krijgen.

Porto di Ripetta

Via di Ripetta 250. Kaart 4 F2.
€ 361 23 76. Open ma-za 13.00-
15.00 uur, 20.00-24.00 uur. 🍴 🔇 AE,
DC, MC, V. Ⓛ

Dit restaurant dankt zijn bekendheid vooral aan het talent van de kok, Maria Romani. Met de vis, die ze dagelijks uit de Marche krijgt aangeleverd, creëert ze briljante combinaties, zoals vis-tuinbonensoep of enorme garnalen met artisjokken. Dit is een duur adres, maar beslist een bezoek waard. De menukaart met zakenlunches is bovendien veel goedkoper. Het restaurant schenkt een uitmuntend assortiment wijnen.

Sogo-Asahi

Via di Propaganda 22. Kaart 5 A2.
€ 678 60 93. Open ma-za 12.00-
15.00 uur, 19.30-23.30 uur. 🍴 🔇
AE, DC, MC, V, JCB. Ⓛ

Dit luxueuze toprestaurant is het adres voor liefhebbers van de Japanse keuken. Traditionele Japanse specialiteiten worden op elegante wijze geserveerd door behulpzame, deskundige obers. Bij de gerechten als *sashimi* (rauwe vis) en overheerlijke tempura kunt u saké, Japans bier of goede Italiaanse wijn drinken. De menu's tegen vaste prijzen zijn vooral goedkoop bij de lunch. Anders dan de meeste restaurants in Rome, is Sogo-Asahi in augustus geopend.

Hassler Roof Restaurant

Piazza Trinità dei Monti 6. Kaart 5 A2.
€ 678 26 51. Open ma-za 7.30-11.30
uur, 12.30-15.30 uur, 19.30-22.00
uur, zo 7.30-11.30 uur, 12.00-15.30
uur voor het diner. 🍴 🔇 AE, MC, V, JCB. Ⓛ

Dit dakrestaurant bevindt zich op de zesde etage van hotel Hassler. Van het restaurant heb u een adembenemende uitzicht over Rome. De wijnkaart is uitstekend en de bediening vlot en discreet. 's Avonds liggen de prijzen hoger en wordt er piano gespeeld.

CAMPO DE' FIORI

Al Pompiere

Via S. M. dei Calderari 38. Kaart 4 F5
& 12 D5. € 686 83 77. Open ma-za
12.00-16.00, 19.30-1.00 uur. Gesloten
laatste week juli & heel aug. 🍴 Ⓛ

Al Pompiere is gevestigd op de eerste etage van het 16de-eeuwse Palazzo Cenci-Bolognetti in het hart van de joodse wijk en is versiaaid met plafonds met fresco's en balken. In dit huiselijke hotel worden alle klassieke scholen van de stevige Romeinse keuken op vakkundige wijze geserveerd. Voorbeelden zijn gebakken courgette met ansjovis, *rigatoni con la pajata* en zuiglam.

Taverna Giulia

Vicolo dell'Oro 23. Kaart 4 D4 & 11 A2.
€ 686 97 86, 686 10 89. Open ma-
za 12.30-15.30 uur, 19.30-24.00 uur.
Gesloten aug. 🍴 🔇 AE,
DC, MC, V. Ⓛ

De gasten van de Taverna Giulia stellen de rustige behaaglijkheid van de oude eetzalen en discrete bediening evenzeer op prijs als de Genuese en Ligurische gerechten. Zalm- en mozzarella-canapés, *pansoti* (ravioli) in notensaus, stokvis *alla genovese* en crème brûlée worden gecomplementeerd door Ligurische wijnen en *Sciacchetrà* (dessertwijn) met amandelkoekjes.

Le Maschere

Via Monte della Farina 29.
Kaart 4 F5 & 12 D4. € 687 94 44.
Open di-zo 19.00-24.00 uur. 🍴 🔇
AE, DC, MC, V, JCB. Ⓛ

Als u door de ruimte, betegelde ingang loopt en afdaalt naar het rustieke terras met tien hoge rieten plafond, overdekte grill en spookachtig gewelfde muurmakers, lijkt het u op het plateland bent. De keuzen aan de tafels en het constante gerecemoes brengen u in een kalme stemming als voorbereiding op het scherpe Calabrische gerecht dat in aantocht is. Door de prettige bediening en de goede Calabrische huiswijn bent u verzekerd van een fijne avond.

Il Cardinale

Via delle Carceri 6. **Kaart** 4 D4 & 11 B3.
[686 93 36. **Open** ma-za 20.00-
23.30 uur. **Gesloten** aug. **V** 🚻 🍴
AE, MC, V. ⓁⓁⓁ

Dit kleine, elegante en gerieflijke
restaurant gebruikt voor zijn authentieke regionale gerechten de beste
ingrediënten van de Castelli Romani
en kan dan ook zeer worden aanbevolen. De gerechten variëren
van smakelijke stevige soepen tot
specialiteiten als *zucchine alla vel-
letrana* (gebakken courgettes) en
crema al cocco (kokoscrème). De
wijnen uit Lazio zijn bijzonder goed.

Il Drappo

Vicolo del Malpasso 9. **Kaart** 4 D4 &
11 B3. **[** 687 73 65. **Open** ma-za
12.00-15.00 uur, 20.00-24.00 uur.
Gesloten aug. 🍴 🚻 🍴 🍴
🍴 AE. ⓁⓁⓁ

Dit kleine, intieme restaurant is verfraaid met plafonddraperieën (vandaar de naam), planten en kaarslicht. Il Drappo serveert authentieke gerechten uit Sardinië, bereid
met culinaire creativiteit. Alles doet
hier aan het eiland denken, inclusief de wijn en de *seada* (zoete ravioli gevuld met kaas) als dessert.
Rond uw diner af met *mirtillo*-likeur.

Piperno

Via Monte de' Cenci. **Kaart** 4 F5 & 12 D5.
[68 80 66 29. **Open** di-za 12.30-15.00
uur, 20.00-23.00 uur, zo 12.30-15.00
uur. **Gesloten** aug., Kerstmis, Pasen.
🚻 🍴 AE, DC, MC, V. ⓁⓁⓁ

Piperno, in het hart van de joodse
wijk, is al meer dan een eeuw befaamd om zijn traditionele joods-
Romeinse schotels. Hoewel de
concurrentie groot is, is het restaurant nog steeds onovertroffen om
zijn licht gebakken courgettebloemen, *fritto misto* van groente, *carciofi alla giudia*, pens en vis. De
bediening is informeel, attent en
vlot. Als huiswijn schenkt Piperno
voortreffelijke Frascati. Reserveer
lang van tevoren.

Sora Lella

Via Ponte Quattro Capi 16, Isola
Tiberina. **Kaart** 8 D1. **[** 686 16 01.
Open ma-za 13.00-14.30 uur, 20.00-
22.40 uur. **Gesloten** 30 dagen in
aug. en sept. 🚻 ⓁⓁⓁ

Deze kleine, vrolijke trattoria is
geopend door de uitbundige actri-
ce Sora Lella, maar wordt nu beheerd door haar zoon Aldo. De
gerechten zijn gebaseerd op de
traditionele Romeinse keuken,
maar de prijzen zijn erg hoog voor
deze stijl van koken, die in wezen
eenvoudig is. Toch is het restaurant een bezoek waard vanwege

de prachtige ligging op het Isola
Tiberina, de glamoureuze clientèle
en de goede bediening.

Vecchia Roma

Piazza Campitelli 18. **Kaart** 4 F5 &
12 E5. **[** 686 46 04. **Open** do-di
13.00-16.00 uur, 20.00-23.30 uur.
Gesloten aug. **V** 🚻 🍴 🍴 🍴
AE, DC. ⓁⓁⓁ

Dit restaurant ligt aan een rustig,
sfeervol piazza en is 's zomers een
van de beste eetgelegenheden.
Het biedt de vertrouwde Romeinse
keuken, met attractieve antipasti,
eenvoudig bereide vis, gegrild
vlees en een wijnkaart voor con-
naisseurs. Specialiteiten: zomerse
salades en, 's winters, talloze varia-
ties op polenta. Het 18de-eeuwse
interieur en de prima bediening
maken uw avond nog aangenamer.

Camponeschi

Piazza Farnese 50. **Kaart** 4 E5 & 11 C4.
[687 49 27. **Open** ma-za 20.00-
1.00 uur. **Gesloten** 10 dagen aug. 🍴
🍴 🍴 AE, DC, MC, V.
ⓁⓁⓁⓁ

Camponeschi is gelegen aan een
van de fraaiste piazza's van Rome,
dat vooral in de zomer heel bekoor-
lijk is. De uitgebreide menukaart
bevat moderne en regionale Italiaanse gerechten, vis uit de Middellandse Zee, soufflés en verfijnde
Franse specialiteiten. Op de gevarieerde wijnkaart vindt u regionale,
Franse en Californische wijnen.

Da Patrizia e Roberto
del Pianeta Terra

Via Arco del Monte 94/95. **Kaart** 4 E5
& 11 C4. **[** 68 80 16 63. **Open** di-
zo 12.30-15.00 uur, 20.00-23.00 uur.
Gesloten aug. 🍴 🚻 🍴 ★ 🍴
AE, DC, MC, V, JCB. ⓁⓁⓁⓁ

Dit restaurant vindt u op de eerste
etage van een 14de-eeuws palazzo. Het serveert enkele van de
beste creatieve gerechten van
Rome en is een uitstekende keus
als u iets te vieren hebt. Aan de
menu's leest u Roberto's culinaire
vaardigheid en fantasie af. Patrizia
is een deskundige *sommelier* en
een attente gastvrouw. De welvoor-
ziene kelder staat vol uitnemende
Franse en Italiaanse wijnen.

Colline Emiliane

Via degli Avignonesi 22.
Kaart 5 B3. **[** 481 75 38. **Open** za-
do 12.30-14.45 uur, 19.30-22.45 uur.
Gesloten aug. 🚻 ⓁⓁ

Kenmerkend voor deze kleine fa-
milietrattoria zijn de regionale gerechten. Het restaurant bestaat uit

een eenvoudige zaal, die een welkom toevluchtsoord vormt voor de
nabijgelegen Via Tritone. Geniet
van de gerechten uit de noordelijke provincie Emilia Romagna: salami's en koude vleeswaren, eigengemaakte pasta's (tagliatelle,
tortellini), gekookt vlees met *salsa
verde* (saus van spinazie, ui en ansjovis) en Emiliaanse wijnen.

Al Moro

Vicolo delle Bollette 13. **Kaart** 5 A3 &
12 F2. **[** 678 34 95. **Open** ma-za
13.00-15.30 uur, 20.00-23.30 uur.
Gesloten aug. 🍴 ⓁⓁⓁ

Franco Romagnoli's trattoria is een
vertrouwd adres voor traditionele
Romeinse gerechten met louter lokale ingrediënten. De tafels in dit
rumoerige en drukke restaurant
staan dicht opeen en zetten niet
aan tot een intiem etentje. Al Moro
serveert klassieke schotels zoals
bucatini all'amatriciana, *spaghetti
alla Moro*, gebakken groente, *baccalà alla Moro* (stokvis), *abbacchio*.
Er is een uitgebreide wijnkaart.

Il Posto Accanto

Via del Boschetto 36A. **Kaart** 5 B4.
[474 30 02. **Open** ma-vr 12.30-
15.00 uur, ma-za 19.45-22.00 uur.
Gesloten aug. **V** 🚻 🍴 🍴
AE, DC, MC, V, JCB. ⓁⓁⓁ

Dit kleine, intieme en elegante
restaurant dankt zijn succes aan de
kleine menukaart met zorgvuldig
geselecteerde gerechten. Deze zijn
gebaseerd op eigengemaakte
pasta (voortreffelijke *taglioni con
asparagi* en *ravioli con zenzero* –
gember), eenvoudig bereide vis en
vlees, uitstekende groente en vertrouwde desserts (*tiramisù*), die
vaak worden bereid onder het
toeziend oog van de gasten. Grote
keus aan wijn, goede grappa's.

Quadrifoglio

Via del Boschetto 19. **Kaart** 5 B4.
[482 60 96. **Open** ma-vr 12.30-
15.00 uur, ma-za 20.00-24.00 uur.
Gesloten aug. 🚻 🍴 AE, DC.
ⓁⓁⓁ

Chef Pino Forlenza heeft vlijtig on-
derzoek gedaan om de authentieke, vakkundig bereide schotels uit
Napels, Campania en het uiterste
noorden van Afrika te kunnen bereiden. Ze worden geserveerd met
zuidelijk gastvrijheid en hoffelijke
bediening.

Gemma alla Lupa

Via Marghera 39. **Kaart** 6 E3.
[49 12 30. **Open** ma-za 19.00-
23.00 uur. **Gesloten** 20 juli-20 aug.
🍴 **V** 🚻 🍴 🍴 ⓁⓁ

Gemma is een bescheiden, typisch Romeins familiebedrijf, dat royale porties serveert van orthodoxe Romeinse gerechten. Het aantrekkelijkst zijn de bedrijvige sfeer en de vlotte bediening. De prijzen zijn laag, maar het eten is goed.

Coriolano

Via Ancona 14, Kaart 6 D1. (855 11 22. **Open** ma-za 12.00-15.00 uur, ma-za 20.00-23.00 uur, ma-vr 20.00-23.00 uur. **Gesloten** aug en uur in juli. AE, DC, MC, V.

Dit kleine restaurant streeft naar perfectie, met tal kanten tafelkleden en kristallen glazen. De Italiaanse menukaart wijzigt met het seizoen en er worden alleen verse rauwe ingrediënten gebruikt. Enkele specialiteiten zijn: *ravioli di ricotta e spinaci*, *capretto* (geitje) en romige *zuppa del contadino*.

ESQUILIJN

Agata e Romeo

Via Carlo Alberto 45, Kaart 6 D4. (446 11 15. **Open** ma-za 12.00-16.00 uur, 19.30-24.00 uur. **Gesloten** 2 weken aug, Kerstmis. AE, DC, MC, V.

De populariteit van dit nieuwe restaurant wordt helaas weerspiegeld door de hoge prijzen. Agata's vakzaligheid en een gevarieerde menukaart samen te stellen met vooral Romeinse en Zuiditaliaanse schotels, en Romeo's vlekkeloze bediening en zorgvuldig geselecteerde wijnen zijn verwend moeilijk te overtreffen. De tafels staan ver uit elkaar, dus u kunt hier rustig dineren. Het *menu degustazione* valt aan te bevelen.

Ciclardone

Via Merulana 77, Kaart 6 D5. (73 38 06. **Open** di-za 13.00-15.00 uur, 20.00-23.00 uur, zo 13.00-15.00 uur. **Gesloten** eind juli/begin aug.

Bel aan bij Ciclardone en uw gastheer, Domenico Lucia, begroet u als een oude vriend en vertelt u alles over de gastronomische heerlijkheden uit de regio Basilicata. Probeer het *menu di assaggini*, een aantal gerechten die u een idee geven van de regionale smaak, waaronder traditionele pasta's en warme chocolade-desesjes. Het restaurant serveert enkele bijzondere zuidelijke wijnen.

La Tana del Grillo

Via Alfieri 4, Kaart 4 E5. (731 64 41. **Open** di-za 12.30-14.30 uur, 19.30-23.00 uur, ma 19.30-23.00 uur. **Gesloten** aug. AE, DC, MC, V.

Dit elegante en gastvrije Emiliaanse restaurant wordt beheerd door Marisa Balboni. De gasten worden in de watten gelegd, van de gerieflijke stoelen, nasmakende prenten en het mooie tafelgerei tot de gezonde voeding en de heerlijke, zorgzame bediening. Vooral aan te bevelen zijn *polpettone all'emiliana* (gehaktbrood), *salame di sugo ferrarese* (salami uit Ferrara) en *cappelletti con la zucca* (pasta gevuld met pompoen).

Trattoria Monti

Via di San Vito 13A, Kaart 6 D4. (446 65 73. **Open** wo-ma 12.30-15.00 uur, 19.30-23.00 uur. **Gesloten** 18 aug-12 sept. AE, DC, V.

Hebt u flinke trek, meng u dan onder de vele enthousiaste vaste gasten in dit restaurant. De porties zijn groot, de bediening is traditioneel Italiaans en de bediening is vlot. De vis, schelp- en schaaldieren, vooral de garnalen, zijn uitstekend, maar er staat ook vlees op de kaart.

LATERAAN

Alfredo a Via Gabi

Via Gabi 36, Kaart 10 D3. (77 67 92. **Open** wo-ma 12.00-15.00 uur, wo-ma 19.30-23.00 uur. **Gesloten** aug.

Deze ruime lokale trattoria bezit een pergola op het trottoir, zodat u buiten kunt eten. Enkele specialiteiten die Rome en de Marche lekkerder maken: *tonnarelli ai sapori di bosco* (pasta met paddestoelen), uitstekende *porcini* (eekhoornbrood), in het seizoen), *straccetti all'ortica* (vlees met brandnetelsaus) en *panna cotta* (caramelcrème) met fruit of chocolade. De bediening is opgewekt en vriendelijk.

Cannavota

Piazza San Giovanni in Laterano 20, Kaart 9 C1. (77 50 07. **Open** do-zo 12.30-16.00 uur, 18.30-23.00 uur. **Gesloten** 1-20 aug. AE, DC, MC, V.

Deze kleine, eenvoudige trattoria serveert verfijnde regionale schotels uit de Marche. Franca Camerci kookt en haar man Mario is een zorgzame ober en een deskundige *sommelier*. Enkele specialiteiten: gevulde olijven, antisjokken en *ciauscolo* (salami); *tortello al rosso d'uova* (verse pasta met ricotta, spinazie en tomaat) en *clausolo* (salami).

Charly's Saucière

Via San Giovanni in Laterano 270, Kaart 9 B1. (736 66 66. **Open** ma-za 20.00-24.00 uur. **Gesloten** 2 weken aug. AE, MC, V.

Dit is een ouderwets, onopvallend en reeds lang beveiligd Frans restaurant, dat door de jaren nauwelijks is veranderd. Vooral op winteravonden is het hier warm en gezellig. U kunt kiezen uit vertrouwde Franse en Zwitserse gerechten: pâtés, uiensoep, kaassouflés, fondues, rösti, biefstuk met uiteenlopende sauzen en crêpes. U hebt keus uit een klein assortiment wijnen. De bediening is attent.

AVENTIJN

Perilli a Testaccio

Via Marmorata 39, Kaart 8 D3. (574 24 15. **Open** do-di 12.30-15.00 uur, 19.30-23.00 uur. **Gesloten** aug.

Deze klassieke Romeinse trattoria ligt in het hart van Testaccio en zit altijd vol hongerige stamgasten (en af en toe een bekende Italiaan). U kunt hier genieten van reusachtige porties stevige traditionele kost: *rigatoni alla pajata*, *spaghetti alla carbonara* (geserveerd in enorme schalen), *coda alla vaccinara* en *carciofi alla romana*. De bediening is behulpzaam en efficiënt. Let niet op het lawaai, het gebrek aan intimiteit en de afzichtelijke muurschilderingen, maar schuif aan en geniet.

Checchino dal 1887

Via di Monte Testaccio 30, Kaart 8 D4. (574 63 18. **Open** okt.-juni: di-za 12.30-15.00 uur, 20.00-23.00 uur, zo & ma 12.30-15.00 uur; juli & sept: do-za 12.30-15.00 uur, 20.00-23.00 uur. **Gesloten** 1 week rond Kerstmis, aug. AE, DC, MC, V.

Checchino is gespecialiseerd in het *quinto quarto* (slachtafval, pens, ingewanden en staart), oorspronkelijk afkomstig van het slachthuis aan de overkant. U vindt hier oude kloostertafels, gewelfde plafonds en 's winters brandt er een open haard. Ninetta Marani en haar twee zoons, de *sommeliers*, serveren traditionele *rigatoni con la pajata*, *coda alla vaccinara*, *crostata di ricotta*, een voortreffelijk kaasplankje en een voortreffelijk assortiment wijn. Bezoek de koele wijnkelder, die is uitgehouwen in de kunstmatige Monte de' Cocci (gemaakt van gebroken amfora's).

TRASTEVERE

Da Lucia
Vicolo del Mattonato 2B. **Kaart** 7 B1.
(580 36 01. **Open** di-zo 12.30-
15.00 uur, 19.30-23.30 uur. **Gesloten**
3 weken aug, 1 week rond Kerstmis.
🖪 📓 🎵 ①

Als u van de authentieke Romeinse
keuken houdt, ga dan naar deze
populaire trattoria nabij de Via
Garibaldi. De *pasta e ceci, baccalà,
pollo con i peperoni* (kip met paprika), gekookt vlees en, enigszins uit
de toon vallend, Milanese risotto
zullen u beslist niet teleurvallen.
De bediening is wat onverschillig,
de wijn niet echt bijzonder. 's Zomer
kunt u hier buiten dineren.

Da Paris
Piazza San Calisto 7A. **Kaart** 7 C1.
(581 53 78. **Open** di-za 12.30-
15.00 uur, 20.00-23.00 uur, zo 12.30-
15.00 uur. **Gesloten** aug. 🖪 📓 🎵
AE, DC, MC, V. ①①

Dit klassieke Romeins-joodse restaurant is een favoriet adres bij
kieskeurige eters in Trastevere.
Jole Capperlani's eigengemaakte
pasta en traditionele gerechten,
zoals *minestra di arzilla* (rog) en
trippa (pens) *alla romana*, zijn
een 'must'. De *fritto misto vegetale*
is uitmuntend en de vis is vers.
Ook de desserts zijn goed en er is
een uitgelezen wijnkelder.

Romolo nel Giardino della Fornarina
Via Porta Settimiana 8. **Kaart** 4 D5 &
11 B5. **(** 581 82 84. **Open** di-zo
12.00-15.00 uur, 19.30-24.00 uur.
Gesloten 3-26 aug. 🖪 📓 🎵 🍴
AE, DC, MC, V. ①① Zie blz. 210.

Dit is een welbekend adres in
Rome omdat, naar men zegt, La
Fornarina, Rafaëls beroemde mai-
tresse en model, hier heeft gewoond. Vooral op zomeravonden
heerst er een aangename sfeer. Het
buiten tuin bij kaarslicht in de ommuurde tuin bij de klanken van
een melancholieke gitaar. Het restaurant serveert Romeinse schotels
als gebakken mozzarella alla
Fornarina en cervella e carciofi
(hersenen en artisjokken).

La Taverna di Bambù
Via Santa Dorotea 2 (Piazza Trilussa).
Kaart 4 E5. **(** 580 60 65. **Open** di-
zo 12.00-15.00 uur, 19.00-24.00 uur.
Gesloten aug. ①①

Dit intieme Chinese restaurant is
beramd om zijn vers bereide gerechten, die in royale porties worden opgediend. Als concessie aan
de stad biedt het ook enkele specialiteiten die de Italianen aandoen (pizza
met uien). De authentieke Kanton-
ese schotels, zoals spare ribs, krokant rund-
vlees in scharrelspek-saus, smaken opmerkelijk Italiaans en de
zorgvuldig samengestelde Italiaan-
se wijnkaart past er uitstekend bij.

La Cornucopia
Piazza in Piscinula 18. **Kaart** 8 D1.
(580 03 80. **Open** ma-za 1.00-
15.30 uur, 20.00-24.00 uur. **Gesloten**
8 aug, 8-9 sept. 🖪 📓 🎵 🍴 AE, DC
MC, V. ①①

Een van de betere visrestaurants in
Trastevere. In de zomer kunt u comfortabel buiten eten op het plein.
De gerechten zijn onmiskenbaar
mediterraan, waaronder uitstekende antipasti, bijzondere pasta, eenvoudig klaargemaakte vis zoals
spigola al vapore (gestoomde zee-
baars) en natuurlijk vlees. Het leed
van de rekening wordt verzacht
door de witte huiswijn (Castelli).

Peccati di Gola
Piazza dei Ponziani 7A. **Kaart** 8 D1.
(581 45 29. **Open** di-zo 12.30-15.00
uur, 20.00-23.00 uur. **Gesloten** 10
dagen jan, 10-15 dagen aug. 🖪 📓
🎵 🍴 AE, DC, MC, V, JCB. ①①

Peccati di Gola ('gulzigheid') is gelegen aan een stil, met klimop begroeid piazza. Het restaurant is ge-
rornd om zijn Calabrische en mediterrane vis. U kunt hier overheerlijke antipasti krijgen en een aanlokkelijke keuze aan verse schelp-
en schaaldieren, risotti en vis.

Cul de Sac 2
Vicolo dell'Atleta 21. **Kaart** 8 D1.
(581 33 24. **Open** di-vr 20.00-
23.00 uur, za 20.00-23.30 uur, zo
12.30-14.30 uur. **Gesloten** aug. 🖪
🎵 🍴 AE, DC, MC, V. ①①①

Cul de Sac 2 is tegenwoordig het
mekka van de wijnliefhebbers
(met meer dan 650 etiketten om
uit te kiezen) én het stijlvolste en
vernieuwendste restaurant van de
stad. Guy, de chef, creëert Frans
georiënteerde pasta, vis, vlees,
buitengewoon goed wildbraad en
desserts. Tot de attracties van deze
zaak horen ook de magnifieke lokatie, de witte zalen vol antiek en
de attente bediening.

Tentativo
Via della Luce 5. **Kaart** 8 D1.
(589 52 34. **Open** ma-za 20.30-1.30
uur. **Gesloten** aug. 🖪 📓 🎵 🍴
AE, DC, MC, JCB. ①①①①①

De volledige, intrigerende en am-
bieuze naam van dit restaurant
luidt *Tentativo di descrizione di un
banchetto a Roma* (poging om een
Romeins feestmaal te beschrijven).
Dit duidt op de ambities van dit
verflinde, intieme restaurant met
zijn exclusieve, ultramoderne interieur. De creatieve nouvelle cuisine combineert een avontuurlijke,
maar weldoordachte selectie smaken. De bediening is discreet, beleefd en attent.

JANICULUM

Al Tocco
Via San Pancrazio 1, Piazzale Aurelio 7.
Kaart 1 A1. **(** 581 52 74. **Open** di-
zo 13.00-16.00 uur, 20.00-24.00 uur.
Gesloten 18-30 aug. 🖪 📓 🎵 🍴
AE, DC, MC, V. ①①①

Danilo Albanesi is erin geslaagd
om in dit fraaie 15de-eeuwse, met
woonhuis te scheppen. Hier
brengt hij oude culinaire tradities
van het Toscaanse Maremma tot
leven: heerse soepen, vis, gegrilde
gerechten en eenvoudige, maar
overheerlijke desserts. Probeer ook
de zorgvuldig geselecteerde,
hoofdzakelijk Toscaanse, wijnen.

Alberto Ciarla
Piazza San Cosimato 40. **Kaart** 7 C1.
(581 86 68. **Open** ma-za 13.00-
15.00 uur, 20.30-24.00 uur. **Gesloten**
15 dagen aug, 15 dagen jan. 🖪 📓 🎵 🍴
AE, DC, MC, V, JCB. ①①①①

Dit is het restaurant voor vislief-
hebbers die zwemmen in het geld.
Kaarslicht verzacht het elegante,
opvallend donkere interieur. De
perfect bereide schotels lopen uiteen van traditioneel tot vernieu-
wend. De inkoper maakt op de
markt een zorgvuldige keus uit het
geboden vis. U kunt hier ook enkele
vernieuwende vleesschotels krijgen. Ciarla, de president van de
Italiaanse *sommeliers*, zorgt voor
een uitzonderlijk goede wijnkaart
met veel Franse en Californische
wijnen.

VATICAAN

Tavola d'Oro
Via Marianna Dionigi 37. **Kaart** 4 E2.
(321 26 01. **Open** ma-za 13.00-
15.00 uur, 19.00-23.00 uur. **Gesloten**
half aug, tot half sept. 🎵 📓 V ①

Dit is een stukje Sicilië in Rome. In
de Siciliaanse sfeer van een rumoe-
rig zaaltje zonder overbodige luxe
wacht een bonte mengeling van
gasten vol verlangen op de royale
Siciliaanse gerechten, die haast
onder hun neus worden bereid.
Specialiteiten: *caponata* (aubergi-
nepuree), *arancini di riso* (rijstkroketten), *pasta con le sarde* (met
sardines), zwaardvis en *involtini*
(vleesrolletjes).

Verklaring van de symbolen blz. 303

VILLA BORGHESE

Al Ceppo
Via Panama 2. Kaart 2 F3.
☎ 841 96 96. **Open** do-zo 12.30-
15.00 uur, 20.00-23.00 uur. **Gesloten**
3 weken aug.
🏠 💳 ★ AE, DC, MC, V, JCB. ⓛⓛⓛ

Cristina en Marisella Milozzi, twee zusters uit de Marche, hebben in twintig jaar een trouwe cliëntele voor zich weten te winnen in deze exclusieve wijk van Rome. De gasten komen niet af op de gerechten die altijd een op de gastvrije, maar toch verfijnde huiselijke sfeer. Het menu volgt uitsluitend het seizoen en is geconcentreerd op traditionele schotels met enkele moderne snufjes, en daarnaast uitstekend gegrild vlees, eigengemaakte desserts en Italiaanse wijnen.

Relais la Piscine dell'Aldrovandi Palace Hotel
Via G Mangili 6. Kaart 2 D4.
☎ 321 61 26. **Open** ma-za 12.30-
15.00 uur, 19.30-23.00 uur. **Gesloten**
🏠 💳 🛎 🍴 ★ AE, DC, MC, V. ⓛⓛⓛⓛ

Het onaanklankelijke restaurant van het Aldrovandi Palace Hotel is vooral 's zomers erg fraai, als alle tafels vlak worden gezet op het terras bij het zwembad. Jean Luc Ferrat, de jonge Bretonse chef, maakt een uitmuntende, typisch mediterrane nouvelle cuisine klaar, waarbij hij uitstekende vis, vlees, groenten en kruiden gebruikt. Voorts een onberispelijke bediening, heerlijke desserts en een zeer uitgebreide wijnkaart. Zakenlunches zijn specialiteit.

Relais le Jardin dell'Hotel Lord Byron
Via Giuseppe de Notaris 5.
Kaart 2 D4. ☎ 322 45 41. **Open**
ma-za 12.30-14.30 uur, 20.00-23.00
uur. **Gesloten** half aug.
🏠 💳 🍴 🛎 ★ AE, DC, MC, V, JCB. ⓛⓛⓛⓛⓛ

Voor velen is dit het beste restaurant van Rome. Het is gelegen in de rustige, exclusieve en groene wijk Parioli. De gasten worden niet afgeschikt door de torenhoge prijzen. Uitstekende bediening en briljante chef haalt zijn inspiratie uit de traditionele *haute cuisine* en *bauïe cuisine* op zijn best. De briljante chef haalt zijn inspiratie voornamelijk uit de traditionele Italiaanse regionale keuken en maakt creatieve combinaties met fruit, kruiden en groente met vis. Tot slot kunt u eigengemaakte deserts de voortreffelijke vlees en vis. De wijnkaart met Franse, Italiaanse en Californische wijnen is uitzonderlijk goed.

Andrea
Via Sardegna 26. Kaart 5 C1.
☎ 482 18 91, 474 05 57. **Open** di-
za 12.00-15.00 uur, 20.00-23.00 uur,
ma 20.00-23.00 uur. **Gesloten** aug.
🏠 💳 🍴 ★ AE, DC, MC, V, JCB. ⓛⓛⓛⓛ

Dit prettige, verfijnde restaurant serveert een geweldig assortiment antipasti, variërend van bescheiden *supplì* (rijstkroketten) tot vorstelijke kreeft. Probeer deze in de *insalata catalana*). Houd wat plaats over voor de imposante keuze en tweede gangen van het seizoen en de desserts. Een uitgebreide keuze aan Franse en Italiaanse wijnen completeert de maaltijd.

San Benedetto
Via Romagna 20-22. Kaart 5 C1.
☎ 474 07 87, 488 28 20. **Open** okt-
maart: di-za 12.30-16.00 en 19.30-
22.30 uur, april-sept: ma-vr 12.30-
16.00 uur, 19.30-22.30 uur. **Gesloten**
10-22 aug, Kerstmis-Nieuwjaar.
🏠 💳 🛎 AE, DC, MC, V. ⓛⓛⓛⓛ

Dit restaurant van Pier Luigi Camisconi is geïnspireerd op San Benedetto del Tronto in de Marche. Lokale vis wordt hier vakkundig bereid *alla marchigiana*, en eenvoudige gebakken en gegrilde vis krijgen. Neem tot slot een fruitig dessert, uitstekende kaas en dessertwijn uit de Marche.

George's
Via Marche 7. Kaart 5 B2.
☎ 48 45 75 04. **Open** ma-za 12.30-
15.00 uur, 19.30-2.00 uur. **Gesloten**
aug.
🏠 💳 🍴 🛎 ★ AE, DC, MC, V, JCB. ⓛⓛⓛⓛⓛ

Bezoek dit fossiel uit het tijdperk van het *dolce vita*, om de nostalgische air van luxe elegantie, de zacht verlichte zalen, het terras, de pianomuziek en de onberispelijke bediening. George's serveert aanlokkelijke en vakkundig bereide gerechten en een goed assortiment Franse en Italiaanse wijnen.

Le Sans Souci
Via Sicilia 20. Kaart 5 C1.
☎ 482 18 14. **Open** di-zo 20.00-
14.00 uur. **Gesloten** aug.
🏠 💳 🍴 ★ AE, DC, MC, V, JCB. ⓛⓛⓛⓛⓛ

Dit restaurant is tegenwoordig een goede vertegenwoordiger van de uitgebreide Franse en Italiaanse keuken. Het interieur is zwaar met goud, met 17de-eeuwse vergulde spiegels en kroonluchters. In de verfijnde ontvangkamer kunt u een aperitief drinken en de menukaart en magnifieke wijnkaart raadplegen.

VIA VENETO

Cantina Cantarini
Piazza Sallustio 12. Kaart 5 C2.
☎ 48 55 28. **Open** ma-za 12.00-
15.00 uur, 19.00-24.00 uur. **Gesloten**
aug. 🏠 💳 AE, DC, MC, V, JCB. ⓛ

Deze populaire trattoria ligt verscholen aan een klein plein en valt op door de opgewekte drukte van de obers. Van maandag tot woensdag staat er vlees op het menu, de rest van de week vis. Typische gerechten uit de Marche: De *pitto misto* van groente en kalfsvlees is verbazend licht.

Giovanni
Via Marche 64. Kaart 5 B1.
☎ 482 18 34. **Open** zo-do 13.30-
15.00 uur. **Gesloten** aug.
🏠 🍴 AE, V. ⓛⓛⓛ

Dit klassieke, lang gevestigde restaurant trekt tal van tevreden stamgasten. Giovanni wordt beheerd door de familie Sbrega; er is een sterke invloed uit Lazio en de Marche. Het restaurant serveert verse pastagerechten zoals *tagliolini all'amatriciana*, groentesoepen, kip met rijst, onovertroffen geroosterd lamsvlees, *osso buco*, verse vis en *millefeuilles*. De huiswijn is goed.

Tullio
Via San Nicola da Tolentino 26.
Kaart 5 B2. ☎ 481 85 64. **Open**
ma-za 12.30-15.30 uur, 19.30-13.00
uur. **Gesloten** aug.
🏠 💳 AE, DC, MC, V, JCB. ⓛⓛⓛ

Dit authentieke Toscaanse restaurant wordt bezocht door een enthousiaste cliëntele vanwege de royale porties en redelijke prijzen. Typische gerechten zijn *porcini* (eekhoorntjesbrood), *pasta e fagioli*, gegrild vlees en vis en Florentijnse biefstuk. Dit alles wordt opgediend door beleefde, vlotte obers in een aangenaam interieur.

San Luigi
Via Mocenigo 10. Kaart 3 B2.
☎ 39 72 07 04. **Open** ma-za 12.30-
15.00 uur, 20.00-23.00 uur. **Gesloten**
aug. 🏠 🍴 💳 🛎 AE, MC, V. ⓛⓛⓛ

Als u een uren hebt doorgebracht in de Vaticaanse Musea, dan is dit rustgevende restaurant met zijn 19de-eeuwse interieur en zachte muziek een weldaad voor uw zere voeten. Als lunch is er een menu tegen vaste prijzen en 's avonds hebt u keus uit traditionele Napolitaanse en creatieve gerechten. Vooral de pasta's en desserts zijn een succes. San Luigi schenkt goede wijnen.

Lichte maaltijden en snacks

Waar moet u heen als u een informeel hapje wilt eten? In Rome kunt u bijna 24 uur per dag de inwendige mens versterken. De stad beschikt over een uitgebreid netwerk van *gelatie, pasticcerie,* pizzeria's, wijnbars, *rosticcerie* en *tavole calde,* wat inhoudt dat er in de buurt altijd wel iets te eten of te drinken is. Begin met een klassiek ontbijt bij uw lokale bar, waar u staande een cappuccino en een warme *cornetto* (soort croissant) neemt. Na een hele ochtend sightseeën bent u wellicht toe aan een aperitief in een van de elegante 19de-eeuwse bars, gevolgd door een lunch in een wijnbar of een snack op zijn Romeins. 's Middags kunt u koffie en gebak nuttigen in een *pasticceria,* en 's avonds vermaakt u zich in één van de vele bars met een drankje of een ijsje.

Pizzeria's

Als u in Rome informeel wilt eten, dan liggen pizzeria's natuurlijk voor de hand. Ze zijn lawaaierig, levendig en leuk. De meeste zijn alleen 's avond geopend. Dan branden de houtovens en de kolen gloeien gezellig tot de laatste de bestelling is gedaan. Let op het bord *forno a legna* (op hout gestookte oven) want in elektrische ovens worden de pizza's lang niet zo goed. In de beste pizzeria's zit u in zicht van de grote marmeren platen waar de *pizzaioli* het deeg plat maken en de pizza's in en uit de oven schuiven. Men heeft hier het liefst dat u niet al te lang blijft hangen.

De volgorde is eenvoudig: u begint met een *bruschetta* (geroosterde brood met tomaat of knoflook) en enkele *suppli* (rijstkroketten), gebakken courgettebloemen of *filetti di baccalà* (kabeljauwfilets), of anders een bord *cannellini*-bonen in olie. Ga verder met een *calzone* (dubbelgevouwen pizza) of een klassieke Romeinse pizza – rond, dun en knapperig – met verscheidene garneringen: *napoletana* (tomaat, ansjovis, mozzarella), *margherita* (zonder de ansjovis), *capricciosa* (ham, artisjokken, eieren, olijven) en wat de *pizzaiolo* al niet meer op de kaart heeft. Hier drinkt men van oudsher tapbier bij, maar u kunt ook altijd wijn krijgen. Voor een maaltijd betaalt u rond L 15.000 per persoon. De representatiefste pizzeria's van Rome, in elk opzicht, zijn **Da Baffetto** (te herkennen aan de rij wachtenden buiten) en zijn nakomeling **La Montecarlo**, alsmede **Remo** in Testaccio en **Ivo** in Trastevere, waar 's zomers de tafels buiten staan. **Osteria Picchioni** en het restaurant annex pizzeria **Manula** maken uitgebreide, dure combinaties klaar. Een pizzeria waar u nauwelijks omheen kunt, is **Panattoni**, waar 's zomers een lange rij gasten geduldig staat te wachten om een plaats op de stoep van de Viale Trastevere te bemachtigen of om binnen hun stem te verheffen voor een van de tafels met marmeren bladen (vandaar de bijnaam 'het mortuarium').

Enoteche (wijnbars)

Enoteche bieden een goed assortiment wijnen uit Italië en de rest van de wereld. Ze worden gewoonlijk beheerd door experts, die u graag informatie en advies geven over de beste combinaties van wijn en eten. Sommige *enoteche* zijn gewoon winkels waar u kunt rondkijken. Andere zaken, zoals **Achilli al Parlamento** en **Bevitoria Navona** bieden het traditionele *mescita*: wijnen champagneproeven per glas. Hier worden hapjes en canapés bij gegeten. De prijzen zijn redelijk: ongeveer L 1500 voor een glas getapte wijn, L 3000 en hoger voor kwaliteitswijn, tot zo'n L 8000 voor champagne. **Vineria Regio** in Campo de' Fiori is een typisch adres voor *mescita,* vooral 's avonds. Hier zitten zakenlieden, buurtbewoners en toeristen door elkaar om van een aperitief te genieten of een fles wijn soldaat te maken.

Voor steviger maaltijden voor slechts L 20-25.000 per persoon kunt u naar de *enoteche* in bistro- of restaurantstijl. Deze gaan met lunchtijd open en sluiten pas laat. Vooral aan te bevelen zijn **Cul de Sac 1**, **Trimani Wine Bar**, het kleine **Il Tajut**, dat specialiteiten uit Friuli serveert, en **Cavour 313**.

Birrerie (bierhuizen)

De Romeinse *birrerie* hadden hun hoogtijdagen in het begin van deze eeuw. De paar *birrerie* die de concurrentie van de pizzeria's en *enoteche* hebben overleefd, behoren tot de betere zaken. Dit zijn bierhuizen in Duitse stijl, waar u kunt genieten van bier en stevige hapjes in traditionele houten zalen. De rustige **Premiata Fabbrica Birra Peroni**, die klassieke bierdrinkerskost aanbiedt, is een bezoek waard vanwege de authentieke decadentie van rond de eeuwwisseling en hetzelfde geldt voor het altijd drukke **Fratelli Tempera**. Een andere gelegenheid waar zowel Italianen als toeristen komen, is de **Birreria Vienese/Wiener Bierhaus**, met zijn uitstekende Transsylvaanse specialiteiten, die in royale porties krijgt voorgeschoteld. Een maaltijd hier of in de **Birreria Bavarese** gaat u ongeveer L 30-50.000 kosten. Elders bent u goedkoper uit als u zich meer op het bier concentreert.

Snacks

U kunt in Rome kiezen uit tal van eenvoudige snacks, als u vlug en voor weinig geld wilt eten. Punten versgebakken pizza zijn voor een paar duizend lire verkrijgbaar bij *pizza al taglio*-winkels. Veel van deze zaken verkopen ook aan het spit geroosterde kip, *supplì* en andere traditionele pizzeriakost. *Rosticcerie* verkopen vaak verrukkelijke geroosterde kip met aardappels en tevens kant-en-klare pastagerechten, gekookte groenten, salades en desserts – erg handig voor een picknick of als volledige afhaalmaaltijd. Als u de hapjes ter plekke wilt opeten, ga dan naar bars met een *tavola calda* (warme tafel). Een van de grootste en populairste is **Il Delfino** in de Largo Argentina. Vegetariërs richten hun schreden naar het **Centro Macrobiotico** nabij het Piazza di Spagna. **McDonald's** op het Piazza di Spagna biedt ook een goed assortiment verse gemengde salades. De meeste *alimentari* (kruideniers) maken een *panino* (gevuld broodje) voor u klaar. Erg lekker zijn de warme pizza-enveloppen met vulling naar keuze van **Paladini**, die u aan de toonbank kunt krijgen. U kunt er een glas wijn bij drinken. Ziet u het opschrift *porchetta*, probeer dan een van de specialiteiten van de streek: geroosterd varken met kaantjes, in plakken op *rosette* (broodjes) of dikke sandwiches van boerenbrood. Bij de tramhalte in de Viale Carlo Felice vindt u een goede kraam die dit lekkers verkoopt. In het kleine **Er Buchetto** kunt u zelfs betrekkelijk comfortabel zitten met een glas wijn. Als u een typisch Romeinse snack wilt, maak dan een uitstapje naar **Filetti di Baccalà**, waar men, zoals de naam al doet vermoeden, gebakken kabeljauwfilet serveert en ook niet veel anders.

BARS, CAFÉS EN TEAROOMS

In Rome draai het leven om de bars. Hier gaat men heen om anderen te ontmoeten, te eten, te drinken, melk te halen, te telefoneren en van het toilet gebruik te maken. Sommige van deze gelegenheden zijn kleine, eenvoudige bars met een toonbank, waar u staande snel een *cornetto* en cappuccino

naar binnen kunt werken. Andere zijn luxere pompeuze zaken die tevens dienst doen als gebakswinkel, ijssalon, theesalon of *tavola calda*, of alles tegelijk. De meeste gaan rond 7.30 uur open en sluiten laat, vooral in het weekeinde, rond middernacht of om 2.00 uur. 's Zomers staan er tafels buiten op ieder beschikbaar plekje en wordt er onder de gasten een ware strijd geleverd om een plaats in de schaduw.

Traditionele stijlvolle, en prijzige, bars waar u anderen kunt observeren, zijn **Rosati** en **Doney**, schitterend gelegen, **Café Greco**, het 18deeeuwse trefpunt van kunstenaars, schrijvers en componisten *(blz. 133)*, of het zorgvuldig gerestaureerde **La Caffettiera** bij het Pantheon. Een andere populaire en oude bar is het **Antico Caffè della Pace**. **Minim's de Paris**, **Caffè Flores** (pianomuziek) en **Selarum** in Trastevere zijn goede adressen voor wie laat op de avond iets wil drinken. **Zodiaco** op de Monte Mario is ook een bezoek waard vanwege het panoramische uitzicht.

Vroeger op de dag zijn tearooms geliefd als trefpunt. In **Babington's** *(blz. 134)* kunt u in een elegante omgeving een duur kopje thee drinken met gebak. In **Dolci e Doni** is de sfeer iets ontspannener. Ga naar **Sant'Eustachio** voor een *gran caffè speciale* of naar **Tazza d'Oro** voor een van de beste espresso's van Rome. **Ciampini al Café du Jardin**, met zijn tuin en prachtig uitzicht, is 's zomers zeer aan te raden, vooral tijdens het aperitiefuurtje. Hetzelfde geldt voor **Bar Parnasso** in Parioli. Museumcafés zijn zelden geopend of een bezoek waard. Het café van het **Palazzo delle Esposizioni**, waar u de gehele dag terecht kunt, is echter een prettige uitzondering *(blz. 164)*. Kunt u moeilijk een keuze maken, ga dan naar één van de voornamere, grotere bars, zoals **Alemagna**, waar u kunt staan, zitten, eten en drinken op ieder moment van de dag tot laat op de avond.

PASTICCERIE (BANKETBAKKERS)

Op zondagmorgen ziet u vaak Romeinen uit de plaatselijke *pasticceria* komen met een mooi pakketje. Hier zitten gebakjes in of hele cakes of taarten, traditionele *colombe* (duiven) met Pasen of *panettoni* (grote cakes met rozijnen en sukade) met Kerst, die ze na de lunch eten met vrienden en familieleden. De etalages van de Romeinse banketbakkers zien er vaak fantastisch uit. Die aanblik en het aroma van vers gezette koffie kunnen u misschien verleiden tot een warme *cornetto* of een *brioche* in de vroege ochtend, een *pizzetta* of hartige taart tussen de middag, of soesjesdeeg of vruchtentaart later op de dag.

GELATERIE (IJSSALONS)

IJs *(gelato)* is een zomerse lekkernij en nergens gaat dit zo op als in Rome. Iedere goed uitgeruste bar heeft bakken met eigengemaakt ijs en in de *gelaterie* hebt u een eindeloze keus, zoals waterijs met talloze soorten fruit, citroen- en koffie-*granite* (fijngestampt ijs) en exotischere specialiteiten als rijst, *zuppa inglese* (gekoelde cake met likeur), *zabaglione*, *tiramisù* en After Eight. Kies net zo veel smaken als er in uw hoorn of bekertje passen, en laat er slagroom *(panna)* op doen. Maak dan een wandelingetje of ga even zitten, dan krijgt u een ijscreatie aan tafel geserveerd. **Tre Scalini** aan het Piazza Navona is een beroemd adres voor prijzige, maar hemelse chocolade-*tartufo*. Een zomeravond in EUR, vooral als er kinderen bij zijn, eindigt bijna altijd in **Giolitti**, een historische naam in de ijswereld. Probeer ook het strategisch gelegen origineel bij het Pantheon *(blz. 109)*, waar ook koffie en gebak wordt geserveerd. In deze buurt vindt u ook de populaire **Gelateria della Palma**. Volwassenen trakteren zichzelf misschien liever later op de avond op ijs in het **Chalet del Lago**, ook in EUR, om dit aan het meer op te eten.

ADRESSEN

FORUM

Pizzeria's
Alle Carrette
Vicolo delle Carrette 14.
Kaart 5 B5.

PIAZZA DELLA ROTONDA

Pizzeria's
Barroccio
Via dei Pastini 13.
Kaart 4 F4 & 12 D2.

Er Faciolaro
Via dei Pastini 123.
Kaart 4 F4 & 12 D2.

Wijnbars
Achilli al Parlamento
Via dei Prefetti 15.
Kaart 4 F3 & 12 D1.

Corsi
Via del Gesù 88.
Kaart 4 F4 & 12 E3.

Spiriti
Via di Sant'Eustachio 5.
Kaart 4 F4 & 12 D3.

Snacks
Fiocco di Neve
Via del Pantheon 51.
Kaart 4 F4 & 12 D2.

Bars, cafés en tearooms
La Caffettiera
Piazza di Pietra 65.
Kaart 4 F3 & 12 E2.

Camilloni
Piazza Sant'Eustachio 54.
Kaart 4 F4 & 12 D3.

Ciampini
Piazza S. Lorenzo in Lucina
29. **Kaart** 4 F3 & 12 D1.

Sant'Eustachio
Piazza Sant'Eustachio 82.
Kaart 4 F4 & 12 D3.

Tazza d'Oro
Via degli Orfani 82/84.
Kaart 4 F4 & 12 D2.

Teichner
Piazza S. Lorenzo in Lucina
17. **Kaart** 4 F3 & 12 E1.

IJssalons
Gelateria della Palma
Via della Maddalena 20.
Kaart 4 F3 & 12 D2.

Giolitti
Via Uffici del Vicario 40.
Kaart 4 F3 & 12 D2.

PIAZZA NAVONA

Pizzeria's
Da Baffetto (Volpetti)
Via del Governo Vecchio
114. **Kaart** 4 E4 & 11 B3.

Corallo
Via del Corallo 10.
Kaart 4 E4 & 11 B3.

La Montecarlo
Vicolo Savelli 12/13.
Kaart 4 E4 & 11 C3.

Wijnbars
Bevitoria Navona
Piazza Navona 72.
Kaart 4 E4 & 11 C2.

Cul de Sac 1
Piazza Pasquino 73.
Kaart 4 E4 & 11 C3.

Snacks
Paladini
Via del Governo Vecchio
28/29. **Kaart** 4 E4 & 11 B3.

Bars, cafés en tearooms
Antico Caffè della Pace
Via della Pace 5.
Kaart 4 E4 & 11 C3.

Banketbakkers
A Bella Napoli
Corso Vittorio Emanuele II
246. **Kaart** 4 E4 & 11 B3.

IJssalons
Tre Scalini
Piazza Navona 28.
Kaart 4 E4 & 11 C3.

PIAZZA DI SPAGNA

Pizzeria's
La Capricciosa
Largo dei Lombardi 8.
Kaart 4 F2.

Il Leoncino
Via del Leoncino 28.
Kaart 4 F2.

Wijnbars
Buccone
Via di Ripetta 19.
Kaart 4 F1.

Roffi Isabelli
Via della Croce 76 A.
Kaart 5 A2.

Bierhuizen
Birreria Bavarese
Via Vittoria 47. **Kaart** 5 A2.

Birreria Viennese/
Wiener Bierhaus
Via della Croce 21.
Kaart 5 A2.

Snacks
Centro Macrobiotico
Via della Vite 14.
Kaart 5 A3.

Fior Fiore
Via della Croce 17/18.
Kaart 5 A2.

McDonald's
Piazza di Spagna 46.
Kaart 5 A2.

Bars, cafés en tearooms
Alemagna
Via del Corso 181.
Kaart 5 A3.

Babington's Tea Rooms
Piazza di Spagna 23.
Kaart 5 A2.

Caffè Greco
Via Condotti 86.
Kaart 5 A2.

Ciampini al Café
du Jardin
Piazza Trinità dei Monti.
Kaart 5 A2.

Dolci e Doni
Via delle Carrozze 85 B.
Kaart 4 F2.

Rosati
Piazza del Popolo 5.
Kaart 4 F1.

Banketbakkers
Krechel
Via Frattina 134.
Kaart 5 A2.

IJssalons
Minim's de Paris
Via di Propaganda 26 A.
Kaart 5 A2.

CAMPO DE' FIORI

Wijnbars
Bottega del Vino
da Bleve
Via Santa Maria del Pianto
9 A/11.
Kaart 4 F5 & 12 D5.

Il Goccetto
Via dei Banchi Vecchi 14.
Kaart 4 D4 & 11 B3.

Vineria Reggio
Piazza Campo de' Fiori 15.
Kaart 4 E4 & 11 C4.

Snacks
Il Delfino
Corso Vittorio Emanuele II
67. **Kaart** 4 F4 & 12 D4.

Filetti di Baccalà
Largo dei Librari 88.
Kaart 4 E5 & 11 C4.

Da Giovanni
Piazza Campo de' Fiori 39.
Kaart 4 E4 & 11 C4.

Bars, cafés en tearooms
Alberto Pica
Via della Seggiola 12.
Kaart 4 F5 & 12 D5.

Caffè Flores
Lungotevere dei Vallati
25/27. **Kaart** 4 E5 & 11 C5.

Banketbakkers
Bernasconi
Largo di Torre Argentina 1.
Kaart 4 F4 & 12 D4.

La Dolceroma
Via del Portico d'Ottavia
20 B. **Kaart** 4 F5 & 12 E5.

Il Forno del Ghetto
Via del Portico d'Ottavia 2.
Kaart 4 F5 & 12 E5.

QUIRINAAL

Pizzeria's
Est! Est! Est!
Via Principe Amedeo 4A.
Kaart 6 D3.

I Rioni
Via dei SS. Quattro
Coronati 24. **Kaart** 9 B1.

Wijnbars
Cavour 313
Via Cavour 313.
Kaart 5 B5.

Bierhuizen
Albrecht
Via Rasella 52. **Kaart** 5 B3.

Fratelli Tempera
Via San Marcello 19.
Kaart 5 A4 & 12 F3.

Snacks
Bar del Palazzo del
Yogobar
Via Mazzarino 8 - 10.
Kaart 5 B4.

Er Buchetto
Via del Viminale 2.
Kaart 5 C3.

McDonald's
Piazza della Repubblica
40. **Kaart** 5 C3.

Nadia e Davide
Via Milano 33.
Kaart 5 B4.

Bars, cafés en tearooms
Palazzo delle Esposizioni
Via Milano 9.
Kaart 5 B4.

TERMINI

Pizzeria's
La Bruschetta
Via Ancona 35.
Kaart 6 D1.

Formula 1
Via degli Equi 13.
Kaart 6 F4.

Le Maschere
Via degli Umbri 8/14.
Kaart 6 F4.

Wijnbars
Trimani Wine Bar
Via Cernaia 37B.
Kaart 6 D2.

Bierhuizen
Premiata Fabbrica Birra Peroni
Via Brescia 24/32.
Kaart 6 D1.

Banketbakkers
La Partenopea
Via Appia Nuova 198.
Kaart 10 E3.

ESQUILIJN

Pizzeria's
Osteria Picchioni
Via del Boschetto 16.
Kaart 5 B4.

Bierhuizen
Marconi
Via di Santa Prassede 9C.
Kaart 6 D4.

Snacks
Cottini
Via Merulana 286.
Kaart 6 D4.

Palazzo del Freddo di Giovanni Fassi
Via Principe Eugenio 65/67.
Kaart 6 E5.

Bars, cafés en tearooms
Ristoro della Salute
Piazza del Colosseo 2.
Kaart 9 A1.

LATERAAN

Snacks
Viale Carlo Felice Porchetta Stall
Viale Carlo Felice.
Kaart 10 D1.

IJssalons
Premiate Gelaterie Fantasia
Via La Spezia 100/102.
Kaart 10 E1.

AVENTIJN

Pizzeria's
Remo
Piazza Santa Maria
Liberatrice 44. **Kaart** 8 D3.

Taverna Cestia
Via della Piramide Cestia
67. **Kaart** 8 E3

Wijnbars
Palombi
Piazza Testaccio 38/41.
Kaart 8 D3.

TRASTEVERE

Pizzeria's
Almacrì
Via F. Benaglia 3.
Kaart 7 B4.

Da Gildo
Via della Scala 31A.
Kaart 4 D5 & 11 B5.

Ivo
Via di San Francesco a
Ripa 158. **Kaart** 7 C1.

Panattoni
Viale Trastevere 53.
Kaart 7 C1.

Ar Popi Popi
Via delle Fratte di
Trastevere 45. **Kaart** 7 C1.

Da Vittorio
Via di San Cosimato 14A.
Kaart 7 C1.

Wijnbars
Il Cantiniere di Santa Dorotea
Via di S. Dorotea 9.
Kaart 4 D5 & 11 B5.

Ferrara
Via dell'Arco di San
Calisto 36. **Kaart** 7 C1.

Snacks
McDonald's
Piazza Sonnino 39/40.
Kaart 8 D1.

Bars, cafés en tearooms
Selarum
Via dei Fienaroli 12.
Kaart 7 C1.

Banketbakkers
Valzani
Via del Moro 37B.
Kaart 7 C1.

IJssalons
La Fonte della Salute
Via Cardinale Marmaggi
2/4/6. **Kaart** 7 C1.

Sacchetti
Piazza San Cosimato 62.
Kaart 7 C1.

VATICAAN

Pizzeria's
Pizzeria San Marco
Via Tacito 29.
Kaart 4 D2.

Il Tempio della Pizza
Viale Giulio Cesare 91.
Kaart 3 C1.

Wijnbars
Il Simposio di Piero Costantini
Piazza Cavour 16.
Kaart 4 E2.

Bierhuizen
Tiroler Keller
Via G. Vitelleschi 23.
Kaart 3 C2.

VIA VENETO

Wijnbars
Marchetti
Via Sicilia 144.
Kaart 5 C1.

Bars, cafés en tearooms
Doney
Via Veneto 145.
Kaart 5 B2.

EUR

Snacks
McDonald's
Piazzale Don Luigi Sturzo
21/22.

Bars, cafés en tearooms
Chalet del Lago
Lake, EUR.

IJssalons
Giolitti
Casina dei Tre Laghi, Viale
Oceania 90.

BUITEN HET CENTRUM

Pizzeria's
La Cicala
Via Stabia 7/9.
Kaart 10 E4.

Da Cocco
Circonvallazione Appia
37A. **Kaart** 10 E4.

Manuia
Via Gallia 107.
Kaart 9 C3.

Wijnbars
Guerrini
Viale Regina Margherita
205/207.

Semidivino
Via Alessandria 230.

Il Tajut
Via Albenga 44.
Kaart 10 E3.

Snacks
Svizzera Siciliana
Piazza Pio XI 10/11.

Bars, cafés en tearooms
Bar Parnaso
Piazza delle Muse 22.
Kaart 2 E2.

Il Cigno
Viale Parioli 16.
Kaart 2 E3.

Duse
Via Eleonora Duse 1E.
Kaart 2 F2.

Pannocchi
Via Bergamo 56.
Kaart 6 D1.

San Filippo
Via di Villa San Filippo
8/10. **Kaart** 2 F2.

Zodiaco
Viale Parco Mellini 90.

Banketbakkers
Euclide
Via F. Civinini 119.
Kaart 2 D3.

IJssalons
Premiate Gelaterie Fantasia
Via Oderisi da Gubbio 230.

WINKELEN

Rome is al sinds de Klassieke Oudheid een stad waar grootsteeds wordt gewinkeld. In de hoogtij-dagen van het Romeinse Rijk trokken de beste handwerkslie-den naar Rome en werden aller-lei kunstvoorwerpen en andere zaken, waaronder goud, bont, wijn en slaven, uit alle uithoe-ken van het Rijk geïmporteerd om aan de behoeften van de welvarende Romeinse bevolking te voldoen.

De winkels in het hedendaagse Rome weerspiegelen in veel op-zichten deze traditie. Italiaanse ontwerpers hebben een interna-tionale reputatie vanwege hun chique stijl op het gebied van mode, gebreide artikelen en le-derwaren (vooral schoenen en tassen) en ook woningdecoratie, stoffen, keramiek en glas. Er is een sterke ambachtelijke traditie en de liefde voor een mooi de-sign valt af te lezen aan de kleinste voorwerpen. Ook als u niets koopt, is het bekijken van de etalages al leuk genoeg.

Etalages bekijken in Rome, u komt ogen te kort

DE BESTE ARTIKELEN

Rome is de stad voor leder-waren, zoals schoenen en tassen. Kleding van bekende Italiaanse ontwerpers is niet goedkoop, maar kost bedui-dend minder dan in andere landen. De jeans van Armani zijn een goed voorbeeld (blz. 327). Ook kunt u in Rome bijvoorbeeld lampen van be-kende ontwerpers aantreffen tegen lagere prijzen. Zowel moderne als traditionele kera-mische en handgemaakte voorwerpen kunnen erg mooi zijn. Als u tijd heb om door achterstraatjes te wandelen, kunt u verrassende ontdek-kingen doen.

UITVERKOOP

De uitverkoop (saldi) wordt gehouden van het midden van juni tot midden september en van de periode die aan Kerstmis voorafgaat

Bloemenstalletjes op het Piazza Campo de' Fiori (blz. 338)

tot de eerste week van maart. Topontwerpers (blz. 326) ver-lagen de prijzen met de helft, maar zelfs dan is hun kleding nog steeds heel duur. Goed-kopere aanbiedingen kunt u aantreffen in de winkels van de jongere modeontwerpers (blz. 327) en kwaliteitsschoe-nen in grote maten worden in de uitverkoop tegen zeer lage prijzen verkocht (de gemid-delde Italiaan heeft kleinere voeten dan de gemiddelde Noordeuropeaan). De beide vestigingen van Cesari (blz. 327 en 333) zijn be-roemd om hun uitverkoop. In het algemeen zult u in Rome tijdens de uitverkoop echter geen buitengewoon voordelige aanbiedingen te-genkomen.

Op ieder afgeslagen artikel moet zowel de originele als de voordelige prijs vermeld staan. Liquidazioni (op-heffingsuitverkoop) worden gewoonlijk gehouden omdat

OPENINGSTIJDEN

De winkels zijn gewoonlijk geopend van 9.00 uur tot 13.00 uur en van 15.30 tot 19.30 uur en van 16.00-20.00 uur in de zomer). Sommige winkels in het centrum blijven de hele dag open van 10.30 tot 19.30 uur. De meeste winkels zijn 's zondags gesloten (behalve rond Kerstmis die zondags vooafgaat). De winkels zijn ook op maandagmorgen dicht, behalve levensmiddelenwinkels en zaken in technische appa-ratuur. Deze zijn 's winters op donderdagmiddag gesloten

Antiek bij Acanto (blz. 336)

de winkel daadwerkelijk wordt opgeheven en bieden soms beslist waar voor uw geld. Andere mededelingen in de etalages, zoals vendite promozionali (speciale intro-ductieprijzen) en sconti (kor-ting), zijn vaak lokkertjes om u in de winkel te krijgen.

en 's zomers op zaterdag. In augustus komt de hele stad stil te liggen, want de Romeinse gezinnen vluchten naar de zee of de bergen om te ontkomen aan de hitte. Overal op de winkels verschijnen dan bordjes met *chiuso per ferie* (wegens vakantie gesloten). De meeste winkels zijn in augustus minstens twee weken gesloten rond 15 augustus, de nationale feestdag (Maria Hemelvaart).

Stijlvolle leren handschoenen

WINKELETIQUETTE

De meeste winkels in Rome, op een paar warenhuizen na, zijn klein en gespecialiseerd in één bepaald terrein. Dit nodigt misschien niet direct uit om zomaar in een winkel wat rond te gaan neuzen, als u gewend bent aan grote winkelcentra. Klanten krijgen bijna altijd meer aandacht wanneer ze netjes zijn gekleed. Het belang van *fare la bella figura* (een goede indruk maken) wordt serieus genomen. De maten zijn niet altijd overal gelijk. Het is daarom verstandig om kleding, zo mogelijk, eerst te passen voordat u iets koopt, aangezien u gewoonlijk uw geld niet terug krijgt en ook niet kunt ruilen.

HOE BETAALT U

In de meeste winkels worden tegenwoordig alle belangrijke creditcards geaccepteerd. De logo's van de kaarten die worden geaccepteerd, staan op de ruit van de winkel afgebeeld. Sommige winkels accepteren ook buitenlandse valuta, hoewel de wisselkoers erg ongunstig kan zijn. Als u iets koopt, bent u wettelijk verplicht om de winkel te verlaten met een *ricevuta fiscale* (bon). Wanneer u met contant geld betaalt, kunt u proberen of u korting kunt krijgen. Veel winkels hebben echter een bordje met het opschrift *prezzi fissi* (vaste prijzen).

Handwerk bij het Piazza Navona

WARENHUIZEN EN WINKELCENTRA

In Rome zijn de mensen gewend om verreweg het grootste gedeelte van hun boodschappen in kleine winkels en speciaalzaken te kopen. Warenhuizen, of *grandi magazzini*, vindt u daarom maar sporadisch in de stad. Het chique **La Rinascente** en **Coin** zijn goede adressen voor confectiekleding, linnengoed en

Mercato delle Stampe *(blz. 338)*

fournituren en u vindt er daarnaast een ruime sortering parfumerieën. In Rinascente krijgen toeristen op vertoon van hun paspoort 10 procent korting op parfum en kosmetica. De Rinascente-groep is ook eigenaar van de populaire **Croff**-keten in huishoudtextiel *(blz. 333)*. De wijdverbreide winkels van de ketens **Standa** en **Upim** verkopen alle soorten artikelen tegen lage prijzen, zoals kleding van gemiddelde kwaliteit en huishoudelijke artikelen. U kunt ook naar een van de twee winkelcentra gaan die in Rome zijn gevestigd. In **Cinecittà Due Cento Commerciale**, dat in 1988 is gebouwd, zijn rond de 100 winkels gehuisvest en u kunt er daarnaast bars, banken en restaurants aantreffen. Het winkelcentrum is met de

Koopjes in Via Sannio *(blz. 339)*

metro (lijn A naar Cinecittà) gemakkelijk vanuit het centrum van Rome te bereiken. In de Via Laurentina is een winkelcentrum geopend dat zelfs nog groter is. Dit centrum, **I Granai**, is ook per metro bereikbaar (lijn B naar Laurentina).

Cinecittà Due Centro Commerciale
Via Tuscolana.

Coin
Piazzale Appio 7. **Kaart** 10 D2.
708 00 20.

I Granai
Via Laurentina.

La Rinascente
Via del Corso 189. **Kaart** 5 A3 & 12 E2. 679 76 91.

Piazza Fiume. **Kaart** 6 D1.
884 12 31.

Standa
Via Cola di Rienzo 173. **Kaart** 4 D2.
324 32 83.

Viale Trastevere 60. **Kaart** 7 C2.
581 60 36.

Via Appia Nuova 181-183. **Kaart** 10 D2. 702 48 96.

Upim
Via del Tritone 172. **Kaart** 5 A3.
678 33 36.

Via Nazionale 211. **Kaart** 5 C3.
48 45 02.

Piazza S. Maria Maggiore. **Kaart** 6 D4.
446 55 79.

Winkelstraten en markten: een selectie

De interessantste winkels vindt u in het oude centrum. Ze zijn vaak gevestigd in gebouwen uit de Middeleeuwen of Renaissance en hebben soms de fraaiste etalages. Net als in voorbije eeuwen zijn de handelaars doorgaans gespecialiseerd in één bepaald type koopwaar. De straatnamen verwijzen vaak naar de oude handelaars: slotenmakers in de Via dei Chiavari, leren-wambuismakers in de Via Giubbonari en stoelenmakers in de Via dei Sediari. In de Via dei Coronari hebben de antiekhandelaars de plaats ingenomen van de rozenkransverkopers. De topnamen in de mode en design domineren de buurt rond de Via Condotti en de traditie van het kunsthandwerk is nog sterk aanwezig rond het Campo de' Fiori en het Piazza Navona.

Via Cola di Rienzo
In deze lange, brede straat vindt u uitstekende levensmiddelen-, kleding-, boek- en cadeau-winkels.

Via dei Coronari
Liefhebbers van Art Nouveau en antiek kunnen hun hart ophalen in de winkels in deze aardige straat ten noord-westen van het Piazza Navona. De prijzen liggen echter aan de hoge boog.

Porta Portese
U kunt hier op zondagochtend op de vlooienmarkt van Trastevere van alles kopen, van antiek tot timen fluitjes. (Blz. 339)

Via dei Cappellari
In deze smalle middel-eeuwse straat kunt u meubelrestaurateurs en andere bandwerkslie-den in de open lucht aan het werk zien.

Via del Pellegrino
Boek- en kunstwin-kels en ook band-werkslieden. De spie-gelsteeg nabij Campo de' Fiori mag u niet missen.

Testaccio Market
De groente en het fruit op deze levendige markt zijn een lust voor het oog. (Blz. 338)

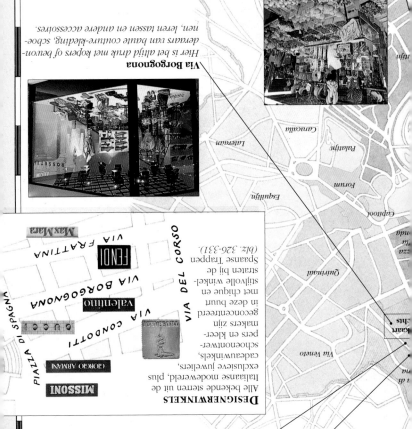

`0 meter` — `500`

Via Borgognona
Hier is het altijd druk met kopers of bewonderaars van haute couture-kleding, schoenen, leren tassen en andere accessoires.

DESIGNERWINKELS
Alle bekende sterren uit de Italiaanse modewereld, plus exclusieve juweliers, cadeauwinkels, schoenontwerpers en kleermakers zijn geconcentreerd in deze buurt met chique en stijlvolle winkelstraten bij de Spaanse Trappen (blz. 326-331).

MISSONI

GIORGIO ARMANI

PIAZZA DI SPAGNA

GUCCI

VALENTINO

FENDI

MAX MARA

VIA FRATTINA

VIA BORGOGNONA

VIA CONDOTTI

VIA DEL CORSO

Via del Babuino
Deze straat is beroemd om het designer-meubilair, de verlichting en het glas en om de antiek- en modezaken.

Via Margutta
De straat voor luxe antiekwinkels en verfijnde restaurants.

Dames- en herenkleding

Italië is een van de vooraanstaande landen op het gebied van de haute couture (*alta moda*). De meeste beroemde ontwerpers zijn in Milaan gevestigd, maar Rome is de thuisbasis van een aantal chique modehuizen van internationale faam. U vindt hier een fraaie keus aan *alta moda*-zaken. Boetieks met een ruime collectie kleding van bekende ontwerpers staan hier zij aan zij met toonzalen gewijd aan één collectie. Maar ook wie zich geen echte designer-kleding kan veroorloven, zal toch met plezier rondwandelen in de exclusieve straten die vanaf het Piazza di Spagna lopen. Sommige etalages zijn werkelijk spectaculair.

De maatkleding uit de 'ateliers' is voor een gewoon mens onbetaalbaar, maar de ontwerpers verkopen ook confectiekleding in hun boetieks. Ook deze is niet goedkoop, maar kost veel minder dan de maatkleding.

DAMESMODE

Valentino is waarschijnlijk de bekendste internationale ontwerper in Rome. Een van de eerste Romeinse huizen die een grote reputatie opbouwden, was **Sorelle Fontana**. Dit was *dè* modesalon in de jaren vijftig, de hoogtijdagen van het *dolce vita*. De hoogste kringen laten zich al sinds de jaren dertig door Sorelle Fontana kleden. Het modehuis verkoopt tevens een ruime collectie confectiekleding en accessoires. **Fendi** neemt een groot deel van de Via Borgognona in beslag. Fendi heeft naam gemaakt met haute couture-bont en legde zich daarna ook toe op lederwaren, accessoires en confectie. Dit gebeurt in samenwerking met Karl Lagerfeld, die het felbegeerde logo met de dubbele F heeft ontworpen dat de produkten – ware collector's items – siert. Familieleden uit de derde generatie ontwerpen de jongere, minder dure Fendissime-lijn.

Al meer dan 30 jaar regeert **Laura Biagiotti** als de koningin van de Romeinse discrete, conservatieve mode. In haar hoofdkwartier, een kasteel net buiten Rome, ontwerpt ze tijdloze, uitgebreide kleding en afzonderlijk combineerbare zijden kledingstukken, voor vrouwen die stijl niet aan comfort willen opofferen. Ze is beroemd om haar gebruik van kasjmier en wit, haar creatieve gebruik

van stoffen en de uitstekende afwerking. In haar showroom in de Via Borgognona is haar complete collectie te zien, die zich uitstrekt van kousen, sokken en herenondergoed tot parfums, badkleding en lederwaren. Haar schitterende sjaals liggen vaak in de uitverkoop. Artikelen uit vorige collecties zijn het hele jaar in de winkel te koop met zeer interessante kortingen.

Andere internationale ontwerpers die in Rome zijn gevestigd, zijn **Renato Balestra**, voor maatkostuums en chique avondkleding, en **Roberto Capucci**, die prachtige weefsels en stoffen gebruikt voor zijn deftige kostuums. **Raniero Gattinoni** maakt elegante kostuums en blouses voor zijn showrooms met maat- en confectiekleding. Opvallende avondkleding is de specialiteit van **Mila Schön**. Andere sterren in de Italiaanse modewereld met vestigingen in Rome zijn **Giorgio Armani**,

Gianfranco Ferrè, **Gianni Versace** en **Trussardi**. Een opkomend talent in de wereld van de confectiekleding is **Genny**. Het team ontwerpers van Genny produceert klassieke, elegante en stijlvolle collecties. Bent u op zoek naar kleding van onconventionele ontwerpers, dan moet u bij **Gente** zijn. De showrooms in Rome hebben het exclusieve recht op de originele collecties van avant garde-ontwerpers als Dolce & Gabbana en Moschino, plus Europeanen als Jean-Paul Gaultier. **MaxMara** bezit hier ook een aantal zaken. Chique kleding en afzonderlijk combineerbare kledingstukken zijn de pijlers van dit populaire label. De kwaliteit van de stof en de afwerking zijn magnifiek. De kostuums zijn verkrijgbaar voor rond L 1.000.000. De prijzen liggen hier veel lager dan bij confectiekleding van andere *alta moda*-ontwerpers.

HERENMODE

De Italiaanse mannen zijn net zo modebewust als de vrouwen. De goed geklede man heeft in Rome een ruime keus. De goedkoopste pakken kosten gewoonlijk zo'n L 1.000.000, de jasjes L 750.000 en de broeken L 250.000. De meeste 'sterontwerpers' van *alta moda* voor vrouwen hebben ook een zaak voor mannen, zoals **Valentino Uomo** en **Versace Uomo**. De ontwerpen zijn minder in het oog springend dan die voor vrouwen en het accent ligt op gematigde ver-

VALENTINO

Valentino Garavani, een van de hogepriesters van de Italiaanse mode, opende de deuren van zijn studio in Rome in 1959 en is altijd met zijn tijd meegegaan. Onder zijn gedistingeerde clientèle bevinden zich Sophia Loren en Jackie Kennedy. Valentino heeft enkele van de opvallendste en meest flatteuze avond-

jurken gecreëerd van de afgelopen 30 jaar. In de jaren zeventig begon hij naast zijn *alta moda*-collecties ook confectiekleding te ontwerpen en u vindt het zeer herkenbare 'V'-logo nu op allerlei accessoires. Valentino's salon is gevestigd in een enorm palazzo aan het Piazza Mignanelli. Zijn boetiek met confectie (*blz. 330*) is in de buurt.

fijndheid en ongedwongen sportiviteit. Valentino's accessoires, die van een duidelijk monogram zijn voorzien, zijn naar verhouding betaalbaar. **Battistoni** is waarschijnlijk de meest prestigieuze ontwerper die zich op herenkleding concentreert. De op maat gemaakte overhemden van Giorgio Battistoni en zijn familie zijn al 50 jaar erg in trek bij filmsterren en de upper ten. **Cucci**, ook in de Via Condotti, maakt designer-overhemden van soortgelijke kwaliteit (op maat gemaakte overhemden kosten rond L 300.000).

In het interieur van een barok palazzo verkoopt **Carlo Palazzi** elegante confectiekleding en meesterkleermaker Peppino Scarapazzi maakt ook maatkleding. **Davide Cenci** is al sinds 1926 hét adres voor de *English country gentleman look*. Bij **Brioni** zijn traditionele maatkleding en confectieherenkleding van het eigen merk verkrijgbaar. **Trussardi** verkoopt prachtige klassieke maatkleding en **Polidori Uomo** sobere klassieke maat- en confectiekleding van eerlijke tweed en wollen stoffen. Bij **Testa** kunt u terecht voor onberispelijke maatkostuums die in trek zijn bij jonge Romeinen en **Enzo Ceci** is populair om zijn *alta moda*-confectieontwerpen. **Degli Effeti** verkoopt kleding van avant garde-ontwerpers als Romeo Gigli en Jean-Paul Gaultier.

JONGERENMODE

De keuze aan designerkleding voor jongeren is in Rome enorm groot. Bij **Oliver** en **Emperio Armani** zijn betaalbare versies van de specifieke stijlen van de topontwerpers Valentino en Armani verkrijgbaar. (Armani-jeans van goede kwaliteit kosten zo'n L 100.000.) Fendi heeft zijn Fendissime-lijn en MaxMara's label Penny Black is te vinden in de **Max & Co**-vestigingen. Dit zijn uitstekende adressen voor jongeren op zoek naar stijlvolle en sportieve kleding. **Henry Cottons** is ook felbegeerd. Een overhemd kost gemiddeld L 100.000, een regenjas L 400.000 en een

kostuum L 800.000. **Energie** is bijzonder in trek. U vindt in Rome twee zaken van Energie, met fraaie etalages. Tieners stromen hier binnen voor jeans en T-shirts. **Aria, Babilonia, Box 233** en **Uniform** zijn ook erg populair. **Bacillario**, **Cantiere del Nord** en **Eventi** vertegenwoordigen meer de avant garde-stijlen, hier *dark* genoemd, met new age- en punkinvloeden. In de etalages hangen waanzinnige creaties. **Luna e L'altra** verkoopt onconventionele kleding van bekende ontwerpers in een prettige, vriendelijke sfeer.

MIDDENKLASSEMODE

Voor betaalbare mode kunt u het beste naar warenhuizen als La Rinascente, Standa en Upim *(blz. 323)* gaan. Ook de moeite waard zijn de zaken die we bij Jongerenmode hebben genoemd, vooral de goedkopere lijnen van *alta moda*-ontwerpers als **Emporio Almani** en **Max & Co**. Bij **Discount dell'Alta Moda** en **Discount System** vindt u aan het einde van het seizoen labels van bekende ontwerpers tegen prijzen die 50 procent lager liggen dan in de boetieks. **Scala Quattordici** is een goed adres voor eenvoudige linnen jurken, gemaakt door de eigenaar. Hoewel u niet per se naar Rome hoeft om bij **Benetton** te winkelen, kunt u natuurlijk wel langs gaan bij een van de vele filialen en bij het dochterbedrijf **Sisley**.

GEBREIDE KLEDING

Italië staat bekend om zijn gebreide kleding van bekende ontwerpers. U vindt in Rome tal van speciaalzaken. **Laura Biagiotti** is befaamd om haar luxe kasjmierkleding en **Missoni** om de spectaculaire, zeer gevarieerde patronen en kleuren. Mariuccia Mandella creëert geraffineerde gebreide kleding voor **Krizia**. **Choses de Cachemire** verkoopt vesten, truien, en gebreide kostuums van kasjmier. Bij **Miranda** kunt u te-

recht voor prachtige handgemaakte artikelen, van wollen sjaals voor minder dan L 100.000 tot jassen voor zo'n L 500.000. Andere zaken, zoals de vestigingen van **Luisa Spagnoli**, verkopen een ruimere collectie, met ook laaggeprijsde artikelen.

LINGERIE

Dit is een andere specialiteit van Italië. Zowel de stijl als de kwaliteit springt eruit, met lijnen als La Perla, die over de hele wereld worden geëxporteerd. Lingerie wordt van oudsher verkocht in kwaliteitszaken in linnengoed *(blz. 333)*. Zo is **Cesari** de belangrijkste vestiging van La Perla in Rome. U vindt hier ook boetieks gespecialiseerd in lingerie en badkleding. **Riccioli** verkoopt badkleding, La Perla, herenondergoed van bekende ontwerpers en zijden herenpyjama's van zo'n L 350.000. Filmsterren schijnen voor hun lingerie naar **Brighenti** te gaan. Originele ontwerpen van Luisa Romagnoli koopt u bij **Tomassini**. **Schostal** verkoopt traditionele onderkleding en bezit een zeer goede herenafdeling.

TWEEDEHANDS KLEDING

Op de markten van de Via Sannio en de Porta Portese *(blz. 339)* staan tal van kraampjes met tweedehands kleding, maar het best slaagt u in de Via del Governo Vecchio. Enkele van de beste zaken in deze oude straat bij het Campo de' Fiori zijn **Sempreverde**, waar u terecht kunt voor kleding uit de jaren dertig tot zestig tegen lage prijzen, en **Moon**, waar voornamelijk jurken uit jaren twintig te koop zijn en enkele hoeden en sieraden. **Wilma Silvestri** verkoopt een fantastische collectie hoeden en tweedehands en ouderwetse kleding. Bij **Via dei Chiavari 40** vindt u chique kleding uit de jaren twintig en later. Eigenares Solange maakt ook ter plekke kleding tegen een redelijke prijs. **Maga Morgana** maakt reprodukties van jurken en kostuums uit specifieke perioden.

Schoenen en accessoires

De Italiaanse schoenenindustrie is over de gehele wereld beroemd en u kunt in Rome natuurlijk schoenen, tassen en riemen van kwaliteit kopen. Accessoires zijn voor goed geklede Romeinen over het algemeen niet alleen een aanvulling op hun kleding, maar maken er een wezenlijk onderdeel van uit.

SCHOENEN

Rome staat vol schoenenwinkels, die uiteenlopen van kwaliteitszaken in de buurt van Via Condotti (waar de goedkoopste schoenen rond de L 250.000 kosten) tot de voordeliger winkels rond de Trevifontein. Daarnaast treft u op iedere markt kramen met goedkope schoenen aan. De bekendste zaak is waarschijnlijk **Ferragamo**, een van de beste schoenenwinkels. Hier worden klassieke maar toch modebewuste schoenen verkocht en daarnaast dameskleding en lederwaren. De winkel is ook bekend om zijn zijden sjaals. Op de ranglijst van goede schoenenzaken wordt Ferragamo op de voet gevolgd door **Fratelli Rossetti**. Het bedrijf werd meer dan 30 jaar geleden geopend door de broers Renzo en Renato. Het maakt klassieke herenschoenen en mooie, elegante damesschoenen met lage hakken naar de laatste mode. Deze zaak vormt samen met **Campanile** in de Via Condotti het toppunt van elegantie. De prijzen zijn hoog, dat spreekt. **Bruno Magli** uit Bologna verkoopt elegante laklederen pumps en andere klassieke stijlen. **Beltrami** heeft een enorme winkelpui. Hier kunt u terecht voor tassen en tevens dames- en herenschoenen in klassieke en nieuwe stijlen. Bij **De Bach** vindt u kleurrijke damesspullen. **Raphael Salato** bezit in Rome drie uiterste elegante, dure zaken. Zijn schoenen zijn ware meesterwerken van vakmanschap en zijn veelal gemaakt van kunstig geborduurd leer. Ook de Napolitaanse ontwerper **Mario Valentino**, heeft een vestiging in Rome, en wel een indrukwekkende zaak op de Via

Frattina. Hij ontwerpt naast schoenen leren kleding, tassen en accessoires, alle van uitstekende kwaliteit en duur. U vindt in de Via Frattina nog andere, meer gematigd geprijsde schoenenwinkels, zoals **Pollini** en **Ramirez**. Pollini maakt laarzen en tassen voor mannen en vrouwen in modieuze en fantasierijke stijlen. **Fausto Santini** verkoopt originele ontwerpen voor jongere mensen tegen redelijker prijzen. Hetzelfde geldt voor **I Cervone**, dat is gespecialiseerd in kleurrijke damesschoenen. Bij **Borino** zijn eenvoudige schoenen met lage hakken te koop. De winkels van de **Bata** zijn meer geconcentreerd op alledaagse schoenen en laarzen en verkopen daarnaast kinderschoenen. **Albanese** en **Rampone**, daarentegen, verkopen maatschoenen. De laatste verkoopt bovendien prachtige confectieschoenen, tassen en accessoires. **Guido Pasquali** is een jonge ontwerper; vooral zijn laarzen zijn interessant. Italiaanse maten vallen soms wat klein uit en het kan voorkomen dat u een maat groter nodig hebt dan u gewend bent. Ook zijn Italiaanse schoenen aan de smalle kant. Hebt u brede voeten, dan bent u bij de Romeinse schoenenwinkels misschien niet aan het juiste adres. Wanneer u een paar schoenen ziet dat u bevalt, pas het dan. Als ze goed zitten – en de prijs is ook naar uw zin – is het zeker een goed idee om ze te kopen. Er gaat niets boven èchte Italiaanse schoenen, zeker niet wanneer deze in het land van herkomst zelf zijn gekocht.

LEDERWAREN

Gucci is beroemdste winkel voor lederwaren in Rome. U kunt hier terecht

voor schoenen, koffers, handtassen, portefeuilles, riemen en andere accessoires. De zaak beschikt over een boetiek voor mannen en vrouwen en is zeer bekend om zijn zijden stropdassen en sjaals. **Fendi** verkoopt ook leer van kwaliteit en daarnaast lager geprijsde artikelen van synthetische materialen plus een assortiment cadeau-artikelen. Hoewel de beroemde kunststof handtassen met hun gestreepte 'leren' afwerking zo'n L 250.000 kosten (de prijs van de leren tassen begint bij L 300.000), betaalt u er in Italië minder voor dan in het buitenland.

Valextra verkoopt traditionele aktentassen van uitstekende kwaliteit, handtassen, portefeuilles en portemonnees uit Milaan.

Skin, Ginocchi en de voordeliger suède-en-leerzaak **Pappagallo** treft u in de buurt van de Via Sistina. De fel gekleurde tassen en het assortiment koffers van **Mandarina Duck** zijn zeer in de mode en vormen een aardig alternatief voor de traditionelere leren stijlen. U vindt hier ook enkele fantastische adressen voor ambachtelijk gemaakte lederwaren. Op dit gebied staat **Sirni** aan de top, met zijn elegante tassen en aktentassen, die in de werkplaats achter in de winkel worden vervaardigd.

Ibiz bezit twee zaken waar met de hand gemaakte artikelen worden vervaardigd in een enigszins 'cowboy-achtige' stijl. Enkele van de kleinere voorwerpen worden ter plekke gemaakt, maar de rest is afkomstig van een werkplaats annex fabriek die elders is gevestigd.

Anna Maria Pirozzi maakt alles – riemen en handtassen enzovoort – zelf en beschikt over een kleine werkplaats in de Via Panisperna. De prijzen zijn heel redelijk. Ze maakt zelfs kleine artikelen op bestelling.

Joker Cuoio bezit een kleine werkplaats waar tassen, riemen, portefeuilles en schoenen worden gemaakt.

KLASSIEKE SIERADEN

Parijs heeft zijn Cartier, New York heeft Tiffany & Co en wat Asprey's is voor Londen, is **Bulgari** voor Rome. Bij deze internationaal gerenommeerde juwelier staan altijd voorbijgangers voor de ramen om vol bewondering te kijken naar de enorme edelstenen. Deze 'ramen' zijn tamelijk curieuze kastjes die in de muur zijn ingebouwd. In elk kastje liggen een paar sieraden. Het lijkt op deze manier net alsof u naar een kostbaar voorwerp in een vitrine van een museum staat te kijken. De horloges, vooral die voor mannen, zijn populair en zeer sierlijk en hetzelfde geldt voor de schakelhalskettingen. Bulgari is gespecialiseerd in grote kleurrijke stenen in een soort laat-renaissancistische vattingen, maar vervaardigt ook hedendaagse ontwerpen. Bulgari was een van de favoriete winkels van Andy Warhol en het is de meeste paleiselijke winkel aan de Via Condotti. Binnen heerst bijna een sfeer van religieuze eerbied en bezinning. **Buccellati** is een vestiging van de beroemde Florentijnse dynastie die in de jaren twintig is opgezet door Mario Buccellati. De dichter Gabriele D'Annunzio behoorde tot de vaste klanten van deze zaak. De verfijnde ontwerpen van Buccellati zijn geïnspireerd op de Italiaanse Renaissance. Het zijn ware klassiekers, waar het vakmanschap duidelijk aan kan worden afgelezen. De ontwerpen van **Ansuini** zijn modieus en toch klassiek. Voor iedere nieuwe collectie worden er nieuwe, fantasierijke thema's geïntroduceerd. **Massoni**, gesticht in 1790, is een van de oudste juweliers van Rome. De geraffineerde unieke exemplaren van sieraden en de broches zijn zeer bijzonder. Bij **Moroni Gioielli** vindt u ook creatieve unieke stukken die getuigen van groot vakmanschap. **Petocchi** was de juwelier van de voormalige Italiaanse monarchie (1861-1946), het huis Savoye. U kunt er zowel traditionele als hedendaagse stijlen bewonderen.

Peroso, een ouderwetse zaak die uit 1891 dateert, is gespecialiseerd in antieke sieraden en zilveren voorwerpen.
Boncompagni Sturni verkoopt traditionele ontwerpen met de nadruk op kwaliteit en vakmanschap. Beide zaken zijn buitengewoon duur en u kunt hier alleen naar binnen nadat u hebt aangebeld.
Ouroboros staat bekend om zijn minder dure gouden en zilveren voorwerpen die met de hand zijn vervaardigd. In de Via dei Pettinari en op het Piazza del Monte di Pietà zijn traditionele sieraden verkrijgbaar tegen betaalbaarder prijzen.

GOEDKOPERE SIERADEN

Mensen met een minder conventionele smaak kunnen terecht in verscheidene winkels waar vernieuwende, avantgardistische sieraden worden verkocht, vaak van halfedelmetalen en -stenen. Hoewel deze sieraden minder duur zijn dan de klassieke die we zojuist hebben genoemd, zijn ze toch vaak beslist niet goedkoop te noemen. Behalve de prijs is het verschil ook het ontwerp. De sieraden die de onderstaande winkels verkopen, zijn spectaculairder en opvallender dan de klassieke. Dit maakt ze op hun eigen manier exclusief. Zowel **Amati e Amati** als **Via dei Coronari 193** zijn een bezoek waard. **Via dei Pettinari 80** verkoopt een mengeling van art nouveauvoorwerpen en andere hedendaagse ontwerpen.
Delettré vervaardigt opvallende unieke ontwerpen met art nouveau-invloeden. U kunt hier zowel rotskristal als diamanten aantreffen. Het logo van de halve maan met vijf sterren is speciaal voor Delettré ontworpen door Karl Lagerfeld.
Tempi Moderni bezit een interessante collectie sieraden in art deco- en liberty-stijl. In Cose Cosi *(zie blz. 336)* kunt u ook enkele aardige stukken uit de jaren twintig en dertig aantreffen. **Bozart** is hèt adres voor modieuze, opvallende namaakjuwelen.

Siragusa, welhaast een museum in de buurt van het Piazza di Spagna, stopt prachtige kralen en munten uit de 3de en 4de eeuw v.C. in met de hand gemaakte gouden kettingen.

TRADITIONELE GOUD-EN ZILVERSMEDEN

De pijler van de sieradenindustrie in Rome wordt nog altijd gevormd door de ambachtelijke goud- en zilversmeden, die op bestelling werken in kleine ateliers. Deze zijn geconcentreerd in de joodse wijk, Campo de' Fiori, Ponte Sisto bij de Via Giulia, en Monte Pietà (waar de pandjesbazen wonen). Ambachtelijk vervaardigde sieraden kunt u ook aantreffen in de Via del Coronari, Via dell'Orso en Via Pellegrino. De edelsmeden creëren persoonlijke werkstukken naar eigen ontwerp. Vaak hebben ze hun vak van hun ouders en grootouders geleerd. Ze doen ook reparatiewerk of nemen oude sieraden in, smelten ze en maken er een sierstuk van dat precies bij u past. **Oddi e Seghetti** vervaardigt traditionele ambachtelijk gemaakte sieraden en werkt altijd op bestelling.

HANDSCHOENEN, HOEDEN EN KOUSEN

Bent u op zoek naar topkwaliteit, dan kunt u bij **Merola** een dure lijn in handschoenen en sjaals aantreffen. **Di Cori** en **Sermoneta** verkopen alle denkbare soorten handschoenen. **Catello d'Auria** is gespecialiseerd in handschoenen, kousen en sokken. De handschoenenfabriek van **Anticoli** is een van de oudste van Rome en heeft een uitgebreid aanbod tegen redelijke prijzen. U kunt er terecht voor riemen, sjaals, stropdassen en handtassen. Voor hoeden moet u bij **Borsalino** zijn. **Calza e Calze** beschikt over de beste verzameling kousen en sokken in Rome. Het vriendelijke personeel kan u aan kousen en sokken helpen met bijna alle kleuren of patronen die u maar wenst.

ADRESSEN

DAMESMODE

Fendi
Via Borgognona 36A/39.
Kaart 5 A2. 679 76 41.

Genny
Piazza di Spagna 27.
Kaart 5 A2. 679 60 74.

Gente
Via del Babuino 82.
Kaart 4 F1. 320 76 71.
Ook: Via Frattina 69.
Kaart 5 A2. 678 91 32.
Ook: Via dei Due Macelli
62. **Kaart 5** A3 & 12 F1.
679 27 27.

Gianfranco Ferrè
Via Borgognona 42C.
Kaart 5 A2. 679 00 50.

Gianni Versace
Via Bocca di Leone 26.
Kaart 5 A2. 678 05 21.

Giorgio Armani
Via Condotti 77.
Kaart 5 A2. 699 14 60.
Ook: Via del Babuino 140.
Kaart 4 F1. 679 68 98.

Laura Biagiotti
Via Borgognona 43-44.
Kaart 5 A2. 679 12 05.

MaxMara
Via Condotti 46.
Kaart 5 A2.
678 79 46.
Ook: Via Frattina 28.
Kaart 5 A2. 679 36 38.

Mila Schön
Via Condotti 64-65.
Kaart 5 A2. 678 48 05.

Raniero Gattinoni
Piazza di Spagna 91.
Kaart 5 A2. 679 53 61.

Renato Balestra
Via Sistina 36. **Kaart 5**
A2. 679 54 24.

Roberto Capucci
Via Gregoriana 56.
Kaart 5 A2. 679 51 80.

Sorelle Fontana
Salita S. Sebastianello 6.
Kaart 5 A2. 679 86 52.

Trussardi
Via Condotti 49.
Kaart 5 A2. 679 21 51.

Valentino
Piazza Mignanelli 22.
Kaart 5 A2. 673 91.

Ook: Via Bocca di Leone 15.
Kaart 5 A2. 679 58 62.
Ook: Via Gregoriana 24.
Kaart 5 A2. 673 91.

HERENMODE

Battistoni
Via Condotti 57 & 61A.
Kaart 5 A2. 678 62 41.

Brioni
Via Barberini 79.
Kaart 5 C2. 488 47 65.

Carlo Palazzi
Via Borgognona 7E.
Kaart 5 A2. 678 91 43.

Cucci
Via Condotti 67.
Kaart 5 A2. 679 18 82.

Davide Cenci
Via Campo Marzio 1-7.
Kaart 4 F3 & 12 D2.
678 45 37.

Degli Effetti
Piazza Capranica 75-79.
Kaart 4 F3 & 12 D2.
679 16 50.

Enzo Ceci
Via della Vite 52.
Kaart 5 A3 & 12 E1.
679 88 82.

Polidori Uomo
Via Borgognona 4A.
Kaart 5 A2. 678 48 42.

Testa
Via Borgognona 13.
Kaart 5 A2. 679 61 74.
Ook: Via Frattina 104.
Kaart 5 A2. 679 12 96.

Trussardi
Zie Damesmode.

Valentino Uomo
Via Condotti 13.
Kaart 5 A2. 678 36 56.

Versace Uomo
Via Borgognona 29.
Kaart 5 A2. 679 52 92.

JONGERENMODE

Aria
Via Nazionale 239.
Kaart 5 C3. 48 44 21.

Babilonia
Via del Corso 185.
Kaart 4 F3 & 12 E1.
678 66 41.

Bacillario
Via Laurina 43. **Kaart 4** F1.

Box 233
Via Nazionale 233.
Kaart 5 C3. 481 45 18.

Cantiere del Nord
Via del Corso 187.
Kaart 5 A3 & 12 E2.
678 66 41.

Emporio Armani
Via del Babuino 140.
Kaart 4 F1. 678 84 54.

Energie
Via del Corso 408-409.
Kaart 4 F2.
687 12 58, 687 10 04.
Ook: Via del Corso 486-
487. **Kaart 4** F2.
321 49 71.

Eventi
Via dei Serpenti 134.
Kaart 5 B4. 48 49 60.

Henry Cottons
Via del Babuino 75.
Kaart 4 F1. 679 08 36.
Ook: Via Appia Nuova 51.
Kaart 10 D2. 700 89 87.

Luna e L'Altra
Via del Governo
Vecchio 105.
Kaart 4 E4 & 11 B3.
68 80 49 95.

Max & Co
Via Nazionale 56.
Kaart 5 C3.
48 90 31 10.
Ook: Via Appia Nuova
201-203. **Kaart 10** D2.
701 44 13.
Ook: Via Salaria 59-61.
Kaart 6 D1. 854 67 15.

Oliver
Via del Babuino 61.
Kaart 4 F1. 679 83 14.

Uniform
Via del Corso 481.
Kaart 4 F2. 322 71 56.

MIDDENKLASSE-MODE

Benetton
Via Condotti 59.
Kaart 5 A2. 679 79 82.

**Discount
dell'Alta Moda**
Via di Gesù e Maria 16.
Kaart 4 F2. 361 37 96.

Discount System
Via del Viminale 35.
Kaart 5 C3. 474 65 45.

Emporio Armani
Zie Jongerenmode.

Max & Co
Zie Jongerenmode.

Scala Quattordici
Via della Scala 14.
Kaart 4 D5 & 11 B5.

Sisley
Via Condotti 19B.
Kaart 5 A2. 684 19 50.

GEBREIDE KLEDING

**Choses de
Cachemire**
Via del Babuino 105.
Kaart 4 F1. 679 84 88.

Krizia
Piazza di Spagna 77B.
Kaart 5 A2. 679 34 19.

Laura Biagiotti
Zie Damesmode.

Luisa Spagnoli
Via del Corso 385.
Kaart 5 A4 & 12 F3.
679 39 83.
Ook: Via Vittorio
Veneto 130. **Kaart 5** B1.
488 58 81.
Ook: Via Frattina 116.
Kaart 5 A2. 679 55 17.
Ook: Via Barberini 84.
Kaart 5 C2. 488 07 57.

Miranda
Via Francesco Crispi 44.
Kaart 5 B2. 48 55 32.

Missoni Donna
Via del Babuino 97.
Kaart 4 F1.
679 79 71.

Missoni Uomo
Piazza di Spagna 78.
Kaart 5 A2.
679 25 55.

LINGERIE

Brighenti
Via Frattina 7-8.
Kaart 5 A2. 679 14 84.

Cesari
Via Barberini 1. **Kaart 5**
B3. 488 13 82.

Riccioli
Via del Governo Vecchio 36.
Kaart 4 E4 & 11 C3.
68 80 50 35.

Schostal
Via del Corso 158.
Kaart 4 F3 & 12 E1.
679 12 40.

Tomassini
Via Sistina 119. **Kaart 5**
A2. 488 19 09.

TWEEDEHANDS
KLEDING

Maga Morgana
Via del Governo Vecchio 27.
Kaart 4 E4 & 11 C3.
687 99 95.

Moon
Via del Governo Vecchio
89A. **Kaart** 4 E4 & 11 B3.

Sempreverde
Via del Governo Vecchio
26. **Kaart** 4 E4 & 11 C3.
68 80 13 96.

Via dei Chiavari 40
Via dei Chiavari 40.
Kaart 4 E4 & 11 C4.
686 52 74.

Wilma Silvestri
Via del Boschetto 76.
Kaart 5 B4. 488 10 17.

SCHOENEN

Albanese
Via Carlo Dossi 71.
828 09 85.

Bata
Via dei Due Macelli 45.
Kaart 5 A2. 679 15 70.

Beltrami
Via Condotti 18-19.
Kaart 5 A2. 679 13 30.

Borino
Via dei Pettinari 86.
Kaart 4 E5 & 11 C5.
687 56 70.

Bruno Magli
Via Vittorio Veneto 70A.
Kaart 5 B2. 488 43 55.
Ook: Via Barberini 94.
Kaart 5 C2. 48 68 50.
Ook: Via Cola di Rienzo
237. **Kaart** 4 D2.
324 17 59.
Ook: Via del Gambero 1-
2. **Kaart** 5 A3 & 12 E1.
679 38 02.

Campanile
Via Condotti 58.
Kaart 5 A2. 678 30 41.

De Bach
Via del Babuino 123.
Kaart 4 F1.

Fausto Santini
Via Frattina 122.
Kaart 5 A2. 678 41 14.

Ferragamo
Via Condotti 73-74.
Kaart 5 A2. 679 15 65.
Ook: Via Condotti 66.
Kaart 5 A2. 678 11 30.

Fratelli Rossetti
Via Borgognona 5A.
Kaart 5 A2. 678 26 76.

Guido Pasquali
Via Bocca di Leone 5.
Kaart 5 A2. 679 50 23.

I Cervone
Via del Corso 99.
Kaart 4 F2. 678 35 22.

Mario Valentino
Via Frattina 84.
Kaart 5 A2 & 12 E1.
679 12 46.

Pollini
Via Frattina 22-24.
Kaart 5 A2 & 12 E1.
678 90 28.

Ramirez
Via del Corso 73.
Kaart 4 F3 & 12 E1.

Rampone
Piazza di Spagna 65.
Kaart 5 A2. 679 29 50.

Raphael Salato
Via Veneto 149.
Kaart 5 B1. 482 18 16.
Ook: Piazza di Spagna 34.
Kaart 5 A2. 679 56 46.

LEDERWAREN

Anna Maria Pirozzi
Via Panisperna 65.
Kaart 5 B4.

Fendi
Zie Damesmode..

Ginocchi
Via Sistina 35. **Kaart** 5 B2.
488 39 25.

Gucci
Via Condotti 8. **Kaart** 5
A2. 678 93 40.

Ibiz
Via dei Chiavari 39.
Kaart 4 E4 & 11 C4.
683 07 97.
Ook: Via G Tamassia
42-44.
663 06 54.

Joker Cuoio
Via del Pellegrino 11.
Kaart 4 E4 & 11 C4.
686 97 03.

Mandarina Duck
Via di Propaganda 1.
Kaart 5 A2. 684 03 20.

Pappagallo
Via Francesco Crispi 115.
Kaart 5 B2. 678 30 11.

Sirni
Via della Stelletta 33.
Kaart 4 F3 & 12 D2.
68 80 52 46.

Skin
Via dei Due Macelli 59 &
87-88. **Kaart** 5 A3 & 12 F1.
679 58 56.

Valextra
Via del Babuino 94.
Kaart 4 F1. 679 23 23.

KLASSIEKE
SIERADEN

Ansuini
Via del Babuino 150D.
Kaart 4 F1. 679 58 35.

**Boncompagni
Sturni**
Via del Babuino 115.
Kaart 4 F1. 678 38 47.

Buccellati
Via Condotti 31.
Kaart 5 A2. 679 03 29.

Bulgari
Via Condotti 10.
Kaart 5 A2. 679 38 76.

Massoni
Largo Carlo Goldoni 48.
Kaart 4 F2 & 12 E1.
678 26 79.

Moroni Gioielli
Via Belsiana 32A.
Kaart 4 F2. 678 04 66.

Ouroboros
Via di Sant'Eustachio 14.
Kaart 4 F4 & 12 D3.
654 45 84.

Peroso
Via Sistina 29. **Kaart** 5 B3.
474 79 52.

Petocchi
Piazza di Spagna 23.
Kaart 5 A2. 679 39 47.

GOEDKOPERE
SIERADEN

Amati e Amati
Via dei Pianellari 21.
Kaart 4 E3 & 11 C2.
686 43 16.

Bozart
Via Bocca di Leone 4.
Kaart 5 A2. 678 10 26.

Delettré
Via Fontanella Borghese.
Kaart 4 F2. 687 77 22.

Siragusa
Via delle Carrozze 64.
Kaart 5 A2.
679 70 85.

Tempi Moderni
Via del Governo Vecchio
108. **Kaart** 4 E4 & 11 B3.
687 70 07.

**Via dei Coronari
193**
Via dei Coronari 193.
Kaart 4 E3 & 11 B2.
68 80 15 03.

Via dei Pettinari 80
Via dei Pettinari 80.
Kaart 4 E5 & 11 C5.

TRADITIONELE
GOUD- EN
ZILVERSMEDEN

Oddi e Seghetti
Via del Cancello 18.
Kaart 4 E3 & 11 C2.
68 80 26 43.

HANDSCHOENEN,
HOEDEN EN
KOUSEN

Anticoli
Via Lombardia 4.
Kaart 5 B2. 488 44 82.

Borsalino
Via IV Novembre 157B.
Kaart 5 A4 & 12 F3.
679 41 92.

Calza e Calze
Via della Croce 78.
Kaart 4 F2.

Catello d'Auria
Via dei Due Macelli 55.
Kaart 5 A2 & 12 F1.
679 33 64.

Di Cori
Piazza di Spagna 53.
Kaart 5 A2. 678 44 39.

Merola
Via del Corso 143.
Kaart 4 F3 & 12 E1.
679 19 61.

Sermoneta
Piazza di Spagna 61.
Kaart 5 A2.
679 19 60.

Interieur

Italië heeft een lange traditie op het gebied van woninginrichting, gebaseerd op de vaardigheden van kundige ambachtslieden. Sommige bedrijven bestaan al eeuwenlang. De stijlvolle Romeinse interieurwinkels zijn beslist een bezoek waard, al is het alleen maar om rond te kijken en de sfeer te proeven. Misschien vindt u er niet alleen interessante of bijzondere dingen om te kopen, maar doet u er ook ideeën op voor uw huis.

MEUBILAIR

Cassina is een wereldberoemde naam op het terrein van designmeubels. Hier kunnen de dure, moderne ontwerpen tegen veel lagere prijzen worden gekocht dan buiten Italië. De stijl wordt gekenmerkt door sterke, scherp gelijnde tafels, stoelen en banken van glas, stalen buizen en leer in de traditie van Le Corbusier, Eileen Gray en Vico Magistretti. Verzending van meubels naar het buitenland kan worden geregeld.
Stildomus beschikt over een lange smalle showroom met hoofdzakelijk zeer verfijnd modern houten meubilair.
Fontana Arte verkoopt zeer originele meubels en lampen die bijna volledig van glas zijn. Neem een kijkje in **Studio Punto Tre** als u wel eens iets anders wilt. Hier vindt u tal van eigenaardig beschilderde ladenkasten, Egyptische artefacten en kleine snuisterijen die het erg goed doen als geschenk. **Alivar**, vlak bij het Capitool, verkoopt perfecte reprodukties van de 'klassiekers' van het moderne meubilair, zoals Aalto, Le Corbusier en Mackintosh, tegen betaalbare prijzen.
Spazio Sette, bij de Largo Argentina, bezit een spectaculaire showroom op drie verdiepingen in het Palazzo Lazzaroni, voorheen het verblijf van de kardinalen. Het is een van de voornaamste winkels op het gebied van woninginrichting; naast meubels kunt u hier voorwerpen kopen die heel geschikt zijn om cadeau te geven. Het meubilair – moderne, gelamineerde, opstapelbare stoelen en dergelijke, vazen, glas, schalen en keukengerei – is prachtig uitgestald.
Magazzini Forma &

Memoria is een omgebouwde drukkerij aan de Tiber, niet ver van de Sint Pieter. Het nieuwste op het gebied van meubilair en voorwerpen van bekende ontwerpers uit Italië en elders staat uitgestald op vier verdiepingen.

VERLICHTING

Lampen zijn zeer in trek en u kunt ze gemakkelijk meenemen. U hebt in Rome keuze uit een aantal fantastische showrooms. In de showroom van **Flos Arteluce,** een fusie tussen twee ontwerphuizen, staan de lampen uitgestald alsof het museumstukken zijn. De stijl van de ontwerpen is minimalistisch, met veel zwart en wit, chroom en staal.
Niet ver hiervandaan vindt u **Armetide**, net als Flos Arteluce heel bekend in het buitenland. In de elegante toonzaal ziet u dure moderne lampen van hetzelfde genre als bij Flos Arteluce. **Borghini** verkoopt minder beroemde namen en is daarom voordeliger. Italiaanse lampen en andere elektrische apparaten zijn ontworpen voor 220-240 volt, zodat ze in Nederland en België zijn te gebruiken zonder dat u een adapter nodig hebt.

KEUKENS EN BADKAMERS

Hoewel u ze natuurlijk niet mee naar huis kunt nemen, vindt u het misschien wel leuk om de hypermoderne keukens te bekijken die in Rome worden verkocht. Als u nieuwsgierig bent naar de nieuwste ontwerpen, ga dan naar **La Residenza**, waar u een collectie van rond de vijftien keukens kunt bekijken van zo'n negen verschillende Italiaanse fabrikanten. In de

centraal gelegen showroom van **Coas Tradizione Casa** op het Piazza Cardelli vindt u enkele interessante combinaties. De Italiaanse badkamerzaken concentreren zich bijna alle uitsluitend op moderne ontwerpen. Wat La Residenza is op het gebied van keukens, is **Odorisio** op het terrein van badkamers. U vindt hier enkele zeer luxe exemplaren. **Ravasini** verkoopt decoratief gebloemd sanitair met bijbehorende accessoires. Bij **Andreucci** vindt u ook badkamers in de laatste stijlen.

TEGELS

Italië heeft een zeer lange traditie op het gebied van keramische tegels. In de showrooms van de keukens en badkamers vindt u een grote verscheidenheid aan tegels, maar u kunt ook terecht bij speciaalzaken. De mooiste en duurste is **Farnese**, dat met mozaïektafels is ingericht in een klassiek Romeinse stijl. **Ceramiche Musa** is gespecialiseerd in moderne tegels met gebloemde en klassiek Romeinse motieven. **Via Gulia** verkoopt tegels in bepaalde historische stijlen in beperkte hoeveelheden. U kunt in het bezit komen van een art nouveau-tegel voor zo'n L 30.000-L 60.000, maar oudere of zeldzamere exemplaren kunnen duurder zijn.

GLAS

Glas is weer helemaal in de mode. Wat moderne ontwerpen en spectaculaire etalages betreft zult u niet snel een betere zaak vinden dan **Venini**. In de magnifieke etalage en het prachtige interieur wordt de aandacht gevestigd op peperdure produkten – schitterende borden, vazen en schalen. De in het oog springende **Vetreria Murano Veneto** achter het Exelsior Hotel beschikt over een zeer uitgebreide collectie bruin glas uit de beroemde glasblazerijen in Murano, bij Venetië. **Archimede Seguso** is ook gespecialiseerd in glas uit Murano, maar heeft tevens

kleinere stukken in zijn collectie met een handig formaat, om cadeau te geven.
Tupini verkoopt glas, porselein en zilver van prima kwaliteit. **Richard Ginori** is een beroemde naam op het gebied van moderne keramiek. Zo vindt u hier de ontwerpen waarmee Giò Ponti en Giovanni Garibaldi in de prijzen zijn gevallen. **Arteque** is een prachtige zaak met een traditionele karakter. Ga voor minder dure geschenken naar **Stilvetro**, het ideale adres voor pastaschalen, glas en keramiek.

STOFFEN

Cesari in de Via del Babuino is beroemd om zijn weelderige meubelstoffen. Cesari heeft ook een zaak in linnengoed en lingerie *(blz. 327)*. Bij **Il Sigillo** kunt u

stoffen en behang bestellen van een enorm assortiment monsters. Bij **Galtrucco** kunt u materiaal uitzoeken voor maatkostuums. **Bises** bezit twee zaken in de Via del Gesù. Op nummer 91 kunt u terecht voor zijden en modieuze stoffen en op nummer 63 voor meubelstoffen.
Bent u op zoek naar interessante koopjes, ga dan naar de joodse wijk, die zich uitstrekt van de Largo Argentina tot de Tiber. U vindt hier tal van goedkope stoffenwinkels, zoals **Paganini**. Tijdens de uitverkoop kunt u restanten *(scampoli)* vinden van uitstekende kwaliteit.

HUISHOUDTEXTIEL EN KEUKENGEREI

Bij **Frette** vindt u een collectie mooie lakens.

Voor fel gekleurde katoenen stoffen en handdoeken tegen redelijke prijzen moet u bij **Croff (Centro Casa)** zijn, onderdeel van de Rinascenteketen *(blz. 323)*, dat over een goede linnenafdeling beschikt en tevens objecten van bekende ontwerpers, glas en meubels verkoopt in de stijl van Habitat en Ikea.
Liefhebbers van keukengerei van bekende ontwerpers kunnen niet om **C.u.c.i.n.a.** heen, in de kelders van de Via del Babuino 118. Hier vindt u keukengerei, potten en pannen, zowel in rustieke als ultramoderne stijlen.
Single is gespecialiseerd in ontwerpen van roestvrij staal, zoals Alessi, en verkoopt daarnaast houten broodplanken plus een assortiment potten en bussen.

ADRESSEN

MEUBILAIR

Alivar
Piazza Campitelli 2.
Kaart 4 F5 & 12 E5.
C 679 69 74.

Cassina
Via del Babuino 100-101.
Kaart 5 A2. **C** 679 33 30.

Fontana Arte
Via Giulia 96.
Kaart 4 D4 & 11 A3.
C 686 41 48.

**Magazzini
Forma & Memoria**
Vicolo di S. Onofrio 24.
Kaart 3 C4.
C 68 80 10 88.

Spazio Sette
Via dei Barbieri 7.
Kaart 4 F5 & 12 D4.
C 68 80 42 61.

Stildomus
Via del Babuino 54.
Kaart 5 A2. **C** 679 86 45.

Studio Punto Tre
Via Giulia 145.
Kaart 4 E4 & 11 B4.
C 686 43 21.

VERLICHTING

Artemide
Via Margutta 107-108.
Kaart 4 F1. **C** 678 49 17.

Borghini
Via Belsiana 27. **Kaart** 4 F2.
C 679 77 26.

Flos Arteluce
Via del Babuino 84.
Kaart 5 A2. **C** 320 76 31.

KEUKENS EN BADKAMERS

Andreucci
Via Po 39. **Kaart** 2 F5.
C 884 81 47.

**Coas
Tradizione Casa**
Piazza Cardelli 5A.
Kaart 4 F3 & 12 D1.
C 686 75 79.

La Residenza
Via Cola di Rienzo 36.
Kaart 4 E1. **C** 321 67 51.

Odorisio
Via Tomacelli 150.
Kaart 4 F2. **C** 687 82 35.

Ravasini
Via di Ripetta 71.
Kaart 4 F2. **C** 322 70 96.

TEGELS

Ceramiche Musa
Via Campo Marzio 39.
Kaart 4 F3 & 12 D1.
C 687 12 42.

Farnese
Piazza Farnese 52-53.
Kaart 4 E5 & 11 C4.
C 689 61 09.

'Via Giulia'
Via Giulia 22. **Kaart** 4 D4 & 11 A3. **C** 654 52 33.

GLAS

Archimede Seguso
Via dei Due Macelli 56.
Kaart 5 A2. **C** 679 17 81.

Arteque
Via Giulia 13.
Kaart 4 D4 & 11 A3.

Richard Ginori
Via Cola di Rienzo 223.
Kaart 5 A2. **C** 324 31 32.
Ook: Via del Tritone 177.
Kaart 5 B3. **C** 679 38 36.

Stilvetro
Via Frattina 56. **Kaart** 5 A2.
C 679 02 58.

Tupini
Piazza S. Lorenzo in Lucina 8. **Kaart** 4 F3 & 12 E1.
C 687 14 58.

Venini
Via del Babuino 130.
Kaart 5 A2. **C** 679 06 81.

Vetreria Murano Veneto
Via Marche 13. **Kaart** 5 B1.
C 487 14 00.

STOFFEN

Bises
Via del Gesù 63. **Kaart** 4 F4 & 12 E3. **C** 678 91 56.

Ook: Via del Gesù 91.
Kaart 4 F4 & 12 E3.
C 678 09 41.

Cesari
Via del Babuino 16.
Kaart 5 A2. **C** 361 14 41. Zie blz. 330.

Galtrucco
Via del Tritone 18-23.
Kaart 5 A3 & 12 F1.
C 678 90 22.

Paganini
Via delle Botteghe Oscure 16.
Kaart 4 F5 & 12 E4.

Il Sigillo
Via Laurina 15. **Kaart** 4 F1.
C 361 32 47.

HUISHOUD-TEXTIEL EN KEUKENGEREI

C.u.c.i.n.a.
Via del Babuino 118 A.
Kaart 5 A2. **C** 684 08 19.

Croff (Centro Casa)
Via Tomacelli 137.
Kaart 4 F2.
C 687 83 85.

Frette
Piazza di Spagna 11.
Kaart 5 A2. **C** 679 06 73.

Single
Via Francesco Crispi 45-47.
Kaart 5 B2. **C** 679 07 13.

Boeken en geschenken

In Rome kunt u naar hartelust geschenken kopen in allerlei soorten en maten. U vindt er produkten uit geheel Italië en ook lokaal vervaardigde kunstvoorwerpen. Het is leuk om juist op zoek te gaan naar de kleine winkels, omdat deze veelal in aardige delen van de stad zijn gevestigd waar u anders niet zou komen. Sommige keramische kunstvoorwerpen zijn heel bijzonder. Ook kunt u fraaie boeken over Italiaanse kunst en architectuur aantreffen en prachtige papierprodukten. Etenswaren zijn altijd welkome geschenken, vooral als u iets speciaals meeneemt, zoals twintig jaar oude balsamico-azijn. Naast de gebruikelijke souvenirs vindt u in Rome natuurlijk een overvloed aan religieuze voorwerpen.

BOEKWINKELS

Rome beschikt over een groot aantal boekhandels, van algemene tot specialistische. Italiaanse boeken, zowel de pockets als de gebonden boeken, zien er over het algemeen mooi uit, maar zijn wel behoorlijk aan de prijs. **Rizzoli**, de grootste boekwinkel in Rome, verkoopt onder meer een ruime collectie kunst- en kookboeken en tevens veel boeken in buitenlandse talen. **Feltrinelli** bezit drie winkels in de hoofdstad. De belangrijkste ligt in de Via del Babuino en biedt een ruime collectie hedendaagse literatuur. Het Milanese **Franco Maria Ricci** verkoopt zeer mooie kunstboeken en tevens het eigen chique tijdschrift *FMR*. **Libreria Godel** is een goed adres om rond te neuzen. U vindt er veel boeken over Rome, grote ansichtkaarten en kalenders en een aantal tweedehands kunstboeken. **Libreria San Silvestro** verkoopt boeken voor de halve prijs en tevens kinderspelletjes. In de Via delle Terme di Diocleziano en de Largo della Fontanella di Borghese staan stalletjes met tweedehands boeken.

MUZIEK EN VIDEO

Ricordi is de grootste muziekwinkel van Rome en bezit vier zaken in het centrum. Naast platen, cassettes en cd's zijn er ook bladmuziek en muziekinstrumenten te koop. **Discoteca Frattina** is een kleine, praktische muziekwinkel waar ook videobanden worden verkocht. De multimediawinkel **Mondadori** verkoopt wenskaarten, posters en video's en is geschikt over secties met plattegronden, muziek en boeken.

BUREAU-ARTIKELEN EN PAPIERWAREN

Papirus verkoopt papierwaren, dozen, obelisken, fotolijstjes en andere bureauaccessoires. Bij **Laboratorio Scatole** vindt u fraaie gemarmerde schriften, schrijfpapier, mappen en dozen in allerlei maten. De betere klasse in Rome gaat voor zijn schrijfwaren naar **Pineider**. U kunt er exclusieve visitiekaartjes laten drukken en fraaie, in leer gebonden agenda's kopen. **Vertecchi** is even voornaam maar minder traditioneel. U kunt hier terecht voor originele papieren geschenken: dozen in alle soorten en maten, papieren tafelkleden en servetten, cadeaupapier en schitterende kerstdecoraties.

HANDGEMAAKTE VOORWERPEN

Het grote, artistieke en rustieke **La Galleria** staat vol met authentieke handgemaakte voorwerpen, zoals met de hand geweven stoffen en prachtige keramische objecten die eigenares Clotilde Sambuco uit alle delen van Italië heeft verzameld. In de buurt staat de **Bottega Artigiana**, een winkel met keramische objecten die de eigenaars Domenico en Lavinia Sarti in hun kleine werkplaats in Anzio hebben gemaakt. U kunt er vazen van ongeglazuurd terracotta kopen en fraaie terracotta wandlampen. **Arti e Mestieri** is de werkplaats van een moeder en dochter die originele artikelen maken van hout en terracotta. Ga voor een echt origineel cadeau naar **Opificio Romano**, een werkplaats waar reprodukties van oude Romeinse en Pompejaanse mozaïeken worden vervaardigd. Ieder door u besteld ontwerp kan worden nagemaakt.

SOUVENIRS EN RELIGIEUZE VOORWERPEN

De meeste tabakswinkels in het centrum van Rome verkopen ansichtkaarten, postzegels en souvenirs. Daarnaast zijn er veel goedkope en soms aardige kitscherige souvenirs te koop bij de kraampjes rond de voornaamste toeristische attracties. De boekwinkels in de buurt van de belangrijkste basilieken, zoals **Libreria Belardetti**, verkopen souvenirs en replica's. Andere zaken zijn gespecialiseerd in religieuze artikelen voor geestelijken en niet-geestelijken. Tegenover de poorten van het Vaticaan in de Via di Porta Angelica vindt u verscheidene winkels, zoals **Al Pellegrino Cattolico**, die religieuze artikelen verkopen aan bezoekende pelgrims.

ETENSWAAR

Als u in Rome gaat winkelen, zal het u opvallen dat er in het centrum geen grote supermarkten te vinden zijn. Het is het beleid van de lokale overheid om deze te weren ter bescherming van de kleine *alimentari* (delicatessenwinkels). U vindt in Rome honderden van deze winkels, niet in de belangrijke winkelstraten, maar in kleine zijstraatjes ervan of in de wijken met een 'dorps' karakter, zoals Monti, Trastevere, het Ghetto, de Borgo en Campo de' Fiori.

Koop hier de dag voor uw vertrek uw voorraad Parmezaanse kaas en pecorino *(blz. 305),* ham uit Parma of prosciutto di montagna, fraaie flessen donkergroene olijfolie, gedroogde porcini (eekhoorntjesbrood) en gedroogde tomaten, om mee naar huis te nemen. **Pietro Franchi** is ongetwijfeld de exclusiefste delicatessenwinkel in de stad. De etalages zijn een lust voor het oog, vol met visschotels, pâtés, kaas en koude vleeswaren. Ernaast vindt u het beroemde **Castroni,** dat 's werelds grootste assortiment geïmporteerde produkten bezit. Castroni verkoopt ook Italiaanse olijfolie, balsamicoazijn, honing en koffie. Speciaal het vermelden waard is de Via della Croce vanwege het grote aantal goed gesorteerde *alimentari,* zoals **Fratelli Fabbi**. Gespecialiseerde delicatessenwinkels,

zoals **Fior Fiore,** verkopen heerlijke cakejes met amandel en sinaasappelschil, ricottakaas en enorme hoeveelheden pasta met artisjokken-, spinazie- en tomatensmaak, en tevens dunne, knapperige pizza's regelrecht uit de oven. **Azienda Agricola** is een kleine speciaalzaak. Geniet van de flessen olijfolie, op smaak gebracht met knoflook en kruiden, pasta van zwarte of groene olijven, kleine potjes truffels, asperges en artisjokken en zelfgemaakte confitures. Heel geschikt als cadeau. De kaasliefhebber vindt tal van Italiaanse variëteiten in de *alimentari* in de stad. De lokale kazen van koeie-, schape- en buffelmelk die bij de **Cisternino Cooperativa fra Produttori di Latte di Lazio** worden verkocht, zijn echter ook het proberen waard. **L'Albero del Pane** verkoopt heerlijk volkoren- en roggebrood en ander gezond spul.

WIJN

Wijn is gewoonlijk verkrijgbaar bij *alimentari* en ook in supermarkten. Er zijn bovendien veel speciaalzaken (let op het bord *Enoteca*) met een enorm assortiment wijn en sterke drank. Ze beschikken steevast over een kleine bar, waar wijn en lichte snacks worden geserveerd. Hier vindt u Italiaanse wijnen en bijzondere lokale wijnen van de tap, hoofdzakelijk witte van de nabijgelegen wijngaarden in Frascati, Colli Albani en Marino. Een van de exclusiefste wijnwinkels is **Enoteca Buccone,** die in een oud koetshuis is gevestigd. Een andere bekende zaak is **Roffi Isabelli,** waar een ouderwetse sfeer heerst. **Enoteca del Corso** is moderner en beschikt over een goede collectie Italiaanse grappa en potten gemarineerd fruit. **Enoteca Corsi** in de Via del Gesù is ook een bezoek waard.

ADRESSEN

BOEKWINKELS

Feltrinelli
Via del Babuino 39-41.
Kaart 5 A2. ☎ 323 55 19.

Franco Maria Ricci
Via Borgognona 4D.
Kaart 5 A2. ☎ 679 34 66.

Libreria Godel
Via Poli 45. **Kaart** 5 A3 &
12 F2. ☎ 679 87 16.

**Libreria San
Silvestro**
Piazza San Silvestro 27.
Kaart 5 A3 & 12 E1.
☎ 679 28 24.

Rizzoli
Largo Chigi 15. **Kaart** 5 A3
& 12 E2. ☎ 679 66 41.

MUZIEK EN
VIDEO

Discoteca Frattina
Via Frattina 50-51.
Kaart 5 A2. ☎ 679 14 93.

Mondadori
Piazza Cola di Rienzo 81-83.
Kaart 4 D2. ☎ 321 03 23.

Ricordi
Via Battisti 120 C. **Kaart** 5
A4 & 12 F3. ☎ 679 80 22.

BUREAU-
ARTIKELEN EN
PAPIERWAREN

Laboratorio Scatole
Via della Stelletta 27.
Kaart 4 F3 & 12 D2.
☎ 68 80 20 53.

Papirus
Via Capo Le Case 55A.
Kaart 5 A3 & 12 F1.
☎ 678 04 18.

Pineider
Via dei Due Macelli 68.
Kaart 5 A2 & 12 F1.
☎ 678 90 13;
Ook: Via della Fontanella
Borghese 22. **Kaart** 4 F3
& 11 D1. ☎ 687 83 69.

Vertecchi
Via della Croce 70.
Kaart 4 F2. ☎ 678 31 10;
Also Via dei Gracchi 179.
Kaart 3 C2. ☎ 321 35 59.

HANDGEMAAKTE
VOORWERPEN

Bottega Artigiana
Via Santa Dorotea 21.
Kaart 4 D5 & 11 B5.
☎ 588 20 79.

La Galleria
Via della Pelliccia 29A-30.
Kaart 7 C1. ☎ 581 66 14.

Arti e Mestieri
Via dei Cappellari 57.
Kaart 4 E4 & 11 C4.
☎ 683 25 21.

Opificio Romano
Via dei Gigli d'Oro 9-10.
Kaart 4 E3 & 11 C2.
☎ 654 27 62.

SOUVENIRS EN
RELIGIEUZE
VOORWERPEN

**Al Pellegrino
Cattolico**
Via di Porta Angelica 83.
Kaart 3 C2. ☎ 68 80 23 51.

Libreria Belardetti
Via della Conciliazione 4.
Kaart 3 C3. ☎ 66 55 02.

ETENSWAAR

L'Albero del Pane
Via Santa Maria del Pianto
19-20. **Kaart** 4 F5 & 12 D5.
☎ 686 50 16.

Azienda Agricola
Vicolo della Torretta 3.
Kaart 4 F3 & 12 D1.
☎ 687 58 08.

Castroni
Via Cola di Rienzo 196.
Kaart 4 D2. ☎ 687 43 83.

Cisternino
Cooperativa fra
Produttori di Latte
di Lazio
Vicolo del Gallo 20.
Kaart 4 E5 & 11 C4.
☎ 687 28 75.

Fior Fiore
Via della Croce 17-18.
Kaart 5 A2. ☎ 679 13 86.

Fratelli Fabbi
Via della Croce 27.
Kaart 5 A2. ☎ 679 06 12.

Pietro Franchi
Via Cola di Rienzo 204.
Kaart 4 D2. ☎ 683 26 69.

WIJN

Enoteca Buccone
Via di Ripetta 19. **Kaart**
4 F1. ☎ 361 21 54.

Enoteca Corsi
Via del Gesù 88. **Kaart** 4 F4
& 12 E3. ☎ 679 08 21.

Enoteca del Corso
Corso Vittorio
Emanuele II 293-295.
Kaart 4 D4 & 11 A3.
☎ 68 80 15 94.

Roffi Isabelli
Via della Croce 76B.
Kaart 5 A2. ☎ 679 08 96.

Kunst en antiek

De kunst- en antiekwinkels in Rome variëren van uiterst exclusieve zaken tot galeries met moderne kunst. Nu het verzamelen van vroeg-20ste-eeuwse kunstvoorwerpen zo in de mode is, springen nieuwe kunsthandelaars en -galeries in Rome als paddestoelen uit de grond. Er worden ook veel sieraden en bric-à-brac verkocht. Kopieën van antieke prenten worden verkocht voor een fractie van de prijs van het origineel. Antiekliefhebbers zullen in Rome niet snel koopjes aantreffen, maar moeten toch maar eens kijken in de winkels in de Via Cappellari en de Via Pellegrino of op de zondagsmarkt bij de Porta Portese *(blz. 339)*.

ANTIEK EN OUDE SCHILDERIJEN

Het centrum van Rome wemelt van de antiekwinkels, hoewel de crème de la crème in specifieke wijken is geconcentreerd. In de winkels is discreet afdingen een geaccepteerde praktijk, maar let wel op dat u de relevante exportpapieren krijgt.

In de beroemde Via del Babuino, en in mindere mate de Via Margutta, die meer bekend is om zijn galeries, zijn zo'n 30 voorname showrooms van antieke meubels, schilderijen en oude meesters en kunstvoorwerpen gevestigd. **W Apollini** is een van de meest gerespecteerde en prestigieuze winkels. Hij staat met zijn fraaie 17de-eeuwse schilderijen, meubels en zeldzaam zilver zeer in de belangstelling van musea en professionele verzamelaars.

Cesare Lamproni is samen met zijn partner Carlo Peruzzi een tophandelaar in Europese schilderijen uit de 16de tot 18de eeuw, waarbij de nadruk ligt op Romeinse en Italiaanse meesters.

Amedeo di Castro, geen familie van de andere vier di Castro's in deze straat, is de vierde in een generatie handelaars in sculpturen en exclusieve werken uit de 18de en begin 19de eeuw.

In de **Granmercato Antiquario Babuino**, ook bekend als GAB, vindt u zilver, porselein, wetenschappelijke instrumenten en andere kleine verzamelobjecten uit de 17de eeuw en later.

In de Via Giulia *(blz. 153)* zijn meer dan twintig antiekwinkels van zeer hoge kwaliteit gevestigd.

Beslist een bezoek waard is **La Chimera**, het pronkstuk van eigenares Paola Cipriani. Ze verkoopt elegante neoklassieke meubels en schilderijen en af en toe ook iets moderns. U kunt ook niet om **Antiquariato Valligiano** heen. Dit is het enige adres in Rome voor 19de-eeuws Italiaans landelijk meubilair, een rustiek tegengif voor diegenen die overweldigd zijn door de pompeuze Barok.

De Via Monserrato, die evenwijdig loopt aan de Via Giulia, is interessant voor wie op zoek is naar werken van iets minder hoge kwaliteit tegen betaalbaarder prijzen. De Via dei Coronari is bijna uitsluitend gewijd aan antiek. Er staan meer dan 40 winkels aan beide kanten van deze pittoreske straat. De kwaliteit is hoog, evenals de prijzen. Het is een ideaal adres voor wie geïnteresseerd is in rijk versierde ingelegde vazen, secretaires en consoles in barok- en empire-stijl.

L'Art Nouveau is, hoe kan het anders?, gespecialiseerd in Art Nouveau van hoge kwaliteit. De **Art Deco Gallery** verkoopt – inderdaad – art deco-meubilair en -sculpturen. Bij **Piero Talone** vindt u een magnifieke collectie lampen van Barok tot Art Deco. Iets verder uit het centrum ligt de Via della Stelletta, met ook een aantal bijzondere en fascinerende winkels.

Acanto is een goedkope schatkamer met een eclectische mengeling van kunstwerken. Het is een ideaal adres voor wie houdt van religieuze souvenirs, Italiaanse curiosa en prenten.

Bilenchi is gespecialiseerd in lampen van rond 1900. Niet erg bekend zijn de Via del Boschetto en de Via Panisperna. De winkels in deze straten zijn gespecialiseerd in kunst uit het begin van de 20ste eeuw.

Retrospettiva is een goed adres voor meubilair van topontwerpers en handwerkslieden, glas uit Murano en aardewerk uit Faenza uit de eerste helft van deze eeuw. Bij **Passato Prossimo** vindt u enkele antieke curiosa, waaronder een collectie bakelieten en plastic voorwerpen uit de jaren veertig en vijftig.

Antichità di Antonella e Maria Teresa bezit een verbluffende collectie art deco- en Liberty-lampen. Natuurlijk zijn er buiten deze straten nog vele andere ontdekkingen te doen; u kunt anderen ergens over horen praten of toevallig tegen iets aan lopen. **Cose Cosi** is een alleraardigst winkeltje vol kleine decoratieve voorwerpen uit de periode 1800-1940 (horloges, zilver, glas, lijsten, vazen en sieraden). Als u op zoek bent naar antieke sieraden, iconen en Fabergé-eieren, ga dan naar **Manasse**. **Anticaja e Petrella** verkoopt een excentrieke collectie gebruikte rommel en gedrukte eendagsvliegen, opgeslagen onder Sant'Andrea delle Valle *(blz. 123)*.

MODERNE KUNST

In Rome vindt u een groot aantal avant garde-galeries waar schilderijen zijn te zien van de erkende moderne meesters en de opkomende generatie jonge, voornamelijk Italiaanse, kunstenaars. De Romeinse galeries zijn gewoonlijk geopend van dinsdag tot zaterdag van 10.00-13.00 uur en van 17.00-18.00 uur. Sommige zijn alleen 's middags open, andere ook op maandagmiddag. De beste bezoektijd is laat in de middag of vroeg in de avond. Net als de antiekwinkels zijn de galeries geconcentreerd in een paar specifieke wijken.

De grootste hiervan omvat de driehoek tussen de Via del Babuino, de Via di Ripetta en de aangrenzende straten, en staat plaatselijk bekend als de 'Drietand'.

Het baanbrekende **Agenzia d'Arte Moderna**, geopend in 1913, heeft van het begin af de aandacht gevestigd op het Futurisme en andere moderne kunststromingen. Er zijn hier altijd werken van Burri en Kounellis te zien.

Il Millennio is gespecialiseerd in abstracte kunst en is vooral geïnteresseerd in werken van vrouwelijke kunstenaars. Bij **Sperone** kunt u werk zien van Amerikanen als Ray Smith, Julio Galan en Jonathan Lasker. Ook hangt hier werk van Italiaanse kunstenaars als Gallo, Bianchi, Dessi, Paladino en Merzi. Gian Enzo Sperone, de eigenaar en beheerder van deze galerie, bezit een soortgelijke galerie in New York.

Apollodoro is een kruising tussen een galerie en een designwinkel. De ingang is ontworpen naar het voorbeeld

van Borromini's illusionistische perspectief in de tuingalerie van Palazzo Spada *(blz. 147)*. Een van de trekpleisters van deze wijk is de kunstmarkt in de Via Margutta *(blz. 339)*, die gewoonlijk rond Kerstmis en in het voorjaar wordt gehouden.

Vervolgens richten we onze aandacht op de Via Giulia en omgeving. **Galleria Giulia** is een galerie annex boekwinkel waar u werk kunt bewonderen van Argeles, Boille, Cano, Cascella, Echaurren, Erba, Lionni, Bauhaus-kunstenaars en Duitse expressionisten. Fabio Sargentini volgt in **L'Attico** de laatste trends in de Italiaanse kunst, van Del Giudice tot Corsini en Fabiani. Trastevere heeft galeries met meer vernieuwende werken. **Alessandra Bonomo**, in 1987 geopend, richt de aandacht op jonge schilders als Schifano, Boetti, Twombly, Nunzio, Tremlett, LeWitt en Dokoupil. **Immart** is een nieuwe galerie gespecialiseerd in hedendaagse schilder- en beeldhouwkunst.

ANTIEKE PRENTEN EN FOTO'S

Het met recht befaamde **Nardecchia** is de crème-de-la-crème van de Romeinse prentenhandel. Let op originele werken van de 18de-eeuwse graveur Piranesi.

Een ander bekend Romeins adres is **Casali**, dat al meer dan 100 jaar kunst verhandelt. De familie beheert nu twee zaken, gespecialiseerd in tekeningen en gravures uit de 16de tot 19de eeuw van Romeinse taferelen. Deze lopen uiteen van gravures van het niveau van Piranesi, die zo in het museum kunnen, tot tamelijk goedkope en onbekende decoratieve bloemtaferelen.

De familie **Alinari**, gevestigd in Florence, is beroemd om haar oude sepiafoto's van Italië uit 1890 en later, waaronder foto's van Rome rond 1900. Bent u op zoek naar dè prent van oud Rome of wilt u fijn rondneuzen, ga dan naar de **Mercato delle Stampe** *(blz. 338)*.

ADRESSEN

ANTIEK EN OUDE SCHILDERIJEN

Acanto
Via della Stelletta 10.
Kaart 4 F3 & 12 D2.
[686 54 81.

Amedeo di Castro
Via del Babuino 77-78.
Kaart 4 F1. [320 76 50.

Anticaja e Petrella
Via Monte della Farina 62.
Kaart 4 F5 & 12 D4.

Antichità di Antonella e Maria Teresa
Via Panisperna 51.
Kaart 5 B4. [488 54 11.

Antiquariato Valligiano
Via Giulia 193.
Kaart 4 E5 & 11 B5.
[686 95 05.

Art Deco Gallery
Via dei Coronari 14.
Kaart 4 E3 & 11 C2.
[686 53 30.

L'Art Nouveau
Via dei Coronari 221.
Kaart 4 E3 & 11 C2.
[68 80 52 30.

Bilenchi
Via della Stelletta 17.
Kaart 4 F3 & 12 D2.
[687 52 22.

Cesare Lampronti
Via del Babuino 67.
Kaart 4 F1. [679 58 00.

La Chimera
Via Giulia 122.
Kaart 4 D4 & 11 A3.
[68 30 83 44.

Cose Così
Via del Governo Vecchio 89.
Kaart 4 E4 & 11 C3.
[68 80 53 63.

Granmercato Antiquario Babuino
Via del Babuino 150.
Kaart 4 F1.
[323 56 86.

Manasse
Via Campo Marzio 44.
Kaart 4 F3 & 12 D2.
[687 10 07.

Passato Prossimo
Via del Boschetto 1B.
Kaart 5 B4. [482 62 57.

Piero Talone
Via dei Coronari 135.
Kaart 4 E3 & 11 B2.
[687 54 50.

Retrospettiva
Via del Boschetto 77A.
Kaart 5 B4. [474 55 28.

W Apolloni
Via del Babuino 132-134.
Kaart 4 F1. [679 24 29.

MODERNE KUNST

Agenzia d'Arte Moderna
Piazza del Popolo 3.
Kaart 4 F1. [361 09 75.

Alessandra Bonomo
Piazza di Sant'Apollonia 3.
Kaart 7 C1. [581 05 79.

Apollodoro
Piazza Mignanelli 17.
Kaart 5 A2. [678 75 57.

L'Attico
Via del Paradiso 41.
Kaart 4 E4 & 11 C4.
[686 98 46.

Galleria Giulia
Via Giulia 148.
Kaart 4 D4 & 11 B4.
[68 80 20 61.

Immart Gallery
Vicolo del Cinque 24B.
Kaart 4 E5.
[588 43 09.

Il Millennio
Via Margutta 51.
Kaart 4 F1.
[322 44 89.

Sperone
Via di Pallacorda 15.
Kaart 4 F3 & 12 D1.
[689 35 25.

ANTIEKE PRENTEN EN FOTO'S

Alinari
Via Alibert 16A. **Kaart** 5 A2. [679 29 73.

Casali
Piazza della Rotonda 81A.
Kaart 4 F4 & 12 D3.
[678 35 15.

Nardecchia
Piazza Navona 25.
Kaart 4 E4 & 11 C3.
[656 93 18.

Straatmarkten

En bezoek aan de openluchtmarkten is een 'must' voor ieder die zich wil onderdompelen in de grote uitbundigheid waar de Romeinen zo beroemd om zijn. De markten zijn bovendien bijzonder levendig, aangezien de kooplieden het uitstallen van zelfs de eenvoudigste groente tot een kunstvorm weten te verheffen. De stad wemelt van de populaire, kleine lokale levensmiddelenmarkten. Vlak bij het centrum liggen verscheidene aloude markten en in Trastevere vindt u de beroemde vlooienmarkt.

Let wel goed op uw spullen als u op de markt bent, omdat zakkenrollers verbazend snel hun slag slaan in de gonzende menigte. Laat u er echter niet van weerhouden om naar de markt te gaan, want de Romeinse markten zijn levendig en er is van alles te zien.

De straatmarkten die het gehele jaar worden gehouden, zijn heel aardig, omdat er gewoonlijk een ruime verscheidenheid aan lokale produkten, handgemaakte artikelen en kleding verkrijgbaar is. Er worden ook seizoensmarkten gehouden, vooral rond Kerstmis, waar u Italiaanse specialiteiten kunt kopen.

Campo de' Fiori

Piazza Campo de' Fiori. **Kaart** 4 E4 & 11 C4. **44, 46, 62, 64, 70, 81, 90, 90b, 492. Open** ma-za 7.00-13.30 uur. Blz. 146.

Campo de Fiori, gelegen in het hart van de oude stad, is niet alleen de schilderachtigste markt van Rome maar ook de markt met de beroemdste geschiedenis. Door de naam ('bloemenveld') denken sommigen wel ten onrechte dat het hier om een bloemenmarkt gaat. Men zegt dat de naam in werkelijkheid is afgeleid van Campus Florae (plein van Flora, de geliefde van de grote Romeinse generaal Pompejus). Al vele eeuwen wordt er een markt gehouden op dit piazza, dat nu tamelijk vervallen maar toch nog aantrekkelijk is. Iedere morgen, behalve op zondag, wordt het plein omgetoverd in een zee van kramen waar, groente en fruit, vlees, gevogelte en vis worden verkocht. Een paar kramen zijn gespecialiseerd in peulvruchten, rijst, gedroogd fruit en noten en vlak bij de fonteinen staan inderdaad ook bloemenstallen. Maar de enorme open manden met gesneden broccoli en spinazie, gehakte groente en verse gemengde salades zijn de grootste trekpleisters voor de bezoekers. Ze zijn niet alleen een lust voor het oog, maar ook voor het verhemelte. De markt wordt gecompleteerd door de uitstekende delicatessenzaken op het plein en de bakkers in de buurt. Het is een ideale plek om inkopen te doen voor een geïmproviseerde picknick.

Mercato delle Stampe

Largo della Fontanella di Borghese. **Kaart** 4 F3 & 12 D1. **119, ook routes naar** Via Tomacelli. **Open** ma-za 7.00-13.00 uur.

Deze markt is een mekka voor liefhebbers van oude prenten, boeken (zowel echt antiquarische als minder kostbare tweedehands boeken), tijdschriften en ander drukwerk. De kwaliteit loopt uiteen, maar de markt is wel veel gespecialiseerder dan de *branche* (kramen) bij station Termini, die duidelijk meer zijn gericht op het aantrekken van toeristen dan op echtheid. Anderen geven misschien de voorkeur aan de geweldige collectie kunstboeken en oude prenten van Rome. Dit is de plek om de prent van Piranesi van uw favoriete gezicht op Rome, ruïne of kerk op de kop te tikken – maar wees bereid om flink af te dingen.

Mercato dei Fiori

Via Trionfale. **Kaart** 3 B1. **M** Ottaviano. **23, 70. Open** di 10.30-13.00 uur.

De Bloemenmarkt, ten noorden van de Via Andrea Doria, is hoofdzakelijk een markt voor groothandelaars en is alleen op donderdag geopend voor het publiek. De markt is gevestigd in een overdekte hal en bestaat uit twee verdiepingen. Ieder die in bloemen is geïnteresseerd, zal genieten van deze fantastische ruimte met mediterrane bloemen die voor weggeefprijzen worden verkocht.

Mercato Andrea Doria

Via Andrea Doria. **Kaart** 3 B1. **M** Ottaviano. **23, 70. Open** ma-za 7.00-13.00 uur.

Vroeger strekte de markt zich uit over de hele lengte van deze brede straat. Sinds hij is gereorganiseerd, wordt hij gehouden op een enorm open plein tussen de Via Santamaura en de Via Tunisi. Naast de magnifieke uitstallingen met groente en fruit, staan er talrijke kramen met vlees, gevogelte, vis en kruidenierswaren. Er worden ook kleding en schoenen verkocht. De markt ligt ten noordwesten van de Vaticaanse Musea en dus iets buiten de geijkte toeristische route. Hij richt zich vooral op de lokale bevolking.

Mercato di Piazza Vittorio

Piazza Vittorio Emanuele II. **Kaart** 6 E5. **M** Vittorio Emanuele. **4, 9. Open** ma-za 7.00-14.00 uur. Blz. 174.

Het bruisende Piazza Vittoria was tot voor kort misschien wel de 'meest Romeinse' grote markt in de stad.

De markt bestaat uit een gang stalletjes rondom een tuin. Hier halen de op koopjes beluste *populari* hun etenswaren vandaan. De produkten zijn goedkoper per kilo, maar kijk uit voor slecht fruit. De laatste tijd is de markt internationaler geworden en u vindt er nu ook Afrikaanse en Aziatische kramen met levensmiddelen. Helaas zijn de dagen van de markt geteld, omdat hij volgens de gemeenteraad het karakter van het 19de-eeuwse plein aantast. Sommige kramen zijn verhuisd naar de Via Giolitti, andere weigeren te vertrekken.

Mercato di Testaccio

Piazza Testaccio. **Kaart** 8 D3. **M** Piramide. **11, 27. Open** ma-za 7.30-13.00 uur.

De overdekte markt van Testaccio is gevestigd in het middelste gedeelte van het gelijknamige plein. De goedkope kleding- en schoenenkramen buiten zijn niet erg merkelijk, maar de kramen binnen zijn beslist een bezoek waard. Aan de rand vindt u slagers, kruideniers en visverkopers en het midden is geheel gewijd aan groente en fruit – een theaterachtige ruimte vol verleidelijke kleuren en composities. De markt is in trek bij de buurtbewoners vanwege de zeer verse produkten van bijzonder goede kwaliteit tegen redelijke prijzen.

Porta Portese

Via Portuense & Via Ippolito Nievo.
Kaart 7 C3. 🚌 *170, 280, 718, 719.*
Open zo 6.30-14.00 uur.

De *mercato delle pulci* (vlooienmarkt) is een betrekkelijke nieuwe
markt voor Romeinse begrippen.
Hij dateert van kort na de Tweede
Wereldoorlog en komt, volgens
zeggen, voort uit de bloeiende
zwarte markt die in deze magere
jaren opereerde in Tor di Nona tegenover het Castel Sant'Angelo.
De marktkooplui komen van heind-
de en verre en zetten 's morgens
vroeg hun kraam op. Mocht u aan
deze kant uitkomen na een lange
nacht in Trastevere, dan is het de
moeite waard hier even te stoppen
om ze aan het werk te zien.
Er is van alles te koop, hoog op-
gestapeld op de kramen in een
zorgvuldig georganiseerde wanorde – kleding, schoenen, tassen,
koffers, kampeerspullen, linnengoed, handdoeken, potten, pannen,
keukengerei, planten, huisdieren,
reserveonderdelen, cassettes, cd's
oude lp's en 78-toerenplaten.
Kramen met meubilair zijn geconcentreerd rond het Piazza Ippolito
Nievo, samen met wat de verkopers 'antiek' noemen. Soms moet
u door een enorme berg rommel
spitten voor u iets vindt dat echt
antiek is. U zult dan moeten afdingen. Veel mensen gaan er alleen
voor de grap naar toe, om uiteindelijk toch iets te kopen. U vindt
hier ook tweedehands kleding –
jassen en jacks van leer of nappa
te koop voor L 10.000 – bij veel
van de verkopers uit de Via
Sannio, die hier op zondag hun
stallen naar toe verhuizen. Het
rechte stuk langs de Via Ippolito
wordt beheerst door 'i Russi di
Porta Portese', Russische immigranten met kramen waar kaviaar,
iconen (authenticiteit onzeker),
kant, andere buitenlandse handgemaakte waren, oude camera's en
verrekijkers worden verkocht.

Mercato di Via Sannio

Via Sannio. **Kaart** 9 C2.
Ⓜ San Giovanni. 🚌 *16, 81, 87.*
Open ma-za 8.00-13.00 uur.

In de jaren zestig en zeventig was
deze markt uiterst hip. Tegenwoordig lijkt het zo op het eerste
gezicht niets bijzonders: willekeu-
rige kramen met goedkope vrijetijdskleding, schoenen, tassen,
riemen, sieraden, speelgoed, keukengerei en muziekcassettes. Maar
aan het einde van de straat vindt u
een enorm overdekt gedeelte, dat
zich uitstrekt tot de Aureliaanse
Muur *(blz. 196).* Hier treft u kramen aan met hoog opgestapelde
tweedehands kleding tegen zeer
lage prijzen, maar u moet wel van
rondsnuffelen houden. Er zijn ook

oude militaire kleding en enkele
kampeer- en visbenodigdheden
verkrijgbaar. Sommige kraamhou-
ders verplaatsen hun waren op
zondagmorgen naar de Porta
Portese.

Plaatselijke markten

Doorgaans open ma-za 7.00-13.00 uur.

Piazza delle Coppelle (kaart 4 F3
& 12 D2), bij het Pantheon, is van
alle levensmiddelenmarkten in de
stad waarschijnlijk de schilderachtigste. De kleine markt is geheel
gewijd aan etenswaren, fruit en
bloemen en biedt een zee van
kleuren in het hart van de stad.
Op het **Piazza San Cosimato
(kaart** 7 C1) in Trastevere vindt u
nog een levendige markt.
De **Via Alessandria (kaart** 6 D1)
in Nomentana heeft een tamelijk
grote markt. Kleinere markten
vindt u in de **Via della Place
(kaart** 4 E4 & 11 C3) bij het Piazza
Navona en in de **Via Balbo (kaart**
5 C4) en **Via Milazzo (kaart** 6 E3),
bij station Termini. U kunt ook
naar de **Mercato Generale (kaart**
8 D5) gaan in de Via Ostiense, die
na 10.00 uur geopend is voor het
grote publiek.

JAARBEURZEN, TENTOONSTELLINGEN EN VEILINGEN

Ieder jaar begint tussen half
juni en half juli de **Expo
Tevere**-tentoonstelling, die
plaatsvindt langs beide oevers van de Tiber tussen de
bruggen Sant'Angelo en
Cavour. Hier worden regionale kunst- en ambachtelijke voorwerpen uitgestald
en u kunt er tevens pasta,
jam, olijfolie, wijn en likeur
krijgen. De meeste artikelen
zijn goedkoper dan in de
winkel. De tentoonstelling
is 's avonds geopend
(18.00-13.00 uur). De toegangsprijs is gering en de
overtocht per veerpont over
de Tiber is inbegrepen.
In de Via dei Coronari worden twee jaarbeurzen ge-
houden, die beide bekend
staan als de **Fiera dell'Antiquariato**. De eerste begint
in de tweede helft van mei
en is dagelijks geopend van
10.00-13.00 uur en van 16.00-
23.00 uur. Vooral 's nachts
is het evenement onvergete-
lijk, wanneer brandende fakkels de met tapijt beklede
straat verlichten. De tweede
strekt zich ook uit langs de
Via dell'Orso en wordt doorgaans half oktober gehou-
den (maar is ook wel eens
eind september begonnen).
U kunt er terecht ma-do van
15.00-23.00 uur en vr-zo
van 10.00-23.00 uur.
Gewoonlijk wordt rond
Kerstmis en in het voorjaar
in de Via Margutta, een van
de aardigste en exclusiefste
straten van de stad, de **Fiera
d'Arte** gehouden. Probeer
erheen te gaan, hoewel u er

waarschijnlijk alleen maar
zult rondkijken, want de
prijzen zijn erg hoog.
De uiterst chique **Alta
Moda**-modeshow op de
Spaanse Trappen is een tamelijk nieuw evenement,
dat niet op een vaste datum
plaatsvindt. Het aantal zit-
plaatsen is beperkt en alleen bestemd voor geno-
digden. Het grote publiek
kan echter achter de zit-
plaatsen gaan staan om
mee te genieten van de kleding van bekende
Italiaanse ontwerpers.
Befana, de traditionele
Driekoningenmarkt (half
december tot 6 januari) op
het Piazza Navona, is een
beetje op zijn retour. Voor
wie er nog nooit is geweest
en voor kinderen is de
markt echter nog steeds
fascinerend.
Natale Oggi is een oud evenement dat rond Kerstmis
plaatsvindt in de Fiera di
Roma in EUR. Ga hiernaar-
toe om de speciale Italiaanse
kerstlekkernijen te bekijken.
In de **Via Giulia** worden
nu en dan kunstbeurzen en
open avonden gehouden.
Ieder jaar viert Trastevere
rond eind juli zijn eigen
Carnaval, dat bekend staat
als **Festa de Noantri**. De
Viale Trastevere wemelt
dan van de *porchetta*-stalle-
tjes *(blz. 241),* feestverlich-
ting, kramen met geschen-
ken èn mensen.
Het is mogelijk dat de gegevens die hier vermeld
staan, wijzigen. Raadpleeg
lokale programmaoverzich-
ten of het toeristenbureau
(blz. 359).

AMUSEMENT

Het Romeinse uitgaansleven heeft iets speciaals. Zelfs als u geen liefhebber van, bijvoorbeeld, voetballen of opera bent, is het alleen al om de sfeer toch de moeite waard om een dergelijk evenement mee te maken. Het jazzcircuit mag er wezen: internationale sterren treden zij aan zij op met plaatselijk talent. Concerten en films krijgen een extra dimensie als de voorstellingen onder de sterrenhemel plaatsvin-

Gregory Peck en Audrey Hepburn in *Roman Holiday*

den in een van de vele Romeinse openluchttheaters. Gezien de algemene sluiting van winkels, restaurants en musea is het opmerkelijk dat de zomer de levendigste tijd is voor live-muziek en andere culterele evenementen. De gracieuze pleinen, uitgestrekte parken, villatuinen, ruïnes uit de Oudheid en andere open ruimten bieden plaats aan verscheidene belangrijke kunstfestivals.

PRAKTISCHE INFORMATIE

Voor uitgaanstips is *Trovaroma*, het wekelijkse supplement van de krant *La Repubblica* dat donderdags verschijnt, de handigste bron van informatie. Het bevat een overzicht van wat er iedere dag te doen is en waar, op

Saxofonist in Alpheus (*blz. 344*)

het gebied van muziek, tentoonstellingen, theater, film, excursies, restaurants en amusement voor kinderen. Ook vindt u informatie in de wekelijkse uitkrant *Città Aperta*, met daarin het Engelstalige 'A Week in Rome'. Dagbladen als *Il Messaggero*, *Il Manifesto*, *Paese Sera* en *La Repubblica* bevatten gewoonlijk een overzicht van wat er die avond te doen is.
Twee tweewekelijkse tijdschriften, *Wanted in Rome* en *Metropolitan*, leveren minder uitgebreide informatie in het Engels. Ze zijn verkrijgbaar bij kiosken in de Via Veneto en bij Engelse boekwinkels. Ook handig is *Carnet di Roma*, aan het begin van iedere maand verkrijgbaar bij de EPT

(*blz. 359*). Hierin leest u Engelstalige informatie over klassieke muziek, festivals, theater en tentoonstellingen in stad en omgeving.
De Italianen staan niet bekend om hun punctualiteit. Wees dus niet verbaasd als bepaalde evenementen iets later aanvangen dan staat aangegeven.

PLAATSEN BESPREKEN

Vooraf reserveren is geen Italiaanse gewoonte. Twee kleine bureaus die wel theaterplaatsen voor u bespreken (tegen een kleine vergoeding), zijn **Gesman** en **Box Office**. Doorgaans kunt u bij de theaters zelf niet telefonisch reserveren, maar moet u persoonlijk bij het loket langsgaan. Er wordt een toeslag, of *prevendita*, (zo'n 10 procent van de normale prijs) berekend voor alle kaarten die vooraf worden verkocht. De prijs van een theaterkaartje varieert van L 10.000 tot L 70.000. Kaarten voor klassieke concerten worden gewoonlijk ter plekke verkocht en zijn soms alleen geldig voor die avond. U kunt dus op het laatste moment nog besluiten

Podium in Caffè Latino (*blz. 344-345*)

om te gaan. Opera vormt een uitzondering. Operakaarten worden maanden van tevoren verkocht en maar enkele kaarten worden achtergehouden tot twee dagen voor de uitvoering. Het is gemakkelijker (en ook goedkoper) om kaarten aan te schaffen voor het Caracalla Festival, dat iedere zomer plaatsvindt. Het bespreekbureau van het **Teatro dell'Opera** (*blz. 343*) verzorgt boekingen zowel voor voorstellingen in de zomer als in de winter.
Kaarten voor de meeste grote rock- en jazzevenementen zijn verkrijgbaar bij **Orbis**, **Prontospettacolo** en in grote platenzaken zoals **Rinascita**. Mocht u kaartjes voor een bepaal-

Lid van de moderne dansgroep Momix (*blz. 343*)

de voorstelling willen bemachtigen die al is uitverkocht, bedenk dan dat het onwaarschijnlijk is dat u deze langs inofficiële weg zult verkrijgen.

GOEDKOPE KAARTJES

Theaters en concertzalen geven doorgaans geen kortingen op kaartjes, aangezien de vraag vaak groter is dan het aantal beschikbare plaatsen. In bioscopen kunnen 60-plussers en gehandicapten door de week echter gewoonlijk een korting van 30 procent krijgen. Doordat de bioscopen de laatste jaren financiële steun ontvangen van de Comune di Roma, zijn nu bioscoopkaartjes één dag per week te koop tegen gereduceerde prijzen (gewoonlijk woensdag). Dit hoeft echter niet zo te blijven. Sommige clubs in badplaatsen als Fregene geven kortingen. Let op *due per uno*-bonnen in plaatselijke bars, waarop de tweede persoon gratis toegang heeft.

VOORZIENINGEN VOOR GEHANDICAPTEN

Er zijn maar weinig uitgaansgelegenheden in Rome waar rekening wordt gehouden met mensen die slecht ter been zijn, gemakkelijk kleinere hebben. In de zomer zijn de omstandigheden iets beter. In de open lucht wordt gehouden den. De Thermen van Caracalla zijn toegankelijk voor mensen in een rolstoel, evenals de klassieke concerten die in de tuinen van de Villa Giulia (blz. 362–363) worden gehouden. Meer informatie leest u op bladzijde 359.

Het Teatro dell'Opera (blz. 342)

AMUSEMENT IN DE OPEN LUCHT

Van eind juni tot eind september worden er tal van opera-uitvoeringen, klassieke concerten en jazzconcerten gegeven in de open lucht. Deze voorstellingen kunnen erg indrukwekkend zijn, met spectaculaire decors en enthousiast publiek. Sommige evenementen zijn groots opgezet, maar de kleinere zijn net zo indringend zijn, een gitaarrecital in de kruisgangen van Santa Maria della Pace (blz. 342) bijvoorbeeld, of jazz in de prachtige tuinen van de Villa Doria Pamphilj (blz. 344).

Zangers in *De barbier van Sevilla*

Veel bioscopen rollen in de zomer hun plafonds open, zodat de films in de open lucht kunnen worden bekeken, of ze verhuizen naar arena's. Ook worden er ieder jaar filmfestivals in de open lucht gehouden. In juli en augustus vinden het Cineporto (langs de Tiber) en het Festival di Massenzio plaats, met films, eten en tentoonstellingen. Ook het toneel verhuist in de zomer naar buiten. In Ostia Antica (blz. 270) worden Griekse en Romeinse stukken opgevoerd en andere voorstellingen in het Anfiteatro del Tasso (blz. 347). Het belangrijkste zomerfestival van Rome is RomaEuropa. Op het terrein van de Villa Medici kunt u een maandlang genieten van belangrijke voorstellingen. Er worden ook kleinere festivals gehouden, maar hiervan variëren tijd en plaats elk jaar. U kunt daarom het beste de posters in de stad in de gaten houden. Het Festa de Noantri (blz. 59) is een traditioneel festival voor de inwoners van Trastevere, met muziek, vuurwerk en processies. Dit religieuze feest wordt gehouden op de zaterdag na 16 juli, maar de vieringen duren tot ver in augustus. Het Festa dell'Unità dat door de PDS (de voormalige communistische partij) wordt georganiseerd, maar niet uitsluitend een politiek karakter heeft, vindt in september plaats. Op het programma staan onder meer wedstrijden, kraampjes, eten en drinken.

BESPREEKBUREAUS

Gesman
Via Angelo Emo 65.
Kaart 3 A2. ☎ 63 18 03.

Box Office
Viale Giulio Cesare 88. Kaart 3 C1.
Kaarten voor klassieke, rock-, pop- en jazzconcerten en enkele sport-evenementen.
☎ 372 02 15, 372 02 16 of 568 16 23.

Orbis
Piazza dell'Esquilino 37.
Kaart 6 D4. ☎ 47 44 76.

Prontospettacolo
Alleen telefonische boekingen.
☎ 39 38 72 97 or 39 38 74 40.

Rinascita
Via delle Botteghe Oscure 1–3.
Kaart 4 F5 & 12 E4. ☎ 679 74 60 or 679 76 36.

Voorstelling in het klassieke decor van de Thermen van Caracalla (blz. 342)

Klassieke muziek en dans

Klassieke concerten worden overal gegeven. Het zal u misschien moeite kosten om aan kaarten voor operapremières te komen, maar uitvoeringen van solisten, groepen of orkesten in tuinen, kerken, villa's of oude ruïnes zijn beter toegankelijk. Het hele jaar treden er wereldberoemde solisten en orkesten op. Sterren als Luciano Pavarotti, Placido Domingo, Catherine Malfitano en de prima-ballerina Silvie Guillem hebben Rome al met een bezoek vereerd. Soms wordt er een festival aan een Italiaanse componist gewijd, zoals Palestrina, de grote 16de-eeuwse meester van de polyfone kerkmuziek, of Arcangelo Corelli, de uitvinder van het barokke *concerto grosso*.

MUZIEK IN KERKEN

Rome oefent onder meer een grote aantrekkingskracht uit op liefhebbers van klassieke muziek vanwege het rijke repertoire dat in de kerken valt te beluisteren. De muziek heeft er altijd een religieus thema (per decreet van paus Johannes Paulus II) en wordt vaker ten gehore gebracht in de vorm van concerten dan tijdens kerkdiensten. Programma's vindt u overal in de stad en ook buiten de kerken. In de **Sint Pieter** *(blz. 230)* vindt op 5 december een belangrijk concert van de RAI (de staatsomroep) plaats in aanwezigheid van de paus. Het concert is gratis toegankelijk. De Sint Pieter beschikt over twee bekende koren. Het Coro della Cappella Giulia zingt om 10.30 uur en op zondag bij de vesper om 17.00 uur. Het Coro della Cappella Sistina zingt altijd als de paus de mis er opdraagt, zoals op 29 juni (dag van Petrus en Paulus). Belangrijke gezongen missen vinden ook plaats op 25 januari in de **San Paolo fuori le Mura** *(blz. 267),* in aanwezigheid van de paus, op 24 juni in de **San Giovanni in Laterano** *(blz. 182)* en op 31 december in de **Gesù** *(blz. 114-115),* waar dan het *Te Deum* wordt gezongen. In de **Sant'Ignazio di Loyola** *(blz. 106)* kunt u ook genieten van concerten met koor. Gregoriaans gezang is te beluisteren in de **San Apollinare** *(blz. 127),* 's zondags om 11.00 uur en op de kerkelijke feestdagen. Pasen en Kerstmis zijn hoogtijdagen voor goed-kope en koude concerten: gewoonlijk hoeft u hier geen entreeprijs te verwachten, noch verwarming!

ORKEST-, KAMER- EN KOORMUZIEK

Het **Auditorium di Santa Cecilia**, het **Foro Italico** van de staatsomroep en het **Teatro dell'Opera** zijn de drie belangrijkste auditoria van Rome. Ze beschikken over hun eigen residentiële orkesten en koren. Het Orchestra e Coro dell' Accademia di Santa Cecilia staat wat kwaliteit betreft bovenaan, maar het Orchestra e Coro di Roma della RAI doet er niet veel voor onder. Alle drie de zalen verzorgen gevarieerde programma's.
Het seizoen in het **Teatro Olimpico** brengt gewoonlijk veel goede kamermuziek, enkele orkestrale concerten en ballet. Er wordt iedere week minstens één concert gegeven. Deze concerten staan aangekondigd op duidelijk herkenbare gele posters met rode randen, die garant staan voor uitvoeringen van een hoog niveau.
Het Festival Musicale delle Nazione is een serie concerten, verzorgd door de Concerti del Tempietto, die iedere maand in het teken staat van componisten uit een ander land. Deze concerten worden tussen november en juni iedere zaterdag (9.00 uur) en zondag (17.45 uur) gegeven in de **Sala Baldini**. De toegangsprijs voor klassieke concerten is grotendeels afhankelijk van de uitvoeren-den en de lokatie. In het **Auditorium del Foro Italico** betaalt u voor de meeste concerten minder dan L 20.000, kaarten in het **Teatro Olimpico** kosten L 25.000-L 40.000, maar plaatsen voor een belangrijk concert in het **Teatro dell'Opera** kunnen u op zo'n L 150.00 komen te staan. De Associazione Musicale Romana organiseert drie jaarlijkse festivals in het **Palazzo delle Cancelleria** *(blz. 149):* het Festival Internazionale di Cembalo in maart, Musica al Palazzo in mei en het Festival Internazionale di Organo in september. Het is altijd de moeite waard om uit te zoeken wie er speelt in het **Teatro Ghione**, het **Oratorio del Gonfalone**, het **Auditorio di San Leone Magno** of de **Sala Accademica di Via dei Greci**.

OPENLUCHTCONCERTEN IN DE ZOMER

In de zomer kunnen muziekliefhebbers genieten van concerten in kloosters, binnenplaatsen van palazzi en oude ruïnes. De concerten staan op zichzelf of maken deel uit van het programma van een festival. Doe als de Romeinen zelf: maak geen plannen tot het laatste moment en let op de posters en overzichten *(blz. 340)* voor de laatste gegevens.
Opera- en dansuitvoeringen in de open lucht vinden plaats in de majestueuze **Thermen van Caracalla**. Klassieke concerten maken vaak deel uit van festivals als RomaEuropa *(blz. 341).* Daarnaast zijn er festivals en series concerten in de open lucht die speciaal aan klassieke muziek zijn gewijd. Een van de interessantste is de Stagione Estiva dell'Orchestra dell'Accademia di Santa Cecilia in het Ninfeo *(nymphaeum)* op het grondgebied van de **Villa Giulia** *(blz. 263).* Deze concerten, die ook wel de Concerti a Villa Giulia worden genoemd, beginnen in juli. Kaarten onder de L 20.000. De Associazione Musicale Romana organiseert in juli de Serenato in Chiostro, een le-

vendig en gevarieerd programma met concerten die in de kruisgangen van de **Santa Maria della Pace** worden gegeven *(blz. 121)*. Kaarten onder de L 20.000.

In de zomer verzorgt het Tempietto-orkest de Estate al Tempietto (ook wel Concert del Tempietto genoemd), een reeks concerten die van juli tot september iedere avond worden gegeven in de **Area Archeologica del Teatro di Marcello** *(blz. 151)*. Het Festival Villa Pamphili in Musica is een reeks concerten die in juli in de tuinen van de **Villa Doria Pamphili** *(blz. 267)* plaatsvindt. De programma's variëren van komische opera tot jazz en modern klassiek. Fanfarekorpsen zijn te horen in de **Pincio-tuinen** *(blz. 136)* op zondagochtend van eind april tot half juli. Ze beginnen gewoonlijk rond 10.30 uur te spelen.

CONTEMPORAINE MUZIEK

Het **Auditorium del Foro Italico**, het **Auditorium di Santa Cecilia** en de Accademia Filarmonica Romana (gewoonlijk in het **Teatro Olimpico**) nemen soms moderne stukken in hun programma's op, maar deze genieten een geringere populariteit dan de klassieke stukken. Bovendien beschikt Rome niet over een vaste concert-zaal met een vast hedendaags programma.

Internationale musici treden op tijdens festivals en eenmalige concerten. De interessantste festivals zijn Nuovi Spazi Musicali (nu onderdeel van RomaEuropa), dat in de zomer plaatsvindt, met gratis concerten, en het Festival Nuova Consonanza in het najaar. Moderne Italiaanse composities worden twee à drie keer per jaar uitgevoerd in de concertreeks Rassegna Nuova Musica Italiana. Houd ook uitvoeringen van leerlingen van de Académie française in de **Villa Medici** in de gaten *(blz. 135)*.

OPERA

Voor velen zijn Italië en opera synoniemen. Critici zullen u (misschien niet ten onrechte) vertellen dat het niveau van de Romeinse opera's lang niet zo hoog is als dat van La Scala van Milaan, het San Carlo van Napels of La Fenice van Venetië. Maar dat betekent nog niet dat de Romeinse opera niet een bezoek waard is, want er treden zangers van wereldklasse op *(blz. 38)*, vooral bij premières en solorecitals. Zo is het visuele spektakel Aida, dat 's zomers buiten wordt opgevoerd, magnifiek.

In het **Teatro dell'Opera** begint het seizoen laat, tussen november en januari. De prijzen lopen uiteen van L 25.000 tot L 250.000. Van oudsher verhuist het Teatro dell'Opera in juli en augustus naar buiten naar de oude **Thermen van Caracalla**. De kaarten variëren van L 10.000 tot L 120.000 en zijn van tevoren verkrijgbaar bij het bespreekbureau bij het Teatro dell'Opera. Soms kunt u op de avond van de uitvoering ook nog kaarten aan de deur kopen.

BALLET EN DANS

De mogelijkheden om in Rome ballet of hedendaagse dans te bekijken, zijn tamelijk beperkt. Het Corpo di Ballo del Teatro dell'Opera, het residentiële gezelschap van de opera, voert zowel grote klassieke stukken uit als moderne choreografieën in de stijl van Roland Petit. Uitvoeringen vinden plaats in het **Teatro dell'Opera**, de **Thermen van Caracalla** (in de zomer) of het **Teatro Brancaccio**. Moderne dans kunt u vooral bekijken tijdens de zomerfestivals, maar buitenlandse gezelschappen treden ook vaak op in het **Teatro Olimpico**. Traditionele volksdansers en acrobaten uit China en gezelschappen als het circus van Moskou en het volksdansensemble Mojsejev treden gewoonlijk op in het **Teatro Tenda a Strisce**.

Rock, jazz, folk en wereldmuziek

De wereld van de niet-klassieke muziek in Rome is nogal grillig. Toch zult u allerlei soorten muziek aantreffen in de vele clubs en tijdens evenementen in de open lucht, met buitenlandse sterren. De aankondigingen zijn vaak moeilijk te vinden, maar in 'Music Box' van *Trovaroma (blz. 340)* kunt u een indruk krijgen van wat er te doen is.

Bij kleinere lokaties kunt u van tevoren geen plaatsen bespreken. U zult echter wel een *tessera* (lidmaatschapskaart) moeten kopen, die L 1000 tot L 20.000 kost. Bij bekende musici moet u daarnaast misschien nog entree betalen, maar bij lokale groepen is dit gewoonlijk bij het lidmaatschap inbegrepen.

ROCKMUZIEK

Grote rockconcerten worden gegeven in EUR in het **Palazzo dello Sport** of in een stadion: het **Stadio Flaminio**, het **Stadio Olimpico** of ver weg in het **Ippodromo Capannelle**. Zorg dat u minstens een uur voor de poorten opengaan aanwezig bent om een goede plaats te krijgen. **Villaggio Globale Il Mattotoio** (een omgebouwd abattoir) in Testaccio is een omvangrijke zaal, waar u staande concerten en andere evenementen kunt bijwonen. De beste popmuziek hoort u in **Uonna** (lidmaatschap verplicht) uit de jaren zeventig. Hoewel de poptempel vrij oud is en ver weg in de noordelijke buitenwijken ligt, is er altijd veel te doen. Trouwe fans van thrash, punk en reggae (op zondag) gaan hierheen voor de onpretentieuze optredens. **Osiris**, bij Campo de' Fiori, is ook interessant voor de liefhebber. Hier kunt u de heersende trends in pop en wereldmuziek beluisteren. Kijk ook wat er te doen is in de **Antica Carboneria**, in **Black Out**, waar op donderdag concerten worden gegeven, in **Piper '90** in **Il Castello**, een omgebouwde bioscoop in de buurt van het Vaticaan, waar nu rock- en jazzfestivals plaatsvinden. Ook interessant is **Forte Prenestino**, een voormalige gevangenis die een paar jaar geleden werd gekraakt en is veranderd in een sociaal centrum waar rockconcerten, debatten en kunsttentoonstellingen worden gehouden.

Dichter bij het centrum vindt u traditionelere gelegenheden. **Big Mama**, het trendy **Palladium** en het **Caffè Caruso** zijn bekende, populaire adressen waar veel bands optreden.

JAZZ

Door bezoeken van buitenlandse musici heeft de Romeinse liefde voor jazz zich in de loop der jaren sterk ontwikkeld. Miles Davis, bijvoorbeeld, speelde een van zijn laatste concerten op het **Roma Jazz Festival** en gitarist Pat Metheny, Sonny Rollins, Gil Evans' Band, de Lounge Lizards, Spyrogyra en Joe Zawinuls Syndicate zijn regelmatige bezoekers. Ieder jaar vindt Roma Jazz plaats, doorgaans in juli. De optredens worden gehouden in het **Foro Italico** *(blz. 351)*, dat in *Trovaroma* ook wel Stadio del Tennis wordt genoemd. Kaarten zijn verkrijgbaar bij Orbis *(blz. 341)* en andere bureaus en kosten rond L 35.000-40.000.

Buiten de festivals zijn de beste jazzmusici te beluisteren in het **Palladium**, bij San Paolo fuori le Mura, of in **Il Castello** en **Alpheus**. In **Alpheus** worden in afzonderlijke concertzalen interessante festivals gehouden, waarbij iedere avond jazzensembles van goede kwaliteit spelen. In een aantal kleinere gelegenheden kunt u nieuw talent zien optreden, zoals **Vicolo 49** (u mag meedoen) en het **Caffè les Folies**. Enkele muziekscholen fungeren ook als podia voor nieuwe musici,

waaronder **Mississippi Blues**, **Saint Louis Music City**, **Ciac Musica** en **Alexanderplatz**. In de zomer worden veel muziekfestivals 's avonds buiten gehouden. De laatste jaren wordt er jazz gespeeld op het Festival Villa Pamphili in Musica dat in juli plaatsvindt en door I Concerti nel Parco wordt georganiseerd. De kaarten kosten rond de L 15.000 en zijn bij de Villa Pamphili verkrijgbaar.

's Winters kunt u terecht bij twee café-achtige gelegenheden die laat open blijven: **La Finestra sul Cortile** en **Stardust**. Bij de laatste wordt op donderdag jazz gespeeld en op de andere dagen speelt er een pianist. Of kijk wat er te doen is bij **Caffè Latino**, **Caffè Caruso**, **Fonclea**, **Melvyn's** en **Antica Carboneria**.

Rome heeft een interessant aanbod aan jazzmusici. Pianist Antonello Salis speelt een combinatie van jazz en Caribische ritmes. Crystal White and the Supernaturals is een Romeinse jazz-funkformatie. Voor gitaarliefhebbers is er de fusion van Eddie Palermo en de belangrijkste jazzbands zijn Roberto Gatto, Maurizio Gianmarco, Massimo Moriconi en Massimo Urbani. Andere bekende bands zijn Orizzonte degli Eventi (fusion), Sestetto Swing di Roma (swing) en Area 2 (jazz-rock).

FOLKMUZIEK

Folkstudio in Trastevere loopt al 30 jaar voorop op het gebied van de folk in Rome. In de volle zalen heerst een ontspannen, gezellige sfeer. In Folkstudio, geopend in de jaren zestig, heeft Bob Dylan als jong talent opgetreden, iets waar men hier erg trots op is. Ierse folk en Amerikaanse country and western zijn zeer in trek, evenals regionale Italiaanse volksmuziek. Er wordt hier geen drank verkocht, dus neem die zelf mee. Om naar binnen te kunnen, moet u een lidmaatschapskaart kopen, die rond L 10.000 kost.

Een nieuweling is **Shamrock** in de buurt van het Colosseum. Hier kunt u country- en blue-grass-muziek beluisteren. Wilt u er een hapje bij eten, ga dan naar **Fonclea** vlak bij de Sint Pieter. Kijk wel eerst in *Trovaroma* wie er speelt. Bezoek een paar Ierse pubs die in Rome te vinden zijn. Ga bijvoorbeeld naar de **Fiddler's Elbow** en **Druid's Den**, beide in de buurt van de Santa Maria Maggiore. Let ook op waar het Kay McCarthy Ensemble of Square Dance optreedt.

WERELDMUZIEK

Sinds de jaren zeventig bezit Rome een sterke Latijns-Amerikaanse gemeenschap. Latijns-Amerikaanse muziek is hier geen rage van voorbijgaande aard. De Romeinen dansen avond aan avond samen met de vele Braziliaanse, Argentijnse en Peruaanse inwoners op merengue, salsa en soca. De laatste jaren vindt er 's zomers in de Villa Borghese een Caribisch festival plaats met live-muziek en andere attracties. Het is niet zeker of dit een jaarlijks terugkerend evenement is. In veel eetgelegenheden is het hele jaar door *Latin* te horen. **El Charango** serveert niet alleen Zuidamerikaanse gerechten, maar ook muziek. Er is een dansvloer. Bij **Yes Brazil** deinen de eigenaar en de langbenige serveersters samen met de gasten op de bossa nova. De musici wisselen elkaar af tot diep in de nacht. Aanbevolen: de gitariste Giovanna Marinuzzi, die

Braziliaanse muziek speelt. Zorg dat u tijdig een tafel vooraan reserveert. Let ook op de in Italië woonachtige Braziliaanse musici Brenazil, Carlos de Lima en Alvinho en de lokale salsagroep Xenaya of kijk wat er te doen is in het **Caffè Latino**, **Mambo** en **Blatumba Amazons** in het getto, in **Caffè Caruso** in Testaccio en in de **Bossa Nova** of **Melvyn's** in Trastevere. Andere soorten wereldmuziek zijn moeilijker te vinden. In **Taverna Negma** geniet u om de dag van Arabische gerechten en muziek. Liefhebbers van Afrikaanse muziek kunnen uitkijken naar optredens van Sanganà of Akwaba. Afrikaanse en Italiaanse musici spelen samen met Pietro dall'Oglio's groep op diverse plaatsen in de stad.

Film en theater

Naar de film gaan is een populaire vrijetijdsbesteding in Rome. Op een gemiddelde doordeweekse dag draaien er zo'n 40 films. Verreweg de meeste bioscopen zijn *prima visione* (premièrebioscopen) en vertonen de laatste internationale films in een nagesynchroniseerde versie. De kleinere filmhuizen bieden vaak een ondertiteling. Theaterprodukties worden in het Italiaans opgevoerd, zowel nationale klassieke stukken als werken van buitenlandse toneelschrijvers. De belangrijkste theaters bieden een selectie van grote Italiaanse toneelschrijvers. U kunt ook uitvoeringen van traditioneel variété, avant garde-theater en danstheater bekijken. Theaterkaarten kosten tussen L 10.000 en L 70.000. U kunt ze doorgaans alleen vooraf reserveren door zelf langs te gaan bij het bespreekbureau of via bureaus als **Gesman** en **Box Office** *(blz. 341)*.

PRIMA VISIONE

Er zijn meer dan 80 *prima visione*-bioscopen verspreid in de stad. De beste Romeinse bioscopen qua interieur en comfort zijn **Fiamma** (twee zalen), **Barberini** (drie zalen) en **Rivoli**. Doorgaans krijgen buitenlandse films geen ondertiteling. (Men beweert dat de Italiaanse nasynchronisatie tot de beste ter wereld behoort.) **Alcazar** draait op maandag echter wel films in de oorspronkelijke taal, voornamelijk in het Engels. Kaarten voor nieuwe films kosten over het algemeen zo'n L 10.000 maar sommige *prima visione*-bioscopen berekenen minder, zoals **Capranichetta**, **Diamante** en **Cinema Esperia**. Gehandicapten en 60-plussers kunnen op werkdagen gewoonlijk een korting krijgen tot 30 procent. Kijk voor exacte gegevens in de krant of in *Trovaroma (blz. 340)*.

FILMHUIZEN

U treft in Rome twee soorten filmhuizen aan: de *cine-clubs* en de *cinema d'essai*. Geïnteresseerden kunnen hier niet alleen genieten van oudere klassiekers en nieuwe buitenlandse films, maar ook van films van moderne Italiaanse regisseurs. De *d'essai*-bioscopen draaien af en toe films in de oorspronkelijke taal (in de uitkranten aangeduid met *v.o.*, *versione originale*). Ga bijvoorbeeld naar **Azzurro Scipioni** (als een van de weinige de gehele zomer open) of **Nuovo Sacher**. Sommige kleinere bioscopen, zoals **Labirinto**, worden *cine-clubs* genoemd en zijn dan alleen toegankelijk voor leden. Het multi-mediacentrum **Palazzo delle Esposizioni** vertoont in de Sala Rossellini vaak interessante series internationale films (reserveren is raadzaam). **Dei Piccoli** draait tekenfilms en favoriete kinderfilms. De avondvoorstellingen voor volwassenen, vaak in de originele taal, worden aangeduid met Dei Piccoli Sera. De **Tibur** is een kleine bioscoop met een gevarieerd programma.

ENGELSTALIGE FILMS

Filmhuizen en **Alcazar** draaien af en toe Engelstalige films in de originele versie. Daarnaast is er in Trastevere een Engelstalige bioscoop, **Pasquino**. Om de paar dagen een nieuwe film (kaartjes kosten rond L 7000).

FILMS IN DE ZOMER

Van veel Romeinse bioscopen kan het plafond worden opengerold. Hier kunt u 's zomers terecht als andere bioscopen sluiten. **Nuovo Sacher** beschikt over een arena buiten waar 's zomers films worden gedraaid. Ook worden er in Rome twee zomerfilmfestivals gehouden: Cineporto en Massenzio. Cineporto (ieder avond, juli-september) vindt alleen plaats in het Parco della Farnesina, maar voor Massenzio moet u steeds naar een andere locatie (zie de overzichten). Sla de uitkranten *(blz. 340)* na op gegevens over retrospectieven of avant garde-series in **Azzurro Scipioni** en over de openluchtfestivals als Roma-Europa *(blz. 341)* en Festa dell'Unita *(blz. 341)*. Liefhebbers van science fiction moeten het Fantafestival in de gaten houden (begin juni), een festival van science fiction-, fantasy- en horrorfilms.

REPERTOIRETHEATER

De ruggegraat van het Romeinse theaterrepertoire wordt gevormd door de drama's van Luigi Pirandello en de komedies van Carlo Goldoni (18de eeuw) en de Napolitaan Eduardo de Filippo (20ste eeuw). Nu en dan worden er ook stukken van belangrijke buitenlandse toneelschrijvers opgevoerd. De beste klassieke produkties zijn te zien in het **Teatro Argentina**, **Teatro Quirino**, **Teatro Valle**, **Teatro Eliseo** en **Teatro Piccolo Eliseo**. Het **Teatro Argentina**, oorspronkelijk een operagebouw, is staatseigendom en herbergt het permanente toneelgezelschap van Rome. Het **Quirino** en het **Valle** brengen produkties uit andere Italiaanse steden. In het **Valle** ziet u afwisselend grote Italiaanse klassiekers opgevoerd door beroemde gezelschappen en minder bekende moderne werken. In het **Quirino** spelen vaak beroemde Italiaanse acteurs. **Eliseo** en **Piccolo Eliseo** behoren tot de beste particuliere theaters. Stukken van Agatha Christie en Alfred Hitchcock worden vaak opgevoerd in het **Teatro Stabile del Giallo**, dat in misdaadverhalen is gespecialiseerd. Voor Noël Coward en Raymond Queneau moet u naar het **Teatro Vittoria**. Het programma van het **Teatro Sistina** bevat musicals van bezoekende gezelschappen en voorstellingen van beroemde Italiaanse acteurs.

HEDENDAAGS THEATER

Voor modern theater gaat u naar het **Tordinona**, het **Politecnico**, het **Ateneo** (in de universiteit) en tal van kleine theatertjes, ondergebracht in kelders, garages, kleine appartementen of tenten. In het **Colosseo** en **La Scaletta** kunt u experimentele produkties zien (hier bekend als *teatro off*). In het **Tordinona**, het **Politecnico** en het **Ateneo** worden vaak werken van hedendaagse auteurs opgevoerd en nu en dan avant garde-produkties. Sommige theaters, zoals het **Teatro dei Cocci**, voeren produkties op van de toneelschool.

VOLKSMUZIEK, VARIÉTÉ EN POPPENTHEATER

U kunt genieten van Romeinse en Napolitaanse volksliederen en variété in een van de variétérestaurants in Trastevere, zoals **Ciceruacchio**, **Fantasie di Trastevere**, **Fieramosca** en **Meo Patacca**. Poppentheater is een andere traditie. De voorstellingen worden gewoonlijk vroeg in avond, in het weekeinde en soms ook door de week gegeven. Ze zijn te zien in het **Teatro Verde**, **Teatro Villa Lazzeroni**, **Teatro Mongiovino** en het **English Puppet Theatre**, waar de poppenspelers in het Engels spelen als daar genoeg vraag naar is. In de zomer geven rondtrekkende Napolitaanse

en Siciliaanse marionettengezelschappen eenmalige voorstellingen.

OPENLUCHTTHEATER

In het zomerseizoen worden gewoonlijk Griekse en Romeinse toneelstukken opgevoerd in **Ostia Antica** *(blz. 270-271)*.
Het **Anfiteatro Quercia del Tasso** in het Janiculum-park dankt zijn naam aan de eikeboom waar de 16de-eeuwse dichter Torquato Tasso vaak onder zat. Het theater brengt geen stukken in een specifiek genre. Kaarten kosten zo'n L 20.000.
Vlakbij vindt u een permanent Napolitaans straatpoppentheater waar *Pulcinella* te zien is (stamvader van onze Jan Klaassen).

Nachtclubs

De wijk rond de Via Veneto, door Fellini zo indrukwekkend in beeld gebracht in *La dolce vita*, was vroeger het centrum van het Romeinse nachtleven. U vindt hier nog steeds veel uitgaansgelegenheden, maar er zijn nieuwe, minder formele en betaalbaarder clubs bijgekomen. Met de nieuwe clubs ontstaan er nieuwe uitgaansbuurten. De schilderachtige nauwe straatjes in Trastevere, het Piazza Navona en de wijk rond het Pantheon beginnen populairder te worden. Testaccio raakt ook steeds meer in trek.

WAT IS ER TE DOEN

Zoals in elke andere grote stad verandert in Rome het nachtleven voortdurend. De Romeinse clubgangers vormen een gevarieerd gezelschap en om het iedereen naar de zin te maken, organiseren de meeste clubs verschillende nachten. Het is daarom van belang dat u op de hoogte blijft door een blad als *Trovaroma (blz. 340)* te lezen. Wilt u uw informatie liever uit een directere bron, ga dan naar de bars in de wijken rond het Piazza Navona en het Campo de' Fiori.
's Avonds rond half elf wemelt het er van de mensen en als er iets interessants te doen is, raakt dit al snel algemeen bekend. Soms worden er *buoni* (gratis of goedkope kaartjes) uitgedeeld.

PRAKTISCHE INFORMATIE

Donderdag, vrijdag en, natuurlijk, zaterdag zijn in Rome de favoriete clubavonden. Op zaterdag betaalt u als entree zo'n L 35.000. Voor populaire gelegenheden staan lange rijen wachtenden, maar als u voor middernacht komt, kunt u de drukte omzeilen. Bij sommige clubs hebt u een *tessera* (lidmaatschapskaart) nodig, die gewoonlijk ter plekke verkrijgbaar is en het entreegeld vervangt. Doorgaans is het eerste drankje bij de prijs van uw kaartje of *tessera* inbegrepen. Het tweede drankje kan flink in de papieren lopen, soms kost het zo'n L 20.000. In chiquere gelegenheden is uw uiterlijk van het grootste belang. Een jasje en dasje zijn verplicht. U mag gewoonlijk alleen naar binnen met een uitnodiging of persoonlijke introductie. In traditionele disco's kunt u doorgaans zonder al te veel moeite naar binnen zolang u zich maar in ongedwongen designkleding hebt gestoken. Maar kijk uit! Met een zwart T-shirt ziet u er te *alternativo* uit. Groepen die alleen uit mannen bestaan, zijn nooit welkom en in de exclusievere clubs geldt hetzelfde voor mannen zonder damesgezelschap.

CLUBS EN BARS

Begin een chic avondje uit bijvoorbeeld in een van de verfijnde pianobars, zoals de **Blue Bar**, de **Little Bar** of in het intieme **Tartarughino**, populair bij politici en financiers. Bars in Amerikaanse stijl, zoals **Hemingway** en **Jeff Blynn's**, zijn levendiger. Als u zich liever in de kunstwereld begeeft, ga dan naar **Zelig**, **Bar della Pace**, **Le Cornacchie**, **La Vetrina** en **Picasso**.
Ga vervolgens naar **Gilda**, een favoriet adres van de Romeinse jet-set, met twee stijlvolle restaurants, een grote, opzichtige dansvloer en talrijke vips. **Jackie O**, de beroemde nachtclub uit de jaren zestig, is tegenwoordig veel luxer en bezit een weelderig interieur en een duur restaurant. Verwant zijn **Open Gate**, **Divina** en **Notorious**.
Van alle jeugdige, trendy clubs is **Alien** het populairst. Deze club brengt house, techno en hip-hop en u vindt er podia, wilde lichteffecten en 'happenings'. Op een kleinere dansvloer is de muziek wat rustiger. Even flitsend is het betrekkelijke nieuwe **Tatum**, waar ook soul- en dansmuziek is te horen.
De beste dansgelegenheden zijn **Soul II Soul**, een van de weinige werkelijk gemengde clubs voor blank en zwart met fantastische muziek, en **Radio Londra**, een soort bunker uit de Tweede Wereldoorlog met harde dansmuziek en gratis toegang. Op de **Argonauta**, een voor anker gelegde raderboot op de Tiber, kunt u vrijdags en zaterdags dansen op alle muziekstijlen, van techno tot reggae.
De beste traditionele disco is **Piper '90**, de oudste en grootste van Rome, waar het interieur ieder seizoen totaal wordt veranderd. Hij is vooral in trek bij jongeren, evenals **Veleno** en **New Life**. In **New York, New York** wordt op sommige avonden muziek uit de jaren veertig en vijftig gespeeld en op andere jazz-funk. U vindt in Rome ook interessante discobars, zoals **Battello Ubriaco** en **Fandango**.
Als u een alternatief avondje uit wilt meemaken, begin in de **Vineria**. In het oude abattoir (*il Mattatoio*) in Testaccio vindt u **Villaggio Globale**, een sociaal centrum waar concerten, shows, disco's en feesten worden gehouden.
Circolo degli Artisti is ook een sociaal centrum met een grote dansvloer, bar, theater en videozaal, gelegen in het oude melkcentrum. In twee omgebouwde bioscopen, **Castello** in de buurt van het Vaticaan en **Palladium** in de zuidelijke buitenwijk, vinden uiteenlopende concerten en evenementen plaats.

HOMOSCENE

Voor homo's is er in Rome een hoop te doen; veel clubs hebben vaste homo-avonden. Ook worden er eenmalige evenementen georganiseerd, vooral tijdens het Maratona Gay-festival in mei. De beroemdste homoclub is **Alibi**. De muziek is hier een mengeling van underground en hits uit de jaren zeventig. In het postmoderne interieur van **Angelo Azzurro** kunt u genieten van hi-energy en house. Let op evenementen georganiseerd door **Circolo Mario Mieli di Cultura**

Omosessuale of ga naar bars als **Hangar** om uit te vinden wat er te beleven is. Voor lesbiennes is de keus kleiner. Op zondagavond kunnen zij naar **Panico**. In **Galaxia** worden vrijdags en zaterdag avonden gehouden alleen voor vrouwen.

JAZZ, SALSA EN AFRIKAANS

Jazz is er te kust en te keur in Rome (*blz. 344*). Op de volgende adressen kunt u live-muziek beluisteren, dansen en drinken. **Caffè Latino** (lidmaatschap vereist) is in het weekeinde op zijn best. Ga voor Zuidamerikaanse muziek naar **Yes Brazil** en **Drink Music** en voor salsa naar **Caffè Caruso** (lidmaatschap vereist). In **Alpheus** vinden in vier zalen tegelijkertijd verschillende muziekevenementen plaats. Afrikaanse clubs als **Fantasy** (vrijdags gratis) en **Safari** zijn druk, sympathiek en goedkoop.

ZOMERCLUBS

Ga 's zomers, als alles in de stad gesloten is, naar de Romeinse badplaatsen. In Fregene, bijvoorbeeld, vindt u dertien clubs, alle bijna identiek, waar de gasten vlotte merkkleding dragen. Neem zwemkleding mee. Enkele namen zijn **Gilda on the Breach**, **Tattou** en **Miraggio**. De twee laatste zijn populair bij jongeren. **Sogno del Mare** biedt live-muziek van bekende bands, een zwembad en een aangenaam, ruim interieur.

LATE CLUBS

De meeste Romeinse clubs blijven open tot 3.00 of 4.00 uur, maar het informele, levendige **Blue Zone** en het duurdere **Le Stelle** blijven open tot zonsopgang. Drink een laatste drankje in een van de cafés die dag en nacht open blijven.

ADRESSEN

Alibi
Via di Monte Testaccio 44.
Kaart 8 D4. 574 34 48.

Alien
Via Velletri 13. Kaart 6 D1. 841 22 12.

Alpheus
Via del Commercio 36/38.
Kaart 8 D5. 574 77 47.

Angelo Azzurro
Via Card. Merry del Val 13.
Kaart 7 C1. 580 04 72.

Antico Caffè della Pace
Via della Pace 2/5.
Kaart 4 E4 & 11 C2.

Argonauta
Lungotevere degli Artigiani.
Kaart 7 C4. 556 54 40.

Battello Ubriaco
Via dei Leutari 34.
68 30 05 35.

Blue Bar
Via dei Soldati 25.
Kaart 4 E3 & 11 C2.

Blue Zone
Via Campania 37 A.
Kaart 5 B1. 482 18 90.

Caffè Caruso
Via di Monte Testaccio 36.
Kaart 8 D4. 574 50 19.

Caffè Latino
Via di Monte Testaccio 96.
Kaart 8 D4. 574 40 20.

Il Castello
Via di Porta Castello 44.
Kaart 4 D3. 686 83 28.

Circolo degli Artisti
Via Lamarmora 28.
Kaart 6 E5. 446 49 68.

Le Cornacchie
Piazza Rondanini 53.
Kaart 4 F4 & 12 D2.

Divina
Via Romagnosi 11 A.
Kaart 4 E1. 361 13 48.

Drink Music
Via Natale del Grande 4.
Kaart 7 C1. 580 02 86.

Fandango
Corso Vittorio Emanuele 286. Kaart 4 D3 & 11 B3.

Fantasy
Via Alba 42. Kaart 10 F3.
701 67 41.

Galaxia
Piazza Bulgarelli 41.
881 10 43.

Gilda
Via Mario de' Fiori 97.
Kaart 5 A2 & 12 F1.
678 48 38.

Hangar
Via in Selci 69. Kaart 5 C5.

Hemingway
Piazza delle Coppelle 10.
Kaart 4 F3 & 12 D2.

Jackie O
Via Boncompagni 11.
Kaart 5 B2. 488 54 57.

Jeff Blynn's
Via Zanardelli 12. Kaart 4 E3 & 11 C2. 686 19 90.

Little Bar
Via Gregoriana 54 A.
Kaart 5 A2.

Circolo Mario Mieli di Cultura Omosessuale
Via Ostiense 202.
541 39 85.

New Life
Via XX Settembre 90.
Kaart 6 D1. 474 09 97.

New York, New York
Via Ostia 29. Kaart 3 B1.
372 40 61.

Notorious
Via San Nicola da Tolentino 22. Kaart 5 B2.
474 68 88.

Open Gate
Via San Nicola da Tolentino 4. Kaart 5 C2.
482 44 64.

Palladium
Piazza B. Romano 8.
511 02 03.

Panico
Via di Panico 13. Kaart 4 D3 & 11 B2. 68 30 07 49.

Picasso
Piazza della Pigna 23.
Kaart 4 F4 & 12 E3.
678 82 11.

Piper '90
Via Tagliamento 9.
855 53 98.

Radio Londra
Via Monte Testaccio 67.
Kaart 8 D4.

Safari
Via Aurelia 601.
66 41 63 09.

Soul II Soul
Via dei Fienaroli 30 A.
Kaart 7 C1. 581 32 49.

Le Stelle
Via C. Beccaria 22.
Kaart 4 E1. 361 12 40.

Tartarughino
Via della Scrofa 1.
Kaart 4 F3 & 12 D2.

Tatum
Via Luciani 52. Kaart 2 D3.
322 12 51.

Veleno
Via Sardegna 27.
Kaart 5 B1. 482 18 38.

La Vetrina
Via della Vetrina 20.
Kaart 4 E3 & 11 B2.

Villaggio Globale
Lungotevere Testaccio.
Kaart 8 D4. 57 30 03 29.

Vineria
Campo de' Fiori 5.
Kaart 4 E4 & 11 C4.

Yes Brazil
Via S. Francesco a Ripa 103.
Kaart 7 C2. 581 62 67.

Zelig
Via Monterone 74.
Kaart 4 F4 & 12 D3.
687 92 09.

ZOMERCLUBS

Gilda on the Beach
Lungomare di Ponente 11.
665 06 49.

Miraggio
Lungomare di Ponente 95.
646 39 50.

Sogno del Mare
Lungomare di Ponente 25.
66 56 05 40.

Tattou
Via Francavilla a Mare.
646 38 38.

Sport

Wees niet verbaasd als de zondagsrust wordt verstoord door claxonnerende auto's en schreeuwende mensen. Dit betekent gewoon dat een Romeinse voetbalclub heeft gewonnen in het stadion en de hele stad meetrilt van opwinding.
Voetbal is de nationale sport van Italië, maar ook andere sporten trekken een groot publiek. Romeinse sportliefhebbers zitten nooit verlegen om gevarieerde en goed georganiseerde evenementen en activiteiten. Wanneer en waar de meeste sporten zich afspelen, kunt u lezen in *Trovaroma (blz. 340)* en lokale bijlagen in *La Gazzetta dello Sport* en *Corriere dello Sport*.

VOETBAL

Een Italiaanse voetbalwedstrijd bijwonen is een ervaring die u eigenlijk niet mag missen, vanwege de kwaliteit van het spel, het uitgelaten publiek en de fantastische sfeer. Er komt nauwelijks voetbalvandalisme voor. Rome heeft twee grote clubs, AS Roma en Lazio. Deze spelen om de beurt zondagmiddag om 15.00 uur in het **Stadio Olimpico** in de Serie A van de Italiaanse competitie. Soms is er maar een beperkt aantal plaatsen beschikbaar. Koop daarom van tevoren kaarten bij het stadion (L 15.000 tot L 150.000). De kaarten voor La Tribuna zijn het goedkoopst, die voor Le Catinate iets duurder en die voor Le Curve kosten het meest.

TENNIS

Het belangrijkste tennisevenement is het internationale kampioenschap dat twee weken in mei wordt gehouden in het **Foro Italico**. De wereldtop slaat er op de gravelbanen op los van dinsdag tot vrijdag om 13.00 uur en 20.30 uur en op woensdag alleen om 13.00 uur. Koop van tevoren kaarten, direct bij het Foro Italico of bij een bespreekbureau.
U tennist liever zelf? Dan kunt u terecht bij meer dan 350 tennisclubs in Rome. Vaak moet u ten minste een week van tevoren boeken en gewoonlijk wordt er een bescheiden bedrag gevraagd. Clubs waar geen lidmaatschap is vereist, zijn het **Cento Sportivo Italico** en

Circolo Stampa in Noord-Rome en **Oasis di Pace** vlak bij de Via Appia Antica. Bij de grote hotels kunt u tegen een redelijke prijs tennissen. **St Peter's Holiday Inn** vraagt een klein bedrag als jaarlidmaatschap boven op de huur van de baan. Hier vallen ook het fitnesscentrum en ('s zomers) het zwembad onder.

PAARDENSPORT

Belangrijke races zijn de Derby in juni en de Premio Roma in november. Drafwedstrijden worden gehouden in het **Ippodromo di Tor di Valle** en vlakkebaanrennen en concours hippiques in het **Ippodromo delle Capannelle**.
Eind april en begin mei wordt de International Horse Show gehouden op het Piazza di Siena, Villa Borghese *(blz. 258)*. Het is een van de belangrijkste sociale evenementen van het jaar en vanwege het decor is het een grote publiekstrekker. Voor een ritje te paard op het platteland rond Rome moet u bij het **Centro Ippico Fiano Romano** zijn.

GOLF

Zelfs de elitairste golfclubs accepteren een rondreizend golfer met een lidmaatschap in zijn of haar eigen land en een handicap. De meeste clubs zijn op maandag gesloten en in het weekeinde, wanneer er competities worden gehouden en de gasten niet kunnen spelen. De prijzen variëren van L 50.000-80.000.
De **Olgiata Golf Club** is van

dinsdag tot donderdag voor iedereen geopend en van vrijdag tot zondag voor gasten in gezelschap van een lid. De **Country Club Castel Gandolfo** is de nieuwste club en **Circolo Golf Roma** de oudste en meest prestigieuze. Wat dichter bij het centrum kunt u terecht bij de golfbaan bij het **Sheraton Hotel** (gesloten op dinsdag).
Twee van de belangrijkste competities in en rond Rome zijn de Nationale Kampioenschappen in oktober en de Rome Masters in april.

AUTO- EN MOTORRACES

Formule 1- en formule 3-races vinden op zondag plaats in **Valle Lunga**. De toegangsprijzen kunnen aan de hoge kant zijn. Regelmatig wordt er op zaterdag publiek toegelaten bij trials. Op sommige zondagen als er niet wordt geracet, laten auto-ontwerpers hun nieuwste modellen zien.

WINDHONDENRENNEN

De **Cinodromo**-renbaan heeft zijn armoedige imago afgeschud. De toegangsprijs en de inzetten zijn niet hoog. Gewoonlijk is er een levendig, geanimeerd publiek aanwezig van alle leeftijden. De rennen worden iedere woensdag en donderdag gehouden om 18.30 uur en op zondag om 10.15 uur.

ROEIEN

Half juni daagt een gezelschap roeiers uit Oxford en Cambridge hun collega's uit Aniene uit tot een race die beurtelings op de Theems en de Tiber wordt gehouden. U hebt het beste zicht op de race tussen de bruggen Margherita en Sant'Angelo. De race begint gewoonlijk rond 18.00 uur. Een ander evenement is de wedstrijd van de Ponte Milvio naar de Ponte Flaminio tussen de teams van Roma en Lazio. Deze race vindt op dezelfde dag plaats als de voetbalwedstrijd AS Roma-Lazio.

ZWEMMEN

Er zijn maar weinig zwembaden in Rome. Vaak moet er een hoog bedrag aan lidmaatschap worden betaald plus een maandelijks tarief. Ook moet u in de meeste zwembaden een medische gezondheidsverklaring tonen. De rijkszwembaden zijn soms iets goedkoper, maar u zult ook hier eerst een bedrag aan lidmaatschap moeten betalen. U bent beter uit in de buitenbaden, die vaak bij een groot hotel horen. Het zwembad van het **Shangri-La Hotel** is van juli tot september geopend voor niet-hotelgasten. Voor een hoger bedrag kunt u zwemmen bij het **Hilton**, dat 's zomers ook zijn zwembad opent. U kunt het beste op zondag tussen 10.00 en 13.00 uur naar het sportcentrum-zwembad **La Margherita** gaan, dat dan geopend is voor niet-hotelgasten tegen een redelijke prijs. **Piscina delle Rose** in EUR is een zwembad met een Olympisch formaat ('s morgens vaak verlaten). Het is van juni tot september op werkdagen geopend van 9.00-17.30 uur en in het weekeinde van 9.00-19.00 uur.

FITNESSCENTRA

Net als bij de zwembaden moet u bij de Romeinse fitnessclubs gewoonlijk lid zijn en iedere maand contributie betalen. Als u maar kort in Rome bent, kunt u beter gebruik maken van de hotelvoorzieningen, of – maar dat kost geld – van particuliere centra. Het **Roman Sports Centre** verwelkomt leden voor één dag, die voor een redelijke prijs van 9.00-20.00 uur mogen gebruikmaken van de zwembaden, het fitnesscentrum en de sauna. Draag lycra, gewone korte broeken zijn niet toegestaan. In het **Centro Internazionale di Danza** (sept.-juli) kunt u op maandag, woensdag en vrijdag om 18.30 uur voor weinig geld deelnemen aan aerobic- en danslessen voor niet-leden.

JOGGEN EN FIETSEN

Vanwege het prettige klimaat en de schitterende omgeving trekken duizenden joggers en fietsers in kleurige sporttenues naar de vele parken die de stad rijk is.
Villa Doria Pamphili *(blz. 267)* is een uitgestrekt park boven op de Janiculum. U hebt hier keuze uit drie banen, tal van open plekken en een netwerk van paden.
Villa Borghese *(blz. 258)* is ook een uitgestrekt populair terrein.
U kunt ook gaan joggen onder de acacia's en palmen van de Villa Torlonia *(blz. 265)*, op de verlichte baan bij Villa Glori. Of combineer sport met cultuur door te hollen over de **Via Appia Antica** en vervolgens af te slaan naar het Parco Caracalla. Andere plaatsen zijn Viale delle Terme di Caracalla, Circo Massimo, Parco degli Aquedotti en Parco di Colle Oppio.
De hierboven genoemde lokaties zijn ook ideaal voor fietsers. Er zijn veel fietsverhuurbedrijven, waaronder **Collalti**, **Via del Corso** en **I Bike Roma**. Georganiseerde fietstochten staan aangekondigd in *Trovaroma*.

ROME VOOR KINDEREN

Italianen zijn dol op kinderen en u kunt er zeker van zijn dat uw kroost overal met open armen wordt ontvangen. Er zijn echter maar weinig speciale voorzieningen voor kinderen door de warmte, de drukte en het gebrek aan schone openbare toiletten is Rome bepaald geen ideale stad voor baby's, peuters en kleuters. Voor iets oudere kinderen heeft Rome genoeg te bieden, vooral als ze in geschiedenis en kunst zijn geïnteresseerd. De verleiding is groot om veel te veel op één dag te willen zien. Plan vooral waar u naartoe wilt en laat genoeg tijd over om wat rond te slenteren, de fonteinen en monumenten te bekijken, de messenslijpers aan het werk te zien en uw her-sens te pijnigen over de vraag welke smaak ijs en soort pizza u zult nemen.

Een huurfiets met een gratis kinderzitje

PRAKTISCHE TIPS

Bent u van plan uw kinde-ren mee te nemen naar Rome, dan kunt het beste vroeg in het voorjaar gaan of aan het eind van het najaar. Het weer is dan goed, maar niet te heet. Pasen kunt u het beste mijden, omdat het in de stad dan drukker is dan normaal. Het is van groot belang waar u verblijft. Een hotel vlak bij de Villa Borghese geeft uw kinde-ren voldoende gelegenheid om zich te ontspannen en stoom af te bla-zen. Het reizen van en naar het stadscen-trum kan u echter wel veel tijd en geld gaan kosten. Een hotel in het oude centrum is ideaal, om-dat u gemakkelijk halverwege de dag even kunt teruggaan naar uw hotel om uit te rus-ten en te douchen. U zult in de stad maar weinig hygiëni-sche toiletten aantref-fen en gelegenheden waar u zich kunt om-kleden. Het is daarom niet raadzaam om een baby mee te nemen naar Rome, tenzij u familie of vrienden

Joggen in Villa Borghese

Zoals zoveel historische steden zal Rome niet ieder kind onmiddellijk aanspre-ken, maar misschien kunt u de verbeelding prikkelen. Misschien vinden uw kin-deren het ook wel leuk om een paar woordjes Italiaans te leren. Houdt u ervan om op een terras te hangen met een drankje? Neem dan iets mee om uw na-geslacht bezig te houden wanneer hun versnaperin-gen op zijn. De meeste Romeinen vin-den het trouwens niet erg als kinde-ren rondrennen en lawaai maken.

Wilt u er alleen op uit, dan kunnen de meeste hotels voor een babysitter zorgen. Op bladzijden 360-361 leest u wat u moet doen in geval van nood. Ook treft u een lijst met alarmnummers.

VERVOER

Door de hobbelige keien, nauwe ongeplaveide straatjes en overvolle bussen is het een hele tour om een kinderwagen te duwen. U zult echter ongetwijfeld men-sen tegenkomen die bereid zijn uw kinderwagen de trap op te tillen in een metrosta-tion, of de bus in te dragen. Moeders met kleine kinderen hoeven gewoonlijk niet in de rij te staan, maar worden voorgelaten en krijgen in de bus soms een plaats aangebo-den. De metro is vaak minder druk. Kinderen korter dan 1 m mogen gratis met het openbaar vervoer. Hoewel fietsen in de stad valt af te raden, kunnen gezinnen met oudere kinderen wel fietsen huren voor een rijke over de Via Appia Antica of met een regionale trein naar het plat-teland gaan. De fietsverhuur-ders in de Pincio-tuinen ver-huren kinderzitjes. Iedereen boven de 14 mag op een scooter rijden met minder dan 50 cc, hoewel Rome niet de geschikste plaats is voor be-ginnelingen (blz. 378).

Kermisterrein in park Villa Borghese

Cherubijn in de Villa Farnesina

Door pony's getrokken treintjes in park Villa Borghese

UIT ETEN

Kinderen zijn in plaatselijke pizzeria's en trattoria's gewoonlijk van harte welkom. Voor peuters en baby's zijn vaak hoge kinderstoelen beschikbaar. Als deze ontbreken, zal de ober iets voor u improviseren met stapels kussens of telefoonboeken. De meeste zaken zijn bereid om halve porties te serveren of kinderen samen één gerecht te geven.

In trattoria's kunnen sommigen er moeilijk achterkomen waar een bepaald gerecht precies uit bestaat (vooral als er geen menukaart is en de ober met een sneltreinvaart de dagmenu's opnoemt). Zij zullen zich daarom waarschijnlijk beter op hun gemak voelen in een pizzeria *(blz. 318-321)* en zelf de vulling kiezen.

Voor kinderen zijn de ouderwetse pizzeria's het leukst, waar ze kunnen zien hoe de chef op het pizzadeeg slaat, het uitrekt en omhoog gooit. In de beste zaken wordt het druk vanaf ongeveer 19.30 uur, dus het is raadzaam om vroeg te komen, wilt u niet in de rij staan. En dan zijn er natuurlijk ook nog de drie vestigingen van McDonald's.

PICKNICKS

Picknicks in het park zijn ideaal en het plezier begint vaak al bij het kopen van de etenswaren. Pakken vruchtesap en bekende blikjes met frisdrank zult u zonder moeite vinden, maar ze zijn buitensporig duur, behalve in de supermarkt (de vestiging van Standa in de Viale Trastevere is het han-

digst). Het water uit de drinkfonteintjes kunt u gerust drinken, dus plastic bekertjes kunnen van pas komen. Het benodigde eten kunt u bij bakkers en op markten kopen en er zijn daarnaast allerlei smakelijke meeneemhapjes te koop. Deze bezorgen u vaak vieze handen, dus neem papieren servetjes mee. Haal gefrituurde groente en fruit bij Cose Fritte in de Via di Ripetta en *suppli al telefono*, rijstkroketten met een mozzarelladraad erin, bij een *pizza al taglio*. Een *tramezzino* is een heerlijk belegde sandwich. Als uw kinderen niet zonder pindakaas kunnen, geen nood: niet-Italiaans eten kunt u krijgen bij Ruggieri op Campo de' Fiori.

Duiven voeren op Piazza Navona

IJS

Rome betekent – onder veel meer – ijs. Op iedere straathoek worden uw kinderen in de verleiding gebracht. Echte ijsliefhebbers kienen het misschien zo uit dat ze vooral die bezienswaardigheden gaan bekijken die in de buurt liggen van de beste gelaterie *(blz. 319-321)*. Het is veel goedkoper om op straat ijs te eten, maar sommige traditionele ijssalons hebben een geheel eigen charme. Bij Fassy kunt u een ouderwetse ijsmachine bekijken en in de elegante salon van Giolitti kunt u genieten van gigantische ijscoupes *(blz. 109)*.

Consumentenonderzoek van enkele van de honderden smaken Italiaans ijs

Sightseeing met kinderen

Modeltrein in de Villa Borghese

ALGEMENE WENKEN

In tegenstelling tot veel andere steden treft u in Rome weinig musea aan waarin allerlei dingen mogen worden aangeraakt. Rome biedt de bezoeker andere zaken. Bernini's marmeren olifanten (blz. 108) en de dikke facchino, Kruier (blz. 107), zijn leuk voor kinderen. De kapuciner begraafplaats bij Santa Maria della Concezione (blz. 254), de Catacomben (blz. 264-267) en de Mamertijnse Gevangenis (blz. 91) zullen tot de verbeelding spreken. Let op de details van de smerige teennagels van de figuren op de schilderijen van Caravaggio, de Etruskische votiefgeschenken die aan de goden werden aangeboden in de Villa Giulia (blz. 262-263), het bedriegelijke instortende plafond in de Chiesa Nuova en de namaakkoepel van Sant'Ignazio di Loyola (blz. 106). Leuke musea voor kinderen zijn het Museo delle Arti e Tradizioni Popolari in EUR, met antiek speelgoed en popjes (blz. 267), en het Museo delle Mura, dat de Aureliaanse Muur (blz. 196) als onderwerp heeft. Aardige kerken voor kinderen zijn de Sint Pieter, waar ze naar de top van de koepel kunnen klimmen (blz. 230), en de San Clemente, waar ze kunnen afdalen naar het ondergrondse mithraeum (blz. 186-187). In het Vaticaan kijken kinderen graag naar de dierenbeelden en -mozaïeken in de Dierenzaal. Het plafond van de Sixtijnse Kapel (blz. 246) zal ze ook aanspreken, vooral als ze horen dat Michelangelo dit liggend moest schilderen.

OUDE RUÏNES

De ruïnes die kinderen het meest aanspreken, zijn het Colosseum (blz. 92-95) en de Markten van Trajanus (blz. 88-89). Uit de restanten valt nog steeds op te maken hoe de gebouwen er hebben uitgezien. Het Forum en de Palatijn zullen kinderen misschien niet zoveel zeggen. Ostia Antica, dat resten bevat van onder meer een theater, een winkel en een openbaar toilet, zal ze meer interesseren (blz. 270-271).

Ingang dierentuin in de Villa Borghese

MOZAÏEKEN

Overal in Rome vindt u tal van levendige, soms grillige, mozaïeken. Veel van deze werken zijn vooral voor kinderen interessant. De details van de mozaïeken variëren van magnifiek gekleurde bloemen, bladeren, dieren en gebouwen (in de kerken San Clemente, Santa Prassede en Santa Maria in Trastevere, blz. 186, 171 en 212-213) tot de overblijfselen van een banket in het Vaticaanse Museo Gregorio Profano (blz. 234-235).

Mozaïek in het Vaticaan

AMUSEMENT

Op cultureel gebied heeft Rome kinderen niet veel te bieden. Om erachter te komen wat er te doen is, moet u het bioscoopprogramma in de kranten en de overzichten in *Trovaroma* (blz. 340) naspeuren. De meeste theaters en bioscopen verkopen goedkope kinderkaartjes. De taal is geen belemmering bij tekenfilms en poppentheater. Er worden tekenfilms gedraaid in de Cinema dei Piccoli in de Villa Borghese en op de Janiculum wordt iedere middag traditioneel poppentheater opgevoerd, behalve op woensdag. Op de tv zijn genoeg tekenfilms te zien om uw kinderen rustig te houden. Kerstmis is voor kinderen een prettige tijd om in Rome te zijn. Op het Piazza Navona wordt dan de Befana-speelgoedmarkt gehouden, waarbij de stalletjes speelgoed en snoep verkopen.

Kraam op de Befana-speelgoedmarkt op het Piazza Navona

PARKEN

In Villa Borghese *(blz. 258)* vindt u roeiboten, wagens voortgetrokken door pony's of paarden, huurfietsen, een minibioscoop, een kleine kermis en een dierentuin. In Villa Celimontana *(blz. 193)* kunt u fietsen en 's zomers genieten van toneelvoorstellingen. Het wat ouderwetse amusementspark LUNEUR in EUR *(blz. 267)* is toch heel aardig. Het Bomarzo Monster Park, 95 km ten noorden van Rome, werd in de 16de eeuw gebouwd voor een waanzinnige hertog.

Uitrusten op de stoeprand

SPEELGOED

Ga naar een Romeinse speelgoedwinkel. **Menasci** verkoopt houten speelgoed, **Città del Sole** leerzaam speelgoed en **Al Sogno** is dé winkel voor knuffelbeesten.

Città del Sole
Via della Scrofa 65. **Kaart 4 F3 &** 12 D2. ☎ 687 54 04.

Menasci
Via Napoleone III 72. **Kaart 5 A3 &** 12 F2. ☎ 678 19 81.

Al Sogno
Piazza Navona 53. **Kaart 4 E4 &** 11 C3. ☎ 686 41 98.

KINDERKLEDING

Italianen steken hun kinderen graag in mooie kleren. Vooral op zondagmiddag komt u kinderen tegen die door hun ouders zijn uitgedost alsof ze zó uit een gekostumeerd drama komen: meisjes in kantjes en ruches, en jongens in fluwelen lange broeken of knickerbockers. Veel winkels verkopen handgemaakte kinderschoenen en -kleding, mooi, maar vaak duur en onpraktisch. Veel kleding mag alleen droog worden gereinigd en schoenen zijn niet bestand tegen modder.

Lavori Artigianli Femminli verkoopt handgemaakte zijden en wollen kleding voor kinderen tot 8 jaar. **Succo d'Arancio** verkoopt nette vrijetijdskleding en **Children's Club** Italiaanse stijlen gemaakt van klassieke Liberty-stoffen.

Lavori Artigianli Femminli
Via Capo le Case 6. **Kaart 5 A3 &** 12 F1. ☎ 679 29 92.

Succo d'Arancio
Via dell'Arancio 36. **Kaart 4 F2 &** 12 D1. ☎ 687 62 52.

Children's Club
Via della Frezza 61-62. **Kaart 4 F2.** ☎ 322 18 98.

Wegwijs in Rome

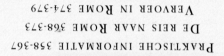

PRAKTISCHE INFORMATIE

De Romeinen lijken zich niet altijd even bewust van de onmetelijke waarde van hun oude ruines en kunstschatten, die worden omringd door de gebouwen van de drukke 20ste-eeuwse stad. De meeste toeristen zijn diep onder de indruk, maar kunnen hun bezoek vaak niet ten volle benutten. Aan de enorme variatie in openingstijden valt af te lezen dat de Italianen zich hier niet erg druk om maken. Veel bezienswaardigheden sluiten een paar uur tussen de middag en gaan pas aan het eind van de middag weer open; sommige musea zijn alleen 's ochtends geopend. Ook de openingstijden van de banken en winkels lijken niet aan regels gebonden. Gelukkig liggen de belangrijkste monumenten dicht bij elkaar. Begin uw dag vroeg en draag comfortabele schoenen. Denk om uw kleding wanneer u een kerk binnengaat. Op dit gebied zijn de Italianen zeer streng.

MUSEA EN MONUMENTEN

Veel musea zijn alleen 's ochtends geopend en maandag de gehele dag gesloten. Als u graag een bepaald museum of monument wilt bezoeken, ga dan eerst na of het wel open is voor u op stap gaat. Gewoonlijk wordt er entree geheven, maar 's zondags zijn sommige gratis. De kerken zijn vrij toegankelijk en vele bewaren kunstwerken die in 's werelds belangrijkste musea niet zouden misstaan. Sommige bezienswaardigheden kunt u slechts bezoeken na afspraak. Voorbeelden hiervan zijn het aquaduct van Nero en de tuinen van het Vaticaan. De openingstijden en entreeprijzen staan in deze gids vermeld in het hoofdstuk *Rome van buurt tot buurt*. De EPT geeft een brochure uit getiteld *Musei e Monumenti di Roma*, waarin de lopende exposities in de musea en galeries worden beschreven.

Passe-partouts zijn te koop bij musea, toeristenbureaus of door vooraf te schrijven naar L'Associazione Nazionale Musei. U kunt hier zonder extra kosten bijna alle musea en galeries mee bezoeken. Ze zijn geldig voor twee, vier of zeven opeenvolgende dagen en kosten L. 15.000-50.000.

EPT-gids voor tentoonstellingen

TOERISTENINFORMATIE

U kunt bij het provinciale toeristenbureau (EPT) betere service verwachten dan bij het drukke station. Ook kan de EPT u helpen met het vinden van accommodatie (blz. 289). Naast de officiële toeristenbureaus kunnen ook reus toeristische bonafide reisagenten als CIT, Wagons lits of het bureau van American Express u op weg helpen. Voor informatie over andere Italiaanse steden en streken kunt u contact opnemen met het ENIT (Italiaans Verkeersbureau), dat in alle grote steden is gevestigd. Houd er rekening mee dat de informatie die u in Italië krijgt, weinig nauwkeurig is. Prijzen en openingstijden veranderen bezienswaardigheden die anders wel regelmatig open zijn, kunnen opeens dichtgaan voor langere perioden, omdat er een restauratie aan de gang is (*chiuso per restauro*) of omdat er wordt gestaakt (*sciopero*).

ENTE NAZIONALE ITALIANO PER IL TURISMO

ITALIA

ENIT-logo

De elektrische minibus 119; handig voor het historische centrum

Karakteristieke verkeersopstopping in de Via delle Quattro Fontane

INFORMATIE OVER AMUSEMENT

De wekelijkse *Trovaroma* in *La Repubblica* geeft aan wat er allemaal is te doen in Rome. Engelstalige omschrijvingen vindt u in het tweewekelijkse tijdschrift *Un Ospite a Roma* (een gast in Rome), gratis verkrijgbaar bij kiosken, en in *Metropolitan* en *Wanted in Rome*. Op bladzijde 340 treft u meer informatie aan.

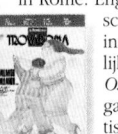

Trovaroma

RONDLEIDINGEN

Bij verschillende reisagenten kunt u een rondleiding met gids boeken, waaronder **CIT**, **American Express**, **Green Line Tours** en **Carrani Tours**. Een rondleiding van een dag, inclusief lunch, kost L 95.000-110.000; een rondleiding van een halve dag kost L 40.000-50.000. Ook buslijn 110 van de ATAC voert u langs veel bezienswaardigheden. De hele rit duurt drie uur en kost u ongeveer L 6000. U kunt ook een gids huren. U vindt ze bij de belangrijker monumenten, zoals het Forum Romanum (*blz. 78-87*). Huur alleen een officiële gids en spreek van tevoren af wat u gaat betalen; gemiddeld wordt L 100.000 voor een halve dag berekend.

ATAC, de Romeinse busmaatschappij

KERKEN BEZICHTIGEN

Veel kerken in Italië zijn van binnen erg donker, maar meestal kunnen kapelletjes en kunstwerken wel worden verlicht door een tijdschakelaar. Deze schakelaars werken op munten (van L 100, 200 of 500). Informatie via geluidsband is bijna overal aanwezig. In de kerken van Rome heersen strenge kledingvoorschriften, vooral in de Sint Pieter (*blz. 230-233*).

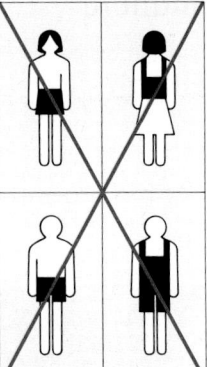

Onacceptabele kleding in de kerk: bij mannen en vrouwen moeten bovenlichaam en bovenarmen bedekt zijn

ETIQUETTE

De Romeinen gedragen zich vriendelijk en beleefd tegenover bezoekers; doe dat ook jegens hen. Italianen waarderen het zeer wanneer u zich in hun taal verstaanbaar probeert te maken (*blz. 431*). Ze drinken meestal alleen tijdens de maaltijd. Openbare dronkenschap wordt ten zeerste afgekeurd. In cafés, restaurants en op straat mag worden gerookt, maar in het openbaar vervoer is roken verboden.

Typisch Romeins

FOOIEN

Er wordt van u verwacht dat u een fooi geeft, al doen Italianen zelf dat vaak niet. Laat een paar muntstukken achter in bars en cafés; in restaurants waar de bediening niet bij de rekening is inbegrepen, geeft u zo'n 10 procent fooi. Houd muntjes en briefjes van 1000 en 2000 lire bij de hand.

ROME VOOR GEHANDICAPTEN

De ongelijke keien en de drukke trottoirs van Rome zijn niet geschikt voor gehandicapten en zelfs wie goed ter been is, moet goed opletten bij het oversteken van een drukke straat. Niet alle voertuigen stoppen wanneer ze dat eigenlijk zouden moeten. Ernstig gehandicapten moeten voor een begeleider zorgen als ze de stad willen zien. Op sommige plekken zijn er een rolstoelhelling, lift en aangepast toilet, zoals bij station Termini en het Colosseum. Als u geen begeleider hebt, overweeg dan om op een speciale verzorgde reis mee te gaan, of neem contact op met een organisatie voor gehandicapte reizigers. De Vaticaanse Musea, de Sixtijnse Kapel en de Sint Pieter zijn alle met een rolstoel te bezichtigen.

OPENBARE TOILETTEN

Er zijn weinig openbare toiletten. U vindt schone bij het Colosseum (ook voor gehandicapten), bij de Sint Pieter en in het warenhuis Rinascente (*blz. 323*). U kunt wel gebruik maken van het toilet van een café.

NUTTIGE ADRESSEN

American Express
Piazza di Spagna 38. **Kaart** 5 A2.
C 676 41.

Associazione Nazionale Museidon
Via A. Silvani 23, 00139 Rome.

Carrani Tours
Via V. E. Orlando 95. **Kaart** 5 C3.
C 474 25 01.

CIT
Piazza della Repubblica 64.
Kaart 5 C3. **C** 479 41.

ENIT
Via Marghera 2. **Kaart** 6 E3.
C 497 11.

EPT
Via Parigi 5. **Kaart** 5 C2.
C 487 12 70. **Open** ma-za 9.00-13.30 uur, 14.00-19.00 uur.

Green Line Tours
Via Farini 5A. **Kaart** 6 D4.
C 482 74 80.

Wagons Lits
Via Boncompagni 25. **Kaart** 5 C2.
C 481 75 45.

Veiligheid en gezondheid

Door de bank genomen is Rome een veilige stad, hoewel straatdiefstal wel een probleem vormt. Neem niet meer geld mee dan u voor de dag nodig hebt en laat waardevolle voorwerpen en documenten achter in de hotelkluis. Let vooral goed op wanneer u zich op een drukke plek bevindt, zoals op het station of in een volle bus, en vermijd groepjes kinderen die er weliswaar onschuldig zien, maar evengoed professionele zakkenrollertjes kunnen zijn.

bleem. Laat geen draagbare spullen als jacks of tassen zichtbaar achter in uw auto, en vervoer geen bagage boven op het dak. De straten ten oosten en zuiden van station Termini en rond het Colosseum staan bekend om de prostitutie en drugshandel en kunnen 's nachts maar beter worden gemeden. Een vrouw alleen op reis (of zelfs in een groepje) moet extra goed oppassen. De Italiaanse maatschappij wordt door mannen gedomineerd en een vrouw die zich niet in mannelijk gezelschap bevindt, trekt veel aandacht. Wees op uw hoede voor illegale chauffeurs van mini-taxi's, die waarschijnlijk niet verzekerd zijn en u een veel te hoge prijs berekenen. U vindt ze vooral bij de luchtha-ven, wachtend op de nieuw

Logo van de apotheek

Bereden politie

kunnen beter niet open en bloot worden meegenomen. Zakkenrollers (soms kinderen) kunnen u zeer gewiekst afleiden en u onderwijl in een mum van een tijd van uw bezittingen ontdoen. Let vooral goed op uw spullen als u op de markt loopt of met het openbaar vervoer reist. Vooral bus 64, die tussen station Termini en het Vaticaan rijdt, staat bekend om zijn zakkenrollers. Diefstal uit auto's vormt evenens een pro-

ADVIES AAN BEZOEKERS

Sluit van tevoren een goede reisverzekering af (een-maal in Italië gaat dit minder gemakkelijk) en let goed op uw spullen als u in Rome bent aangekomen. Sommige hotels beschikken over kluis-jes in de hotelkamers. U kunt deze programmeren met een getal naar eigen keuze (neem niet uw geboortedatum; die staat ook op uw paspoort en registratie). Om op alles voor-bereid te zijn, kunt u een fo-tokopie van uw belangrijkste documenten, zoals uw pas-poort, maken en een paar extra foto's meenemen. De veiligste manier om grote hoeveelheden geld mee te nemen, is met travellerche-ques. Bewaar het ontvangst-bewijs op een andere plek dan de cheques zelf. Wees in rustige straten op uw hoede voor tasjesrovers op brommers. U kunt uw geld het beste in een buikriem meedragen, of in een goed bevestigde schoudertas. Dure apparaten als videocamera's

Carabinieri-motor

Carabiniere: lid van de militaire politie

Carabiniere in uniform van de verkeerspolitie

Agent van de gemeente-politie regelt verkeer

aangekomen reizigers. Officieuze gidsen kunt u ook beter mijden. Wend u liever tot een officieel toeristenbureau (blz. 289 en 358-359).

POLITIE

De vigili urbani, gemeentepolitie, dragen in de winter een blauw uniform en in de zomer een wit. De carabinieri, met een rode streep op hun broek, vormen de militaire politiemacht. Hun taak strekt zich uit van het oplossen van kunstdiefstallen tot het geven van bekeuringen. La polizia, de staatspolitie, draagt een blauw uniform met een witte riem en baret, en houdt zich bezig met zware delicten.

MEDISCHE ZAKEN

U hebt geen vaccinaties nodig voor Rome, maar neem in de zomer wel anti-insektencrème en zonnebescherming mee. De Tiber is veronreinigd, maar het water uit de kraan en de straatfonteintjes komt rechtstreeks uit de heuvels en is fris en lekker. Leden van het ziekenfonds kunnen voor vertrek bij hun ziekenfonds een E 111-formulier aanvragen, dat recht geeft op vergoeding van de kosten van medische zorg bij noodgevallen. Tegen andere kosten kunt u zich aanvullend particulier verzekeren.

Carabinieri in gala-uniform

GEVONDEN VOORWERPEN

Wilt u een verzekeringsclaim indienen, geef uw verlies dan aan bij de politie en haal de benodigde papieren. Meld verlies van paspoorten bij uw ambassade of consulaat en van travellercheques bij het kantoor van de betreffende maatschappij (blz. 362). Of neem contact op met het Ufficio Stranieri.

Metro: gevonden voorwerpen
73 89 58.

Ufficio Stranieri
Via Genova 2. Kaart 5 B3.
46 86 29 87 (24 uur).

Commissariato di Polizia: een politiebureau

ALARMNUMMERS

Algemeen alarmnummer
113.

Ambulance
51 00.

Automobile Club d'Italia
Auto-ongelukken en pech.
116.

Brand
115.

Eerste hulp voor toeristen
42 23 71.

Geestelijke bijstand
70 45 44 44.
Lijn open dag. 13.00-22.00 uur.

Politie
112 (Carabinieri) of 46 86 (La Polizia).

Verkeerspolitie
676 91.

Neem bij noodgevallen contact op met de eerste-hulpafdeling (Pronto Soccorso) van een groot ziekenhuis als Policlinico Umberto I, of zoek een arts (medico) of tandarts (dentico) in de Gouden Gids (Pagine Gialle). Apotheken vermelden op hun deur de dagen dat ze tot laat zijn geopend (verscheidene blijven de hele nacht open) en kunnen gewoonlijk het lokale equivalent leveren van buitenlandse medicijnen. Capranica en Farmacia Internazionale Barberini kunnen u aan buitenlandse farmaceutische produkten helpen.

Niet-ziekenfondsverzekerden en bezoekers van buiten de EG moeten een particuliere verzekering afsluiten die alles dekt, ook noodgevallen.

Farmacia Internazionale Barberini
Piazza Barberini 49. Kaart 5 B3.
482 54 56.

Farmacia Internazionale Capranica
Piazza Capranica 96. Kaart 4 F3 &
12 D2. 679 46 80.

Policlinico Umberto I
Viale del Policlinico 1. Kaart 6 F2.
44 70 18 07.

Politieauto

Ambulance van het Groene Kruis

Romeinse brandweerauto

Banken en plaatselijke valuta

De financiële diensten in Rome werken niet altijd even snel. Transacties gaan vaak gepaard met een hoop administratie en lange wachttijden. Over het algemeen is de wisselkoers van banken gunstiger dan die van reisbureaus en hotels. Kleingeld is onmisbaar, vooral munten van L 100, L 200 en L 500 voor de telefoon, fooien en het verlichten van kunstwerken en kapellen in kerken *(blz. 359)*.

Adelaar op het ministerie van Financiën

GELD WISSELEN

Het is raadzaam om bij aankomst ten minste een klein bedrag in lire bij u te hebben. Wel treft u in aankomsthallen een groeiend aantal wisselautomaten aan en ook op verscheidene punten in de stad. De instructies worden in diverse talen gegeven. Stop maximaal veertien bankbiljetten met dezelfde valuta in de automaat, waarna u lire terugkrijgt. De wisselkoers is overal anders. Het kantoor van de Banco di Santo Spirito op de luchthaven Fiumicino biedt een redelijke koers. De beste koers krijgt u bij een bank (met het opschrift *Cambio*). Hotels hanteren over het algemeen heel ongunstige koersen, zelfs als ze weinig commissie berekenen. In de Vaticaanse Musea *(blz. 235)* wordt geen commissie in rekening gebracht. Het kantoor van American Express *(blz. 359)*, ook zaterdagochtend open, biedt een goede koers. Houders van een creditcard of giromaatpas kunnen met hun kaart geld opnemen bij een automaat die is voorzien van het logo van hun maatschappij. Hier moet u echter wel extra voor betalen en uw kaart moet zijn voorzien van een PIN-code.

AUTOMATIC EXCHANGE MACHINES

Geldwisselautomaat

CREDITCARDS

Creditcards werden in Italië vroeger met achterdocht bekeken. Tegenwoordig worden ze in grotere hotels, winkels en restaurants in Rome veel algemener geaccepteerd. Sommigen geven echter de voorkeur aan Eurocheques, die sneller kunnen worden verrekend. Alle belangrijke creditcards (American Express, Mastercard/Access, Visa, Diners Card) zijn bekend. Vooral met Visa en Mastercard/Access komt u een eind. Neem beide mee als u ze hebt. Wanneer u in buitenlandse valuta betaalt, bent u vrijwel altijd duurder uit.

TRAVELLERCHEQUES

Als u overweegt travellercheques te aan te schaffen, kies dan een bekende naam, zoals Thomas Cook of American Express, of neem cheques van een grote bank. Meestal wordt 1 procent commissie berekend. Neem kleine coupures, zodat u aan het eind van uw reis niet nog een enorm bedrag aan Italiaanse valuta over hebt. Bedenk echter wel dat door de minimale commissie die voor iedere transactie wordt berekend (en de tijd die er mee gepaard gaat) het wisselen van kleine geldbedragen onvoordelig kan zijn. Noteer de nummers van de cheques en de adressen waar u bij verlies of diefstal schadevergoeding kunt krijgen, en bewaar ze nooit bij de cheques zelf. Sommige adressen brengen voor iedere cheque een bedrag in rekening. U kunt het best cheques in dollars nemen (bijvoorbeeld Postbank, American Express), of, als uw bank die uitgeeft, in guldens (bijvoorbeeld bij Thomas Cook).

OPENINGSTIJDEN

Banken zijn gewoonlijk geopend van ma-vr van 8.30-13.20 uur. Sommige grotere filialen zijn ook open van 15.00 tot 16.30 uur, maar de openingstijden variëren. Banken zijn op feestdagen en in het weekeinde gesloten. Wisselkantoren hebben ruimere openingstijden, die gelijk zijn aan die van de winkels. Het wisselkantoor op station Termini *(blz. 372)* is ook op zondagochtend open.

BANKEN

In banken staan soms lange rijen wachtenden en het invullen van formulieren bij het wisselen van geld kan veel tijd kosten. Gewoonlijk moet u eerst bij de *cambio* in de rij staan, en daarna bij de *cassa* voor uw geld. Neem een legitimatiebewijs mee, zoals een paspoort. Metalen voorwerpen kunnen het alarm in werking stellen.

Wisselkantoor in een van de nationale banken

Grote Italiaanse bank

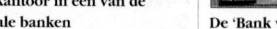

De 'Bank van Rome' heeft ook filialen in andere grote Italiaanse steden

VALUTA

De Italiaanse munteenheid is de *lira* (meervoud *lire*, het woord betekent 'pond'), gewoonlijk afgekort met L of £. Tijdens het nationale eenwordingsproces in het midden van 19de eeuw werd dit de nationale munteenheid. Telefoonmuntjes *(gettoni)* zijn L 200 waard. Ze worden beschouwd als gewoon geld. Winkels en bars geven niet graag terug van een bankbiljet met een hoge waarde (bijvoorbeeld L 100.000). Vraag daarom als u geld wisselt om kleine coupures. Vaak zijn er maar weinig munten in voorraad.

Het idee om met miljoenen rond te lopen, schrikt u misschien in het begin af. Plannen om de basismunteenheid te veranderen zijn nog steeds niet verwezenlijkt. Wel worden in de praktijk vaak de laatste drie nullen weggelaten: met *sessanta* zal men eerder L 60.000 dan L 60 bedoelen. Aan de grote getallen went u overigens snel.

Bankbiljetten

Italiaanse bankbiljetten zijn er in coupures van L 100.000, L 50.000, L 10.000, L 5000, L 2000 en L 1000, duidelijk te onderscheiden door de kleur en de historische personen die erop staan. Hoe hoger de waarde van het biljet, des te groter het formaat. De lira wordt niet opgedeeld in kleinere eenheden.

1000 lire

2000 lire

5000 lire

10.000 lire

50.000 lire

100.000 lire

Munten

Er zijn munten van L 500, L 200, L100 en L 50. De oude munten van L 100 en L 50 zijn nog steeds in gebruik. Er bestaan ook vrijwel waardeloze munten van L 10 en L 20. Gettoni zijn L 200 waard.

50 lire (nieuw)   100 lire (nieuw)   500 lire

50 lire (oud)   100 lire (oud)   200 lire   *Gettone* (200 lire)

Romeinse telefoons

Het telefoonnet in Rome heeft onlangs een enorme verandering ondergaan. Veel nummers zijn gewijzigd en naast oude apparatuur heeft men nieuw materiaal geïnstalleerd. Totdat de werkzaamheden geheel zijn afgerond, zult u geduld moeten hebben bij het telefoneren. De huidige nummers variëren van vier tot zo'n negen cijfers.

TELEFOONKANTOREN

Telefoonkantoren (telefoni) van de Italiaanse telecommunicatiemaatschappijen (SIP of ASST) komen goed van pas als u een internationaal gesprek wilt voeren. In de Telefono vindt u telefoons met een meter in geluiddichte cellen. Een medewerker wijst u een cel toe en houdt de lengte van uw gesprek bij op een meter zodra u verbinding hebt. U betaalt achteraf. Voor de service wordt niets extra berekend. De openingstijden

Telefoon-logo

van de telefoni vallen echter zelden samen met de tijden waarop u in Italië het goedkoopst kunt bellen. Alleen het kantoor in het Palazzo delle Poste op het Piazza San Silvestro is 24 uur per dag geopend. Andere telefoni vindt u verspreid in de stad. Ga voor het verzenden van een internationale telegrammen naar een postkantoor of bel Italcable.

Nuttige informatie Italcable
[☎] 573 41, Palazzo delle Poste,
Piazza San Silvestro 20
Kaart 5 A3 & 12 E1.

TELEFOONKOSTEN

U telefoneert in Italië het goedkoopst van maandag tot zaterdag van 22.00-8.00 uur en op zondag de gehele dag. Als dit u slecht uitkomt, kunt u ook nog betrekkelijk goedkoop bellen op werkdagen tussen 18.30 en 22.00 uur of op zaterdag na 13.00 uur. Controleer welke tijden het goedkoopst zijn als u internationaal telefoneert; internationale tijdsverschillen zijn van invloed op het tarief. Telefoneren uit de hotelkamer is gewoonlijk duur; u bent soms honderden procenten duurder uit. Bij het normale tarief kost een gesprek van drie minuten naar Nederland of België zo'n L. 5.000.

Logo van de telefoonmaatschappij

HET GEBRUIK VAN EEN SIP-TELEFOON OP MUNTEN EN KAARTEN

1 Til de hoorn op en wacht op de kiestoon.

2 Als u munten of gettoni gebruikt, steek ze dan in de sleuf bovenaan. De sleuf voor de telefoonkaarten zit lager.

3 Op het scherm ziet u voor hoeveel geld u kunt bellen.

4 Toets het nummer in en wacht op verbinding.

5 Als u geld over heeft en nog een gesprek wilt voeren, druk dan op deze knop.

6 Als uw kaart bijna is verbruikt, stop dan een nieuwe in de sleuf. Zodra de oude ongeldig is, wordt automatisch op de nieuwe overgeschakeld.

7 Als uw gesprek is beëindigd, vallen de ongebruikte munten in het bankje links. Uw kaart krijgt u terug uit de sleuf rechts.

Telefoonkaarten zijn er van L. 5.000 en L. 10.000.

Voor gebruik: eerst het hoekje afbreken. Pijl naar voren.

L. 100

L. 200

Gettone

L. 500

OPENBARE TELEFOONS

Met de nieuwe, oranje SIP-telefoons of *interurbani* kunt u direct interlokaal en ook internationaal bellen. Openbare telefoons werken op munten van L 100, L 200 en L 500. Voor een interlokaal gesprek moet u ten minste L 2000 aan munten bij de hand hebben. Stopt u in het

nieuw symbool

begin niet genoeg munten in de telefoon, dan krijgt u geen geld terug en wordt de verbinding verbroken. Na afloop van een gelukt gesprek krijgt u

oud symbool

ongebruikte munten wel terug. De modernste openbare telefoons (zie foto hiernaast) werken niet alleen op munten, maar ook op SIP-telefoonkaarten (vraag naar een *scheda* of *carta telefonica*), die L 5000 of L 10.000 kosten. Sommige openbare telefoons accepteren alleen

nog kaarten. Ze zijn verkrijgbaar bij winkels, bussen en tabakswinkels met het zwartwitte T-logo. Breek het aangegeven hoekje af, steek de kaart met de pijl naar voren in de sleuf en de waarde van de niet-gebruikte eenheden verschijnt op een scherm. Na afloop krijgt u uw kaart terug. U kunt hem gebruiken tot alle eenheden zijn opgemaakt.

In bars en cafés treft u vaak ouderwetse telefoons aan.

HET JUISTE NUMMER

- Het netnummer van Rome is 06
- Het landnummer van Italië is 39
- Algemene informatie over nummers in Europa 176.
- Bellen binnen Europa via telefonist(e) 15
- Intercontinentaal bellen via telefonist(e) 170
- Algemene informatie 1800
- Rechtstreeks bellen naar Nederland: 0031, kengetal zonder de 0, abonnee-nummer
- Rechtstreeks bellen naar België: 0032, kengetal zonder de 0, abonnee-nummer
- *Zie ook* Alarmnummers, *blz. 361.*

TABACCHI

Gettoni en postzegels zijn hier te koop

Deze accepteren alleen *gettoni*, die L 200 kosten en te koop zijn bij winkels, bars, kiosken, postkantoren en speciale automaten. U belt als volgt: stop de *gettone* in de sleuf, draai het nummer, wacht op antwoord en druk de knop in. De munt valt en de verbinding wordt tot stand gebracht. Als u internationaal wilt bellen via een ouder toestel, zoek dan een *telefono a scatti*, met een meter. Vraag de barkeeper of u mag bellen.

Post

De Italiaanse posterijen werken niet erg efficiënt. Men zegt wel dat brieven ten tijde van het oude Romeinse Rijk sneller hun doel bereikten dan nu, ondanks alle moderne technieken. De verzending van ansichtkaarten is gewoonlijk goed, maar bedenk wel dat alles wat naar het bui-

Postkantoor

tenland wordt verstuurd, lang onderweg is. De post is vooral in augustus traag; poststukken zijn dan soms wel een maand onderweg. Urgente stukken kunt u beter per expresse versturen, wat één à twee dagen sneller gaat, of aantekenen. Postzegels (*francobolli*) koopt u bij tabakswinkels met een zwart-wit T-logo en op het postkantoor. Bijkantoren zijn gewoonlijk open van 8.30-14.00 uur (zaterdag en de laatste dag van de maand van 8.30-12.00

uur), maar hoofdkantoren zijn 24 uur per dag open, of u kunt van bepaalde diensten tot ver in de avond gebruik maken (zoals aangetekende post). Kantoren die 24 uur open zijn, vindt u op het Piazza San Silvestro, in station Termini en op de luchthaven. Brievenbussen zijn rood.

POSTE RESTANTE

Post die op het postkantoor moet worden afgehaald, dient als volgt te zijn geadresseerd: (c/o) Palazzo delle Poste, Roma, *Fermo Posta*. Schrijf de achternaam met blokletters en onderstreep hem om zeker te zijn dat de brieven goed worden gesorteerd. Als u uw post ophaalt, moet u uw paspoort laten zien en een klein bedrag betalen.

Rome **Overige bestemmingen**

Italiaanse brievenbus

Postkantoor Vaticaan

VATICAANSE POST

De Vaticaanse posterijen werken sneller. Er is een postkantoor bij de ingang van de Vaticaanse Musea en op het Sint-Pietersplein. Brieven met Vaticaanse zegels mag u alleen in de blauwe Vaticaanse bussen posten.

Vaticaanse postzegels

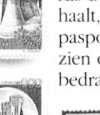

Postzegels **Luchtpoststicker**

Aanvullende informatie

Luchthaven Fiumicino, aankomstpunt voor de meeste bezoekers

DOUANEBEPALINGEN

Bezoekers uit EG-landen, Amerika, Canada, Australië en Nieuw-Zeeland hoeven voor een bezoek van maximaal drie maanden niet in het bezit te zijn van een visum. Alle inwoners uit niet-EG-landen moeten echter een geldig paspoort bij zich hebben. Inwoners uit Nederland en België en andere EG-landen mogen ook een toeristenkaart gebruiken. Voor een verblijf van langer dan drie maanden moet u voor vertrek een visum aanvragen bij de Italiaanse ambassade of het Italiaanse consulaat in eigen land. U hebt geen vaccinatiebewijzen nodig, behalve als u onderweg een stop hebt gemaakt in bepaalde landen in de tropen of het Midden-Oosten. De douanebepalingen luiden als volgt: Inwoners uit EG-landen hoeven geen goederen meer aan te geven. Wel wordt er af en toe gecontroleerd ter bestrijding van de drugshandel.

Reizigers van buiten de EG mogen het volgende invoeren: 400 sigaretten, 100 sigaren, 200 cigarillo's of 50 g tabak; 1 liter sterke drank of 2 liter wijn; 50 g parfum. Goederen als horloges en fototoestellen kunnen vrijelijk worden geïmporteerd mits voor persoonlijk of beroepsmatig gebruik.

Strikt genomen moeten alle bezoekers van Italië zich binnen drie dagen na aankomst laten registreren bij de politie, op vertoon van hun paspoort. In de praktijk wordt deze procedure voor de meeste bezoekers door hun hotel geregeld wanneer ze zich inschrijven.

Als u elders verblijft, neem dan contact op met de plaatselijke politie voor advies of bel het **Questura** (politiebureau).

Questura
46 86 toestel 2102 of 2876.

KATHOLIEKE ZAKEN

Voor veel katholieken betekent een bezoek aan Rome een audiëntie bij de paus. Algemene audiënties worden gewoonlijk iedere woensdag gehouden om 11.00 uur (10.00 uur bij warm weer) op het Sint-Pietersplein, in de audiëntiezaal, of in de zomerresidentie in Castel Gandolfo. Om een audiëntie te mogen bijwonen, moet u zich wenden tot de **Prefettura della Casa Pontificia** voor uw bezoek. De mis wordt dagelijks gehouden in de belangrijkste kerken van Rome. Enkele kerken waar de biecht wordt afgenomen, zijn de Sint Pieter *(blz. 230-233),* San Giovanni in Laterano *(blz. 182-183),* San Paolo fuori le Mura *(blz. 264),* Santa Mario Maggiore *(blz. 172-173),* de Gesù *(blz. 114-115),* Santa Sabina *(blz. 204)* en Sant'Ignazio *(blz. 106).* Enkele Engelstalige katholieke kerken zijn San Silvestro (Piazza San Silvestro) en San Tomasso di Canterbury (Via di Monserrato).

Biechtstoel, Gesù

Prefettura della Casa Pontificia
Città del Vaticano, 00120. **Kaart** 3 B3.
69 82.

Een International Student Identity Card (ISIC), een Youth International Educational Exchange Card (YIEE) of ook een gewone collegekaart zijn handig voor het

Studenten op de trap van Santa Maria Maggiore

krijgen van korting in musea. Neem contact op met het **Centro Turistico Studentesco** voor informatie. De **Associazione Italiana Alberghi per la Gioventù** (de Italiaanse jeugdherbergcentrale) bezit vier jeugdherbergen in de stad. **Transalpino** biedt korting op treinreizen.

ISIC-kaart

Associazione Italiana Alberghi per la Gioventù
Via Cavour 44, 00184. **Kaart** 3 D3.
487 11 52.

Casa dello Studente
Viale Ministero degli Affari Esteri 6.

Centro Turistico Studentesco
Via Genova 16. **Kaart** 5 C3. **44 67 91.** *(Vestigingen in* Via Appia Nuova 434 *en* Corso Vittorio Emanuele 297.*)*

Transalpino
Piazza Esquilino 8A. **Kaart** 6 D4.
487 08 70. *(Vestiging in Stazione Termini, perron 6.)*

De paus op het balkon van de Sint Pieter

Kranten in alle talen

KRANTEN, TV, RADIO

De belangrijkste kranten van Rome zijn *La Repubblica* en *Il Messaggero*. Daarnaast kunt u buitenlandse dagbladen aantreffen. De *International Herald Tribune* wordt verkocht op de dag van verschijnen.

De staatstelevisiezenders zijn RAI Uno, Due en Tre, die alle politiek zijn gebonden. De Italianen kijken tegenwoordig liever naar de commerciële zenders. De komst van satelliet- en kabeltelevisie heeft ertoe geleid dat in Italië allerlei Europese zenders kunnen worden ontvangen in vele talen, en natuurlijk ook CNN.

Radio Nederland Wereldomroep verzorgt dagelijks diverse Nederlandstalige programma's. Ook Radio Vlaanderen Internationaal zendt iedere dag uit via de korte golf. Zendschema's met de frequenties en de uitzendtijden zijn in Nederland onder meer te verkrijgen bij de ANWB en op Schiphol.

In België kunt u inlichtingen aanvragen bij Radio Vlaanderen Internationaal. De Engelstalige BBC World Service zendt 's morgens uit op 15.070 MHz (korte golf) en 's nachts op 648 KHz (middengolf). Radio Vaticaan verzorgt nieuws in het Engels op 93.3 MHz en 105 MHz (FM).

Radio Nederland Wereld Omroep Servicenummer
(035-724 251.

Radio Vlaanderen Internationaal Informatie
(02-741 3111.

ELEKTRISCHE APPARATEN

De netspanning is in Italië 220 V wisselstroom. De stekkers zijn rond en voorzien van twee pennen. In de meeste hotels met drie of meer sterren zijn alle kamers voorzien van stopcontacten voor scheerapparaten en föhns.

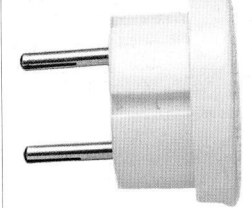

Stopcontact voor scheerapparaat in hotelkamer voor 110 V of 220 V

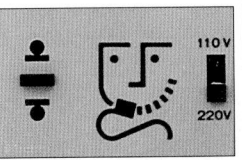

Italiaanse stekker

TIJD IN ROME

Het is in Rome even laat als in Nederland en België. Het tijdsverschil tussen Rome en enkele grote steden: Londen: – 1 uur; Parijs: 0 uur; New York: – 6 uur; Los Angeles: – 9 uur; Tokyo: + 8 uur; Sydney: + 9 uur.

AMBASSADES

Nederlandse ambassade in Italië
Via Michele Mercati 8
Rome
(322 11 45.

Belgische ambassade in Italië
Via dei Monti 49
Rome
(322 44 14.

Italiaanse ambassade in Nederland
Alexanderstraat 12
2514 JL Den Haag
(346 92 49.

Italiaanse ambassade in België
Emile Clausstraat 28-34
Brussel
(649 97 00.

VERGUNNINGEN VOOR BEZIENSWAARDIGHEDEN

Om bepaalde bezienswaardigheden te kunnen bezoeken, hebt u schriftelijke toestemming nodig en moet u vooraf de tijd van uw bezoek afspreken. Schrijf naar:

Comune di Roma Ripartizione X
Piazza Campitelli 7. **Kaart** 4 F5 & 12 E5.
(67 10 30 64. FAX 67 10 31 18.

Lever, voor een snellere afhandeling, uw aanvraag persoonlijk af bij de *protocollo* op de derde etage. Is uw aanvraag binnen, spreek dan telefonisch een tijd voor uw bezoek af met signor Natale van het:

Ufficio Monumenti Antichi e Scavi, Via del Portico d'Ottavia 29. **Kaart** 4 F5 & 12 E5. **Kaart** 4 F5 & 12 E5. (67 10 38 19, 67 10 20 71 of 67 10 24 75. FAX 67 10 31 18.

NIET-KATHOLIEKE DIENSTEN

Anglicaans
All Saints, Via del Babuino 153.
Kaart 4 F2. (323 54 93.

Anglicaans (Amerikaans)
St Paul's, Via Napoli 58. **Kaart** 5 C3.
(488 33 39.

Joods
Sinagoga, Lungotevere Cenci.
Kaart 4 F5 & 12 D5. (687 50 51.

Methodistisch
Via Firenze 38. **Kaart** 5 C3.
(481 48 11.

Moskee
Viale della Moschea (district Parioli).
Kaart 2 F1. (808 21 67.

Presbyteriaans
St Andrew's, Via XX Settembre 7.
Kaart 5 C3. (482 76 27.

De moskee in Parioli

DE REIS NAAR ROME

Veel luchtvaartmaatschappijen, waaronder het Italiaanse Alitalia, vliegen rechtstreeks op Rome.

Passagiers uit landen die geen rechtstreekse vlieg-verbindingen hebben met Rome, kunnen een aansluitende vlucht nemen in Frankfurt of Londen. Rome is ook uitstekend met bus en trein bereikbaar vanuit de rest van Europa. Wel bent u aanmerkelijk langer onderweg dan wanneer u met het vliegtuig reist (het verschil vanuit Nederland en België is zo'n 17 uur). Houd er ook rekening mee dat treinen vooral in de zomer vaak erg vol zijn.

Alitalia-toestel

PER VLIEGTUIG

Zowel Nederland als België onderhoudt een intensie-ve luchtvaartverbinding met Italië, waarbij hoofdzakelijk op Rome en Milaan wordt ge-vlogen. De KLM verzorgt da-gelijks diverse lijnvluchten naar Rome. U komt aan op Leonardo da Vinci Aeroporto (ook wel Fiumicino genoemd), die 30 km ten zuidwes-ten van de stad aan de kust is gelegen. De duur van de vliegreis Schiphol-Fiumicino bedraagt

Deel van de uitbreiding van de luchthaven Fiumicino

2.20 uur. Voor een open re-tour toeristenklasse betaalt u ƒ 1249. Een retour business class kost ƒ 2276.

Ook Sabena verzorgt iedere dag vluchten naar Rome. De vlucht vanaf het vliegveld Zaventem duurt 2.05 uur, waarbij u aankomt op de luchthaven Fiumicino. Voor een open retour betaalt u Bfr 23.500, een retour business class kost Bfr 46.090.

Ook de nationale luchtvaartmaat-schappij van Italië Alitalia onderhoudt dagelijks rechtstreekse verbindingen met Europese luchthavens, waaronder Schiphol en Zaventem.

Door de felle concurrentie tussen de luchtvaartmaat-schappijen wordt er een aan-tal aantrekkelijke kortingen geboden, APEX, PEX of SuperPEX-tarieven kunnen erg voordelig zijn. De vlucht moet echter enige tijd van te-voren worden geboekt en is aan een bepaalde tijdsduur gebonden met een verplichte overnachting van zaterdag op zondag. Bovendien kunnen de tickets na reservering niet kosteloos worden gewijzigd of geannuleerd. Het SuperPEX-tarief voor een vliegreis naar

Vliegtickets van Alitalia

De nieuwe hal van Ostiense

Duidelijke borden bij Ostiense

LUCHTVAART-MAATSCHAPPIJEN

Alitalia
Paulus Potterstraat 18
Amsterdam. ☎ 577 44 44.
Kapitein Crespelstraat
Brussel. ☎ 523 88 08.
Via Bissolati 35
Rome. ☎ 46 887 of 46 888.

KLM
Amsterdamseweg 55
Amstelveen. ☎ 474 77 47.
Luchthaven Fiumicino
Rome. ☎ 652 92 86.

Sabena
Kardinaal Mercierstraat 35
Brussel. ☎ 511 90 30.
Via Barberini 86
Rome. ☎ 482 42 41.

American Express
☎ 676 41.

Rome is bij de KLM ƒ 769 en bij Sabena Bfr 19.650. Jongeren en ouderen boven de 60 kunnen in sommige ge-vallen korting krijgen. Bij ge-specialiseerde reisbureaus kunt u vaak lijnvluchten boe-ken tegen lagere tarieven. Het is ook altijd de moeite waard om op zoek te gaan naar goedkope chartervluchten. Vaak liggen de prijzen 's zo-mers in het hoogseizoen en in de Goede Week, als de paus zijn paaszegen geeft, veel hoger.

Wanneer u in Rome een vliegreis wilt boeken, kunt u terecht bij reisagenten, zoals het kantoor van **American Express**.

GEORGANISEERDE VAKANTIES

Georganiseerde vakanties bieden vaak meer waar voor uw geld dan wanneer u op uzelf reist. Europese bezoekers kunnen gebruikmaken van weekendaanbiedingen en midweekse vakanties van twee of drie dagen. Vaak is de reis gecombineerd met een bezoek aan Florence en Venetië.De meeste reisorganisatoren zorgen voor gratis vervoer van de luchthaven naar uw hotel. Vaak is er een gids aanwezig.

LUCHTHAVENS

Rome beschikt over twee internationale luchthavens. Leonardo da Vinci – beter bekend als Fiumicino – ligt zo'n

Ciampino, nogal eenvoudig, alleen voor chartervluchten

30 km ten zuidwesten van de stad. Hier vertrekken en arriveren vooral lijnvluchten. Ciampino ligt ongeveer 15 km zuidoostelijk en wordt gebruikt voor de meeste chartervluchten. Bij beide luchthavens vindt u autoverhuurders, hoewel het goedkoper is om met het openbaar vervoer of een taxi naar het centrum te reizen. Fiumicino heeft de treinver-

Pendelbus naar autoverhuur op Fiumicino

binding met station Ostiense (5.40-24.00 uur, de reis duurt 25 min.). Als u geluk hebt, is het bureau voor de kaartverkoop (waar ook metrokaarten te krijgen zijn) open. Zo niet, dan zult u een beroep moeten doen op een kaartautomaat *(blz. 373)*. Piramide Metro is bereikbaar vanaf Ostiense via een reeks roltrappen, ongelijkvloerse kruisingen en bewegende paden. Bij Piramide Metro kunt u een ondergrondse naar het stadscentrum nemen. U kunt van deze metrolijn op werkdagen gebruik maken tot 21.00 uur en in het weekeinde tot 22.30. Na 21.00 uur kunt u bij Ostiense moeilijk aan een taxi komen, maar er rijdt wel een bus (nummer 25) tot het Piazza Venezia.

Van Ciampino bereikt u het centrum het snelst met de bus naar metrostation Anagnina, waar u de metro naar Termini kunt nemen. Maak alleen gebruik van officiële taxi's, en hoewel de meeste taxichauffeurs betrouwbaar zijn, moet u toch opletten of de meter is ingeschakeld en bij vertrek niet meer aangeeft dan het minimum tarief.

Een van de hoger gelegen looproutes die de aankomsthal in Ostiense verbinden met metrostation Piramide

SYMBOLEN

🚌 Bus naar Termini

FS Trein naar Ostiense

P Parkeergarage

– – – Toekomstige uitbreiding

——— Nieuwe ringweg

De internationale terminal zal beschikken over betere voorzieningen.

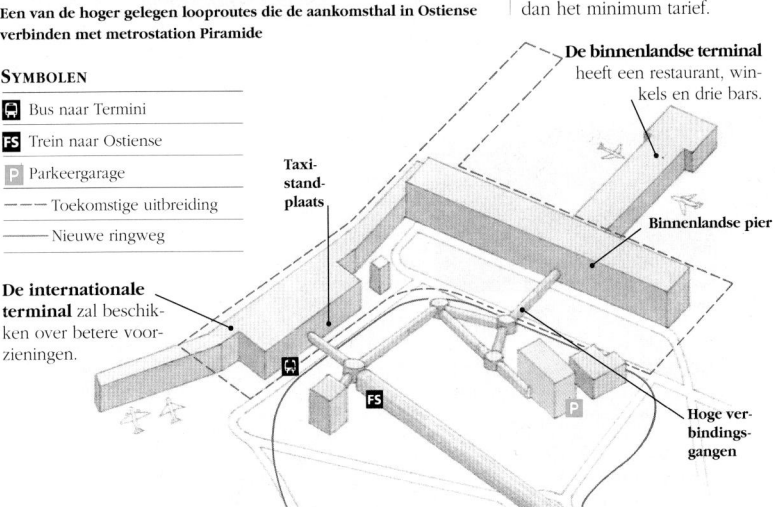

De binnenlandse terminal heeft een restaurant, winkels en drie bars.

Binnenlandse pier

Taxi-standplaats

Hoge verbindingsgangen

Uit Rome

Naar Rome

FIUMICINO IN DE TOEKOMST

De luchthaven wordt op het moment uitgebreid. Er zijn plannen voor een nieuwe internationale terminal en betere toegangswegen.

Aankomst in Rome

Deze kaart laat de belangrijkste bus-, trein en metroverbindingen zien voor reizigers die in Rome arriveren. U ziet de verbindingen tussen de twee belangrijkste Romeinse luchthavens en de stad, verbindingen tussen Rome en de rest van Italië en de treinverbindingen met naburige Europese landen. In de kaders leest u informatie over reistijden en de frequentie van de diensten.

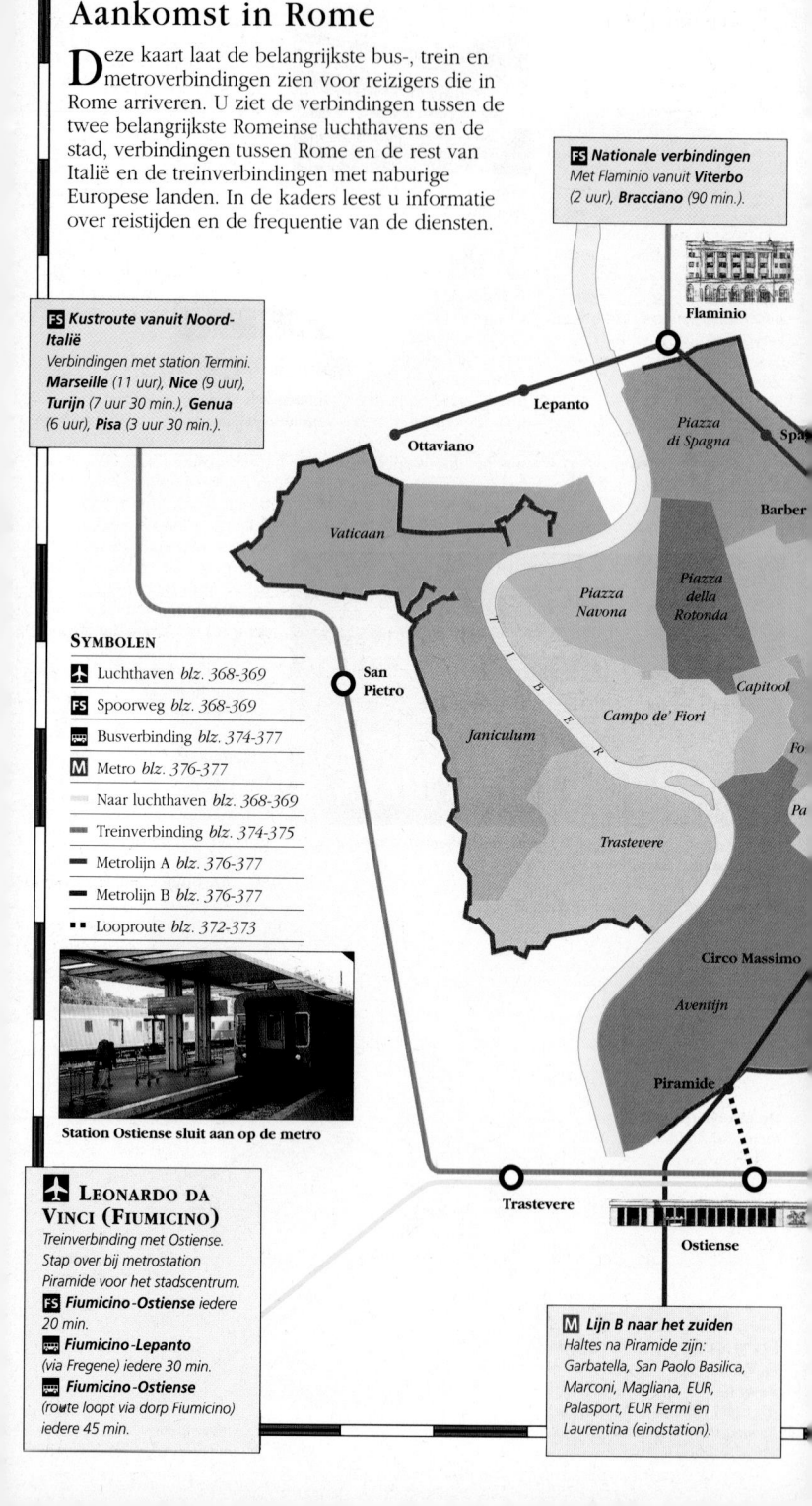

FS *Nationale verbindingen*
Met Flaminio vanuit **Viterbo** (2 uur), **Bracciano** (90 min.).

Flaminio

Lepanto

Ottaviano

Piazza di Spagna

Spa...

Barber...

Vaticaan

Piazza Navona

Piazza della Rotonda

FS *Kustroute vanuit Noord-Italië*
Verbindingen met station Termini. **Marseille** (11 uur), **Nice** (9 uur), **Turijn** (7 uur 30 min.), **Genua** (6 uur), **Pisa** (3 uur 30 min.).

Symbolen

✈ Luchthaven *blz. 368-369*	
FS Spoorweg *blz. 368-369*	
🚌 Busverbinding *blz. 374-377*	
M Metro *blz. 376-377*	
Naar luchthaven *blz. 368-369*	
Treinverbinding *blz. 374-375*	
Metrolijn A *blz. 376-377*	
Metrolijn B *blz. 376-377*	
▪▪ Looproute *blz. 372-373*	

San Pietro

Janiculum

Campo de' Fiori

Capitool

Fo...

Pa...

Trastevere

Circo Massimo

Aventijn

Piramide

Station Ostiense sluit aan op de metro

Trastevere

Ostiense

✈ **Leonardo da Vinci (Fiumicino)**
Treinverbinding met Ostiense. Stap over bij metrostation Piramide voor het stadscentrum.
FS *Fiumicino-Ostiense iedere 20 min.*
🚌 *Fiumicino-Lepanto (via Fregene) iedere 30 min.*
🚌 *Fiumicino-Ostiense (route loopt via dorp Fiumicino) iedere 45 min.*

M *Lijn B naar het zuiden*
Haltes na Piramide zijn: Garbatella, San Paolo Basilica, Marconi, Magliana, EUR, Palasport, EUR Fermi en Laurentina (eindstation).

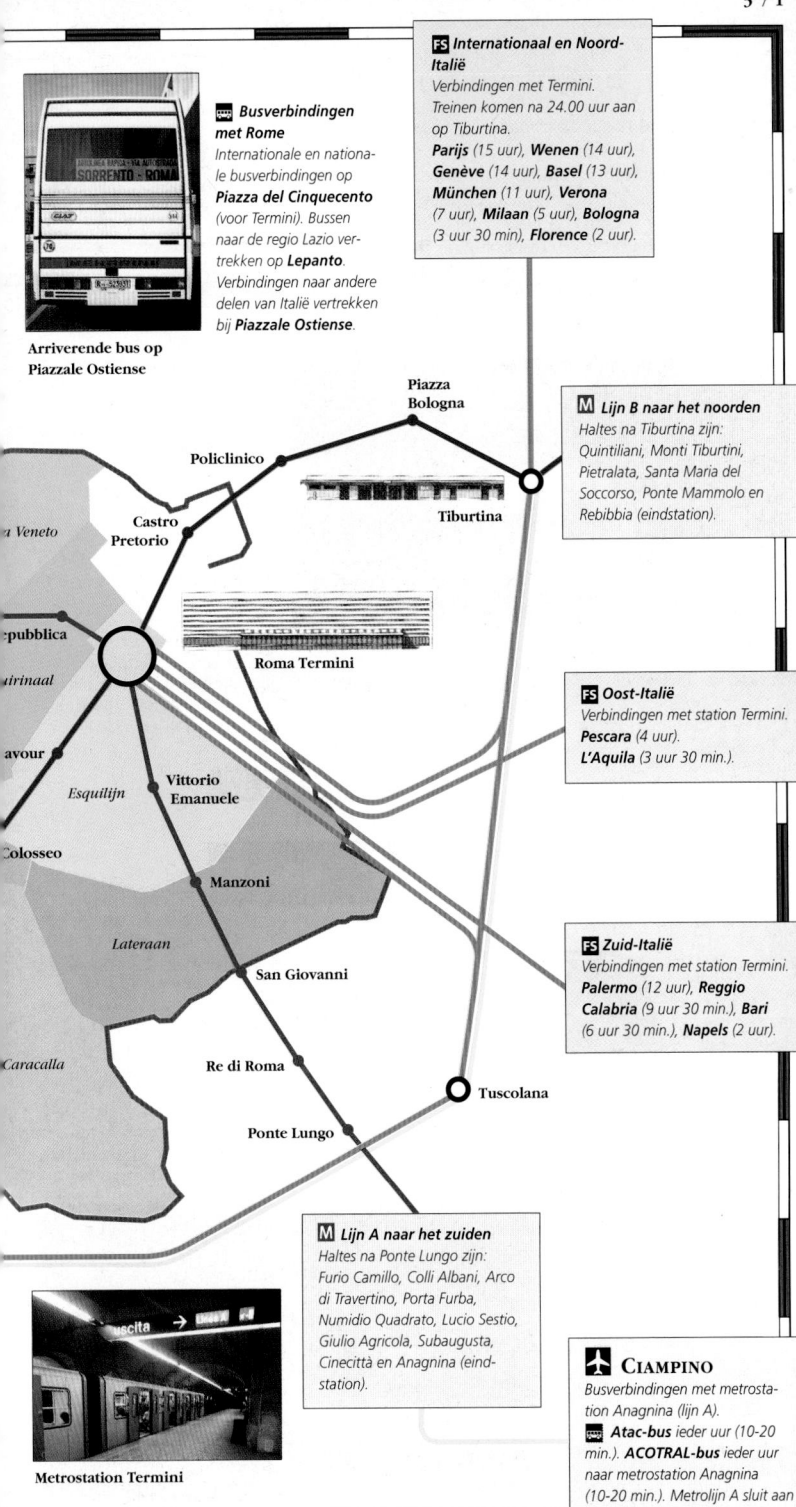

FS *Internationaal en Noord-Italië*
Verbindingen met Termini. Treinen komen na 24.00 uur aan op Tiburtina.
Parijs (15 uur), **Wenen** (14 uur), **Genève** (14 uur), **Basel** (13 uur), **München** (11 uur), **Verona** (7 uur), **Milaan** (5 uur), **Bologna** (3 uur 30 min), **Florence** (2 uur).

Busverbindingen met Rome
Internationale en nationale busverbindingen op **Piazza del Cinquecento** (voor Termini). Bussen naar de regio Lazio vertrekken op **Lepanto**. Verbindingen naar andere delen van Italië vertrekken bij **Piazzale Ostiense**.

Arriverende bus op Piazzale Ostiense

M *Lijn B naar het noorden*
Haltes na Tiburtina zijn: Quintiliani, Monti Tiburtini, Pietralata, Santa Maria del Soccorso, Ponte Mammolo en Rebibbia (eindstation).

Piazza Bologna

Policlinico

Castro Pretorio

a Veneto

Tiburtina

epubblica

uirinaal

Roma Termini

avour

FS *Oost-Italië*
Verbindingen met station Termini.
Pescara (4 uur).
L'Aquila (3 uur 30 min.).

Esquilijn

Vittorio Emanuele

Colosseo

Manzoni

Lateraan

San Giovanni

FS *Zuid-Italië*
Verbindingen met station Termini.
Palermo (12 uur), **Reggio Calabria** (9 uur 30 min.), **Bari** (6 uur 30 min.), **Napels** (2 uur).

Caracalla

Re di Roma

Tuscolana

Ponte Lungo

M *Lijn A naar het zuiden*
Haltes na Ponte Lungo zijn: Furio Camillo, Colli Albani, Arco di Travertino, Porta Furba, Numidio Quadrato, Lucio Sestio, Giulio Agricola, Subaugusta, Cinecittà en Anagnina (eindstation).

CIAMPINO
Busverbindingen met metrostation Anagnina (lijn A).
Atac-bus ieder uur (10-20 min.). **ACOTRAL-bus** ieder uur naar metrostation Anagnina (10-20 min.). Metrolijn A sluit aan op station Termini.

Metrostation Termini

Met trein, bus of auto naar Rome

Hoewel Rome busverbindingen heeft met de meeste grote Europese steden, reist u over land toch het snelst met de trein naar Rome. Binnen Italië kunt u zich ook het best met de trein verplaatsen, maar als u vanuit plaatsen reist die niet aan belangrijke Intercity-routes liggen, bereikt u uw doel vlugger met de bus. Automobilisten die lid zijn van de ANWB of TCB, kunnen terecht bij de Automobile Club d'Italia *(blz. 361)* voor gratis hulp en uitstekende wegenkaarten.

Pendolino, de snelste trein van Italië

De hal van Stazione Termini

STAZIONE TERMINI

Stazione Termini is het belangrijkste spoorwegstation in Rome en tevens het middelpunt van het openbaarvervoernet in de stad. Beneden vindt u het enige overstappunt tussen de twee metrolijnen van de stad, en meteen buiten, op het Piazza dei Cinquecento, bevindt zich het belangrijkste begin- en eindstation van de bus. Hoewel het een van de opmerkelijkste gebouwen uit de 20ste eeuw is, heeft het ook zijn negatieve aspecten. Het is verstandig om er niet langer te blijven dan strikt noodzakelijk. Komt u laat aan, zie de buurt dan zo snel mogelijk te verlaten. Er zijn gewoonlijk taxi's aanwezig (ga naar de officiële rij), zelfs in de kleine uurtjes, en de meeste nachtbussen vertrekken van Termini.
In de zomer is het erg druk in het station. Het station beschikt over een bureau voor gevonden voorwerpen, een politiebureau waar u altijd aangifte moet doen bij verlies of diefstal van goederen in de trein of op het station, en een klein Citalia-bureau. Hier kunt

FS-logo

u geld wisselen en reisinformatie krijgen. In de hal vindt u een bureau voor internationaal telefoneren *(blz. 364)*, een boekwinkel, een postkantoor en een tabakswinkel (waar ook bus- en metrokaarten verkrijgbaar zijn).
Beneden in het sombere metrostation zijn een kapper en een *albergo diurno*, waar u zich tegen betaling kunt opfrissen met een bad of een douche.
Van de andere stations in Rome zijn vooral de volgende vier van belang voor toeristen: Ostiense en Trastevere voor treinen naar de luchthaven

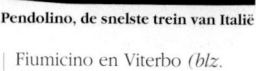
Perronbordje

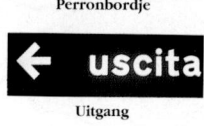
Uitgang

Fiumicino en Viterbo *(blz. 271)*, Tiburtina voor enkele treinen op de noord-zuidlijn door Italië en Roma Nord voor treinen naar Prima Porta.

VERVOER PER TREIN

De Italiaanse nationale spoorwegen (Ferrovie dello Stato of FS) bieden verscheidene diensten, van de Locale-treinen die bij ieder station stoppen, tot de Pendolino, een supersnelle en uiterste luxe trein met alleen een eerste klas. De Pendolino rijdt tussen Rome en Milaan, Turijn, Genua, Bari, Napels en Venetië.
Reserveren is verplicht en u moet een flinke toeslag betalen voor de snelheid, hostess-service en gratis kranten.
Op Intercity-treinen bent u ook een toeslag verschuldigd. Dit zijn sneltreinen voor de lange afstanden met zowel eerste- als tweede-klascoupés. Ze rijden van Rome naar Venetië, Milaan, Florence en Napels. In het hoogseizoen en in het weekeinde is reserveren raadzaam. Reserveren is verplicht bij diensten die op de dienstregeling staan aangegeven

Termini, hart van het spoorwegnet en het openbaar-vervoernet

VERVOER PER BUS

De meeste regionale bussen en reisbussen zijn blauwe

Veel reisbussen komen aan en vertrekken buiten het station Termini. Informatie en tickets voor Eurolines-busreizen naar Italië zijn verkrijgbaar bij **Eurolines** *(020-627 5151)* in Nederland en **Europa Bus** *(02 217 0025)* in België. Wend u tot **Lazzi Express** voor Eurolines-bussen naar andere Europese steden. De **Appian Line** verzorgt reizen binnen Italië naar steden als Florence, Napels, Capri, Sorrento, Pompeii, Venetië en Assisi. **ACOTRAL** verzorgt lo-kale busdiensten binnen de regio Lazio. Alle busstations die ACOTRAL aandoet, staan in verbinding met metrosta-tions. Enkele busdagtochten vanuit Rome vindt u op blad-zijden 268-271.

Appian Line
Via Barberini 109. ☐ 488 41 51.

ACOTRAL
☐ 591 55 51.

Lazzi Express
Via Tagliamento 27. ☐ 884 08 40.

VERVOER PER AUTO

Om in Italië uw eigen auto te mogen besturen, dient u uw internationale Groene Kaart (voor de WA-verzeke-ring) en uw kentekenbewijs bij u te hebben. Het dragen van gordels is in Italië ver-plicht. Ook moet u uw gevaren-driehoek bij u hebben. Veel wegen naar Rome sluiten aan op de Grande Raccordo Anulare (GRA), de ringweg rond Rome. Op alle Italiaanse autosnelwe-gen wordt tol geheven. Voor u Italië binnenkomt, kunt u bij ANWB, TCB en de buiten-landse zusterorganisaties ben-zinebonnen en magnetische tolbetaalpassen kopen.

Blauwe borden (nationale wegen), groene (autosnelwegen)

Eurolines-bussen rijden tussen Rome en de rest van Europa

AUTOMATEN VOOR FS-TREINKAARTJES

Deze automaten zijn gemakkelijk te bedienen en de meeste zijn voor-zien van instruc-ties in vier talen.

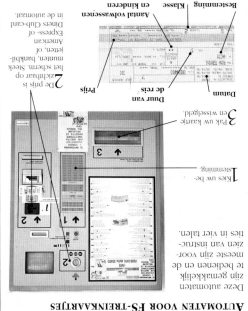

1 Kies uw bestemming.

2 De prijs is zichtbaar op het scherm. Steek munten, bankbil-jetten, of American Express- of Diners Club-card in de automaat.

3 Pak uw kaartje en wisselgeld.

Duur van de reis · Prijs · Datum · Bestemming · Klasse · Aantal volwassenen en kinderen

Stazione Termini Booking Office
Via Giolitti 22. ☐ 47 30.

Een internationale Eurocity-trein

met een zwarte K op een witte achtergrond.
Sommige personeelsleden van het **reserveerbureau** spreken Engels, maar het is eenvoudiger om zelf naar het station te gaan of naar een reisbureau met het FS-symbool. Vanuit Italië kunt u ook inter-nationale of Eurocity-treinen (EC) nemen naar andere Europese bestemmingen. Het is verstandig te reserveren, vooral 's zomers als de trei-nen overvol zijn.

VERVOER IN ROME

In het centrum van Rome staat alles dicht op elkaar en u zult er veel tijd wandelend doorbrengen. Omdat het verkeer gewoonlijk vast zit, kunt u beter niet autorijden. Durfallen kunnen echter een hoop plezier beleven door rond te snorren op een gehuurde Vespa. Reizen per bus of tram kan veel tijd kosten, dus maak

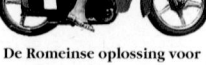

De Romeinse oplossing voor het drukke verkeer

alleen gebruik van het openbaar vervoer als u een lange afstand hebt af te leggen. De metro, aangelegd om de voorsteden met het centrum te verbinden, heeft geen stations in het historische centrum bij het Pantheon of het Piazza Navona, maar is wel de snelste manier om aan de andere kant van de stad te komen.

LOPEN

Een wandeling door het oude centrum van Rome is een van de plezierigste onderdelen van een bezoek aan de stad. U kunt in een paar uur gemakkelijk diverse belangrijke bezienswaardigheden bezoeken, of ze in ieder geval zien. Het Colosseum, bijvoorbeeld, ligt maar 2,5 km van de Spaanse Trappen. Onderweg loopt u bijvoorbeeld langs het Forum, het Piazza Venezia en verscheidene kerken. Andere bezienswaardigheden, zoals de Trevifontein, de Galleria Doria Pamhili en het Pantheon, liggen niet ver uit de buurt.

Verken de stad buurt voor buurt en maak gebruik van het openbaar vervoer als de afstand te groot is. Er zijn allerlei plannen om meer verkeers-

Aanwijzingen voor voetgangers

vrije zones te maken en zelfs om alles wat wielen heeft uit bepaalde delen van de stad te verbannen – maar om dergelijke maatregelen op te leggen aan een bevolking die er zo sterk zijn eigen regels op na houdt als de Romeinen, lukt niet van vandaag op morgen.

Als u slecht tegen de hitte kunt, bedenk dan dat de nauwe straatjes maar weinig zonlicht krijgen en betrekkelijk koel blijven. Wanneer u daarentegen op een open plein loopt, kan het lijken of u in een hete oven stapt. In het hart van de zomer doet u er goed aan om het voorbeeld van de Italianen te volgen. Wandel langzaam aan de schaduwzijde van de weg, neem de tijd voor uw lunch, gevolgd door een siësta op het warmste gedeelte van de dag. Later in de middag kunt u de stad verder gaan verkennen, wanneer de kerken en winkels weer open zijn en het druk is op straat. Een avondwandeling is heel aangenaam; de straten zijn dan koel en veel gevels verlicht.

Avanti: lopen! Voetgangers hebben voorrang

Alt: stop! Het verkeer gaat voor

Zebrapad   **Pas op: kinderen**

Zebrapaden zijn niet veel veiliger dan de open weg

OVERSTEKEN

Op het eerste gezicht lijkt het alsof er in Rome maar twee soorten voetgangers zijn: razendsnelle en morsdode. Zelfs als u de weg oversteekt bij verkeerslichten en zebrapaden waar u in uw volste recht staat, kunt u er zeker van zijn dat er een bestelbusje of Vespa op u af scheurt met ogenschijnlijk moorddadige bedoelingen. Gelukkig hebben Romeinse bestuurders een snel reactievermogen. Vrome mensen zullen dit toeschrijven aan de bescherming van Santa Francesca Romana (blz. 87), cynici aan het feit dat volgens het Italiaanse verzekeringsrecht bestuurders altijd verantwoordelijk zijn voor een verkeersonge-

...val. Hoe het ook zij, ongelukken komen maar zelden voor. U kunt het beste even alert en zelfverzekerd optreden als de Romeinen zelf.

De straten zijn erg druk. Probeer als u oversteekt een zo groot mogelijke afstand te bewaren tussen uzelf en het naderende verkeer. Stap doelbewust de weg op en kijk de naderende automobilisten vastberaden in de ogen. Nu gaat het erom dat u onverstoorbaar doorloopt: aarzel niet, verander niet van richting en ga nooit rennen. Zolang de bestuurder u kan zien, zal hij stoppen of ten minste uitwijken, al is het op het allerlaatste moment.

VERKEERSTEKENS

Hoewel er niet veel van is te merken, hebben voetgangers het recht om over te steken als het groene avanti-licht brandt. Het rode licht alt betekent dat u moet wachten. Onderdoorgangen worden aangegeven met stoplopassaggio. In de doolhof van straten en piazza's in het historische centrum kunt u gemakkelijk de weg kwijtraken. Totdat u wat meer wegwijs bent, kunt u de gele borden volgen die de routes aangeven tussen de bezienswaardigheden en piazza's die interessant zijn voor toeristen. Routes naar algemene oriëntatiepunten worden aangeduid op een zilvergrijze achtergrond.

AUTORIJDEN

Autorijden in het centrum van Rome kan een uiterst intimiderende ervaring zijn voor bezoekers. De agressie van de Italiaanse automobilisten is berucht, voetgangers stappen zonder waarschuwing de weg op en in het eenrichtingverkeer is het onmogelijk om uw richtinggevoel te bewaren. U ziet ook automobilisten die aan de verkeerde kant in-halen, terwijl Vespa's tussen de rijen verkeer door zoemen en eenrichtingswegen van de verkeerde kant inrijden. Autodiefstal is in Rome schering en inslag. Laat daarom nooit iets van waarde in uw auto achter, zelfs niet uit het zicht. Wijken als Campo de' Fiori worden onveilig gemaakt door bendes op de uitkijk naar iedereen die camera's, bonhassen en andere kostbare spullen in de kofferbak achterlaat. Verwijder ook uw autoradio, u zult niet de enige zijn die hem in een bar, restaurant of disco mee naar binnen neemt. Rijd 's avonds laat extra voorzichtig. Niet alleen worden de verkeerslichten getransformeerd tot knipperlichten, maar ook stappen veel Italianen onder invloed van drank of drugs met een verbazingwekkende achteloosheid achter het stuur.

Doodlopende straat
strada senza uscita

Eenrichtingsverkeer
SENSO UNICO

Parkeerverbod
continua

Stopverbod

PARKEREN

De handigste parkeerplaats is die onder de Villa Borghese. Een groot gedeelte van het stadscentrum is gereserveerd voor bewoners met vergunningen en er zijn duizenden automobilisten met een valse vergunning. Mocht u een plek vinden, dan zult u bij terugkomst misschien ontdekken dat u bent klemgezet door dubbelparkeerders. Enkele parkeergelegenheden vindt u op bladzijde 379.

Naar parkeer-plaatsen

FOUT PARKEREN

De verkeerspolitie is zeer alert. Als u fout geparkeerd staat, kan uw auto een wielklem krijgen of worden weggesleept. Bel daarom eerst 5874 ter controle, voordat u uw auto als gestolen opgeeft. Parkeerverbodzones moeten duidelijk zijn aangegeven, maar let op of het bord niet achter een boom verscholen is.

Bord voor een wegsleep-zone (zona rimozione)
zona rimozione fermata consentita per salita e discesa con conducente a bordo

Sleper aan het werk

BENZINE

Benzine is erg duur. Tankstations en garages treft u overal in de stad aan. De tankstations verkopen echter niet altijd loodvrije benzine (senza piombo). 's Middags en 's avonds zijn veel tankstations self-service en werken op bankbiljetten of creditcards. Tankstations die tot laat open blijven, vindt u op bladzijde 379.

Logo bezine-maatschappij

Reizen per bus, trein en metro

Het openbaar-vervoernet in Rome is betrekkelijk goedkoop, uitgebreid en zo efficiënt als het drukke verkeer toelaat. Priesters, nonnen, toeristen, pelgrims, zakenlieden en zakkenrollers stappen in drommen in en veranderen de bussen en trams 's zomers in rijdende sauna's. Korte afstanden kunt u beter te voet afleggen, vanwege de vele opstoppingen. Het is soms lastig om bij de juiste halte uit te stappen, maar de andere passagiers willen u wel helpen. Pas goed op waardevolle spullen.

Maandabonnement

BIG-kaartje voor één dag onbeperkt reizen

BUS EN TRAM

De openbare bus- en trammaatschapppij in Rome draagt de naam **ATAC** (Azienda Tramvie e Autobus del Comune di Roma). Tal van oranje bussen en een handvol rammelende trams komen in de meeste delen van de stad. Ze rijden van 's morgens vroeg tot rond middernacht. Er rijden ook een paar nachtbussen. Behalve de elektrische minibus (lijn 119) kunnen er geen bussen door de nauwe straatjes van het historische centrum. Er zijn echter genoeg buslijnen die u op loopafstand brengen van de belangrijkste bezienswaardigheden *(zie kaart binnenkant achterflap).* De nieuwe gele bushaltes in Rome geven een handige opsomming van de gegevens van alle bussen die de halte aandoen. U treft in Rome nog steeds een aantal ouderwetse haltes aan. Deze geven maar enkele straten en piazza's aan waar de bussen langskomen en zijn erg onduidelijk als u Rome niet goed kent.

ATAC-bus lijn 64

Bus Rome-Gubbio

BUS EN TRAM GEBRUIKEN

De belangrijkste eindhalte vindt u op het Piazza Cinquecento bij station Termini, maar verspreid door de stad liggen andere belangrijke haltes. Vooral die in de Largo Argentina, op het Piazza Venezia en Piazza del Risorgimento zijn erg handig. Informatie en kaarten zijn verkrijgbaar bij ATAC-kiosken, maar deze zijn niet altijd bemand, zelfs op plaatsen dat ze officieel open horen te zijn. In de meeste bussen zit alleen een chauffeur. Op nachtbussen rijdt er gewoonlijk een conducteur mee die kaartjes verkoopt. (Op dagbussen kunt u geen kaartjes kopen.) Overdag moet u, als u een normaal kaartje hebt, achter in de bus instappen. Hier staat een oranje automaat waarin u uw kaartje moet afstempelen. Als u in het bezit bent van een abonnement of overstapt (binnen 90 minuten op hetzelfde kaartje), mag u voorin instappen.

INFORMATIE

ATAC
Piazza del Risorgimento.
Map 3 C2. 46 95 44 44
Ook: Piazza dei Cinquecento.

Metrokaartje

Buskaartje voor 90 minuten

KAARTJES

Kaartjes voor bus, tram en metro moeten vóór de reis worden gekocht. Ze zijn verkrijgbaar bij metrostations en eindhaltes van bussen en ook bij bars, kiosken en tabakswinkels. Let op verkooppunten waar stickers van de ATAC (bus en tram) en de ACOTRAL (metro) hangen. De meeste verkooppppunten sluiten zo halverwege de avond, dus het is raadzaam om een paar kaartjes tegelijk te kopen. Reken er niet te vast op dat u kaartjes op het metrostation kunt kopen, want de verkooppunten zijn vaak dicht wegens personeelstekort en de kaartautomaten (alleen munten, geen geld terug) vaak defect. Met één kaartje kunt u 90 minuten onbeperkt met de bus en de tram reizen en net zo vaak in- en uit-

Nieuwe bushalte met routeinformatie

FERMATA

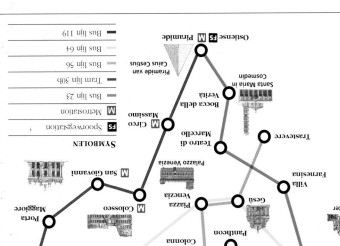

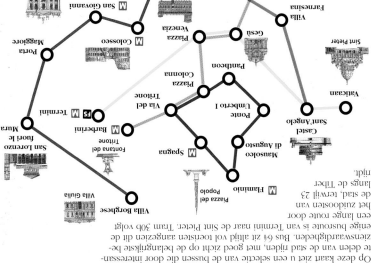

SYMBOLEN

- FS Spoorwegstation
- M Metrostation
- Bus lijn 23
- Tram lijn 30b
- Bus 56
- Bus 64
- Bus lijn 119

HANDIGE BUS- EN TRAMROUTES

Op deze kaart ziet u een selectie van de bussen die door interessante delen van de stad rijden, met goed zicht op de belangrijkste bezienswaardigheden. Bus 64 zit altijd vol toeristen aangezien dit de enige busroute is van Termini naar de Sint-Pieter. Tram 30b volgt een lange route door het zuidoosten van de stad, terwijl 23 langs de Tiber rijdt.

Een Romeinse tram in de oranje kleur van de ATAC

van de stad, vanwaar er bussen naar de luchthaven Ciampino rijden.

Lijn B (blauw) loopt van Rebibbia in het noordoosten, waar u de bus naar Tivoli kunt nemen, naar EUR in het zuidwesten, waarvandaan de bus naar het strand rijdt. De stations zijn duidelijk herkenbaar aan het metrologo, een grote witte M op een rode achtergrond. Het metronet biedt een relatief snelle manier om aan de andere kant van de stad te komen en sommige stations bevinden zich vlak bij belangrijke bezienswaardigheden.

METROPOLITANA

H et Romeinse metronet, de Metropolitana, bestaat uit twee lijnen (A en B), die in een soort X-vorm door de stad lopen en samenkomen bij station Termini (*zie binnenkaart achterflap en blz. 370-371*). Lijn A (rood) loopt van Ottaviano naar Anagnina in het zuidoosten

Metrologo

Lijn A rijdt van rond 5.30 uur tot 24.00 uur en lijn B van maandag tot vrijdag tot 21.00 uur.

stappen als u wilt. Kaarten voor de metro zijn alleen voor één enkele rit geldig. Als u per dag vijf of meer ritten gaat maken, is het lonend om een BIG-kaart te kopen. Hiermee mag u één dag onbeperkt reizen op bus, tram en metro. Weekabonnementen voor toeristen zijn alleen geldig voor bus en tram, maar er zijn ook maandkaarten verkrijgbaar die gelden voor alle vormen van transport.

FIETS-, BROMFIETS- EN SCOOTERVERHUUR

De nauwe straatjes en het drukke verkeer in combinatie met de zeven steile heuvels waarop de stad is gebouwd, maken Rome een lastige stad voor fietsers. U vindt er echter een paar wijken waar fietsen een ontspannende manier kan zijn om de stad te bekijken, zoals de Villa Borghese, de oevers van de Tiber en sommige gebieden in het historische centrum (rond Pantheon en Piazza Navona). Zorg wel dat u een luide bel hebt, populaire fietsroutes zijn meestal ook in trek bij wandelaars.

Bromfietsen (*motorini*)

Een echte Vespa

en scooters (de bekende Vespa's, wat wespen betekent) zijn efficiënte vervoermiddelen om u mee in het verkeer te begeven. Misschien kunt u zich in het begin beter beperken tot rustige straten. Hoewel een helm wettelijk verplicht is voor motorrijders, hoeven bromfietsers boven de 18 jaar geen helm te dragen. Fietsen en bromfietsen zijn te huur bij **Collalti**, **Roma Rent**, **Scoot-a-Long**, **St Peter Moto** en **Scooters for Rent**. **Biciroma** heeft verschillende filialen en een **telefonische verhuurservice** is werkzaam in de zomer en het najaar.

Het kan zijn dat u een creditcard als waarborg moet achterlaten als u de fiets ophaalt.

RIJTUIGEN

Hoewel ze niet zo populair zijn als in Florence, kunt u in Rome ook een rijtuig (*carrozella*) met paard huren voor een tochtje door het historische centrum. De rijtuigen, waar maximaal vijf personen in mogen, worden op veel punten in de stad verhuurd: het Piazza di Spagna, het Colosseum, de Trevifontein, de Sint Pieter, de Via Veneto, de Villa Borghese, het Piazza Venezia en het Piazza Navona. De ritten duren een half uur, een uur, een halve dag of een dag. Een rit is vrij duur, maar de prijs van lange ritten is bespreekbaar. Spreek de prijs af voor vertrek en let goed op of hij per persoon is, of voor de hele wagen geldt.

Paard en wagen bij het Pantheon

TAXI'S

De officiële taxi's in Rome zijn geel en moeten het bord 'taxi' op hun dak hebben. Neem alleen deze taxi's en niet de exemplaren die u op stations en toeristische plaatsen worden aangesmeerd. Officiële taxichauffeurs lokken geen klanten. Gele taxi's kunnen worden aangehouden bij speciaal aangegeven standplaatsen of op straat (de chauffeurs mogen niet op straat stoppen, maar velen doen het wel). Ze

Officiële gele taxi

Rij taxi's bij Fiumicino

zijn te vinden bij de belangrijke toeristische bezienswaardigheden, op luchthavens en stations (waaronder Termini en Ostiense). De Romeinse taxichauffeurs staan niet bekend om hun vriendelijkheid en kunnen zelfs weigeren om u ver van het lucratieve stadscentrum te brengen.

Taxi's zijn niet bepaald goedkoop. Taxichauffeurs berekenen altijd extra voor bagage, nachtelijke ritten (22.00-7.00 uur) en ritten op zon- en feestdagen. Net als elders blijft de meter lopen als de auto stilstaat, dus verkeersopstoppingen kunnen u veel kosten.

Sommige chauffeurs rijden ook via een verdachte omslachtige route naar uw bestemming. De Romeinse taxichauffeurs verwachten een fooi van toeristen. De Romeinen zelf geven over het algemeen kleine bedragen of helemaal niets, maar er wordt van u verwacht dat u ten minste 10 procent van de ritprijs geeft. U kunt taxi's vooraf bestellen bij **Cosmos Radio Taxi**, **Società Cooperativa Autoradiotaxi Roma** of **Società la Capitale Radio Taxi**. Op bestelde taxi's wordt een toeslag berekend.

AUTOVERHUUR

In Italië is het huren van een auto duur en de benzineprijzen behoren tot de hoogste van Europa. Belangrijke internationale maatschappijen (**Avis, Europcar, Hertz** en **Eurodollar**) bezitten vestigingen op luchthavens en in het centrum. Soms bent u echter beter af als u voor vertrek een auto boekt via een reisbureau of tour operator. Lokale bedrijven (zoals **Maggiore**) zijn gewoonlijk een stuk goedkoper. Controleer wel of de auto WA en casco is verzekerd.

Wie een auto huurt moet minimaal 21 jaar zijn en ten minste één jaar in het bezit zijn van een rijbewijs. Theoretisch moet u ook beschikken over een internationaal rijbe-

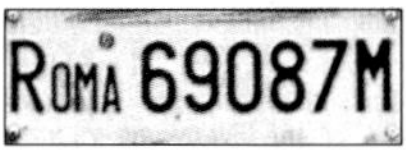

ROMA 69087M

Romeins kenteken

wijs (verkrijgbaar bij de ANWB en TCB) maar de meeste autoverhuurders stellen dit gewoonlijk niet verplicht.

Het aantal ongelukken op de Italiaanse wegen is hoog, dus verzeker u goed. Ook is het verstandig om lid te zijn van de ANWB (Nederland) of de TCB (België). Neem bij autopech telefonisch contact op met de **ACI** (Automobile Club d'Italia).

De ACI sleept iedereen gratis, maar alleen leden van zusterorganisaties hoeven geen reparatiekosten te betalen. Er bestaat ook een Romeinse automobielclub (**AC Roma**) met een eigen hulpcentrum.

Actuele verkeersinformatie en gegevens over de toestand op de wegen (in Italië) kunt u krijgen bij een speciaal **verkeersinformatie**-nummer. Meer informatie over autorijden en parkeren in Rome leest u op bladzijde 375.

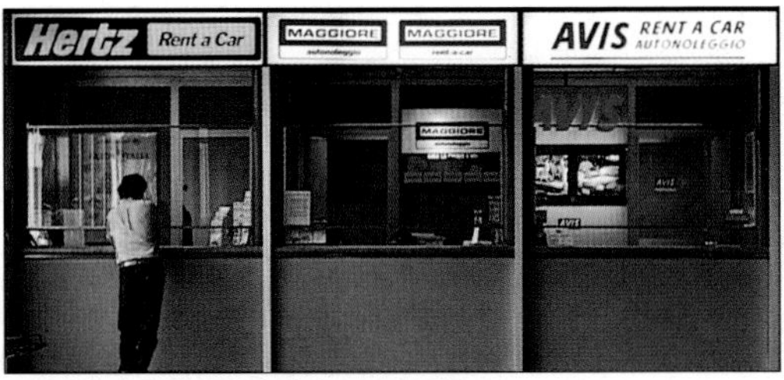

Autoverhuurders op de luchthaven Fiumicino

PLATTEGROND

Bij alle bezienswaardigheden, hotels, restaurants en winkels in dit boek wordt verwezen naar de kaarten in dit hoofdstuk (*zie* Verwijzing naar de kaarten *hiernaast*). Op bladzijden 382-391 vindt u een compleet register met de straatnamen en bezienswaardigheden die op de kaarten staan. De kaart hieronder laat zien waarop de *Plattegrond* betrekking heeft. Op de kaarten ziet u het hele centrum van Rome, met alle buurten die met het oog op de restaurants, hotels en uitgaan van belang zijn. Vanwege het grote aantal bezienswaardigheden in het historische centrum hebben we een kaart op grote schaal opgenomen als nummer 11 en 12.

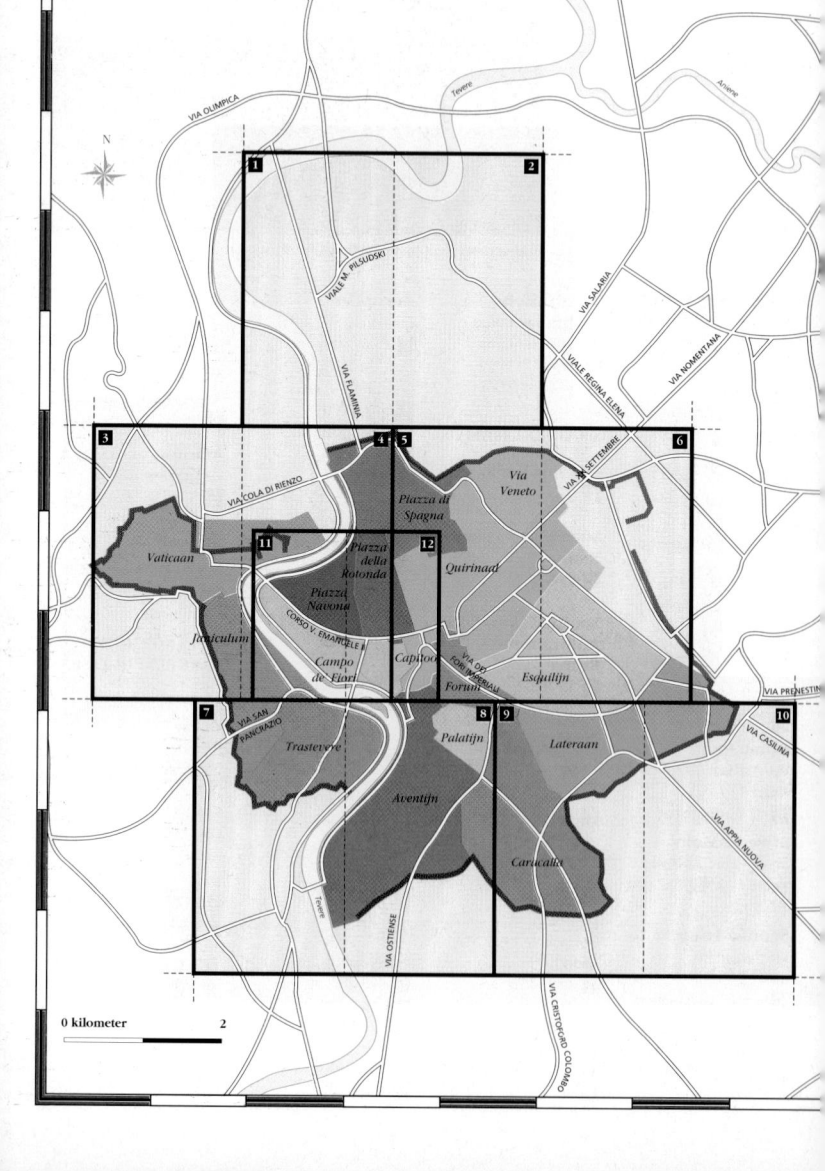

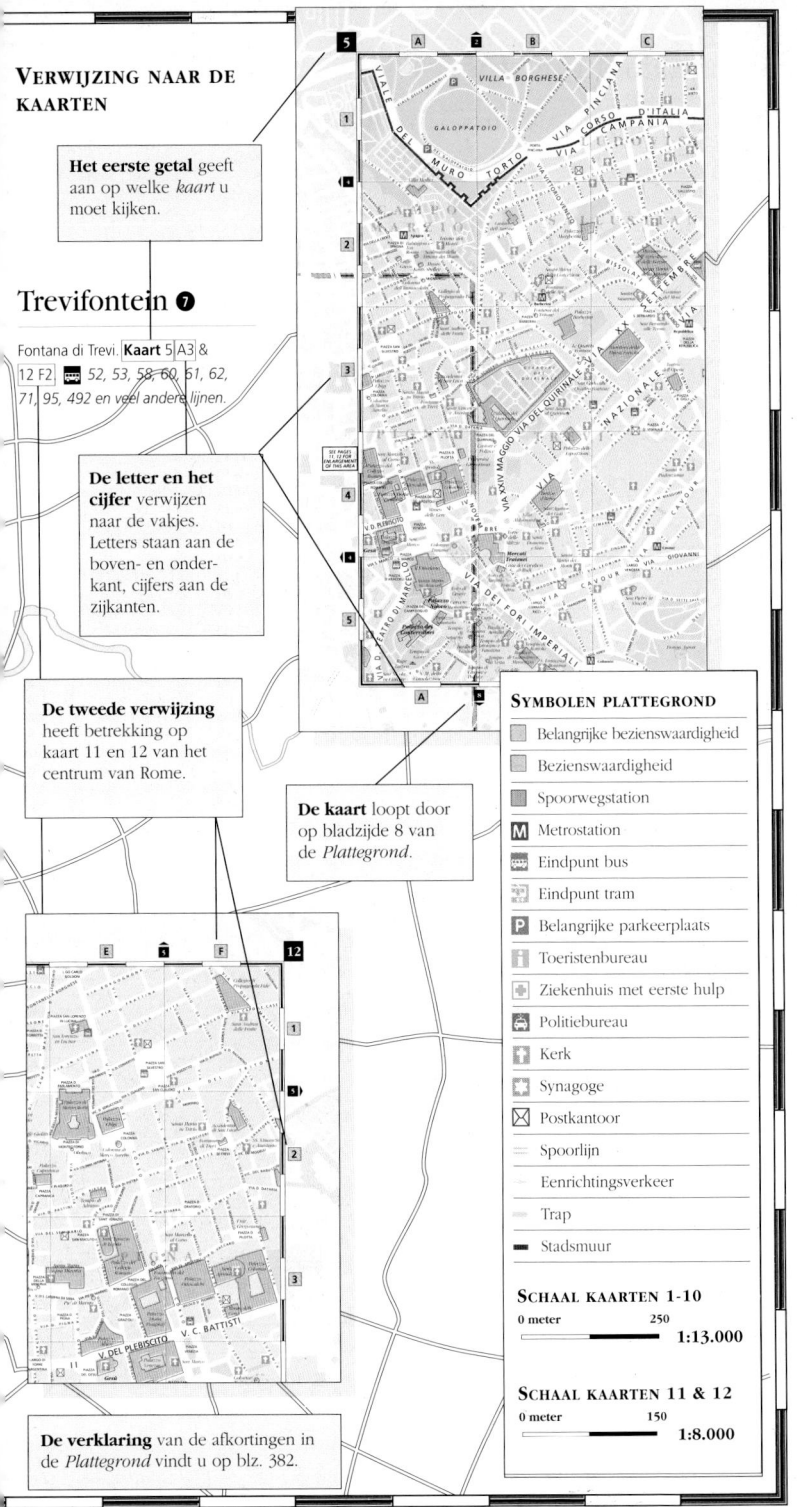

VERWIJZING NAAR DE KAARTEN

Het eerste getal geeft aan op welke *kaart* u moet kijken.

Trevifontein ❼

Fontana di Trevi. **Kaart** 5 A3 & 12 F2. 🚌 52, 53, 58, 60, 61, 62, 71, 95, 492 en veel andere lijnen.

De letter en het cijfer verwijzen naar de vakjes. Letters staan aan de boven- en onderkant, cijfers aan de zijkanten.

De tweede verwijzing heeft betrekking op kaart 11 en 12 van het centrum van Rome.

De kaart loopt door op bladzijde 8 van de *Plattegrond*.

De verklaring van de afkortingen in de *Plattegrond* vindt u op blz. 382.

SYMBOLEN PLATTEGROND

▪	Belangrijke bezienswaardigheid
▪	Bezienswaardigheid
▪	Spoorwegstation
Ⓜ	Metrostation
🚌	Eindpunt bus
🚋	Eindpunt tram
P	Belangrijke parkeerplaats
ℹ	Toeristenbureau
✚	Ziekenhuis met eerste hulp
🚓	Politiebureau
✝	Kerk
✡	Synagoge
⊠	Postkantoor
=	Spoorlijn
—	Eenrichtingsverkeer
=	Trap
▬	Stadsmuur

SCHAAL KAARTEN 1-10

0 meter   250
1:13.000

SCHAAL KAARTEN 11 & 12

0 meter   150
1:8.000

Straatnamenregister

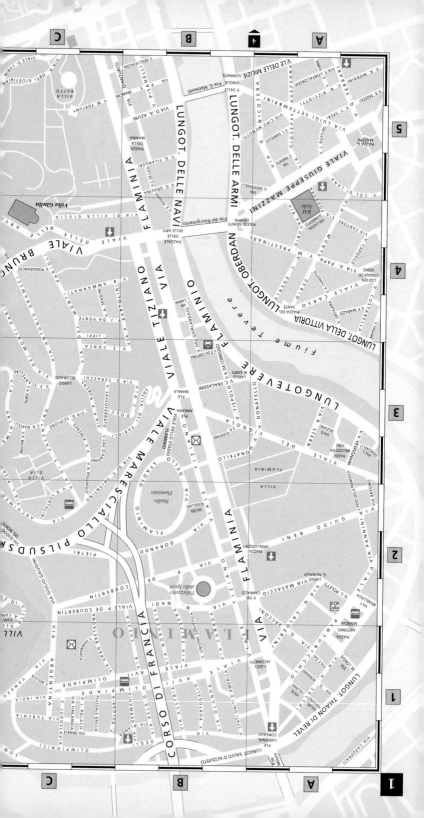

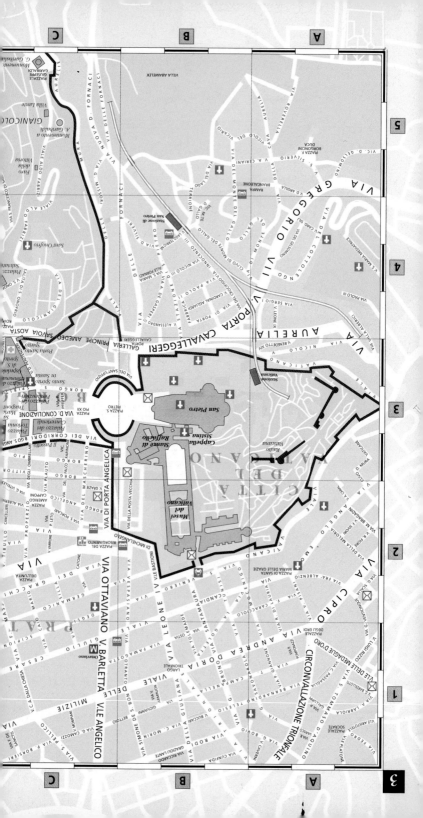

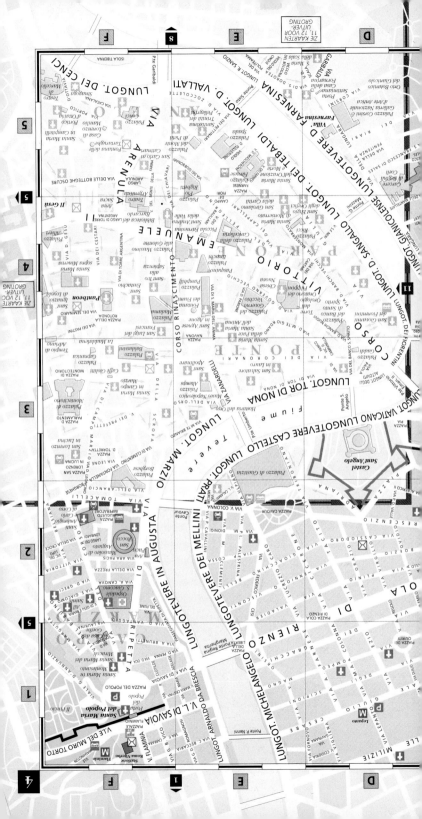

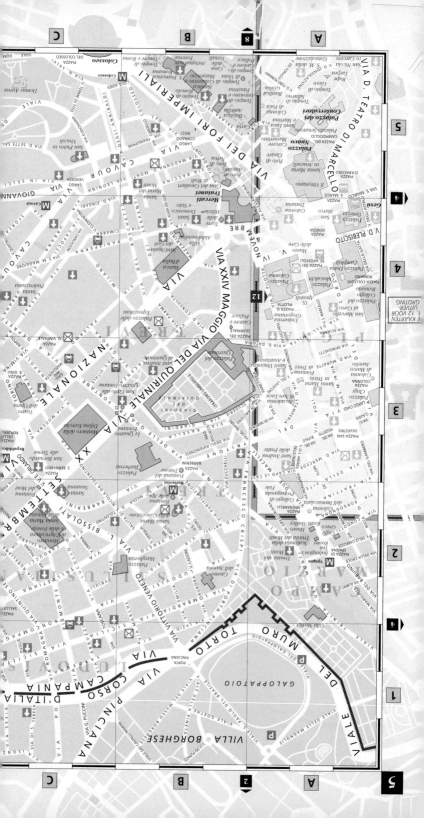

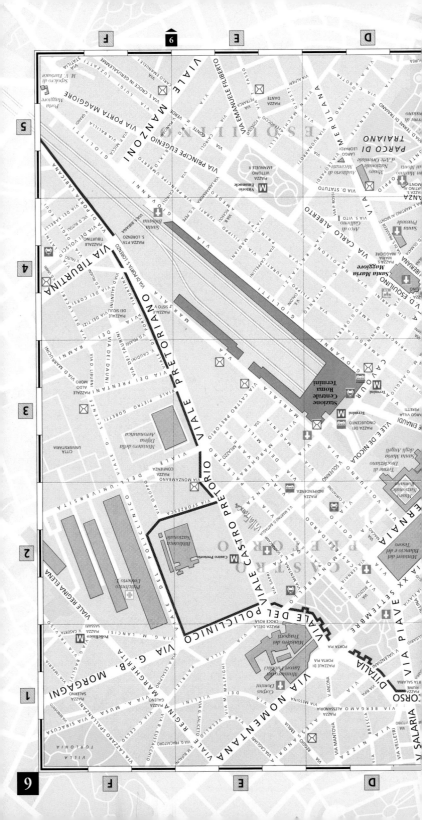

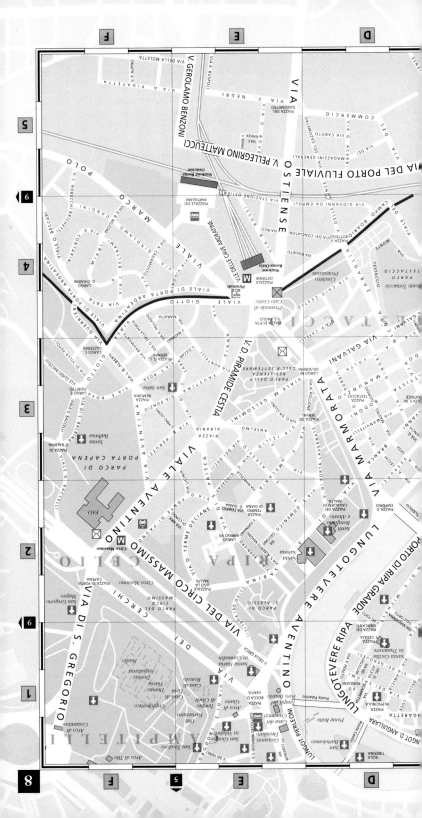

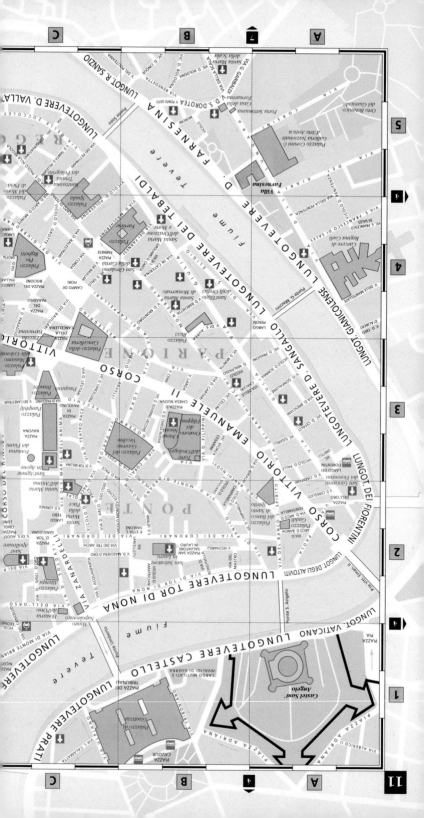

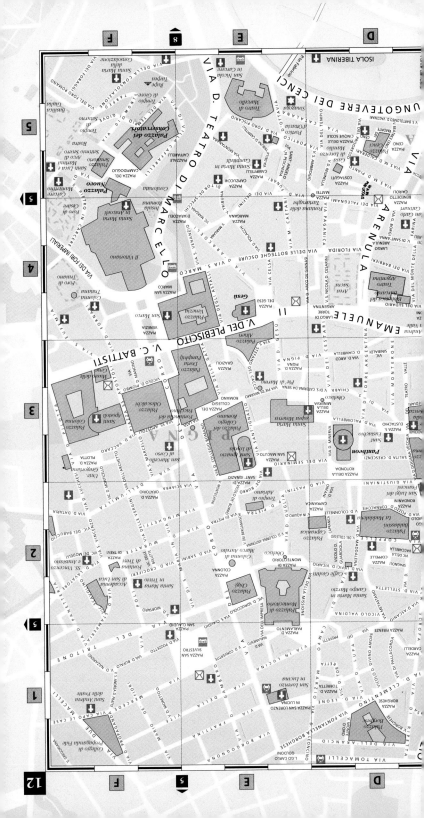

Register

A

Dankbetuiging

De uitgever bedankt de volgende personen voor hun hulp bij de samenstelling van dit boek.

AUTEURS

Olivia Ercoli is kunsthistorica en reisleidster; ze woont al haar hele leven in Rome. Ze geeft colleges over kunstgeschiedenis en publiceert, zowel in het Engels als het Italiaans, over een breed scala aan onderwerpen.

Ros Belford is auteur van reisboeken. Ze is eindredacteur van de serie Virago Woman's Guides en schrijfster van de *Virago Woman's Guide to Rome*. Ze heeft door heel Europa gereisd. Tegenwoordig schrijft ze reisgidsen en publiceert ze onder andere in *The Guardian*.

Roberta Mitchell is hoofd van de redactie van de afdeling uitgeverij van de VN in Rome, waar ze al vele jaren woont. Ze is een ervaren schrijfster en redacteur en bezit een diepgaande kennis van de stad. Ze heeft meegewerkt aan diverse reisgidsen over Rome, waaronder de *American Express Guide to Rome*.

MEDEWERKERS

Sam Cole, Mary Jane Cryan Pancani, Daphne Wilson Ercoli, Laura Ercoli, Lindsay Hunt, Adrian James, Christopher McDowall, Davina Palmer, Rodney Palmer, Debra Shipley.

De uitgever bedankt de volgende redacteuren en onderzoekers bij Webster's International Publishers: Sandy Carr, Matthew Barrell, Siobhan Bremner, Serena Cross, Valeria Fabbri, Annie Galpin, Gemma Hancock, Celia Woolfrey.

AANVULLENDE FOTOGRAFIE

Andy Crawford, Philip Enticknap, Steve Gorton, Neil Mersh, Poppy, David Sutherland.

AANVULLENDE ILLUSTRATIES

Anne Bowes, Robin Carter, Gillie Newman, Chris D Orr.

AANVULLEND ILLUSTRATIE-ONDERZOEK

Sharon Buckley.

CARTOGRAFIE

Advanced Illustration (Cheshire), Contour Publishing (Derby), Euromap Limited (Berkshire). Stratenkaarten: ERA Maptec Ltd (Dublin), met vriendelijke toestemming van Shobunsha (Japan).

CARTOGRAFISCH ONDERZOEK

James Anderson, Donna Rispoli, Joan Russell.

ASSISTENTIE BIJ ONDERZOEK

Janet Abbott, Flaminia Allvin, Licia Bronzin, Lupus Sabene.

ONTWERP EN REDACTIONELE ASSISTENTIE

Hilary Bird, Vanessa Courtier, Claire Edwards, Simon Farbrother, Vanessa Hamilton, Marcus Hardy, Sasha Heseltine, Sally Ann Hibbard, Stephanie Jackson, Steve Knowlden, Mary Lambert, Janette Leung, Jane Middleton, Fiona Morgan, Helen Partington, Naomi Peck, Carolyn Pyrah, Salim Qurashi, Jane Shaw, Clare Sullivan, Andrew Szudek, Daphne Trotter, Diana Vowles.

SPECIALE DANK AAN:

Dottore Riccardo Baldini, Signor Mario di Bartolomeo van de Soprintendenza dei Beni Artistici e Storici di Roma, Belloni, Dorling Kindersley picture department, David Gleave MW, Debbie Harris, Emma Hutton en Cooling Brown Partnership, Dottoressa Todaro en Signora Camimiti van het Ministero dell'Interno, Trestini.

TOESTEMMING VOOR FOTOGRAFIE

De uitgever bedankt de volgende instanties voor toestemming om te fotograferen: Bathsheba Abse van het Keats-Shelley Memorial House, Accademia dei Lincei, Accanto, Aeroporti di Roma, Aldrovandi Palace, Alpheus, Banco di Santo Spirito at Palazzo del Monte di Pietà, Rory Bruck van Babington's, Caffè Giolitti, Caffè Latino, Comune di Roma (Ripartizione X), Comunità Ebraica di Roma, Guido Cornini van Monumenti Musei e Gallerie Ponteficie, Direzione Sanitaria Ospedale di Santo Spirito, Dottoressa Laura Falsini van de

Soprintendenza Archeologica di Etruria Meridionale, Hotel Gregoriana, Hotel Majestic, Hotel Regina Baglioni, Marco Marchetti van de Ente EUR, Dottoressa Mercalli van het Museo Nazionale di Castel Sant'Angelo, Ministero dell'Interno, Plaza Minerva, Ristorante Alberto Ciarla, Ristorante Filetti di Baccalà, Ristorante Romolo, Signor Rulli en Signor Angeli van de Soprintendenza Archeologica di Roma, Soprintendenza Archeologica per il Lazio, Soprintendenza per i Beni Ambientali e Architettonici, Soprintendenza per i Beni Artistici e Storici di Roma, Daniela Tabo van de Musei Capitolini, Villa d'Este, Villa San Pio, Marjorie Weeke van de Sint Pieter.

FOTOVERANTWOORDING

b = boven; bl = boven links;
bm = boven midden; br = boven rechts;
mlb = midden links boven;
mb = midden boven;
mrb = midden rechts boven;
ml = midden links; m = midden;
mr = midden rechts;
mlo = midden links onder;
mo = midden onder;
mro = midden rechts onder;
gol = geheel onder links;
go = geheel onder;
gom = geheel onder midden;
geheel onder rechts = gor.

We hebben onze uiterste best gedaan om alle rechthebbenden te achterhalen. Onze verontschuldigingen voor de gevallen waarin dat niet is gelukt. In een volgende uitgave zullen wij graag de rechthebbende(n) onze dank betuigen.

Kunstwerken zijn afgedrukt met toestemming van: © DACS: Città con Cattedrale Gotica, 1925 van Paul Klee 241go.

De uitgever is de volgende personen, bedrijven en bibliotheken dankbaar voor hun toestemming om hun foto's af te drukken:

Accademia Nazionale di San Luca, Rome: 160go; AFE: 57go, 61mr; Sandro Battaglia 59m, 61mlo, 61gor, 324gor; Louise Goldman 157b; G La Malfa 251b; Agenzia Sintesi: Fabio Fiorani 360gor, 361b, 361go; Antonella di Girolamo 361m; Marco Marcotulli 360gom; R Venturi 360gol; Alitalia: 368b, 369ml;

Allsport: David Cannon 39gor; Ancient Art and Architecture: 16gol, 20bl, 21bl, 25gom, 34mro, 35bm, 44ml; Artothek, Stadelsches Kunstinstitut Frankfurt, Goethe op het Romeinse platteland door JHW Tischbein 136b. Biblioteca Reale, Turijn: 28-29m; Bridgeman Art Library: 18gor, 37br; Agnew & Sons, Londen 51br; Antikenmuseum Staatliches Museum, Berlin 19gol; Biblioteca Publica Episcopal, Barcelona/Index 114gol; Bibliothèque da la Sorbonne 28m, British Museum, Londen 27ctr; Chateau de Versailles, France/Giraudon 33br, 54ml; Christie's, Londen 40, 55br, 68go, 95b; The Fine Art Society, Londen 151br, 279bl; Galleria degli Uffizi, Florence 31gol; Greek Museum, University of Newcastle-upon-Tyne 16gor; King Street Galleries, Londen 33gor; Louvre, Parijs/Lauros-Giraudon 56gor; Louvre, Parijs/Giraudon 26gor; Roy Miles Gallery, 29 Bruton St, Londen 228b; Musée des Beaux-Arts, Nantes 53b; Museo e Gallerie Nazionali di Capodimonte, Napels, Detail van de predella van San Ludovico door Simone Martini 26br; Musée Condé, Chantilly f.71v Très Riches Heures, 26bm; Museum van Schone Kunsten, Boedapest 110gol; Museo Archeologico di Villa Giulia 48ml; Museo Poldi Pezzoli, Milaan 54br; Palazzo Doria Pamphili, Rome 107go; Piacenza stadhuis, Italy/Index 27gor; Privé-collectie 19gor, 22gol, 24gor, 27br, 178go; Poesjkin-museum, Moskou 111b; Sotheby's, Londen 18gol; Spink & Son Ltd., Londen 163go; Vaticaanse Musea 41mb, 237br.

Cephas Picture Library: Mick Rock 306br; Vanessa Courtier: 355b.

CM Dixon: 17gol, 24m, 268go, 269b, 269go.

Ecole Nationale Superieure des Beaux-Arts: 21mr, 22-23, 248b, 284-285go; Ente Nazionale Italiano per il Turismo: 358ml, mr; ET Archive: 14, 17br, 17mlo, 18br, 19bm, 23b, 27ml, 28bl, 31gor, 32gor, 37gor, 48bl, 306bl; Mary Evans Picture Library: 9, 18ml, 23ml, 24ml, 29gor, 30mo, 30go, 31b, 34bl, 34mr, 34gol, 54bl, 56bl, 67gol, 74b, 81go, 91b, 92go, 94gol, 127m, 135b, 135go, 213go.

Coraldo Falsini: 38-39m, 340go, 341b, 341m; Werner Forman Archive: 17mr, 20gol, 22bl, 23mr, 23gol, 23gor, 47br, 155b, 163br, 175m; Folklore Museum, Rome: 210gor.

Garden Picture Library: Bob Challinor 172mo; Giraudon: 15go, 28gor, 36gor, 55bl; Ronald Grant: 52gor, 340b.

Sonia Halliday: 19m, 22gor, 25ml; Laura Lushington 24gol; Robert Harding Picture Library: 23mrb, 32gol, 79mr, 177b, 268m, 353m; Mario Carrieri 35br; Caffè Greco, Rome van Ludwig Passini 309br; John G Ross 38bl, 59ml, 341go; Sheila Terry 39ml; G White 59gor; Michael Holford: 70go; Hulton Deutsch: 36bl, 38gom, 57mr, 63, 175go, 287m, 357m.

Magnum: Erich Lessing 15b, 17bl, 89gor; Mansell Collection: 19br, 25gol, 26gom, 31ml, 54gom, 55bm, 56ml, 57ml, 75ml, 75mr, 78bm, 93go, 112m, 122b, 125br, 126bl, 132gor, 133mr, 136gol, 139gol, 139gor, 162br, 172gol, 172 gor, 183gor, 192gol, 196gol, 210m, 220gol, 227mr, 229mr; Alinari 80gor, 141gol, 160bl, 174b, 254go; Anderson 78mr, 138gol, 163bl, 228go; Moro Roma: 36ml, 37ml, 38gor, 39br, 39gol.

National Portrait Gallery, Londen: 55mr, 55go, 56br, 57br; © Nippon Television Network Corporation, Tokyo 1992: 244b, 245b, 245gol, 245gor.

La Repubblica Trovaroma: 359bl; Rex Features: Sipa 366gor; Today 39mr.

Scala: 94b, 278ml, Casa di Augusto 97b, Chiesa del Gesù 115b, Galleria Borghese 32mlb, 260br, Galleria Colonna 157go, Galleria Doria Pamphili 46gor, 105mr, Galleria Spada 46ml, Galleria degli Uffizi 16-17, 27gol, Museo d'Arte Orientale 174b, 174gor, Musei Capitolini 47gol, Museo della Civiltà Romana 48br, 48go, Museo delle Terme 21br, Museo Napoleonico 49mr, Museo Nazionale, Napoli 21ml, Museo Nazionale, Ravenna 22ml, Museo del Risorgimento, Milano 36mlo, 36-37m, Museo del Risorgimento, Roma 37bl, Museo di San Marco 54gol, Palazzo Barberini 253gol, Palazzo Ducale 8, 19br, Palazzo della Farnesina 220ct, Palazzo Madama 20ml, Palazzo Venezia 47mr, 66gol, San Carlo alle Quattro Fontane 33ml, 33mr, Santa Cecilia in Trastevere 32bl, San Clemente 35gol, Santa Costanza 24-25m, Santa Maria Antiqua 24bl, Santa Maria dell'Anima 121b, Santa Maria Maggiore 43br, Santa Maria del Popolo 139br, 139m, Santa Prassede 26gol, 28gol, Santa Sabina 25bm, 29ml, Vaticaanse Musea 19gom, 25b, 25mr, 25mrb, 27mr, 29bl, 29mr, 30bl, 30ct, 31mr, 31gom, 32mr, 32mlo, 41br, 46bl, 48mr, 49gol, 224gol, 225mr, 235b, 238bl, 238gor, 240b, 240go, 241b, 241m, 241go, 242bl, 242m, 242go, 243b, 243m, 243go, 244-245m, 246ml, 246mr, 246go, 247bl, 247m, 247mr, 247go; Tony Stone: Richard Passmore 1m.

Topham Picture Source: 38ml.

Zefa: 2, 39bl, 230ml, 231gor, 356-357, 358b, 372b; Eric Carle 58b; Kohlhas 231b.

Onze dank gaat ook uit naar Dottoressa Giulia De Marchi van L'Accademia Nazionale di San Luca, Rome voor 160go, Rettore Padre Libianchi van La Chiesa di Sant'Ignazio di Loyola voor 106b, Ente Nazionale per il Turismo, Hassler Hotel, Rome voor 293bl, Grand Hotel, Rome voor 293crb en naar La Repubblica Trovaroma.

Algemene uitdrukkingen

NOODGEVALLEN

Nederlands	Italiano	Uitspraak
Help!	Aiuto!	a-joe-too
Stop!	Fermate!	fer-maa-te
Roep een dokter!	Chiama un medico!	kie-aa-maa oen mee-die-koo
Roep een ambulance	Chiama un' ambulanza	kie-aa-maa oen am-boe-lan-tsaa
Roep de politie	Chiama la polizia	kie-aa-maa laa pol-ietsie-aa
Roep de brandweer	Chiama i pompieri	kie-aa-maa ie pom-pjee-rie
Waar is de telefoon?	Dov'è il telefono?	doo-vè iel tee-lee-foo-noo?
Het dichtstbij-zijnde ziekenhuis?	L'ospedale più vicino?	los-pee-daa-le pjoe vie-tsjie-noo?

BASISWOORDEN

Nederlands	Italiano	Uitspraak
Ja/Nee	Sì/No	sie noo
Alstublieft	Per favore	per faa-voo-re
Dank u	Grazie	graa-tsie-e
Pardon	Mi scusi	mie skoe-zie
Hallo	Buon giorno	boe-on dzjor-noo
Tot ziens	Arrivederci	aa-rie-vee-der-tsjie
Goedenavond	Buona sera	boe-oo-naa see-raa
avond	la sera	laa see-raa
het pomeriggio	il pomeriggio	iel poo-mee-rie-dzjoo
ochtend	la mattina	laa maa-tie-naa
gisteren	ieri	jee-rie
vandaag	oggi	o-dzjie
morgen	domani	doo-maa-nie
hier	qui	kwie
daar	là	laa
Wat?	Quale?	kwaa-lee?
Wanneer?	Quando?	kwan-doo?
Waarom?	Perché?	per-kè?
Waar?	Dove?	doo-vè?

NUTTIGE ZINNEN

Nederlands	Italiano	Uitspraak
Hoe gaat het?	Come sta?	koo-me staa?
Heel goed, dank u.	Molto bene, grazie.	mol-too bee-nee graa-tsie-e
Prettig met u kennis te maken.	Piacere di conoscerla.	pjaa-tsjee-re die koo-noo-sjer-laa
Tot straks.	A più tardi.	aa pjoe taar-die
Oké.	Va bene.	vaa bee-ne
Waar is/Dove sono...?	Dov'è/Dove sono...?	doo-vè/doo-re soo-noo?
Hoe lang duurt het om in... te komen?	Quanto tempo ci vuole per andare a...?	kwan-too tem-poo tsjie voe-oo-le per an-daa-re aa...?
Hoe kom ik naar...?	Come faccio per andare a...?	koo-me faa-tsjoo per an-daa-re aa...?
Spreekt u Engels?	Parla inglese?	par-laa ien-glee-ze?
Ik begrijp het niet.	Non capisco.	non kaa-pie-skoo
Kunt u langzamer spreken.	Può parlare più lentamente, per favore?	poe-oo paar-laa-re pjoe len-taa-men-te per faa-voo-re
Het spijt me.	Mi dispiace.	mie die-spjaa-tsje

NUTTIGE WOORDEN

Nederlands	Italiano	Uitspraak
groot	grande	gran-de
klein	piccolo	pie-koo-loo
heet	caldo	kal-doo
koud	freddo	fre-doo
goed	buono	boe-oo-noo
slecht	cattivo	kaa-tie-voo
genoeg	basta	bas-taa
goed (bijwoord)	bene	bee-ne
open	aperto	aa-per-too
dicht	chiuso	kie-oe-zoo
links	a sinistra	aa sie-nie-straa
rechts	a destra	aa des-traa
dichtbij	vicino	vie-tsjie-noo
ver	lontano	lon-taa-noo
naar boven	su	soe
naar beneden	giù	dzjoe
vroeg	presto	pres-too
laat	tardi	taar-die
ingang	entrata	en-traa-taa
uitgang	uscita	oe-sjie-taa
toilet	il gabinetto	iel gaa-bie-net-too
vrij	libero	lie-bee-roo
gratis	gratuito	graa-toe-ie-too

WINKELEN

Nederlands	Italiano	Uitspraak
Hoeveel kost dit?	Quant'è, per favore?	kwan-tè per faa-voo-re?
Ik wil graag...	Vorrei...	vo-rrei
Heeft u...?	Avete...?	aa-vee-te?
Sto soltanto even	Sto soltanto guardando.	stoo sol-tan-too guar-dan-doo
Accepteert u creditcards?	Accettate carte di credito?	aa-tsjet-taa-te kar-te die kree-die-too?
Hoe laat gaat u open/dicht?	A che ora apre/chiude?	aa kee oo-raa aa-prè/kie-oe-de?
deze	questo	kwes-too
die	quello	kwel-loo
duur	caro	kaa-roo
goedkoop	a buon prezzo	aa boe-on pret-soo
maat, kleding	la taglia	laa taa-lje-aa
maat, schoenen	il numero	iel noe-mee-roo
wit	bianco	bje-ang-koo
zwart	nero	nee-roo
rood	rosso	ros-soo
geel	giallo	dzjal-loo
groen	verde	ver-de
blauw	blu	bloe
bruin	marrone	mar-roo-ne

SOORTEN WINKELS

Nederlands	Italiano	Uitspraak
antiekwinkel	l'antiquario	lan-tie-kwaa-rie-oo
bakker	la panetteria	laa paa-net-te-rie-aa
bank	la banca	laa bang-kaa
boekwinkel	la libreria	laa lie-bree-rie-aa
slager	la macelleria	laa maa-tsjel-lee-rie-aa
banketbakker	la pasticceria	laa pas-tie-tsjee-rie-aa
apotheek	la farmacia	laa far-maa-tsjie-aa
warenhuis	il grande magazzino	iel gran-de maa-ga-dzie-noo
delicatessenzaak	la salumeria	laa saa-loe-mee-rie-aa
viswinkel	la pescheria	laa pes-kee-rie-aa
bloemist	il fioraio	iel fjoo-raa-joo
groenteboer	il fruttivendolo	iel froe-tie-ven-doo-loo
kruidenier	alimentari	aa-lie-men-taa-rie
kapper	il parrucchiere	iel par-roe-kje-re
ijssalon	la gelateria	laa dzjel-laa-te-rie-aa
markt	il mercato	iel mer-kaa-too
kiosk	l'edicola	lee-die-koo-laa
postkantoor	l'ufficio postale	loe-fie-tsjoo pos-taa-le
schoenenwinkel	il negozio di scarpe	iel nee-goo-tsie-oo die skar-pe
supermarkt	il supermercato	iel soe-per-mer-kaa-too
tabakswinkel	il tabaccaio	iel taa-baa-kaa-joo
reisbureau	l'agenzia di viaggi	laa-dzjen-tsie-aa die vie-aa-dzjie

TELEFONEREN

Nederlands	Italiano	Uitspraak
Ik wil graag interlokaal telefoneren.	Vorrei fare una interurbana.	vo-rrei faa-re oe-naa ien-ter-oer-baa-naa
Ik wil graag een collect call maken.	Vorrei fare una telefonata a carico del destinatario.	vo-rrei faa-re oe-naa tee-lee-foo-naa-taa aa kaa-rie-koo del des-tie-naa-taa-rie-oo
Ik probeer het later nog eens.	Richiamo più tardi.	rie-kie-aa-moo pjoe taar-die
Kan ik een boodschap achterlaten?	Posso lasciare un messaggio?	pos-soo laa-sjaa-re oen mes-saa-dzjoo
Een ogenblik alstublieft.	Un attimo, per favore.	oen aa-tie-moo per faa-voo-re
Kunt u iets harder spreken, alstublieft?	Può parlare più forte, per favore?	poe-oo paar-laa-re pjoe for-te, per faa-voo-re?
lokaal gesprek	la telefonata locale	laa tee-lee-foo-naa-taa loo-kaa-le

SIGHTSEEING

Nederlands	Italiano	Uitspraak
galerie	la pinacoteca	laa pie-naa-koo-tee-kaa
bushalte	la fermata dell'autobus	laa fer-maa-taa del-loo-bocks
kerk	la chiesa	laa kje-zaa
	la basilica	laa baa-zie-lie-kaa
tuin	il giardino	iel dzjar-die-noo
bibliotheek	la biblioteca	laa bieb-lee-oo-tee-kaa
museum	il museo	iel moe-zee-oo
station	la stazione	laa staa-tsie-oo-ne
toeristenbureau	l'ufficio turistico	oe-fie-tsjoo toe-rie-stie-koo
Wegens feestdag gesloten	chiuso per la festa	kie-oe-zoo per laa fes-taa

VERBLIJF IN EEN HOTEL

Nederlands	Italiano	uitspraak
Heb u een kamer vrij?	Avete camere libere?	aa-vee-te kaa-me-re-lee-be-re?
tweepersoons-kamer	una camera doppia	oe-na kaa-me-rah doo-pee-ah
met twee-persoonsbed	un letto	oon let-too
kamer met twee eenpersoons-bedden	una camera con due letti	oena kaa-me-rah kon doo-e let-tie
aparte bedden	matrimoniale	maa-trie-moo-nee-aa-le
kamer met een persoonsbed	una camera singola	oena kaa-me-rah sing-goo-laa
kamer met bad, douche	una camera con bagno, con doccia	oena kaa-me-rah kon baa-nee-joo, kon doo-tsjaa
sleutel	la chiave	laa kee-aa-ve
Ik heb gereserveerd.	Ho fatto una prenotazione.	o faa-too oena pree-noo-taa-tsjoo-ne

UIT ETEN

Nederlands	Italiano	uitspraak
Ik wil een tafel voor ...?	Avete una tavola per ...?	aa-vee-te oena taa-voo-laa per ...?
tafel reserveren	Vorrei riservare una tavola.	vor-ree rie-zer-vaa-re oena taa-voo-laa
Ik ben vegetariër.	Sono vegetariano/a.	soo-noo ve-dzjee-taa-...
De rekening, alstublieft.	Il conto, per favore.	iel kon-too per faa-voo-re
ober	cameriere	kaa-me-ree-e-re
serveerster	cameriera	kaa-me-ree-e-raa
menu van de dag	menu del giorno	me-noe del dzjor-noo
vaste prijs	prezzo fisso	pret-soo-fie-soo
menu tegen vaste prijs	il menù a	iel me-noe aa
voorgerecht	antipasto	an-tie-paa-stoo
eerste gang	il primo	iel prie-moo
hoofdgerecht	il secondo	iel se-kon-doo
groenten	il contorno	iel kon-toor-noo
dessert	il dolce	iel dol-tsje
couvertkosten	il coperto	iel koo-per-too
wijnkaart	la lista dei vini	laa lie-staa dei vie-nie
rare	al sangue	al sang-bue
medium	al puntino	al poen-tie-noo
doorbakken	ben cotto	ben kot-too
glas	il bicchiere	iel bie-kjee-re
fles	la bottiglia	laa bot-tie-lee-jaa
mes	il coltello	iel kol-tel-loo
vork	la forchetta	laa for-ket-taa
lepel	il cucchiaio	iel koe-kjaa-joo

HET MENU

Nederlands	Italiano	uitspraak
aardappels	le patate	le paa-taa-te
artisjok	il carciofo	iel kar-tsjof-foo
aubergine	la melanzana	laa me-lan-tsaa-naa
azijn	l'aceto	laa-tsje-too
bier	la birra	laa bie-raa
bonen	i fagioli	ie faa-dzjoo-lie
brood	il pane	iel paa-ne
boter	il burro	iel boer-roo
bouillon	il brodo	iel broo-doo
broodje	il panino	iel paa-nie-noo
courgettes	gli zucchini	lje dzoe-kie-nie
druiven	l'uva	loe-vaa
ei	l'uovo	loe-oo-voo
garnalen	i gamberi	ie gam-be-rie
gebakken	al forno	al for-noo
gebraad	arrosto	ar-ros-too
gegrild	alla griglia	al-laa grie-lee-jaa
gekookt	lesso	les-soo
groenten	i legumi	ie le-goe-mie
ham	il prosciutto	iel proo-sjoet-too
gekookt/rauw	cotto/crudo	kot-too/kroe-doo
ijs	il gelato	iel dzje-laa-too
kaas	il formaggio	iel for-maa-dzjoo
kalfsvlees	il vitello	iel vie-tel-loo
kip	il pollo	iel pol-loo
knoflook	l'aglio	laa-lee-joo
koffie	il caffè	iel kaf-fè
kreeft	l'aragosta	laa-raa-gos-taa
kruidenthee	la tisana	laa tie-zaa-naa
lamsvlees	l'abbacchio	lab-baak-kjoo
melk	il latte	iel laat-te
mineraalwater	l'acqua minerale	laak-bua mie-nie-...
met/zonder koolzuur	gasata/naturale	ga-zaa-taa/naa-...
mosselen	le vongole	le von-goo-le
olie	l'olio	loo-lee-joo
olijf	l'oliva	loo-lie-vaa
paddestoelen	i funghi	ie foen-gie
patat	patatine fritte	paa-taa-tie-ne...
peper	il pepe	iel pee-pe
perzik	la pesca	laa pes-kaa
rijst	il riso	iel rie-zoo
rode wijn	vino rosso	vie-noo ros-soo
rundvlees	il manzo	iel man-tsoo
salade	l'insalata	lien-saa-laa-taa
sinaasappel/citroensap	succo d'arancia/di limone	soe-koo daa-ran-tsjaa/di lie-moo-ne
sinaasappel	l'arancia	laa-ran-tsjaa
soep	la zuppa,	laa tsoe-paa
suiker	lo zucchero	loo zoek-ke-roo
taart	la torta	laa tor-taa
thee	il tè	iel tè
tomaat	il pomodoro	iel poo-moo-doo-roo
tonijn	il tonno	iel ton-noo
ui	la cipolla	laa tsjie-pol-laa
varkensvlees	carne di maiale	kar-ne die maa-jaa-le
vers fruit	frutta fresca	froet-taa-fres-kaa
vis	il pesce	iel pee-sje
vlees	la carne	laa kar-ne
water	l'acqua	laak-bua
witte wijn	vino bianco	vie-noo bee-ang-koo
worst	la salsiccia	laa sal-sie-tsjaa
zeevruchten	frutti di mare	froet-tie die maa-re
zout	il sale	iel saa-le

GETALLEN

	Italiano	uitspraak
1	uno	oo-noo
2	due	doo-e
3	tre	tree
4	quattro	kuat-troo
5	cinque	tsjieng-bue
6	sei	sèi
7	sette	set-te
8	otto	ot-too
9	nove	noo-ve
10	dieci	djee-tsje
11	undici	oen-die-tsje
12	dodici	doo-die-tsje
13	tredici	tree-die-tsje
14	quattordici	kuat-tor-die-tsje
15	quindici	kuin-die-tsje
16	sedici	see-die-tsje
17	diciassette	die-tsjas-set-te
18	diciotto	die-tsjot-too
19	diciannove	die-tsjan-noo-ve
20	venti	ven-tie
30	trenta	tren-taa
40	quaranta	kuaa-ran-taa
50	cinquanta	tsjieng-kuan-taa
60	sessanta	ses-san-taa
70	settanta	set-tan-taa
80	ottanta	ot-tan-taa
90	novanta	noo-van-taa
100	cento	tsjen-too
1000	mille	mie-le
2000	duemila	doo-e-mie-laa
5000	cinquemila	tsjieng-bue-mie-laa
1.000.000	un milione	oen mie-lee-joo-ne

TIJD

Nederlands	Italiano	uitspraak
een minuut	un minuto	oen mie-noe-too
een uur	un'ora	oen oo-raa
een half uur	mezz'ora	medz-oo-raa
een dag	un giorno	oen dzjor-noo
een week	una settimana	oena set-tie-maa-naa
maandag	lunedì	loe-ne-die
dinsdag	martedì	mar-te-die
woensdag	mercoledì	mer-koo-le-die
donderdag	giovedì	dzjoo-ve-die
vrijdag	venerdì	vee-ner-die
zaterdag	sabato	saa-baa-too
zondag	domenica	doo-mee-nie-kaa

Pinnen

in Ned : 200,— (Belg+ It.)
in België : 55,—
in Italië
  − 1 mei : 150.000 Lires (≈ 18g=)
  2 mei : ——————
  3 mei : 300.000 Lires (≈ 360,=)
  4 mei :
  5 mei : 400.000 Lires (≈ 500=)

Pal.spagna+
Napels

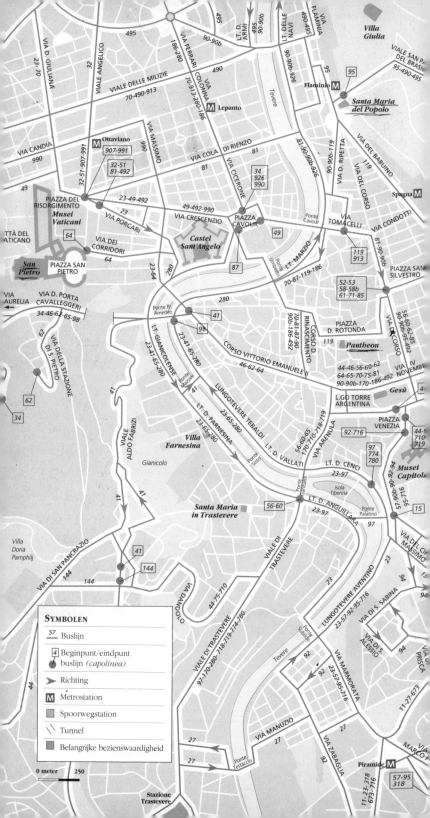